TOME 3
de la Nouvelle-France
au Québec actuel

ANTHOLOGIE

CONFRONTATION DES ÉCRIVAINS D'HIER À AUJOURD'HUI

Sous la direction d'André G. Turcotte

Jacques Beaudry (Chanson et rubrique « Écriture littéraire ») –
Cégep de Saint-Jérôme
Liette Bergeron (1900-1945) – Cégep de Sherbrooke
Gérald Gaudet (de 1980 à aujourd'hui) – Cégep de Trois-Rivières
Annissa Laplante (Écrits de femmes) – Cégep de Sherbrooke
Raymond Paul (Nouvelle-France / 1945-1980) – Collège Édouard-Montpetit
Anne-Marie Pepin (1837-1900 / Méthodologie) – Collège Marie-Victorin
Nathalie Roy (1945-1980) – Collège Marie-Victorin
Norbert Spehner (Écrits populaires : le fantastique, le polar, la fantasy) –
Collège Édouard-Montpetit

Avec la collaboration de Josée Bergeron – Collège Marie-Victorin
et Julia Pawlowicz – Collège Édouard-Montpetit
(rubrique « Art et littérature » et textes accompagnant les œuv

MODULO

Nous reconnaissons l'aide financière du gouvernement du Canada par l'entremise du Programme d'Aide au Développement de l'Industrie de l'Édition (PADIÉ) pour nos activités d'édition.

Catalogage avant publication de Bibliothèque et Archives nationales du Québec et Bibliothèque et Archives Canada

Vedette principale au titre :

Anthologie : confrontation des écrivains d'hier à aujourd'hui

Comprend des réf. bibliogr. et un index.

Sommaire : t. 1. Du Moyen Âge à 1850 -- t. 2. De 1850 à nos jours. -- t. 3. De la Nouvelle-France au Québec d'aujourd'hui.

Pour les étudiants du niveau collégial.

ISBN 2-89443-243-7 (v. 1)
ISBN 2-89443-244-5 (v. 2)
ISBN 978-2-89593-617-6 (v. 3)

1. Littérature française. 2. Littérature québécoise. 3. Littérature française - Histoire et critique. 4. Écrivains français. 5. Littérature française - Problèmes et exercices. I. Titre : Confrontation des écrivains d'hier à aujourd'hui. II. Turcotte, André G.

PQ1109.A54 2005   840.8   C2005-940766-2

Équipe de production

Éditeur : Sylvain Garneau
Chargée de projet : Renée Théorêt
Révision linguistique : Monelle Gélinas
Correction d'épreuves : Isabelle Canarelli, Audrey Faille, Monelle Gélinas, Manon Lewis
Typographie et montage : Pige Communication, Dominique Chabot, Carole Deslandes, Suzanne L'Heureux, Nathalie Ménard
Maquette et couverture : Marguerite Gouin

Illustration de la couverture : MARCELLE FERRON (1924-2001). *Ombres palpées*, 1963. (Huile sur toile : 162,8 × 131 cm, don du Dr John A. Oliver à la mémoire de son épouse Jean Crawford Oliver, collection du Musée des beaux-arts de Montréal.)

Anthologie : confrontation des écrivains d'hier à aujourd'hui

TOME 3 : de la Nouvelle-France au Québec actuel

© Groupe Modulo, 2007
5800, rue Saint – Denis, bureau 1102
Montréal (Québec) H2S 3L5
Canada
Téléphone : 514 738-9818 / 1 888 738-9818
Télécopieur : 514 738-5838 / 1 888 273-5247
Site Internet : www.groupemodulo.com

Dépôt légal — Bibliothèque et Archives nationales du Québec, 2007
Bibliothèque et Archives Canada, 2007
ISBN 978-2-89593-617-6

Imprimé au Canada
3 4 5   14 13 12

REMERCIEMENTS

La réalisation de cet ouvrage pour l'enseignement de la littérature québécoise s'est révélée une aventure passionnante et exigeante. Comment structurer l'ouvrage ? Faut-il faire place aux écrits de la période coloniale française ? Quelle importance donner aux écrits du XIXᵉ siècle ? Comment découper le XXᵉ siècle ? Qui reconnaître comme auteur québécois ? Quels auteurs privilégier ? Quels thèmes aborder ?

Pour résoudre ces questions de départ et bien d'autres en cours de route, j'ai reçu des conseils de personnes généreuses que je tiens à remercier particulièrement : Monique LaRue, auteure, membre de l'Académie des lettres du Québec et professeure au Collège Édouard-Montpetit ; Jean Royer, auteur et membre de l'Académie des lettres du Québec ; Lise Maisonneuve, professeure au Collège Édouard-Montpetit ; Marcel Goulet, professeur au Collège Édouard-Montpetit ; Michel Forest, auteur dans les tomes 1 et 2 de cette collection et professeur au Cégep de Saint-Laurent ; Germaine Mornard, auteure dans le tome 1 de cette collection et professeure au Collège Édouard-Montpetit.

Les choix que j'ai faits et transmis à l'équipe de professeurs aguerris qui avaient accepté d'être les auteurs de cet ouvrage ont été accueillis comme il se doit : des débats ardents et passionnés ? Oui ! Des insultes suprêmes ? Non ! Mais la volonté de réaliser un ouvrage différent, présentant un regard neuf, original sur notre littérature, et une énergie débordante pour traverser les difficultés, voilà ce que j'ai trouvé autour de la table. Merci très sincère à tous les auteurs et collaborateurs. J'ai beaucoup aimé travailler avec vous à la réalisation de cet ouvrage.

Et bravo à l'éditeur, Sylvain Garneau, et à l'équipe éditoriale de Groupe Modulo qui travaille avec compétence et finesse, sous la supervision de Renée Théorêt, à résoudre tous les problèmes de production et à livrer un ouvrage très bien fait que l'on souhaite posséder et mettre entre les mains des élèves. Merci à l'éditeur d'avoir permis la création de cet ouvrage et des deux qui l'ont précédé ; si leur production fut coûteuse notamment en temps et en énergie, elle ajoute à notre patrimoine livresque de beaux ouvrages dédiés à l'enseignement.

André G. Turcotte

Table des matières

CHAPITRE **2** ## LA LITTÉRATURE DU XIXᵉ SIÈCLE : ENTRE LA SOUMISSION ET LA CONTESTATION

CHAPITRE **4** CHANGER LE COURS DE L'HISTOIRE, 1945-1980

CHAPITRE **5** L'EXPLORATION DES TERRITOIRES INTÉRIEURS, DE 1980 À AUJOURD'HUI

CHAPITRE **6** DE L'ANALYSE DE TEXTE
À LA DISSERTATION CRITIQUE

LETTRE AUX CÉGÉPIENNES ET AUX CÉGÉPIENS

J'ai fait de plus loin que moi un voyage abracadabrant
il y a longtemps que je ne m'étais pas revu
me voici en moi comme un homme dans une maison
qui s'est faite en son absence
je te salue, silence

je ne suis plus revenu pour revenir
je suis arrivé à ce qui commence

Gaston Miron, 1970

U N AUTRE COURS de littérature! Un autre livre de littérature! Pourquoi vous impose-t-on tout cela? Autour de vous, on dit souvent que la grandeur de la littérature réside dans la gratuité du geste de lire. À mes yeux, c'est tout le contraire ou presque. Non qu'il n'y ait pas de place pour le plaisir né du geste fait sans obligation, de la découverte de l'inattendu. Mais pour mieux réussir à comprendre les êtres et les réalités humaines, se tourner vers la littérature me paraît un geste nécessaire, essentiel et rentable (Oh le vilain mot!). La véritable grandeur de la littérature vient de ce qu'elle nourrit notre sensibilité, notre esprit, notre âme, de sentiments, d'idées, de beauté et que cela est porteur de changements profonds dans notre regard sur nous-même, dans notre rapport aux autres, dans la conduite de notre vie.

Dans la société actuelle, nous affrontons des situations de plus en plus complexes et difficiles à assumer. Tous les jours, la radio, la télévision, les journaux, notre entourage, soulèvent des questions embarrassantes tant sur le plan éthique et politique que du point de vue culturel et social: comment réagir devant celui qui souffre d'une maladie chronique sans chance de s'en remettre et qui demande l'autorisation d'en finir? Comment répondre à celui qui, pour respecter les préceptes de sa religion, souhaite un changement dans ses conditions de travail? Comment traiter le collègue qui depuis des jours ne donne plus le rendement attendu parce qu'il est bouleversé par les conflits familiaux (maladie, drogue, violence, etc.)? Comment réagir aux confidences d'un ami qui nous révèle son attirance pour des personnes de son sexe? Et cette liste de questions est bien sommaire quand on pense aux conflits dans les rapports hommes-femmes, aux problèmes écologiques de la planète, à la société de consommation qui transforme tout en biens à «consommer-puis-jeter-sans réfléchir», à l'internationalisation des marchés et aux menaces qu'elle fait peser sur les cultures nationales et régionales, aux rapports délicats entre la science, la technologie et l'être humain.

Devant ces questions sans réponses toutes faites, peut-on se priver de faire une pause et de demander à ceux et celles qu'elles intéressent au plus haut point de nous proposer leur regard, leur analyse, leur point de vue ? Que ce soit sous la forme d'essais, de récits, de poèmes, des auteurs sentent l'urgence, le besoin de dire, de raconter. Ils en font un devoir de mémoire ou écrivent pour émerveiller, révéler, comprendre, partager, le plus souvent en contestant les modes de pensée préfabriqués. N'avons-nous pas le devoir complémentaire de nous ouvrir au monde des lettres pour les mêmes raisons ?

Que pouvons-nous gagner à examiner notre littérature ? Dans nos rapports quotidiens avec les autres quels qu'ils soient, peut-il nous être utile de savoir dans quel esprit certains explorateurs et certains religieux ont abordé le Nouveau Monde et les nations amérindiennes en venant en Nouvelle-France ? Cela aurait-il laissé des traces dans notre perception du territoire nord-américain, dans nos rapports avec les Amérindiens, avec les hommes et les femmes qui quittent leur terre d'origine pour venir vivre avec nous ? Peut-il nous être utile de savoir pourquoi nous nous sommes appelés Canadiens, puis Canadiens français et enfin Québécois ? Cela peut-il éclairer nos choix et nos actes dans nos rapports avec les anglophones que nous côtoyons, qu'ils soient du Québec ou du reste du Canada, et les décisions politiques que nous prenons comme citoyens vivant dans une démocratie qui s'interroge sur son identité et son avenir politique ? Et la place de la religion dans notre société : on se demande si l'on doit ou non laisser le crucifix dans le parlement, faire la prière avant une séance de conseil municipal, permettre aux élèves de porter des symboles religieux dans l'école. Pourrait-il être éclairant de connaître le rôle joué par l'institution religieuse dans notre histoire sociale, politique et culturelle ? Cela nous apporterait-il des lumières sur la position à prendre face à la religion et sur la façon de répondre aux demandes des Néo-Québécois quant à leur pratique religieuse ?

Loin d'être exhaustif, cet ouvrage de littérature ne prétend pas témoigner de tout ce qu'il y a d'important dans notre littérature. Cependant, dans leurs choix, les auteurs ont opté pour des œuvres francophones publiées au Québec qui ont marqué notre univers culturel et représenté des jalons sur les divers chemins que nos écrivains ont empruntés. Nous vous proposons un ouvrage nettement nord-américain, avant tout francophone, avec quelques ouvertures sur des œuvres ou des écrits amérindiens, anglo-canadiens, états-uniens ou sud-américains. Nous avons voulu faire ressortir les racines coloniales de notre société, montrer l'évolution qui nous a fait passer d'écrits sur le caractère social et politique de notre identité avec ses utopies et ses plongées réalistes, à des œuvres beaucoup plus personnelles dont le propos touche des questions plus intimes, souvent plus douloureuses. Cette quête d'identité change et devient, plus récemment, une réflexion sur les possibles que chacun porte en soi et actualise ou refuse par ses choix, bien souvent inconscients.

Êtes-vous prêts à entrer dans la « maison », à découvrir les diverses dimensions qui fondent notre réalité québécoise actuelle en explorant les écrits passés et récents de notre littérature ? À voir comment des œuvres picturales et d'autres créations artistiques ont suivi le même chemin des idées et des sentiments ? À tenter l'expérience de l'écriture dans l'esprit ou les formes proposés par nos écrivains ? Acceptez-vous d'aller à la découverte d'une institution littéraire qui s'est construit une place au fur et à mesure de la création d'œuvres, de maisons d'édition, de prix jusqu'au tout récent Prix littéraire des collégiens ?

Après tout, le seul risque qui vous guette est, finalement, d'y prendre goût, de devenir quelqu'un pour qui la lecture littéraire fera dorénavant partie de la vie.

Vous voilà arrivés au seuil de « ce qui commence ». Belles découvertes !

André G. Turcotte

ÉCRITS DE LA NOUVELLE-FRANCE

On ne connaît aucun portrait authentique de Jacques Cartier. La physionomie qu'on lui attribue — et qui sert de « portrait officiel » — aurait été inspirée de la représentation d'un homme à l'identité incertaine figurant au bas d'une carte de l'époque. Cette gravure représente Cartier en véritable homme de la Renaissance. Le compas et le globe terrestre évoquent le goût pour les sciences et les découvertes. Le regard de Cartier dirigé vers le Canada illustre bien l'esprit d'ouverture propre à l'humanisme de la Renaissance.

AVANTAGES DE LA NOUVELLE-FRANCE

O R SANS METTRE EN JEU les mines, il se pourra tirer en Nouvelle-France du profit des diverses pelleteries qui y sont, lesquelles je trouve n'être à mépriser, puisque nous voyons qu'il y a tant d'envie contre un privilège que le roi avait octroyé au sieur de Monts pour aider à y établir et fonder quelque colonie française et maintenant, par je ne sais quelle fatalité, est révoqué.

Mais il se pourra tirer une commodité générale à la France, qu'en la nécessité de vivres, une province secourra l'autre ; ce qui se ferait maintenant si le pays était bien habité ; vu que depuis nos voyages les saisons y ont toujours été bonnes et par-deçà rudes au pauvre peuple qui meurt de faim et ne vit qu'en disette et langueur ; au lieu que là plusieurs pourraient être à leur aise, lesquels il vaudrait mieux conserver que de les laisser périr comme ils font, tant il y a de sangsues du peuple de toutes sortes. D'ailleurs la pêcherie se faisant en la Nouvelle-France, les terre-neuviers n'auront à faire qu'à charger leurs vaisseaux arrivant là, au lieu qu'ils sont contraints d'y demeurer trois mois et pourront faire trois voyages par an au lieu d'un.

De bois exquis je n'y sache que le cèdre et le sassafras ; mais des sapins et pins se pourra tirer un bon profit, parce qu'ils rendent de la gomme fort abondamment et meurent bien souvent de trop de graisse. Cette gomme est belle comme la térébentine de Venise et fort souveraine à la pharmacie. J'en ai baillé à quelques églises de Paris pour encenser, laquelle a été trouvée fort bonne. On pourra davantage fournir des cendres à la ville de Paris et autres lieux de France, qui dorénavant s'en vont tout découverts et sans bois.

Ceux qui se trouveront ici affligés pourront avoir là une agréable retraite plutôt que de se rendre sujets à l'Espagnol comme font plusieurs. Tant de familles qu'il y a en France, surchargées d'enfants, pourront se diviser et prendre là leur partage avec un peu de bien qu'elles auront. Puis le temps découvrira quelque chose de nouveau, et faut aider à tout le monde s'il est possible.

Mais le bien principal à quoi il faut butter, c'est l'établissement de la religion chrétienne en un pays où Dieu n'est point connu et la conversion de ces pauvres peuples dont la perdition crie vengeance contre ceux qui peuvent et doivent s'employer à cela et contribuer au moins de leurs moyens à cet effet, puisqu'ils écument la graisse de la terre et sont constitués économes des choses d'ici-bas.

Marc LESCARBOT, *Histoire de la Nouvelle-France*, 1609.

DATES	ÉVÉNEMENTS POLITIQUES	ÉVÉNEMENTS SOCIOCULTURELS
1491		Naissance de Jacques Cartier (†1557).
1492	Découverte de l'Amérique par Christophe Colomb.	
1497	Découverte de Terre-Neuve par les frères Cabot.	
1534	Premier voyage de Jacques Cartier : découverte de l'estuaire du Saint-Laurent.	Premier échange commercial dûment constaté entre Européens et Amérindiens.
1535-1536	Deuxième voyage de Jacques Cartier : exploration du fleuve Saint-Laurent.	Expérience de l'hiver laurentien : les hommes profitent du remède amérindien contre le scorbut.
1538	Projet d'une colonie française le long du Saint-Laurent.	
1541-1542	Troisième voyage de Jacques Cartier et entreprise de colonisation par Roberval.	Cartier, *Bref récit*.
1567-1570		Naissance de Champlain (†1635). — Naissance de Lescarbot (†1640).
Vers 1590		Naissance de Sagard (†1636).
1599		Naissance de Marie de l'Incarnation (†1672).
1603	Premier voyage de Champlain.	Champlain, *Des Sauvages*.
1604	Deuxième voyage de Champlain : Lescarbot fait partie du groupe.	
1608	Troisième voyage de Champlain : fondation de la ville de Québec.	
1609		Lescarbot, *Histoire de la Nouvelle-France*.
1613-1614		Champlain, *Voyages*.
1619	Champlain, lieutenant-gouverneur de la colonie.	Champlain, autre série des *Voyages*. — Naissance de l'artiste Le Brun (†1690).
1627	Création de la Compagnie des Cent-Associés.	
1632		Champlain, dernière série des *Voyages*. — Sagard, *Le grand voyage du pays des Hurons*.
1634	Champlain envoie Laviolette fonder Trois-Rivières.	Naissance du jésuite Louis Nicolas († ?).
1639		Arrivée de Marie de l'Incarnation à Québec.
1642	Fondation de la ville de Montréal par Maisonneuve.	
1665	La colonie compte 3 212 habitants.	
1666		Naissance de Lahontan (†1715).
1677		Marie de l'Incarnation, *Les Relations*.
1681	La population est de 9 677 habitants.	Marie de l'Incarnation, *Correspondance*.
1683		Arrivée de Lahontan au Canada.
1696		Naissance d'Élisabeth Bégon (†1755).
1703		Lahontan, *Dialogues de Monsieur le Baron de Lahontan et d'un sauvage dans l'Amérique*.
1706	La population est de 16 417 habitants.	
1726	La population est de 29 396 habitants.	
1748		Début de la correspondance d'Élisabeth Bégon.
1754	La population est de 55 000 habitants.	
1755	Déportation des Acadiens.	
1759	Défaite des Français aux plaines d'Abraham.	
1763	Le traité de Paris cède la Nouvelle-France à l'Angleterre, à l'exception des îles Saint-Pierre et Miquelon. — Mandement de l'évêque de Québec, Mgr Briand, prêchant la soumission au nouveau monarque.	
1765	La population est de 69 810 habitants.	
1774	L'Acte de Québec reconnaît la religion catholique et les lois et coutumes françaises, et assure ainsi le maintien du régime seigneurial.	
1776	Guerre d'indépendance des États-Unis.	
1783	Immigration des loyalistes américains.	
1791	L'Acte constitutionnel divise le pays en deux entités administratives : le Haut-Canada et le Bas-Canada.	

L ORSQUE LA FRANCE décide d'explorer elle aussi le continent découvert par Christophe Colomb en 1492, elle s'inscrit dans un exercice largement dominé par les Espagnols et les Portugais. C'est vers le nord qu'on envoie Jacques Cartier découvrir plus avant ce pays de neige et de glace que les premiers explorateurs ont désigné sous le nom de la Terre-Neuve.

LA QUÊTE DE PUISSANCE ET D'ARGENT

Les richesses tirées du Nouveau Monde suscitent l'envie. Le navigateur a reçu l'ordre d'explorer la barrière continentale dans l'espoir de découvrir un passage qui ouvrirait l'accès à l'Asie et à ses fabuleux trésors. Jacques Cartier espère en outre rapporter de l'or et des diamants de ces contrées inconnues. Leurré par la pyrite de fer et le quartz qu'il trouve au Cap-Rouge, il s'empresse de les présenter au roi. L'illusion dissipée donne naissance au proverbe *Faux comme diamants du Canada*, qui en dit long sur les motifs de ces explorations.

LA SOIF DE CONNAISSANCES

Jacques Cartier est toutefois un homme de la Renaissance, curieux de savoir comment le monde est fait et de découvrir le mode de vie des habitants de ces espaces inconnus. Il est fasciné par la beauté sauvage d'un continent à la faune et à la flore si différentes de celles de sa Bretagne d'origine. Il est curieux de la manière de vivre des Amérindiens, de leur vie sociale fort éloignée de la retenue européenne, de certaines de leurs habitudes comme cet usage immodéré du tabac qui fait que le corps s'emplit de fumée à un point tel qu'elle sort par la bouche et par les narines « comme par un tuyau de cheminée ». Son récit rend compte de la curiosité qui l'anime et répond, chez ses lecteurs, à un goût très marqué pour l'exotisme et le dépaysement.

L'IMPLANTATION D'UNE COLONIE FRANÇAISE EN NOUVELLE-FRANCE

L'échec d'une première tentative de colonisation par Roberval lors du troisième voyage de Jacques Cartier et la décision d'implanter une colonie française au Brésil en 1555 laissent les rives du Saint-Laurent aux seules mains des marchands avides de profits. Mais la ténacité de Samuel de Champlain à vouloir transformer le simple comptoir à fourrures de « la pointe de Québec » en une colonie commerciale fait bouger les choses. Il rédige des mémoires qui se transforment en manifestes de colonisation dans lesquels il met en relief les avantages du pays, comme le fera aussi Marc Lescarbot qui l'avait accompagné lors de son second voyage. Il insiste sur les richesses : le bois, les fourrures et l'abondance de poissons. Il souligne que, les terres étant nombreuses et fertiles, d'éventuels colons pourraient y vivre de l'agriculture. Il se heurte toutefois aux marchands désireux de maintenir leur emprise sur les lieux. Son projet se concrétise finalement quand Richelieu, ce puissant ministre de Louis XIII, crée en 1627 la Compagnie des Cent-Associés dont la fonction sera de réorganiser la colonie française pour y établir une colonie commerciale.

LE RAPPORT AVEC LES AMÉRINDIENS

Jacques Cartier a, le premier, constaté deux modes culturels fort différents chez les Amérindiens. Il y a les nomades qu'il rencontre d'abord et qui lui font une vive impression. Quoique de « belle corpulence », ils lui semblent frustres et ont une allure rébarbative : « Ils ont leurs cheveux liés sur leur tête, en façon d'une poignée de foin tressé, et un clou passé parmi. » Toutefois, les Hurons et les Iroquois, plus sédentaires puisqu'ils vivent de chasse et d'agriculture, lui paraissent plus évolués. Il est surpris de la manière dont ils tirent parti de leur environnement et de l'ingéniosité des fortifications entourant leur bourgade qu'il qualifie de ville. Le frère Sagard, un siècle plus tard, confirme ces qualités, précisant que la « Raison » n'est pas nécessairement européenne. Toutefois, les religieux s'efforcent de réprimer la liberté sexuelle et de civiliser une culture qu'ils jugent primitive. Conjointement à la colonisation, on veut en effet faire œuvre d'évangélisation, et l'on a confié cette tâche aux Récollets.

Bien qu'ils aient tendance à considérer ceux qu'ils appellent « Indiens » comme des êtres primitifs, les Européens font appel à leur connaissance du pays pour l'explorer, s'y installer et se lancer dans le commerce de la fourrure, impossible sans leur aide. Attirés par les cadeaux des commerçants, les autochtones vont se retrouver en rivalité les uns avec les autres et s'engager dans des luttes tribales pour s'approprier les meilleurs territoires de chasse. Ainsi le système d'échange sur lequel les Européens fondent leur commerce modifie-t-il de fond en comble le mode de vie des Amérindiens en changeant le rapport de l'individu avec le groupe et celui des tribus entre elles.

UNE SOCIÉTÉ FORTEMENT HIÉRARCHISÉE ET CONSERVATRICE

La colonisation reproduit en Amérique le modèle européen d'une société fortement hiérarchisée dans laquelle le conservatisme triomphe. Les nobles, les grands propriétaires fonciers et les cadres de l'administration coloniale sont les premiers bénéficiaires du régime seigneurial importé en Nouvelle-France. Ils occupent donc le sommet de l'échelle sociale. Les bourgeois, engagés plus particulièrement dans le négoce, forment avec eux une élite qui fréquente les salons où l'on donne des bals pour la bonne société, ce dont témoignent les lettres d'Élisabeth Bégon. On s'intéresse aux idées et à la lecture, on y parle aussi de science et de découvertes, et les livres conservés dans des bibliothèques privées deviennent signes de richesse dans une colonie qui ne possède pas d'imprimerie. De leur côté, les gens du peuple, colons ou artisans, pour la plupart analphabètes, baignent dans une culture fort différente, caractérisée par le folklore, le chant et les légendes, et se trouvent donc beaucoup plus près culturellement des Amérindiens que de ceux qui dirigent les destinées politiques et économiques de la colonie. Cette situation favorise d'ailleurs les mariages entre Français d'origine et Indiennes.

LES ÉCRITS DE LA NOUVELLE-FRANCE

La littérature coloniale, depuis les premiers récits de Jacques Cartier jusqu'à la Conquête de 1759, veut cerner ce nouveau pays et illustrer les efforts consentis pour l'apprivoiser. Les auteurs s'adressent à des lecteurs européens curieux de connaître les secrets de ces nouveaux mondes et avides d'exotisme. C'est ainsi que les premiers textes à présenter les abords du Saint-Laurent décrivent la faune et la flore, dressent des inventaires, du connu à l'inconnu, et font le portrait des Amérindiens en parsemant le récit de mots de leur langue. À l'incapacité de la langue à désigner une réalité inconnue s'ajoutent l'émerveillement de la découverte et la difficulté d'en rendre compte. La lecture de ces textes donne de l'information sur la réalité à laquelle l'auteur fait face, mais révèle aussi le système de valeurs de ce dernier.

Ces récits relèvent tous de l'essai. Ceux qui écrivent utilisent les mots comme des outils pour se situer par rapport à la réalité, mais aussi pour l'appréhender. La manie qu'a l'explorateur de désigner les lieux qu'il visite n'est pas anodine : nommer permet non seulement de classer et de codifier, mais aussi de prendre possession.

LE POINT DE VUE DES EXPLORATEURS

ES EXPLORATIONS de Jean et Sébastien Cabot dès 1497, celles de Gaspar et Miguel Corte Real en 1500 et 1502, puis celles, une vingtaine d'années plus tard, de Giovanni da Verrazano montrent l'intérêt majeur que certaines capitales européennes portent au continent découvert par Christophe Colomb. Les rivalités entre les différentes puissances politiques engagées dans cette course aux richesses que leur vaudrait la découverte d'un passage vers l'Orient balisent les voyages de Cartier et de Champlain. Les deux hommes tentent, par leurs écrits, de décrire et d'inventorier le pays et ses habitants. À l'enthousiasme d'un Jacques Cartier qui s'émerveille de ce qu'il voit, répond, chez Champlain, la rationalité d'un observateur qui compare les lieux visités dans l'espoir de trouver des sites propices à l'implantation d'une colonie. À la curiosité du premier qui observe les mœurs des Amérindiens et tente de comprendre leur manière d'être et d'occuper l'espace, s'oppose le regard dominateur du second qui juge et condamne selon ses propres critères moraux.

Jacques Cartier (1491-1557)

Jacques Cartier naît en 1491 à Saint-Malo, l'année même où ce port autrefois annexé au royaume du duc de Bretagne est rattaché au domaine de France. C'est de là qu'il part en 1534 pour explorer le nord de l'Amérique afin de découvrir s'il existe un passage permettant d'atteindre l'Asie par l'Ouest. Il emprunte le détroit de Belle-Isle et découvre le golfe du Saint-Laurent, qu'il qualifie de mer intérieure et dont il dresse la carte. C'est à Gaspé qu'il prend possession du pays au nom de François Ier. Lors de son deuxième voyage, l'année suivante, il découvre le Saint-Laurent et divers affluents navigables. Il fonde en amont de Québec un établissement qui lui servira de quartier d'hiver et va jusqu'à Hochelaga (Montréal) où des rapides l'empêchent de poursuivre son exploration. Lui et ses hommes seront les premiers à vivre et à faire l'expérience de ce qu'est l'hiver laurentien, au froid extrême. Ils contractent le scorbut, mais d'un équipage de cent dix membres, quatre-vingt-cinq survivent grâce au recours à un remède indigène composé de feuilles de cèdre blanc. À son retour en France, Cartier ramène avec lui des Iroquois et trace l'ébauche d'un premier lexique.

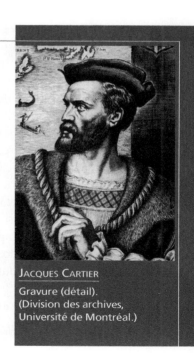

JACQUES CARTIER
Gravure (détail).
(Division des archives,
Université de Montréal.)

■ RÉCIT DE VOYAGE (1542)

Les éditions originales des trois récits de Jacques Cartier n'ont pas été retrouvées. C'est grâce à des copies anciennes des récits des deux premières expéditions, conservées à la Bibliothèque nationale de Paris, et à un fragment de celui du troisième voyage trouvé à Londres dans une version anglaise que nous avons accès aux textes de celui qu'on a surnommé « le découvreur du Canada ». Si cette association est discutable, il reste que Cartier fut le premier Européen à faire connaître des éléments fondamentaux de la civilisation et du mode de vie amérindiens le long des rives du Saint-Laurent. Ses récits forment le plus ancien témoignage écrit sur ces régions couvertes de forêts et traversées par un fleuve « grand, large et spacieux ». Ses observations détaillées font aussi état de formes de vie alors inconnues des Européens, comme le phoque. Sa curiosité le pousse à vouloir connaître ce pays et ses habitants. Le 2 octobre 1535, il visite Hochelaga, une bourgade d'Iroquois située au pied du mont Royal.

VIII La capitale de l'Iroquoisie laurentienne

Le lendemain, au plus matin, le capitaine se accoutra et fit mettre ses gens en ordre, pour aller voir la ville et demeurance dudit peuple, et une montagne qui est jacente à ladite ville,
5 où allèrent avec ledit capitaine les gentils-hommes et vingt mariniers, et laissa le parsus pour la garde des barques ; et prit trois hommes de ladite ville de Hochelaga, pour les mener et conduire audit lieu. Et nous étant en chemin,
10 le trouvâmes aussi battu qu'il soit possible de voir, et la plus belle terre et meilleure qu'on saurait voir, toute pleine de chênes aussi beaux qu'il y ait en forêts de France, sous lesquels était toute la terre couverte de glands. Et nous
15 ayant marché environ lieue et demie, trouvâmes sus le chemin l'un des principaux seigneurs de ladite ville de Hochelaga, avec plusieurs personnes, lequel nous fit signe qu'il se fallait reposer audit lieu, près un feu qu'ils avaient fait
20 audit chemin ; ce que fîmes. Et lors commença ledit seigneur à faire un sermon et prêchement, comme ci-devant est dit être leur coutume de faire joie et connaissance, en faisant celui seigneur chère audit capitaine et sa compagnie.
25 Lequel capitaine lui donna une couple de haches et une couple de couteaux, avec une croix et remembrance de crucifix qu'il lui fit baiser et la lui pendit au col ; de quoi rendit grâces audit capitaine. Ceci fait, marchâmes plus outre,
30 et environ demi-lieu de là, commençâmes à trouver les terres labourées et belles, grandes campagnes, pleines de blé de leur terre, qui est comme mil de Brésil[1], aussi gros ou plus que pois, duquel vivent, ainsi que nous fai-
35 sons de froment[2]. Et au parmi d'icelles campa-gnes, est située et sise ladite ville de Hochelaga, près et joignant une montagne, qui est à l'entour d'icelle, labourée et fort fertile, de des-sus laquelle on voit fort loin. Nous nommâmes
40 icelle montagne *le mont Royal*. Ladite ville est toute ronde et close de bois, à trois rangs, en façon d'une pyramide, croisée par le haut, ayant la rangée du parmi en façon de ligne perpendiculaire ; puis rangée de bois couchés
45 de long, bien joints et cousus à leur mode ; et est de la hauteur d'environ deux lances. Et n'y a en icelle ville qu'une porte et entrée, qui ferme à barres, sur laquelle et en plusieurs endroits de ladite clôture, y a manières de galeries et
50 échelles à y monter, lesquelles sont garnies de rochers et cailloux, pour la garde et défense d'icelle[3].

---

1. Il s'agit de maïs, aussi appelé blé d'Inde.
2. Farine.
3. Cartier constate la présence d'éléments de fortification : rempart, parapet et galerie.

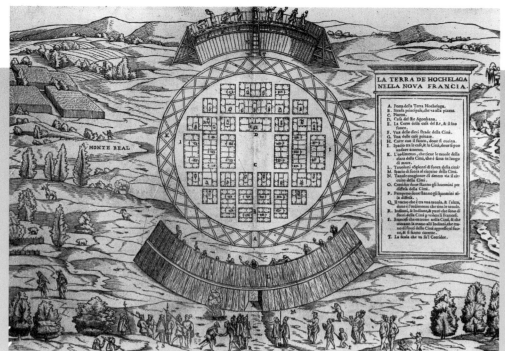

Giovanni Battista Ramusio fut le premier à imprimer un plan de Hochelaga en 1556. Ce plan aurait été dessiné par un cartographe nommé Gastaldi qui se serait inspiré du texte de Cartier. La forme circulaire de la ville, les rues parfaitement tracées et la forme géométrique des huttes indiennes témoignent d'une vision bien européenne. Sa représentation de Hochelaga tient plus d'une ville européenne de la Renaissance que d'un véritable village iroquois.

Il y a dedans icelle ville environ cinquante maisons, longues de environ cinquante pas ou plus chacune, et douze ou quinze pas de laize,
55 toutes faites de bois, couvertes et garnies de grandes écorces et pelures desdits bois, aussi larges que tables, bien cousues artificiellement, selon leur mode. Et par dedans icelles, y a plu-
60 sieurs aîtres et chambres; et au milieu d'icelles maisons, y a une grande salle par terre, où ils font leur feu et vivent en communauté; puis se retirent en leursdites chambres, les hommes avec leurs femmes et enfants. Et pareillement,
65 ils ont greniers au haut de leurs maisons, où ils mettent leur blé, duquel ils font leur pain, qu'ils appellent *carraconny* […]. Tout leur vivre est sans aucun goût de sel. Et couchent sus écorces de bois, étendues sus la terre, avec méchan-
70 tes couvertures de peaux de bêtes sauvages, de quoi font leur vêtement et couverture, savoir: de loirs, bièvres[4], martres, renards, chats sauvages, daims, cerfs et autres sauvagines[5]; mais la plus grand'partie d'eux sont quasi tout nus.

[…]

75 Tout cedit peuple ne s'adonne que à labourage et pêcherie, pour vivre; car des biens de ce monde ne font compte, pource qu'ils n'en ont connaissance et aussi qu'ils ne bougent de leur pays, et ne sont ambulatoires comme ceux de
80 Canada[6] et du Saguenay […].

---

4. Castor.
5. Bêtes sauvages.
6. Par le terme *Canada*, on entendait les terres jusqu'alors explorées par les Français. Le sens du mot évoluera au gré des explorations.

XVI Le scorbut

Au mois de décembre, fûmes avertis que la mortalité s'était mise audit peuple de Stadaconé, tellement que jà en étaient morts, par leur confession, plus de cinquante; au
5 moyen de quoi leur fîmes défense de non venir à notre fort ni entour nous. Mais nonobstant les avoir chassés, commença la maladie entour nous, d'une merveilleuse sorte et la plus

inconnue ; car les uns perdaient la soutenue[1]
10 et leur devenaient les jambes grosses et enflées,
et les nerfs retirés et noircis comme charbon,
et à aucuns toutes semées de gouttes de sang
comme pourpre ; puis, montait ladite maladie
aux hanches, cuisses, épaules, aux bras et au
15 col. Et à tous venait la bouche si infecte et pour-
rie par les gencives, que toute la chair en tombait, jusques à la racine des dents, lesquelles
tombaient presque toutes. Et tellement se prit
la ladite maladie en nos trois navires que, à la
20 mi-février, de cent dix hommes que nous étions,
il n'y en avait pas dix sains, tellement que l'un
ne pouvait secourir l'autre, qui était chose
piteuse à voir, considéré le lieu où nous étions.
[…]

25 […] Lors ledit Domagaya[2] envoya deux femmes
avec notre capitaine, pour en quérir, lesquels
en apportèrent neuf ou dix rameaux[3] ; et nous
montrèrent qu'il fallait piler l'écorce et les
feuilles dudit bois, et mettre le tout à bouillir
30 en eau ; puis boire de ladite eau, de deux jours

l'un ; et mettre le marc sus les jambes enflées
et malades ; et que de toutes maladies ledit
arbre guérissait. Ils appellent ledit arbre en leur
langage, *annedda*.

35 Tôt après le capitaine fit faire du breuvage, pour
faire boire ès malades, desquels n'y avait nul
d'eux qui voulût icelui essayer, sinon un ou
deux qui se mirent en aventure d'icelui essayer.
Tout incontinent qu'ils en eurent bu, ils eurent
40 l'avantage, qui se trouva être un vrai et évident
miracle ; car de toutes maladies de quoi ils
étaient entachés, après en avoir bu deux ou
trois fois, recouvrèrent santé et guérison […]
si tous les médecins de Louvain et de
45 Montpellier y eussent été, avec toutes les drogues d'Alexandrie, ils n'en eussent pas tant fait
en un an que ledit arbre a fait en huit jours ; car
il nous a tellement profité que tous ceux qui en
ont voulu user, ont recouvré santé et guérison :
50 la grâce à Dieu !

---

1. La force de se tenir debout.
2. Chef indien.
3. Il s'agit de branches de cèdre blanc.

QUESTIONS

1 Considérant ce que Jacques Cartier écrit sur les Indiens, diriez-vous qu'il correspond à l'image de l'homme de la Renaissance, curieux, ouvert à la différence et tolérant ?

2 Après avoir décrit Hochelaga, comment Cartier présente-t-il les Iroquois ?

3 a) Dans le premier extrait, comment Cartier rend-il compte de la richesse de la faune et de la flore ? Qu'est-ce que cela nous indique quant à l'explorateur ?

b) Ce texte de Cartier est le plus ancien témoignage écrit sur un village iroquois. Relevez ce qui a trait à l'aspect défensif et social. Comment Cartier suggère-t-il, pour chacun de ces aspects, la présence d'éléments culturels originaux ?

c) Comment Cartier procède-t-il pour décrire les effets du scorbut ? Quelle en est la conséquence ?

d) Les remarques de Cartier sur la façon de vivre des Iroquois fournissent-elles de l'information sur l'implantation éventuelle de commerces chez les autochtones ?

4 Si l'on définit le fait d'apprivoiser comme celui de rendre familier, harmonieux, de tenter de s'accommoder d'une nouvelle réalité, peut-on dire que Cartier tente d'apprivoiser ces nouveaux territoires qu'il découvre ?

5 L'attitude de Cartier face à l'inconnu (son enthousiasme, sa curiosité, son ouverture à l'autre) aurait-elle pour vous des correspondances dans la réalité contemporaine ?

Art et littérature

LA RENCONTRE AVEC LES PREMIÈRES NATIONS

Suzor-Côté fait partie des peintres canadiens-français qui puisent leur inspiration dans la nature et l'histoire de leur pays. Sa formation à l'École des beaux-arts de Paris et ses nombreux séjours à l'étranger lui ont permis de connaître les grands courants esthétiques européens tels l'impressionnisme. Ces influences, associées avec l'exploration de thèmes locaux, font de lui un artiste au style bien personnel.

En représentant Jacques Cartier qui rencontre les Indiens, Suzor-Côté s'inspire ici d'un fait historique qu'il imagine à sa façon. D'ailleurs, il semble vouloir ici transmettre un message à la gloire de la colonisation française. Malgré son désir d'évoquer dans cette œuvre un chapitre fondateur de l'histoire du pays, l'artiste s'est vu abondamment critiqué pour cette peinture. On lui a reproché d'avoir privilégié l'esthétique au détriment de la vérité, ce qui montre à quel point il est difficile de représenter une scène historique quatre siècle après les faits. Grâce à son talent et à son sens de la composition, Suzor-Côté est tout de même parvenu à livrer une vision — sans doute magnifiée, mais tout à fait personnelle — du premier contact entre le peuple fondateur et la civilisation conquérante.

MARC-AURÈLE DE FOY SUZOR-CÔTÉ (1869-1937).

Jacques Cartier rencontre les Indiens à Stadaconé, 1535, 1907. (Huile sur toile, 266 × 401 cm. Musée national des beaux-arts du Québec.)

- Que révèle l'attitude de Cartier dans le tableau de Suzor-Côté ? Vous paraît-elle correspondre à l'attitude qui se dégage de son texte intitulé « La capitale de l'Iroquoisie laurentienne » ?

- Dans ce tableau, les Indiens sont-ils représentés comme les seuls maîtres du pays à l'époque ?

- En quoi peut-on dire que ce tableau représente une vision subjective et idéalisée de l'histoire ?

- Ce tableau contribue-t-il à nous faire comprendre l'histoire ? Pourquoi ?

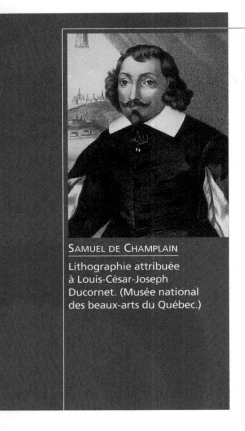

SAMUEL DE CHAMPLAIN

Lithographie attribuée à Louis-César-Joseph Ducornet. (Musée national des beaux-arts du Québec.)

Samuel de Champlain (v. 1570-1635)

Samuel de Champlain naît à Brouage, dans la Saintonge, entre 1567 et 1570. C'est en qualité de cartographe qu'il accompagne le sieur Aymar de Chaste en Amérique en 1603. Il explore alors une partie du Saguenay, puis remonte le Saint-Laurent jusqu'aux rapides de Lachine. Le 23 juin, il se rend en barque au lieu-dit des Trois-Rivières. Le deuxième voyage, l'année suivante, lui permet d'explorer la côte atlantique et l'Acadie, dont il dessinera des cartes d'une précision étonnante pour les moyens de l'époque. C'est aussi l'occasion de connaître la douloureuse épreuve de l'hiver laurentien : « Nos boissons gelèrent toutes hormis le vin d'Espagne », écrit-il, précisant que « les froidures » furent « âpres » et « excessives ». Pour ajouter à ses tourments, le scorbut tue trente-cinq de ses soixante-dix-neuf compagnons, car Champlain ignore l'existence du remède qui avait sauvé les membres de l'équipage de Cartier en 1535.

En 1608, au cours de son troisième voyage, Champlain établit un comptoir à fourrures à « la pointe de Québec », ce qui sera pour lui le premier pas vers l'implantation d'une colonie commerciale sur les rives du Saint-Laurent, laquelle sera complétée par la création, en 1627, de la Compagnie des Cent-Associés.

Bien qu'il ait été gouverneur de la Nouvelle-France de 1619 jusqu'à sa mort, le 25 décembre 1635, il n'existe aucun portrait authentique de Samuel de Champlain.

■ RÉCIT DE VOYAGE (1603)

Au retour de sa première expédition, Champlain écrit Des Sauvages *puis divers récits de voyage. Il y fait un inventaire de la faune et de la flore tout en notant avec minutie la géographie des lieux. Au regard admiratif et à l'emportement de Jacques Cartier, il oppose la froideur du constat. Cette retenue qui tient de l'observation plus nuancée disparaît tout à fait lorsqu'il dresse le portrait des indigènes. Par opposition à l'approche d'un Jacques Cartier qui cherche à savoir, à connaître et à comprendre leur mode de vie, Champlain adopte l'attitude de celui qui juge. La description qu'il donne des Hurons, après avoir passé l'hiver de 1615 à 1616 auprès d'eux, est particulièrement révélatrice. Si ses propos sont si négatifs, c'est sans doute qu'il veut pousser les autorités françaises à se décider à implanter une colonie permanente qui aurait, de son point de vue d'Européen, un effet civilisateur sur la population amérindienne. Ces textes précèdent en effet la rédaction des mémoires qu'il présentera à Louis XIII pour l'encourager en ce sens.*

Exploration du Saint-Laurent

Le lundi, 23 du dit mois, nous partîmes de Québec, où la rivière commence à s'élargir quelquefois d'une lieue, puis de lieue et demie ou deux lieues au plus. Le pays va de plus en plus
5 en embellissant ; ce sont toutes terres basses, sans rochers, que fort peu. Le côté du nord est rempli de rochers et bancs de sable ; il faut prendre celui du sud, comme d'une demi-lieue de terre. Il y a quelques petites rivières qui ne sont
10 point navigables, si ce n'est pour les canots des

SAMUEL DE CHAMPLAIN (V. 1570-1635).

Carte de la Nouvelle-France, 1632. (Gravure en taille douce. Bibliothèque et Archives nationales du Québec.)

Cette carte de la Nouvelle-France sur laquelle Champlain trace le parcours d'un de ses voyages est finement gravée et très riche sur le plan iconographique. En plus des références directes à la navigation, on y distingue notamment de nombreux animaux aquatiques.

sauvages, auxquelles il y a quantité de sauts. Nous vînmes mouiller l'ancre jusqu'à Sainte-Croix, distance de Québec de 15 lieues ; c'est une pointe basse qui va en haussant des deux côtés.
15 Le pays est beau et uni, et les terres meilleures qu'en lieu que j'eusse vu, avec quantité de bois, mais fort peu de sapins et cyprès : il s'y trouve en quantité des vignes, poires, noisettes, cerises, groseilles, rouges et vertes, et de certaines petites
20 racines de la grosseur d'une petite noix, ressemblant au goût comme truffes, qui sont très bonnes rôties et bouillies. Toute cette terre est noire, sans aucuns rochers, sinon qu'il y a grande quantité d'ardoise ; elle est fort tendre, et si elle était
25 bien cultivée, elle serait de bon rapport. […]

Le vendredi ensuivant, nous partîmes […] côtoyant toujours la bande du nord tout proche terre, qui est basse et pleine de tous arbres, et en quantité, jusques aux Trois-Rivières, où il
30 commence d'y avoir température de temps quelque peu dissemblable à celui de Sainte-Croix, d'autant que les arbres y sont plus avancés qu'en aucun lieu que j'eusse encore vu. Des

Trois-Rivières jusques à Sainte-Croix, il y a
35 quinze lieues. En cette rivière, il y a six îles, trois desquelles sont fort petites, et les autres de quelque cinq à six cents pas de long, fort plaisantes et fertiles, pour le peu qu'elles contiennent. Il y en a une au milieu de ladite rivière qui regarde
40 le passage de celle du Canada et commande aux autres éloignées de la terre, tant d'un côté que d'autre de quatre à cinq cents pas ; elle est élevée du côté du sud et va quelque peu en baissant du côté du nord. Ce serait à mon juge-
45 ment, un lieu propre pour habiter et pourrait-on le fortifier promptement, car sa situation est forte de soi, et proche d'un grand lac[1] […]. Aussi que l'habitation des Trois-Rivières serait un bien pour la liberté de quelques nations qui
50 n'osent venir par là, à cause desdits Iroquois, leurs ennemis, qui tiennent toute ladite rivière du Canada bordée : mais étant habité, on pourrait rendre lesdits Iroquois et autres sauvages amis, ou à tout le moins sous la faveur
55 de ladite habitation, lesdits sauvages viendraient librement sans crainte et danger, d'autant que le dit lieu des Trois-Rivières est un passage.

---

1. Le lac Saint-Pierre ; on constate que, dès 1603, Champlain est attiré par le site de Trois-Rivières. Il enverra Laviolette fonder la ville en 1634.

Mœurs des Hurons

Tous ces peuples sont d'une humeur assez joviale, bien qu'il y en ait beaucoup de complexion triste et saturnienne[1] entre eux. Ils sont bien proportionnés de leurs corps, y ayant des
5 hommes bien formés, forts et robustes, comme aussi des femmes et filles, dont il s'en trouve un bon nombre d'agréables et belles, tant en la taille, couleur, qu'aux traits du visage, le tout à proportion ; elles n'ont point le sein ravallé
10 que fort peu, si elles ne sont vieilles ; et se trouvent parmi ces nations de puissantes femmes et de hauteur extraordinaire : car ce sont elles qui ont presque tout le soin de la maison et du travail, car elles labourent la terre, sèment le blé
15 d'Inde, font la provision de bois pour l'hiver, tillent la chanvre et la filent, dont du filet ils font les rets à pêcher et prendre le poisson et autres choses nécessaires, dont ils ont affaire ; comme aussi ils ont le soin de faire la cueillette de
20 leurs blés, les serrer, accommoder à manger et dresser leur ménage ; et de plus sont tenues de suivre et aller avec leurs maris, de lieu en lieu, aux champs, où elles servent de mules à porter le bagage, avec mille autres sortes d'exer-
25 cices et services que les femmes font et sont tenues faire. Quant aux hommes, ils ne font rien qu'aller à la chasse du cerf et autres animaux, pêcher du poisson, de faire des cabanes et aller à la guerre.

30 Ces choses faites, ils vont aux autres nations, où ils ont de l'accès et connaissance, pour traiter et faire des échanges de ce qu'ils ont, avec ce qu'ils n'ont point, et étant de retour, ils ne bougent des festins et danses, qu'ils se font les
35 uns aux autres, et à l'issue se mettent à dormir, qui est le plus beau de leur exercice. [...]

Pour la nourriture et élévation de leurs enfants, ils le mettent durant le jour sur une petite planche de bois et le vêtent et enveloppent de
40 fourrures ou peaux et le bandent sur ladite planchette, la dressent debout, et laissant une petite ouverture par où l'enfant fait ses petites affaires, et si c'est une fille, ils mettent une feuille de blé d'Inde entre les cuisses, qui presse
45 contre sa nature, et font sortir le bout de ladite feuille dehors qui est renversée, et par ce moyen l'eau de l'enfant coule par cette feuille, et sort dehors, sans gâter l'enfant de ses eaux [...]. Les enfants sont fort libertins[2] entre ces nations : les
50 pères et mères les flattent trop et ne les châtient point du tout, aussi sont-ils si méchants et de si perverse nature, que le plus souvent ils battent leurs mères, et autres des plus fâcheux, battent leur père, en ayant acquis la force et le pouvoir :
55 à savoir, si le père ou la mère leur font chose qui ne leur agrée pas, qui est une espèce de malédiction que Dieu leur envoie.

Pour ce qui est de leurs lois, je n'ai point vu qu'ils en aient, ni chose qui en approche, comme de
60 fait ils n'en ont point, d'autant qu'il n'y a en eux aucune correction, châtiment ni de répréhension à l'encontre des malfaiteurs sinon par une vengeance, rendant le mal pour le mal, non par forme de règle, mais par une passion qui leur
65 engendre les guerres et différends, qu'ils ont entre eux le plus souvent.

Au reste, ils ne reconnaissent aucune divinité, ils n'adorent et ne croient en aucun Dieu ni chose quelconque : ils vivent comme bêtes brutes. Ils
70 ont bien quelque respect du diable, ou d'un nom semblable, ce qui est douteux, parce que sous ce mot qu'ils prononcent, sont entendues diverses significations et comprend en soi plusieurs choses [...]. Quoi que ce soit, ils ont de
75 certaines personnes qui font les Oqui ou Manitous, ainsi appelés par les Algoumequins[3] et Montagnais, et cette sorte de gens font les médecins pour guérir les malades et panser les blessés, prédire les choses futures : au reste,
80 toutes abusions et illusions du diable, pour les tromper et décevoir [...].

Champlain

---

1. Pessimiste.
2. Sans morale, impie.
3. Algonquins.

QUESTIONS

1 Champlain correspond-il à l'image de l'homme du xvıı^e siècle, époque de grandeur où s'épanouit une culture valorisant la raison ?

2 D'après vous, Champlain fait-il une description positive ou négative des Hurons ?

3 a) À partir de la deuxième phrase du premier paragraphe (l. 3-26), relevez les mots qu'utilise Champlain pour désigner les autochtones. Vont-ils tous dans le même sens ?

b) Dans le passage allant de « Les enfants sont fort libertins » (l. 48) jusqu'à « ils vivent comme bêtes brutes » (l. 69), comment Champlain tente-t-il de prouver ses affirmations à un lecteur éventuel ?

c) Dans le premier extrait, datant de 1603, comment Champlain montre-t-il qu'il y a à quinze lieues de Québec une région propice à l'habitation ?

4 Champlain porte-t-il sur la réalité géographique et ethnographique un regard objectif ou un jugement déterminé par sa culture et ses intérêts d'explorateur ?

5 Opposez Cartier et Champlain quant à leur manière de rendre compte de la réalité.

PARTIE 2

LE POINT DE VUE
DES RELIGIEUX

ALORS QUE LES EXPLORATEURS cherchent à cerner la réalité du pays qu'ils découvrent, les religieux se concentrent sur le salut des indigènes dans une entreprise d'évangélisation qui se fait toutefois en filiation avec celle de colonisation. Le frère Gabriel Sagard rappelle que les Indiens acceptaient de mener les religieux « vers la mer de Chine, qui borne ce pays vers l'Occident » mais précise aussitôt que même si les expéditions de découverte sont utiles, « nous ne nous meslons d'aucun autre trafic que de celuy des ames, que nous nous efforçons de gagner à Jesus-Christ ». Il confesse ici la pureté de ses intentions et la raison d'être de sa venue en terre huronne.

Dans sa correspondance, mère Marie de l'Incarnation affirme avec force ce rôle apostolique en associant son désir « d'aller en Canada » à l'abandon de sa volonté au bon vouloir divin. Elle écrit à son confesseur qu'elle est « poursuivie du désir de travailler au salut des âmes » et « qu'il n'y a personne sous le Ciel qui puisse jamais mériter la possession d'un bien si inestimable, que d'être choisie de Dieu pour un si haut dessein ». Malgré son indignité, l'appelé doit se conformer à l'exécution des saintes volontés, confiant en la volonté de celui qui « ne se peut tromper ». Sagard partage totalement ces vues. Ces tentatives des religieux catholiques sont renforcées par une politique de colonisation qui interdit aux protestants l'accès à la colonie et assure ainsi le rayonnement d'une seule culture religieuse européenne.

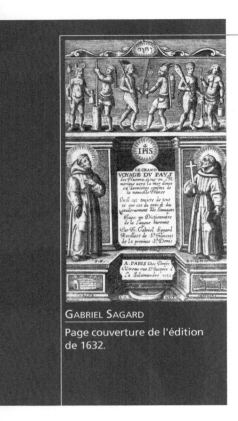

GABRIEL SAGARD
Page couverture de l'édition de 1632.

Gabriel Sagard (v. 1590-1636)

Frère de l'ordre des Récollets qui furent les premiers religieux à venir évangéliser les Amérindiens en Nouvelle-France, Gabriel Sagard serait né vers 1590 en Lorraine. Un premier groupe de quatre religieux de sa congrégation fut envoyé, dès 1615, au Canada. Déçu de ne pas avoir été choisi, Sagard se soumet. Après avoir étudié les langues amérindiennes auprès d'un jeune Montagnais qui avait été ramené en France, il part pour Québec en 1623 et gagne le pays des Hurons, dans la région des Grands Lacs. Là-bas, il accompagne des indigènes à la pêche d'automne et fait des expéditions dans cette partie du pays, malgré le danger que représentent les Iroquois, ennemis des Hurons, ses hôtes. Il demeure un an auprès des Hurons avant d'être rappelé en France par le supérieur de sa congrégation. Une fois rentré, il se met à l'écriture, à la demande de ce dernier. Notant l'absence de termes amérindiens pour désigner les mystères de la religion chrétienne, il confirme la nécessité de l'évangélisation et, par ricochet, de la colonisation pour assurer le salut des âmes. Il meurt en 1636 après avoir quitté sa congrégation pour se joindre aux Franciscains.

■ LE GRAND VOYAGE DU PAYS DES HURONS (1632)

C'est en 1632 que paraît Le grand voyage du pays des Hurons, *suivi deux ans plus tard d'une* Histoire du Canada *en quatre volumes. Sagard ajoute au premier de ces ouvrages un dictionnaire « pour la commodité de ceux qui ont à voyager dans le pays, et qui n'ont l'intelligence d'icelle langue ». La rivalité règne alors entre les communautés religieuses quant à l'évangélisation des Sauvages, les Jésuites s'imposant auprès de l'autorité politique. Sagard insiste donc dans ses travaux sur la nécessité d'envoyer outre-Atlantique des gens ouverts et charitables plutôt que des savants, allusion directe aux Jésuites, considérés comme plus instruits que les Récollets. Dans cette situation conflictuelle, il veut faire connaître au public les actions de sa communauté en Amérique, ce qui n'altère en rien la finesse de son observation qui s'alimente toutefois à d'autres sources. Il utilise en effet les travaux de Champlain, et de Lescarbot, n'hésitant pas à faire des emprunts directs et à aller jusqu'à copier des phrases entières, pratique courante à l'époque. De plus, il semble avoir intégré des éléments de récits oraux de ses compagnons de voyage, bien qu'il affirme ne traiter « que ce dequoy je suis assuré, pour ne me point méprendre ».*

Le regard lucide quoique « simple et naïf » de ce témoin fournit une information de premier ordre sur un pays encore peu influencé par la présence européenne. Sagard se présente lui-même comme un observateur ouvert à la différence, ce qui le rapproche plus de Jacques Cartier que de Samuel de Champlain.

La vie chez les Hurons

MULTITUDE DE SAUVAGES ME VIENNENT VOIR.

A mesme temps que je fus apperceu de nostre ville de *Quieuindahian*, autrement nommée *Téqueunonkiayé*, lieu assez bien fortifié à leur mode, & qui pouvoit contenir deux ou trois
5 cens mesnages, en trente ou quarante Cabannes qu'il y avoit, il s'esleva un si grand bruit par toute la ville, que tous sortirent presque de leurs Cabanes pour me venir voir, & fus ainsi conduit avec grande acclamation jusques dans
10 la Cabane de mon Sauvage, & pour ce que la presse y estoit fort grande, je fus contrainct de gaigner le haut de l'establie, & me desrober de leur presse. Les pere & mere de mon Sauvage me firent un fort bon accueil à leur mode, &
15 par des caresses extraordinaires, me tesmoignoient l'ayse & le contentement qu'ils avoient de ma venuë, ils me traiterent aussi doucement que leur propre enfant, & me donnerent tout

sujet de loüer Dieu, voyant l'humanité & fide-
20 lité de ces pauvres gens, privez de sa cognoissance. Ils prirent soin que rien ne se perdist de mes petites hardes, & m'advertirent de me donner garde des larrons & trompeurs, particulierement des *Quieunontateronons*, qui me
25 venoient souvent voir, pour tirer quelque chose de moy : car entre les Nations Sauvages cellecy est l'une des plus subtiles de toutes, en faict de tromperie & de vol.

COMME J'ÉTOIS TRAICTÉ & GOUVERNÉ DANS LA CABANE DE MON SAUVAGE.

Mon Sauvage, qui me tenoit en qualité de frere,
30 me donna advis d'appeller sa mere *Sendoué*, c'est à dire, ma mere, puis luy & ses freres *Ataquen*, mon frere, & le reste de ses parents en suitte, selon les degrez de consanguinité, & eux de mesme m'appelloient leur parent. La

LOUIS NICOLAS (1634-APRÈS 1678).
Sauvage de la nation outaouaks. Codex canadiensis, vers 1700, planche 6. (Dessin. Musée Gilcrease de Tulsa.)

Jésuite arrivé au Canada en 1664, Louis Nicolas est fasciné par ce qu'il découvre sur le nouveau continent. Les autochtones, les animaux, les plantes, tout devient pour lui sujet de dessins qu'il fait à l'encre ou à l'aquarelle. Ces illustrations seront réunies en un seul volume, le *Codex canadiensis*, qui reste encore aujourd'hui un document de référence important, notamment à cause du sens du détail très aiguisé de l'artiste qui dépeint avec une grande précision les tatouages de certains autochtones et les outils dont ils se servaient au quotidien, comme le fait Sagard : sans juger ni critiquer. Par ailleurs, le style presque naïf de certains dessins leur confère une certaine fraîcheur et témoigne de l'enchantement d'un prêtre curieux et ouvert d'esprit devant la vie mouvementée des peuples du Nouveau Monde.

bonne femme disoit *Ayein*, mon fils, & les autres *Ataquon*, mon frere, *Earassé*, mon cousin, *Hiuoittan*, mon nepveu, *Houatinoron*, mon oncle, *Aystan*, mon pere : selon l'aage des personnes j'estois ainsi appellé oncle ou nepveu, &c. & des autres qui ne me tenoient en qualité de parent, *Yatoro*, mon compagnon, mon camarade, & de ceux qui m'estimoient d'avantage, *Garihouanne*, grand Capitaine. Voyla comme ce peuple n'est pas tant dans la rudesse & la rusticité qu'on l'estime[1].

[…] Pour mon département & quartier, ils me donnerent à moy seul, autant de place qu'en pouvoit occuper un petit mesnage, qu'ils firent sortir à mon occasion, dés le lendemain de mon arrivee : en quoy je remarquay particulierement leur bonne affection, & comme ils desiroient de me contenter, & m'assister & servir avec toute l'honnesteté & respect deu à un grand Capitaine & chef de guerre, tel qu'ils me tenoient. Et pour ce qu'ils n'ont point accoustumé de se servir de chevet[2], je me servois la nuict d'un billot de bois, ou d'une pierre, que je mettois sous ma teste, & au reste couché simplement sur la natte comme eux, sans couverture ny forme de couche, & en lieu tellement dur, que le matin me levant, je me trouvois tout rompu & brisé de la teste & du corps.

J'APPRENOIS LA LANGUE DU PAYS.

Le matin, apres estre esveillé, & prié un peu Dieu, je desjeunois de ce peu que nostre Sauvagesse m'avoit apporté, puis ayant pris mon Cadran solaire, je sortois de la ville en quelque lieu escarté, pour pouvoir dire mon service en paix, & faire mes prieres & meditations ordinaires : estant environ midy ou une heure, je retournois à nostre Cabane, pour disner d'un peu de Sagamité[3], ou de quelque Citroüille cuitte ; apres disner je lisois dans quelque petit livre que j'avois apporté, ou bien j'escrivois, & observant soigneusement les mots de la langue, que j'apprenois, j'en dressois des memoires que

j'estudiois, & repetois devant mes Sauvages, lesquels y prenoient plaisir, & m'aydoient à m'y perfectionner avec une assez bonne methode, m'y disant souvent, *Auiel*, au lieu de Gabriel, qu'ils ne pouvoient prononcer, à cause de la lettre B, qui ne se trouve point en toute leur langue, non plus que les autres lettres labiales, *Asséhoua*, *Agnonra*, & *Séatonqua* : Gabriel, prends ta plume & escris, puis ils m'expliquoient au mieux qu'ils pouvoient ce que je desirois sçavoir d'eux.

Et comme ils ne pouvoient par-fois me faire entendre leurs conceptions, ils me les demonstroient par figures, similitudes & demonstrations exterieures, par-fois par discours, & quelques-fois avec un baston, traçant la chose sur la terre, au mieux qu'ils pouvoient, ou par le mouvement du corps, n'estans pas honteux d'en faire de bien indecents, pour se pouvoir mieux donner à entendre par ces comparaisons, plustost que par longs discours & raisons qu'ils eussent pû alleguer, pour estre leur langue assez pauvre & disetteuze[4] de mots en plusieurs choses, & particulierement en ce qui est des mysteres de nostre saincte Religion, lesquels nous ne leur pouvions expliquer, ny mesme le *Pater noster*, sinon que par periphrase, c'est à dire, que pour un de nos mots, il falloit user de plusieurs des leurs […]. De sorte qu'il n'y a pas besoin de gens bien sçavans pour le commencement ; mais bien de personnes craignans Dieu, patiens, & pleins de charité[5] : & voila enquoy il faut principalement exceller pour convertir ce pauvre peuple, & le tirer hors du peché et de son aveuglement.

Je sortois aussi fort souvent par le Bourg, & les visitois en leurs Cabanes & ménages, ce qu'ils trouvoient tres-bon, & m'en aymoient d'avantage, voyans que je traitois doucement & affablement avec eux, autrement ils ne m'eussent point veu de bon œil, & m'eussent creu superbe & desdaigneux, ce qui n'eust pas esté le moyen de rien gaigner sur eux ; mais plustost

---

1. Allusion aux remarques de Champlain.
2. Les Hurons n'utilisaient pas d'oreiller.
3. Bouillie de maïs.
4. Adjectif signifiant un manque.
5. Allusion à la rivalité entre les communautés religieuses pour l'évangélisation des Amérindiens.

120 d'acquerir la disgrace d'un chacun, & se faire hayr de tous : car à mesme temps qu'un Estranger a donné à l'un d'eux quelque petit sujet ou ombrage de mescontentement ou fascherie, il est aussi-tost sceu par toute la ville de l'un à l'autre : & comme le mal est plus-tost creu que 125 le bien, ils vous estiment tel pour un temps, que le mescontent vous a depeint.

QUESTIONS

1 Comment Sagard réussit-il à répondre aux exigences contradictoires du public de son époque, avide d'exotisme et soucieux de rationalité ?

2 Dans sa description des us et coutumes de la collectivité huronne, Sagard vous paraît-il curieux et ouvert à la différence ?

3 a) Comment Sagard prouve-t-il que les Hurons ne sont pas « dans la rudesse » et « la rusticité » ? Répondez en tirant vos exemples des deux premiers paragraphes (l. 1 à 45) ?

b) Dans l'épisode où il raconte son apprentissage de la langue huronne, Sagard décrit-il l'Indien comme un être capable de raisonner ?

c) Qu'indique l'utilisation du possessif dans le texte ? Analysez l'usage que Sagard en fait dans les deux premiers paragraphes (l. 1 à 45).

4 Le point de vue religieux de Sagard biaise-t-il l'image qu'il suggère des Hurons ?

5 Gabriel Sagard a-t-il la même opinion que Champlain sur les Indiens ?

Marie de l'Incarnation (1599-1672)

MARIE DE L'INCARNATION

Gravure (détail) de C.W. Jefferys (1869-1951). (Archives nationales du Canada.)

Marie Guyart est née à Tours le 28 octobre 1599. Mariée par ses parents à dix-sept ans à Claude Martin, elle donne naissance à un fils qu'elle appellera Claude. Devenue veuve à vingt ans, elle retourne dans sa famille et laisse se développer en elle « son goût de Dieu ». Après avoir confié son enfant à sa sœur, elle entre au noviciat des Ursulines en 1631. Elle doit combattre les préjugés pour obtenir l'autorisation d'aller accomplir une mission dont beaucoup considèrent qu'elle ne convient ni à son sexe ni à sa condition, mais réussit finalement à s'embarquer pour la Nouvelle-France, accompagnée de deux autres religieuses de sa congrégation. Parties du port de Dieppe le 4 mai 1639, elles n'arrivent à Québec que le 1er août, après une traversée particulièrement difficile. Bien que Québec ne soit alors qu'une bourgade de deux cent cinquante habitants, les religieuses y créent la première maison d'enseignement afin de convertir les Amérindiennes et d'instruire les filles des premiers colons. Marie de l'Incarnation se met à l'étude des langues indiennes. Convaincue qu'il n'y a de véritable apostolat que dans l'abnégation et qu'il faut donc se transformer pour s'ouvrir à l'autre, elle écrit un dictionnaire de l'algonquin ainsi qu'un dictionnaire et un catéchisme de l'iroquois. Elle meurt à Québec, le 30 avril 1672, après trente-trois années de bons et loyaux services en la colonie.

■ CORRESPONDANCE (1681)

Les écrits de mère Marie de l'Incarnation comptent un journal personnel, sorte de relation de la vie en colonie, et une abondante correspondance, rassemblée très tôt par son fils. Ces écrits constituent un témoignage de toute première valeur sur ce que pouvait être un pays en gestation dans le climat de ferveur religieuse qu'inspirait la mission d'évangélisation. Le 15 septembre 1641, dans sa réponse à la supérieure de sa congrégation, demeurée à Tours, elle rend compte de sa mission et note l'état d'esprit qu'elle se doit de nourrir pour y rester fidèle, évoquant le sentiment qu'elle a d'avoir été choisie par Dieu pour travailler à la conversion des Sauvages. Enfin, dans sa lettre à son fils, moine bénédictin vivant en France dans un monastère, elle donne, le 26 août 1644, de l'information sur sa vie quotidienne et traite de la spiritualité des Amérindiens, précisant qu'ils ont « de grandes tendresses de conscience ».

Ma très Révérende et très-honorée Mère[1]

Je ne sçay ce que je vous dis l'année dernière touchant mes sentiments intérieurs et secrets. Puisque vous voulez que je recommence,
5 j'auray de la complaisance à vous les dire. Mais avant que de le faire, il vous faut parler, non de la barbarie de nos Sauvages, car il n'y en a plus dans notre nouvelle Église ; mais on y voit un esprit tout nouveau qui porte je ne sçay quoy
10 de divin, qui me ravit le cœur, non par une joie sensible, mais d'une manière que je ne puis vous exprimer. Nous avons icy des dévots et des dévotes Sauvages, comme vous en avez de polis en France ; il y a cette différence qu'ils ne
15 sont pas si subtils ny si rafinez que quelques-uns des vôtres ; mais ils sont dans une candeur d'enfant, qui fait voir que ce sont des âmes nouvellement régénérées et lavées dans le Sang de Jésus-Christ. Quand j'entens parler le bon
20 Charles Montagnez[2] […], je ne quitterois pas la place pour entendre le premier Prédicateur de l'Europe. J'y remarque une confiance en Dieu, une foy, une ardeur qui donne de l'admiration et de la dévotion tout ensemble. […]

25 Je ne vous puis dire ce que mon cœur ressent dans la véritable connoissance qu'il a de la bonté de Dieu, sur des âmes qui sortent de la Barbarie : La Relation vous en dira quelque chose, mais sans mentir, si elle disoit tout ce
30 qui en est, on ne le croiroit pas. […]

Hé bien, ma très-chère Mère, après ce préliminaire que je viens de faire, que pensez-vous que dise mon cœur de tous ces progrès ? Pensez-vous qu'il ne chérisse pas les petits travaux du
35 Canada ? Ils me sont si doux, que toutes les douceurs imaginables ne me semblent en comparaison que de l'amertume. Quand j'étudie la langue, et que je voy que cette étude est rude à la nature, particulièrement dans les personnes
40 de mon sexe et de ma condition, j'y trouve des douceurs si divines ensuite de ces pensées, qu'elle enlève mon esprit plus que ne font les plus sublimes lectures. Enfin, ma très-chère Mère, je trouve tout ce qui regarde l'éducation de nos
45 Néophites[3], et ce qui les peut faire avancer dans le bien, tout plein de charmes. Si j'ay des croix[4] en Canada, elles n'ont de l'adoucissement que par ce saint exercice. Je n'ay point assez de temps pour y emploïer ; car ne croïez pas que
50 la saleté ou la pauvreté de nos Néophites m'en donne du dégoût ; au contraire, j'y sens un attrait qui n'est point dans les sens, mais bien dans une certaine région de l'esprit que je ne vous puis bien expliquer.

---

1. La destinataire est mère Ursule de Sainte-Catherine, supérieure des Ursulines de Tours.
2. Nom d'un Huron nouvellement converti.
3. On désignait par ce mot les Amérindiens nouvellement convertis.
4. Épreuves.

C.W. Jefferys (1869-1951).
L'enseignement des enfants autochtones par la mère Marie de l'Incarnation, 1942. (Gravure. Archives nationales du Canada.)

En 1639, Marie de l'Incarnation et trois autres ursulines arrivent à Québec. À la demande des Jésuites, elles viennent instruire les filles des premiers colons et éduquer et convertir les jeunes Amérindiennes. À cette époque, l'éducation des filles ne dépassait pas le niveau élémentaire et se limitait à l'enseignement du catéchisme et des tâches domestiques, et à quelques leçons de lecture et d'écriture.

55 Pensez-vous, ma très-aimée Mère, qu'il ne faille pas changer d'état pour entrer dans les véritables sentimens de ces fonctions Apostoliques de notre nouvelle Église? Il le faut sans doute. Vous m'obligez de vous dire les miens; cela me

60 seroit bien difficile : Mais puisque vous le désirez, je tâcheray de vous en dire une partie, ne m'étant pas possible de dire tout.

Pour bien goûter la vocation du Canada, il faut de nécessité mourir à tout; et si l'âme ne s'efforce

65 de le faire, Dieu le fait luy-même, et se rend inexorable à la nature, pour la réduire à cette mort, qui par une espèce de nécessité l'élève à une sainteté éminente. Je ne vous puis dire ce qu'il en coûte pour en venir là. [...] Car enfin,

70 il en faut venir là, et il ne faut pas penser de pouvoir vivre dans cette nouvelle terre de bénédiction qu'avec un esprit nouveau. [...]

Il y a bien des choses que mon impuissance ne vous peut dire; si nous vivons l'année pro-

75 chaine, j'en auray peut-être plus de liberté : Cependant je vous ouvre mon cœur le plus qu'il m'est possible. Je ne sçay ce que Dieu veut de moy [...]. Mais je me réserve à vous parler d'affaires dans mon autre lettre, celle-cy n'étant

80 que pour vous développer les secrets de mon cœur, comme à ma très-chère et très intime Mère.

Mon très cher et bien-aymé Fils,

La vostre m'a apporté une consolation que je ne vous puis exprimer. J'entend vos deux lettres que j'ay reçeue du mois de juillet, les vaisseaux estant arrivez plutost qu'à l'ordinaire [...].

Pour response à ce que vous désirez sçavoir touchant le païs, je vous diray, mon très cher fils, qu'il y a des maisons de pierres, de bois et d'écorces. La nostre est toute de pierres, elle a 92 pieds de longueur et 28 de large : c'est la plus belle et grande qui soit en Canada pour la façon d'y bastir. [...]

Les Sauvages sont habillez. Il ont l'esté une grande peau d'orignac, carrée comme une couverture et grande comme une peau de bœuf, qu'il mettent sur leurs épaules. Ils l'attachent avec de petites corroyes, en sorte que leurs bras sortent des deux costés, qui demeurent nuds. Ils n'ont que cela et un brayer[1], pieds et teste nus. Chez eux, à la campagne, et quand ils se battent contre leurs ennemis, ils sont nuds comme la main, excepté le brayer qui les cachent assez modestement ; ils ont la peau quasi minime[2] à cause du soleil et des graisses dont ils s'oignent par tout la plus part, et leur visage est matachié de rayes rouges et bleues. L'hiver, ils ont pour robes des couvertes de lits accommodées comme les susdites et des manches de mesme[3] et des chausses de cuir ou des couvertures usées qui leur vont jusqu'à la ceinture. Ils ont une robe de castor avec son poil en guise de manteau. Ceux qui se couvrent la teste, ils traittent des bonnets de nuict rouges au magazin. Ils ont aussy quelques fois des capots ou tapabors[4] ; ils ont des robes ; quand les Pères oublient, nous, nous leur en donnons. Voilà pour ceux qui sont bien habillez ; mais il y en a qui sont presque nuds en tout temps par pauvreté. Quant aux femmes, elles sont fort modestement accommodées ; elles ont toujours des ceintures (car les hommes n'en ont quasi jamais et leurs robes vont au gré du vent) ; leurs robes vont jusque à my-jambes et en haud, jusque au haut du col, presque toujours les bras et teste couvertes d'un bonnet de nuict d'homme, rouge, ou d'un tapabor ou capot, leurs cheveux abattus sur le visage et liez par derrière. Elles sont fort modestes et pudiques. Nous faisons de petites simarres[5] à nos séminaristes et les coiffons à la françoise. On ne pourroit quasi distinguer un homme d'avec une femme sinon par cet accommodement de robbe, car leur visage est semblable. Leurs souliers sont de peau d'orignac qui est comme du buffle[6]. Ils froncent cela par le bout. Une pièce quarrée qu'ils mettent au talon. Ils passent dedans une petite courroye comme à une bourse. Voilà leurs souliers fait. Les François n'en portent point d'autres l'hiver, d'autant qu'on ne peut sortir qu'avec des raquettes sous les pieds pour marcher sur la neige, on ne s'y peut servir de souliers françois. Nous autres, nous n'avons que faire de cela. Voilà ce que vous désirez sçavoir pour ce point.

[...]

Si nos Sauvages sont si parfaits comme je vous le dis ? En matière de mœurs, il n'y a pas la politesse françoise : je veux dire en ce qui regarde un compliment et façon d'agir des François. On ne s'est pas estudié à cela mais à leur bien enseigner les commandemens de Dieu et de l'Église, tous les points de nostre foy, toutes les prières, à bien faire l'examen et toutes autres actions de religion. Un Sauvage se confesse aussy bien qu'un religieux et religieuse, naïfs au possible, qui font cas des plus petites choses, et lorsqu'ils sont tombez, ils font des pénitences publiques avec une grande humilité. En voicy un exemple. Les Sauvages n'ont point d'autre boisson que du bouillon de leur chaudière à sagamité[7],

---

1. Pagne.
2. De la couleur de l'habit porté par les religieux Minimes.
3. Cette pratique des Indiens d'utiliser comme vêtements les couvertures de laine obtenues des marchands eut une conséquence inattendue : elle entraîna la propagation d'épidémies.
4. Bonnets dont les bords peuvent se rabattre afin de protéger les oreilles.
5. Longues tuniques.
6. Mocassins.
7. Bouillie de farine de maïs à laquelle on ajoute de la viande ou du poisson.

80 soit de chair ou de bled d'Inde, ou d'os bouillis ou d'eau. Les François leur ayant fait gouster de l'eau-de-vie ou du vin, il le trouve fort à leur goust, mais il ne leur en faut qu'une fois pour les rendre comme fols et fu-
85 rieux. La cause de cecy est qu'ils ne mangent que choses douces et jamais de salures[8]. Cette boisson les tue ; c'est ce qui a obligé M. nostre Gouverneur à faire défense, sur peine de grosses amandes aux françois de leur en donner ou
90 traitter. Néantmoins, à l'arrivée des vaisseaux il n'est pas possible d'empescher les mathelots de leur en traitter à cachette. Les anciens sauvages et les jeunes de leurs familles ne font point cela, ny ceux qui sont bons chrestiens,

95 mais seulement la jeunesse. Il est arrivé cette année que quelques-uns se sont enyvrez. Les anciens avec les Pères de cette mission les ont condamnez à certain nombre de peaux de castor, pour estre employer à achepter de quoy
100 parer la chapelle, en outre, d'estre 3 jours sans entrer dans l'église et aller 2 fois de jour, faire les prières à la porte, les inocens aussy bien que les coupables affin de leur ayder à obtenir miséricorde et appaiser celuy qui a tout fait.
105 D'autres font une confession publique dans l'église des françois et disent leurs faultes tout haut ; d'autres jeûnent 3 jours au pain et à l'eau. Comme ils font peu tels excès, aussy ces pénitences sont rares.

_____
8. Mets salés.

QUESTIONS

1 Relevez les éléments de ces extraits qui témoignent du renouveau de la ferveur religieuse dans l'établissement d'une colonie française en Amérique au XVIIe siècle.

2 Mère Marie de l'Incarnation vous semble-t-elle bien adaptée à la réalité nouvelle de ce pays ? En quoi ces deux lettres en font-elles foi ?

3 a) Observez les mots et leurs oppositions dans le troisième paragraphe (l. 31) et expliquez comment Marie de l'Incarnation fait état, dans la lettre à sa supérieure, des plaisirs de son cœur dans l'exercice de sa vocation.

b) Relevez, dans la description des Amérindiens que Marie de l'Incarnation fait à son fils, les éléments de comparaison qu'elle utilise. En quoi révèlent-ils ses intentions ?

c) La correspondance est-elle source de satisfaction ? Répondez en vous appuyant sur les deux lettres.

4 Dans la lettre à son fils, mère Marie de l'Incarnation cherche-t-elle plus à expliquer ce qu'elle décrit ou à porter des jugements ?

5 D'un point de vue ethnologique, peut-on dire que mère Marie de l'Incarnation et Jacques Cartier perçoivent les Indiens de façon similaire ? Relevez les ressemblances qu'il y a dans leurs textes.

Art et littérature

L'ENSEIGNEMENT DE LA FOI

Une fois la colonie bien installée sur les rives du Saint-Laurent, l'appel des groupes religieux en mal d'images se fait entendre. Des peintres locaux et quelques invités français se mirent alors à la tâche et visitèrent la Nouvelle-France au cours du XVIIe siècle. Parmi eux, le récollet Frère Luc aura produit plus d'une vingtaine de toiles peintes en quinze mois, entre 1670 et 1671. *La France apportant la foi aux Hurons de la Nouvelle-France* lui a longtemps été attribué, mais on pense aujourd'hui que des assistants auraient significativement contribué à sa réalisation. Quoi qu'il en soit, cette œuvre représente la mission que s'étaient donnée des catholiques français, celle de convertir les populations amérindiennes à leur religion et aux valeurs de la civilisation occidentale.

ANONYME (XVIIᵉ SIÈCLE).

La France apportant la foi aux Hurons de la Nouvelle-France, seconde moitié du XVIIᵉ siècle. (Huile sur toile, 227,3 × 227,3 cm. Musée national des beaux-arts du Québec, collection du Musée des Ursulines de Québec.)

■ Expliquez les gestes respectifs de la France et de l'Indien. Comment peut-on interpréter le langage de leurs mains ?

■ Quels sont les éléments réalistes et les éléments allégoriques présents dans cette œuvre ?

■ Quels indices rappellent la civilisation française ?

■ Comparez l'attitude de la France qui « apporte » la foi aux Hurons avec le travail de mère Marie de l'Incarnation. Quels rapprochements ou quelles différences pouvez-vous établir entre le tableau et le texte ?

Malgré une perspective plus ou moins convaincante ainsi qu'une composition et une coloration simplistes, il reste que cette œuvre est intéressante puisqu'elle traite de la thématique la plus courante des écrits et des œuvres des premiers temps de la Nouvelle-France. En effet, le peintre y montre, par la disposition symétrique des personnages qui encadrent le petit tableau religieux, un contraste entre deux univers et surtout un apport indéniable de la France aux Hurons. Le tableau tenu par la femme personnifiant la France peut être considéré comme une mise en abyme de l'œuvre, puisqu'il présente Jésus enseignant la bonne parole à ses apôtres, comme les colonisateurs le feront en territoire canadien.

LE POINT DE VUE D'OBSERVATEURS EN MARGE DE L'ADMINISTRATION COLONIALE

À CÔTÉ DES EXPLORATEURS attirés par les richesses potentielles d'un pays à découvrir et des religieux soucieux de gagner des âmes, d'autres observateurs forment une classe privilégiée de témoins. Qu'ils vivent en Nouvelle-France depuis leur naissance comme Élisabeth Bégon ou qu'ils n'y habitent que temporairement comme le baron de Lahontan, leur témoignage s'inscrit dans un contexte différent. Élisabeth Bégon écrit de Montréal à son gendre en Louisiane. Ses nombreuses lettres forment une sorte de journal de la vie quotidienne à la fin du Régime français. Le caractère privé de cette correspondance permet des audaces de jugement et un humour pour le moins savoureux à l'endroit de personnages associés à l'autorité, qu'une publication ne tolérerait pas. Contrairement à Marie de l'Incarnation qui, même dans les lettres à ses proches, demeure associée à une fonction, Élisabeth Bégon jouit d'une liberté de pensée qu'aucune position officielle ne vient altérer.

L'aspect polémique des écrits de Lahontan tient à l'inverse du désir de provocation qui sollicite la publication. L'auteur ne véhicule en rien les idées et les valeurs des gens en place. Au contraire, il crée une idéalisation de l'univers des Amérindiens. Il donne la parole à un chef huron qui décrit son mode de vie en le valorisant par rapport à celui des Européens qu'il dénonce. Rien d'étonnant, dès lors, à ce que ces écrits aient été interdits en France et y aient donc connu un succès inespéré.

Élisabeth Bégon (1696-1755)

Élisabeth Bégon naît à Montréal en juillet 1696. Son père, Étienne Rocbert de la Morandière, est originaire de la Champagne et travaille comme garde-magasin du roi pour la marine. Fille d'un petit fonctionnaire, Élisabeth fait un mariage d'amour, ce qui est rare à l'époque. D'ailleurs, la famille du mari réprouve cette union et qualifie la nouvelle épousée d'iroquoise. En 1740, la fille d'Élisabeth meurt de tuberculose en laissant deux enfants, un garçon qui sera envoyé en France auprès de la famille de son père, et une fille dont la garde est confiée à sa grand-mère. Élisabeth Bégon quitte Montréal pour s'établir à Trois-Rivières, en 1743, car son mari vient d'être nommé gouverneur de la ville. Cinq ans plus tard, devenue veuve, elle revient s'installer à Montréal et entreprend sa correspondance avec son gendre, qui vit en Louisiane.

ÉLISABETH BÉGON
Huile sur toile d'Henri Beau (1863-1949). (Archives nationales du Canada.)

Le qualifiant de « cher fils », elle lui donne régulièrement des nouvelles de l'enfant nommée affectueusement « notre chère petite » ou « chère fille ». À l'automne 1749, Élisabeth Bégon et sa famille quittent Montréal pour la France. C'est loin de son pays d'origine, à Rochefort, qu'elle meurt en 1755, deux ans après le décès de son gendre, survenu en Nouvelle-Orléans.

■ CORRESPONDANCE D'ÉLISABETH BÉGON AVEC SON GENDRE (1748-1753)

Les lettres d'Élisabeth Bégon furent découvertes en France en 1932 et publiées en 1935 dans le Rapport de l'archiviste de la province de Québec. Celles qui nous sont parvenues couvrent la période allant de 1748 à 1753. Il s'agit de textes rédigés sans intention littéraire, que l'épistolière qualifie d'ailleurs de « folies » et demande à son destinataire de jeter. L'ensemble forme toutefois un témoignage historique de premier plan sur le mode de vie d'une certaine élite montréalaise à la fin du Régime français. Le lecteur y découvre l'écriture habile d'une femme qui sait manier l'humour et porter des jugements, parfois incisifs, sans se soucier des contraintes de la censure officielle. La tendresse qu'Élisabeth Bégon nourrit à l'endroit de son gendre peut paraître curieuse sinon suspecte à un lecteur contemporain. Au-delà de ce lien manifeste se dévoile la solitude d'une femme laissée à elle-même dans un milieu qui ne la définit que par rapport à sa situation familiale. Après la mort de son mari, Élisabeth Bégon n'existe plus socialement que comme la tutrice de l'enfant qui lui a été confiée et la fille d'un vieux père dont elle a la charge. C'est de la rue Saint-Paul, à Montréal, où elle vit auprès de son père, de sa petite-fille, d'une nièce nommée Tilly et de Mater, une parente d'une soixantaine d'années, qu'elle écrit à son gendre en Louisiane.

Le 26 décembre 1748

Pour le coup mon cher fils, je suis tout étourdie du temps qu'il fait. Je me suis couchée hier avec une pluie très douce et ce matin, il poudre, neige et fait un froid et une poudre-
5 rie comme je n'en ai jamais vue et nous avons eu bien de la peine à aller, les uns après les autres, à la messe, y ayant dans les rues de la neige jusqu'au ventre des chevaux.

Je voudrais, cher fils, être en France avec cent
10 coups de pieds dans le ventre. Au moins, ne serais-je pas exposée à geler et à périr dans un tas de neige. Le vent qu'il fait et les feux que l'on est obligé de faire me donnent des battements de cœur à m'en faire trouver mal, car,
15 quand je vois ce temps et que je pense que, s'il arrivait un accident, ce que je deviendrais étant ici seule avec mon cher père, Mater, Tilly, ma chère petite, toutes aussi rassurées les unes que les autres. Dieu nous préserve de tout, car je
20 crois que je mourrais de frayeur. Tu étais toute ma consolation dans ces temps, mais je ne t'ai plus, cher fils, et m'en aperçois en bien des choses ; aussi ne perdrai-je aucune occasion pour me rapprocher de toi.

25 Adieu, cher fils, je te souhaite le bonsoir.

Secondé par un équipage d'une cinquantaine d'hommes, Cavelier de La Salle a descendu le fleuve Mississippi jusqu'à l'Arkansas. Arrivé au confluent des trois bras du Mississippi, il y a fait ériger une croix et une colonne décorée des armes de France. La gravure de Bocquin représente la céré-monie solennelle de prise de possession du pays sous le nom de « Louisiane », en l'honneur du roi de France, Louis XIV, le 9 avril 1682.

Le 26 janvier 1749

Je ne sais, mon cher fils, que de belles nouvelles à t'apprendre. Il a été prêché ce matin un ser-mon par M. le curé, sur les bals. Tu le connais et ne seras point surpris de la façon dont il a
5 parlé, disant que toutes les assemblées, bals et parties de campagne étaient toutes infâmes, que les mères qui y conduisaient leurs filles étaient des adultères, qu'elles ne se servaient que de ces plaisirs nocturnes que pour mettre un voile
10 à leurs impudicités et à la fornication et faisant le geste de ceux et celles qui dansent, il dit : « Voyez tous ces airs lascifs qui ne tendent qu'à des plaisirs honteux, que résulte-t-il — en s'écriant — de toutes ces abominations ? Des
15 querelles et des maladies honteuses ; et après cela, on croit être en droit de venir demander à manger de la viande le carême. Qui vous le permettra ? — Ce ne sera pas moi. Qui vous donnera des absolutions ? — Des confesseurs
20 mous et lâches. » Voilà tout ce que j'ai pu en retenir. C'est Mme St-Pierre qui me le vient de

dire, très piquée, comme tu penses. Adieu. En voilà assez.

Le 27 janvier 1749

Je n'eus hier, cher fils, dans le temps que je
25 te dis un mot, que l'envie de te faire part du sermon que je craignais d'oublier, et me réservai à te faire part de la belle réflexion de M. de Longueuil. Tu le connais. Au sortir de la grande messe, il fut au séminaire par la sacris-
30 tie et personne ne fut en doute de ce qu'il allait faire : on le connaît. Il fit de grands compli-ments à M. le curé sur son sermon, disant que le S. Esprit avait parlé par sa bouche ; qu'il avait eu la complaisance de donner un bal à ses
35 filles, mais qu'il n'en donnerait plus et qu'il y avait été présent et que, s'il eût entendu ce sermon, qu'il n'en aurait point donné. Notez que, dans le temps que ce tartufe parle, toutes ses filles sont aux noces chez un habitant à
40 la Rivière-des-Prairies. Adieu. En voilà peut-être trop.

QUESTIONS

1 En quoi les propos de ces lettres révèlent-ils diverses facettes de la société coloniale ?

2 D'après vous, Élisabeth Bégon est-elle insatisfaite par sa vie dans la colonie ? Si oui, quels éléments en rendent compte ?

3 a) Comment les références au climat sont-elles présentées dans la première lettre ? Relevez les mots appartenant au champ lexical de l'hiver. Comment la langue réussit-elle à s'ajuster à une réalité nouvelle qu'elle doit nommer ?

   b) Montrez que l'épistolière associe les éléments de la nature à une épreuve. Dégagez les mots clés de cette perception.

   c) Observez le vocabulaire et la syntaxe de la lettre datée du 26 janvier 1749 : les mots vous paraissent-ils excessifs ? Sont-ils employés selon leur sens propre ? Quelle image du curé l'auteure veut-elle donner ?

   d) Si l'on considère qu'affirmer avec force l'inverse de ce que l'on pense relève de l'ironie, comment l'attitude et les propos de M. de Longueuil à l'égard du curé (l. 31-37) relèvent-ils de ce procédé ?

   e) Dégagez certains traits de caractère d'Élisabeth Bégon. Comment vous apparaît-elle ?

4 Compte tenu du caractère privé de la correspondance, les propos d'Élisabeth Bégon font-ils preuve d'une grande liberté ?

5 Hormis la dimension religieuse, en quoi la lettre envoyée par mère Marie de l'Incarnation à son fils (p. 20-21) et celles d'Élisabeth Bégon à son gendre se ressemblent-elles ?

LAHONTAN
Page couverture de l'édition de 1703.

Le baron de Lahontan (1666-1715)

Fils d'un gentilhomme ruiné du Béarn, Louis-Armand de Lom d'Arce, baron de Lahontan, partit avec les troupes de la marine en 1683 pour s'installer au Canada où il vécut jusqu'en 1693. En mauvais termes avec le ministre de la Marine Pontchartrain, qui l'avait empêché d'être représenté dans un procès touchant un héritage, il fut une fois de plus victime d'une administration despotique lorsqu'il ne put, après avoir été nommé lieutenant du roi à Terre-Neuve, se défendre des accusations que le gouverneur de l'île avait portées contre lui. Fuyant l'emprisonnement, il s'exila en Hollande où il publia en 1703 des écrits condamnant les méthodes françaises de colonisation, les intrigues de pouvoir, la séduction des richesses et l'autorité despotique du ministère de la Marine, principal dépositaire de l'autorité royale sur le Canada. Malgré diverses tentatives, il ne réussit pas à obtenir la grâce du roi et mourut en exil en 1715.

■ SUITE DU VOYAGE DE L'AMÉRIQUE (1703)

Les écrits de Lahontan font trois volumes, dont les deux premiers réunissent des récits de voyage et le troisième présente des dialogues imaginaires entre l'auteur et un chef huron nommé Adario. Les récits offrent des images diverses du Canada. Les colons issus de l'émigration européenne sont désignés comme des « Canadiens » ou des « Créoles » et qualifiés de « robustes, grands, forts, vigoureux, entreprenants », bien que « présomptueux et remplis d'eux-mêmes ». Dans les dialogues, l'auteur pratique le détour anthropologique et utilise, comme Montaigne l'avait fait avant lui, le regard d'un étranger pour faire passer son point de vue. Le Français conquérant est alors décrit comme un barbare et condamné par l'Indien dans un renversement de situation radical. Transformé en « philosophe nu », ce Huron est le fruit d'une idéalisation de l'Amérindien. Cette métamorphose crée, en France, le mythe du bon Sauvage. N'oublions pas que nous nous trouvons alors au tout début du siècle des Lumières, époque où, au nom de la raison, les philosophes remettent en question les idées reçues, contestent une organisation sociale qui perpétue les privilèges et s'opposent au fanatisme et à l'intolérance.

Le formidable succès des dialogues (treize éditions en quatorze ans) repose sur un quiproquo nourri par Lahontan lui-même qui affirme, en préface, vouloir informer les lecteurs pour qu'ils puissent mieux comprendre les mœurs et coutumes des Amérindiens. Les dialogues s'échelonnent sur cinq journées dont chacune est réservée à un thème particulier : la religion, la loi, la propriété, la médecine et le mariage. L'extrait que nous vous présentons ici est tiré de la troisième rencontre.

LAHONTAN

[...] Je suis ton Ami, tu le sçais ; ainsi je n'ay d'autre intérêt que celuy de te montrer le bonheur des François ; afin que tu vives comme eux, aussi bien que le reste de ta Nation. Je t'ay
5 dit vint fois que tu t'ataches à considérer la vie de quelques méchans François, pour mesurer tous les autres à leur aune ; je t'ay fait voir qu'on les châtioit ; tu ne te paye pas de ces raisons là, tu t'obstines par des réponses injurieuses à me
10 dire que nous ne sommes rien moins que des hommes. Au bout du conte je suis las d'entendre des pauvretez de la bouche d'un homme que tous les François regardent comme un trés habile Personnage. Les gens de ta Nation
15 t'adorent tant par ton esprit, que par ton expérience & ta valeur. Tu es Chef de guerre & Chef de conseil ; & sans te flatter ; je n'ay guére veu de gens au monde plus vifs & plus pénétrans que tu l'es ; Ce qui fait que je te plains de
20 tout mon cœur, de ne vouloir pas te défaire de tes préjugés.

ADARIO

Tu as tort, mon cher Frére, en tout ce que tu dis, car je ne me suis formé aucune fausse idée de vôtre Religion ni de vos Loix ; l'exemple de
25 tous les François en général m'engagera toute ma vie, à considérer toutes leurs actions, comme indignes de l'homme. Ainsi mes idées sont justes, mes préjugez sont bien fondés, je suis prêt à prouver ce que j'avance. [...] Écoute, mon cher
30 Frére, je te parle sans passion, plus je réfléchis à la vie des Européans & moins je trouve de bonheur & de sagesse parmi eux. Il y a six ans que je ne fais que penser à leur état. Mais je ne trouve rien dans leurs actions qui ne soit au dessous de
35 l'homme, & je regarde comme impossible que cela puisse être autrement, à moins que vous ne veuilliez vous réduire à vivre sans le *Tien* ni le *Mien*, comme nous faisons. Je dis donc que ce que vous appelez argent, est le démon des
40 démons, le Tiran des François ; la source des maux ; la perte des ames & le sépultre des vivans. Vouloir vivre dans les Païs de l'argent & conserver son ame, c'est vouloir se jetter au fond du Lac pour conserver sa vie ; or ni l'un ni l'autre
45 ne se peuvent. [...]

LAHONTAN

Quoy, sera-t'-il possible que tu raisoneras tousjours si sottement ! au moins écoute une fois en ta vie avec attention ce que j'ay envie de te dire. Ne vois-tu pas bien, mon Ami, que
50 les Nations de l'Europe ne pourroient pas vivre sans l'or & l'argent, ou quelque autre chose précieuse. Déja les Gentishommes, les Prêtres, les Marchans & mille autres sortes de gens qui

CHARLES LE BRUN (1619-1690).

Les différentes Nations de l'Amérique. (Carton préparatoire au décor de l'escalier des Ambassadeurs à Versailles. Musée du Louvre.)

Chargé par le roi Louis XIV de contrôler tous les arts et les corps de métier mis à contribution pour la décoration du château de Versailles, Charles Le Brun peindra, notamment dans l'escalier des Ambassadeurs qui sera détruit en 1752, de grands tableaux illustrant les différentes nations du monde admirant les triomphes de son roi. Lebrun préparait ses peintures sur des cartons. Ce dessin représente *Les différentes Nations de l'Amérique.* Au premier plan, sous un éclairage presque scénique, le torse glabre et très musclé d'un « Indien » stoïque et puissant se présente au spectateur. Comme les textes de Lahontan en témoignent, il était dans l'air du temps d'idéaliser les peuples d'Amérique, ces bons Sauvages qui vivaient sainement, en parfaite communion avec la nature, contrairement aux habitants du Vieux Continent, avides de pouvoir, dégénérés et méprisables.

n'ont pas la force de travailler à la terre, mour-
55 roient de faim. [...]

ADARIO

Vraîment tu me fais là de beaux contes, quand tu parles des gentishommes, des Marchans & des Prêtres ! Est-ce qu'on en verroit s'il n'y avoit ni *Tien* ni *Mien* ? Vous seriez tous égaux, comme
60 les Hurons le sont entr'eux. [...] Nous avons assez parlé des qualitez qui doivent composer l'homme intérieurement, comme sont la sagesse, la raison, l'équité, &c. qui se trouvent chez les Hurons. Je t'ai fait voir que l'interêt les détruit
65 toutes, chez vous ; que cet obstacle ne permet pas à celuy qui conoît cet intérêt d'être homme raisonable. Mais voyons ce que l'homme doit être extérieurement ; Premiérement, il doit sçavoir marcher, chasser, pêcher, tirer un coup de fléche
70 ou de fusil, sçavoir conduire un Canot, sçavoir faire la guerre, conoître les bois, estre infatiguable, vivre de peu dans l'ocasion, construire des Cabanes & des Canots, faire, en un mot, tout ce qu'un Huron fait. Voilà ce que j'apelle
75 un homme. Car di-moy, je te prie, combien de millions de gens y a-t il en Europe, qui, s'ils étoient trente lieües dans des Forêts, avec un fusil ou des fléches, ne pourroient ni chasser de quoi se nourrir, ni même trouver le chemin
80 d'en sortir. [...]

LAHONTAN

Appelles-tu vivre heureux, d'estre obligé de gîter sous une miserable Cabane d'écorce, de dormir sur quatre mauvaises couvertures de

85 Castor, de ne manger que du rôti & du boüilli, d'être vêtu de peaux, d'aller à la chasse des Castors, dans la plus rude saison de l'année ; de faire trois cens lieües à pied dans des bois épais, abatus & inaccessibles […].

ADARIO

Tout beau, n'allons pas si vîte, le jour est long,
90 nous pouvons parler à loisir, l'un aprés l'autre. Tu trouves, à ce que je vois, toutes ces choses bien dures. Il est vray qu'elles le seroient extrémement pour ces François, qui ne vivent, comme les bêtes, que pour boire & manger ; & qui n'ont
95 esté élevés que dans la molesse : mais di-moy, je t'en conjure, quelle diférence il y a de coucher sous une bonne Cabane, ou sous un Palais ; de dormir sur des peaux de Castors, ou sur des matelats entre deux draps ; de manger du rosti
100 et du boüilli ; ou de sales pâtez & ragoûts, aprêtez par des Marmitons crasseux ? En sommes-nous plus malades, ou plus incommodez que les François qui ont ces Palais, ces lits, & ces Cuisiniers ? Hé ! combien y en a-t-il parmi vous,
105 qui couchent sur la paille, sous des toits ou des greniers que la pluye traverse de toutes parts, & qui ont de la peine à trouver du pain & de l'eau ? J'ay esté en France, j'en parle pour l'avoir veu. […]

LAHONTAN

110 Hé bien, tu veux donc que je croye les Hurons insensibles à leurs peines & à leurs travaux, & qu'ayant esté élevez dans la pauvreté & les soufrances, ils les envisagent d'un autre œil que nous ; cela est bon pour ceux qui n'ont jamais
115 sorti de leur païs, qui ne connoissent point de meilleure vie que la leur, & qui n'ayant jamais été dans nos Villes, s'imaginent que nous vivons comme eux ; mais pour toy, qui as été en France, à Quebec, & dans la Nouvelle
120 Angleterre, il me semble que ton goût & ton discernement sont bien sauvages, de ne pas trouver l'estat des Européans préférable à celuy des Hurons. Y a-t-il de vie plus agréable & plus délicieuse au Monde, que celle d'un
125 nombre infini de gens riches à qui rien ne manque ? Ils ont de beaux Carosses, de belles Maisons ornées de tapisseries & de tableaux magnifiques ; de beaux Jardins où se cueillent

130 toutes sortes de fruits, des Parcs où se trouvent toutes sortes d'animaux ; des chevaux & des Chiens pour chasser, de l'argent pour faire grosse chére, pour aller aux Comédies & aux jeux, pour marier richement leurs enfans, ces
135 gens sont adorés de leurs dépendans. N'as-tu pas vû nos Princes, nos Ducs, nos Marêchaux de France, nos Prélats & un million de gens de toutes sortes d'états qui vivent comme des Rois, à qui rien ne manque, & qui ne se souviénent d'avoir vêcu que quand il faut mourir ?

ADARIO

140 Si je n'estois pas si informé que je le suis de tout ce qui se passe en France, & que mon voyage de Paris ne m'eût pas donné tant de conoissances & de lumiéres, je pourrois me laisser aveugler par ces apparences exterieures de félicité, que
145 tu me représentes ; mais ce Prince, ce Duc, ce Marêchal, & ce Prélat, qui sont les premiers que tu me cites, ne sont rien moins qu'heureux, à l'égard de Hurons, qui ne conoissent d'autre félicité que la tranquillité d'ame, & la liberté.
150 Or ces grands seigneurs se haïssent intérieurement les uns les autres, ils perdent le sommeil, le boire & le manger pour faire leur cour au Roy, pour faire des piéces à leurs ennemis ; ils se font des violences si fort contre nature, pour
155 feindre, déguiser, & soufrir, que la douleur que l'ame en ressent surpasse l'imagination. N'est-ce rien, à ton avis, mon cher Frére, que d'avoir cinquante serpens dans le cœur ? Ne vaudroit-il pas mieux jetter Carosses, dorures, Palais,
160 dans la riviére, que d'endurer toute sa vie tant de martires ? Sur ce pied là j'aimerois mieux si j'étois à leur place, estre Huron, avoir le Corps nû, & l'ame tranquille. Le corps est le logement de l'ame, qu'importe que ce Corps soit doré,
165 étendu dans un Carosse, assis à une table, si cette ame le tourmente, l'afflige & le désole ? Ces grands seigneurs, dis-je, sont exposez à la disgrace du Roy, à la médisance de mille sortes de Personnes, à la perte de leurs Charges, au
170 mépris de leurs semblables ; en un mot leur vie molle est traversée par l'ambition, l'orgueil, la présomption & l'envie. Ils sont esclaves de leurs passions, & de leur Roy, qui est l'unique François heureux, par raport à cette adorable
175 liberté dont il joüit tout seul.

QUESTIONS

1 Relevez dans ce texte les éléments qui en font une œuvre caractéristique de l'esprit des Lumières.

2 Opposez brièvement les conceptions du bonheur des deux interlocuteurs.

3 a) Les deux personnages de ce dialogue se respectent-ils ? Que révèlent les formules de politesse et les impertinences ou insolences de leur première réplique à chacun ?

b) Dans la réplique d'Adario commençant par « Si je n'estois pas si informé » (l. 140), comparez les mots se rapportant d'une part aux Hurons, de l'autre aux Français. Qu'est-ce qui en ressort ? Que veut faire Adario ?

c) Dès sa première réplique, Adario vous semble-t-il rationnel, capable de tenir un discours structuré ?

Cette attitude se maintient-elle tout au long du texte ?

d) Relevez les éléments présentant l'Européen comme un être inférieur.

4 Dans ce dialogue sans nuances, l'adversaire est-il l'Indien ?

5 a) Comparativement à celles de Jacques Cartier et de Champlain, la représentation de l'Indien vous semble-t-elle idéalisée ? Annonce-t-elle le mythe du bon Sauvage ?

b) Cette opposition que Lahontan établit entre deux modes de vie est-elle encore pertinente de nos jours ?

PARTIE **4**

LA CHANSON FOLKLORIQUE

APRÈS LA CONQUÊTE, toutes les attaches étaient coupées avec la France et la chanson folklorique a été la seule courroie de transmission entre le Canada et la mère patrie. Et ce lien n'était pas ténu. Au début du XXᵉ siècle, l'anthropologue Marius Barbeau a littéralement ratissé le Québec en quête de matériel folklorique et, à lui seul, a recueilli et répertorié plus de dix mille chansons. Ce patrimoine impressionnant ne devait son incroyable survie qu'à la capacité mémorielle de quelques milliers de personnes, car la chanson folklorique, par essence, est purement orale.

Certes, il a bien fallu que des « auteurs », au point de départ, composent ces chansons. Mais ils furent anonymes, et leurs créations se sont dispersées dans le paysage, augmentées, nourries et adaptées par tous ceux qui les ont ensuite reprises. Ces « emprunteurs » successifs étaient assurément des Français, car la presque totalité de notre folklore est de cette origine. Il suffit pour le constater d'observer de près ses caractéristiques. En effet, les oiseaux messagers d'amour ne peuvent être que contemporains des lais médiévaux, les princesses emprisonnées dans une tour, des récits chevaleresques, les complaintes et les aventures galantes, des fabliaux, et les voyages sur mer et sur terre, des croisades et des équipées méditerranéennes. Quant aux chants religieux et aux miracles, il ne serait pas extravagant de supposer qu'ils remontent jusqu'au haut Moyen Âge.

Qu'il soit chanté par des groupes contemporains comme la Bottine souriante, les Charbonniers de l'enfer, la Volée de castors ou par des interprètes plus anciens comme Garolou, Jacques Labrecque ou Ovila Légaré, notre folklore exploite surtout des thèmes comme l'amour, la vie paysanne, les beuveries et ripailles, les vantardises et les chansons à danser. Moins souvent entend-on des airs appartenant à la catégorie des chants religieux, des miracles et des complaintes anecdotiques, pourtant fort abondants, où l'on trouve des thématiques évoquant parfois les grands mythes qui ont marqué l'histoire, lesquels ont nourri l'imaginaire de plusieurs écrivains du XIXe siècle. On découvre dans ce matériel des chansons comme « C'est un docteur bien misérable », qui reprend la légende de Faust; « J'étais orphelin de cinq ans », qui illustre le complexe d'Œdipe; « D'où reviens-tu mon fils, Jacques », où une mère possessive condamne à mort l'élue de son fils; et « La douceur de Jésus-Christ », qui évoque les miracles liés aux martyres des premiers chrétiens et semble proposer un rite initiatique.

■ « LA GRAND MARÂTRE »

Un des thèmes récurrents les plus importants de ce folklore est sans contredit l'obsession du diable et de l'enfer, que l'on trouve dans plusieurs contes et légendes, repris et adaptés notamment par les Lemay, Fréchette et Aubert de Gaspé, et dans la mythification de la Corriveau. Et comment ne pas voir dans La Promenade des trois morts *de Crémazie une filiation avec la chanson « La grand marâtre », où l'exhumation de cadavre est à l'honneur ? Chez Crémazie, les défunts sortent de leur tombe par eux-mêmes. Ici, on les déterre pour finalement se retrouver devant une réalité analogue : une décomposition charnelle qui prend momentanément vie.*

Madeleine trouve dans son livre qu'elle doit mourir un jour.
Madeleine est sur les planches, son mari se fiançait.
Madeleine, ils l'enterraient, son mari se mariait.
Il prit pour la nourrice, il prit la grand marâtre.

5   Dès la première nuit, l'enfant au lit pleurait.
La marâtre se lève, un grand soufflet lui donne.
Le plus vieux des deux dit : Tais-toi, mon petit frère !
Nous irons voir notre mère, qui pourrit dans la terre.

Le lendemain matin, les deux enfants s'en vont.
10   Dans leur chemin rencontrent saint Pierre et saint Michel.
Où allez-vous mes anges ? Où allez-vous, mes saints ?
Nous allons voir notre mère qui pourrit dans la terre.

Sur la fosse de leur mère ils firent une prière.
La prière fut si longue que la terre a ouvert.
15   Je vous en prie ma mère, donnez-nous donc du pain.
Comment vous en donner ? Je n'ai ni doigts ni mains.

Je vous en prie, ma mère, donnez-nous donc du lait !
Comment vous en donner, j'ai tout perdu mes seins.
Elle prit son plus petit et sur son sein l'a mis.
20   Elle dit au plus grand : va-t'en mon cher enfant !

Si l'on te donne du pain, tu leur baiseras la main.
Si l'on te donne de l'eau, tu ôteras ton chapeau.
Si quelqu'un te demande qui t'a si bien instruit,
Tu diras : C'est ma mère qui dans la terre pourrit.

QUESTIONS

1 Quels indices permettent de prétendre que cette chanson vient du Moyen Âge ?

2 Quelle impression générale la lecture de ce texte crée-t-elle chez vous ? Avez-vous le sentiment qu'il s'agit d'une chanson joyeuse ?

3 a) Relevez les détails macabres dans le texte. Sont-ils sombres ou ne sont-ils qu'un moyen d'exprimer autre chose ?

b) La langue est assez crue et le ton, très direct. Donnez-en quelques exemples. Quel effet cela produit-il ?

4 a) Les risques attachés au remariage, l'attachement à la mère biologique, la vie dans l'au-delà et l'héritage parental sont autant de voies pour faire passer un contenu fortement moral. Développez ce sujet.

b) Exposer des détails macabres comme ceux de cette chanson peut-il susciter du plaisir lors d'une soirée ? Croyez-vous que les interprètes qui chantaient cette chanson étaient conscients de l'esprit morbide qui s'en dégage ? Défendez votre point de vue.

5 D'après vous, est-ce que cette chanson pourrait avoir du succès aujourd'hui si elle était interprétée par un groupe folklorique reconnu ?

■ « LES FRAISES ET LES FRAMBOISES »

Quiconque parcourra le répertoire de nos chansons folkloriques constatera que la sensualité n'y est pas très à l'honneur. Le compositeur et écrivain Ernest Gagnon l'avait déjà constaté dans la deuxième édition de son recueil Chansons populaires du Canada, *publié en 1880 : « Plusieurs de nos chansons se chantent en France avec des variantes lascives que nous ne connaissons pas en Canada. De là il suit évidemment qu'il a dû se faire ici un travail d'expurgation à une date quelconque, ou peut-être insensiblement [...] alors que toute la colonie naissante ressemblait à une vaste communauté religieuse, et que les missions huronnes rappelaient les âges de foi de la primitive Église. »*

Si l'on ne retient de cette explication que l'influence de l'Église, c'est suffisant pour saisir la situation et constater avec moins d'étonnement que toute notre poésie sera à peu près exempte d'érotisme jusqu'à la Révolution tranquille. Ces deux versions de la chanson « Les fraises et les framboises » illustrent bien le constat d'Ernest Gagnon.

Version de France

En revenant d' Montmartre,
De Montmartre à Paris,
J'ai rencontré trois filles,
Trois fill's de mon pays.

REFRAIN :

5   Ah ! les frais's et les framboises
Et l' bon vin qu' nous avons bu,
Et les belles villageoises
Que nous n' reverrons plus.

J'ai rencontré trois filles,
10 Trois fill's de mon pays,
J'embrassai la plus jeune
Et la plus belle aussi.

L'emm'nai dans ma chambrette
Pour parler du pays
15 Comme il n'y avait pas d' chaise
Elle s'assit sur le lit.

Ell' me dit : soyez sage
Et près de moi s'assit.
J'entrouvris sa ch'misette
20 Et vis un joli nid.

Puis je lui dis : « Regarde
Mon joli canari »
Ell' caressa l'oisille
Et voilà qu'il grandit.

25 Et puis, battant des ailes,
Il entra dans le nid.
Il y entra si fort
Que le cou s'y rompit.

Pleurez, pleurez, mesdames
30 La mort du canari.
Ne pleurez plus, mesdames
La mort du canari.

Car la fillette, adroite,
Le rendit à la vie
35 Car la fillette, adroite,
Le rendit à la vie.

Version canadienne-française

Sur la route de Longueuil
De Longueuil à Chambly
J'ai rencontré trois beaux
Trois beaux gars du pays.

REFRAIN :

5   Ah ! les fraises et les framboises
Du bon vin, j'en ai bu
Croyez-moi, belle villageoise
Jamais j'me suis tant plu.

J'ai fait risette au jeune,
10 C'était le plus joli,
Il me clignait de l'œil
En me disant ceci

Venez, venez la belle
Y en a encor' à boire
15 Et il m'offrit son bras
Son bras, son cœur aussi

Et il m'offrit son bras,
Son bras, son cœur aussi
J'ai accepté les deux
20 Et nous voilà partis.

QUESTIONS

1 Ces deux textes nous montrent des habitudes de vie fort différentes chez les Français et les Québécois. Quelles sont-elles ? Que nous révèlent-elles du contexte moral de l'époque dans les deux sociétés ?

2 Comparativement à la version française, la version québécoise est empreinte d'une grande naïveté. Cette candeur vous semble-t-elle rafraîchissante ou un peu niaise ? Pourquoi ? Si vous optez pour la seconde possibilité, auriez-vous la même impression si vous n'aviez jamais lu la version française ?

3 a) Expliquez la métaphore du canari dans la version française, puis révélez le sens caché de la chanson, en suivant l'allégorie dans les cinq derniers couplets.

b) Dans la version québécoise, à qui donne-t-on le rôle de narrateur ? Quelles conséquences cela a-t-il sur le sens global du texte ?

4 Bien qu'elles portent le même titre, peut-on dire que ces deux chansons sont très éloignées l'une de l'autre et s'opposent à bien des égards ?

5 a) Parmi les chansons folkloriques chantées dans les soirées en famille, en connaissez-vous d'autres dans lesquelles le traitement vise à camoufler le caractère lascif du texte ?

b) En comparant ces chansons aux textes de Marie de l'Incarnation et d'Élisabeth Bégon, peut-on dire que toute la colonie subissait de la même façon l'influence de l'Église ?

Écriture littéraire

LE FOLKLORE

Premier volet : Composez un conte cruel, un conte dont vous évacuerez toute forme de censure. Tout y est admis : violence physique ou mentale, motivée ou gratuite, massacre, violation de tombe, meurtre (parricide, fratricide, matricide, génocide), cruauté envers les animaux, pyromanie, bestialité, viol, inceste, lacérations, etc. Vous pouvez intégrer des éléments de légendes ou de croyances populaires : lycanthropie, revenants, manifestations diaboliques, etc. L'action de ce conte doit se situer dans un passé lointain, donc exclure toute forme de technologie moderne. Par exemple, si quelqu'un se fait écraser par un véhicule, il faut que ce soit une charrette plutôt qu'une automobile. Cherchez à être rustique. Votre conte ne doit pas dépasser deux pages à double interligne.

Deuxième volet : À partir des éléments du conte, vous faites une chanson de type folklorique. Un couplet et un refrain seront suffisants, à moins que, entraîné par une bonne inspiration, vous ne souhaitiez en faire davantage. Les vers n'ont pas à être d'une longueur identique, pourvu qu'ils comptent huit à dix pieds. Votre couplet raconte l'histoire. Votre refrain expose. Il peut être racoleur, coquin, cabotin, etc., mais avant tout il doit être accrocheur. N'hésitez pas à l'agrémenter de turlutes ou de charabias cacophoniques d'usage, du genre : troulala lon lère, tam ti delam, tompti tompti tourloure, maluron maluré, turluron don dé, etc. Vous pouvez même en inventer.

Exemple 1

C'était une bergère, parlémoutère
Qui avait deux chap'rons, parlémouton
Ell' tua l'un d'une pierr', parlémoutère
L'autre avec son bâton, parlémouton

Exemple 2

C'est le père Mathurin, turlurin
Qui était pas mal grognon, turluron
A fendu son voisin, turlurin
D'la tête au roumignon, turluron

Lui a pris ses rognons, ch'cré qu'non
Pour en faire du bouilli, ch'cré qu'oui
A'invité sa Suzon, ch'cré qu'non
Pour le r'pas du midi, ch'cré qu'oui

Texte écho

■ DÉCLARATION DU CONSEIL DES INNUS (2005)

de Raphaël Picard

Raphaël Picard est le chef du Conseil des Innus de Pessamit. Au nom du Conseil des Innus du Nitassinan et de l'Assemblée des Premières Nations du Québec et du Labrador, il a fait la déclaration suivante lors de la quatrième séance de l'Instance permanente sur les peuples autochtones, à New York le 25 mai 2005.

Le sujet de mon intervention est d'une importance vitale pour les nations autochtones de tout le Canada, plus précisément du Québec, et de notre planète entière. Il s'agit de notre rela-
5 tion fondamentale avec notre territoire ancestral, qui dans le cas des Innus est nommé Nitassinan. Mon propos concerne également notre relation avec le développement des ressources naturelles sur ce territoire qui, presque
10 toujours, se réalise sans notre consentement, sans consultation et sans compensation, au mépris des règles élémentaires d'une société civilisée.

Les mots « Canada, Québec et Ottawa » sont
15 des mots autochtones. Ils ont d'abord été prononcés par les Premières Nations du Canada. Le mot « Québec » est un terme innu, toujours utilisé de nos jours, qui signifie « descendez » ou « débarquez ». Il a pu être utilisé
20 pour inviter les premiers explorateurs français à descendre de leurs navires afin d'échanger, de partager et de communiquer. Dans leur ignorance, ces explorateurs ont pu prendre ce terme pour un nom de lieu. Il demeure que la pre-
25 mière alliance entre les Français qui ont colonisé le Québec et les autochtones a eu lieu avec nos ancêtres innus au tout début du XVIIe siècle.

Notre peuple vit au nord-est du Canada, sur la rive nord du fleuve Saint-Laurent, dans la pro-
30 vince de Québec principalement, et aussi au Labrador dans la province de Terre-Neuve. Neuf communautés innues se trouvent au Québec et deux autres au Labrador. Pour ma part, je représente l'une des neuf commu-
35 nautés au Québec, celle de Pessamit, plus connue sous le nom de Betsiamites.

Comme vous le savez trop bien, et comme l'a déclaré il y a quelques jours la Vice secrétaire générale des Nations unies, madame Louise
40 Fréchette, une Canadienne originaire du Québec, « dans tous les pays où se trouvent des autochtones, ceux-ci vivent généralement dans la pauvreté et sont marginalisés ». Nous avons été dépossédés de notre territoire, de notre cul-
45 ture, de notre identité, de notre mode de vie et de notre dignité. Ma propre mère a dû se battre physiquement avec un policier pour ne pas que ses enfants lui soient enlevés, et soient envoyés de force dans une institution dont la
50 principale fonction était d'éteindre notre culture. Nous avons connu notre lot de tragédies et de détresse, mais il est malsain de s'apitoyer.

Le Canada est un pays colonial qui s'ignore. Les problèmes sociaux qui nous accablent dé-
55 coulent directement de la nature coloniale du Canada, et de la province de Québec qui en fait partie. Ils découlent aussi d'une grande ignorance chez la plupart de nos concitoyens non-autochtones, qui ne connaissent pas les réali-
60 tés fondamentales de l'histoire de leur propre pays.

Nous manifestons de nos jours, comme plusieurs d'entre vous, la volonté de nous en sortir et d'assumer la maîtrise de notre propre
65 développement, conformément au droit fondamental, consacré depuis 50 ans par le droit international, de tous les peuples de disposer librement d'eux-mêmes. Nous savons que nos

70 territoires ancestraux occupent une position stratégique au Canada eu égard au développement forestier, minier et hydroélectrique. *Ce développement n'aura plus jamais lieu sans notre pleine participation, sans une entière recon-* 75 *naissance de nos droits, sans une protection réelle de notre environnement naturel et sans compensation pour les atteintes à nos droits.*

Je vous annonce aujourd'hui que nous tournons une page de notre histoire. Nous sommes l'un des peuples fondateurs du Québec et du 80 Canada. Le développement de ce pays doit avoir lieu *avec nous*. Nous livrerons une lutte politique et juridique constante et vigoureuse aux gouvernements et aux sociétés privées qui voudront encore continuer à développer notre 85 Nitassinan sans négocier dignement et de bonne foi des ententes avec notre peuple. Le temps du colonialisme est terminé dans notre partie du Canada. L'intolérance et la résistance qui s'opposent à nos revendications légitimes 90 sont mal fondées, et découlent d'une profonde incompréhension que les gouvernements du Québec et du Canada ont le devoir de dissiper.

L'industrie forestière et les autorités locales de notre région ont beaucoup de mal actuellement 95 à comprendre que les temps ont changé, et que leurs pratiques coloniales à notre endroit sont totalement dépassées. S'ils ne s'ajustent pas rapidement, ils se retrouveront bientôt dans une situation de complète illégalité. Le partenariat 100 avec nous pour la gestion des ressources naturelles sur notre territoire est la seule solution honorable pour l'avenir.

QUESTION

Quelles sont les dénonciations et les revendications du chef innu Raphaël Picard ? En quoi sont-elles liées au passé colonial ?

CLÉS POUR COMPRENDRE LES ÉCRITS DE L'ÉPOQUE COLONIALE FRANÇAISE

1 La découverte d'un nouveau monde par Christophe Colomb en 1492 a suscité espoir et envie. Les grandes puissances européennes se font concurrence dans la colonisation, source de prestige et de richesses qu'elles associent au processus d'évangélisation des Indiens. C'est dans ce contexte que s'inscrivent les voyages de Jacques Cartier et de Champlain.

2 Si le rapport avec les Amérindiens relève de la curiosité et du goût pour l'exotisme, il tient surtout de la nécessité d'obtenir leur collaboration pour explorer le pays et établir les bases d'un commerce centré principalement sur l'exploitation de la fourrure.

3 Les autorités refusent aux protestants le droit d'évangéliser les autochtones et s'assurent ainsi du rayonnement d'un seul point de vue religieux. Le contact avec les indigènes est néanmoins source de transformation, ce dont témoigne Marie de l'Incarnation en affirmant la nécessité d'acquérir un esprit nouveau.

4 Les écrits de cette période témoignent du désir de s'approprier le pays en le nommant et en le cernant au moyen de l'écriture. Les récits de voyage et la correspondance sont les formes privilégiées pour ce faire et l'essai demeure le genre littéraire le mieux adapté à cette volonté des écrivains qui s'adressent à un public européen cultivé et intéressé par les découvertes outremer. Les auteurs doivent toutefois se garder de critiquer trop sévèrement les autorités religieuses et politiques. Seule la correspondance privée échappe à cette contrainte.

5 Les écrivains sont marqués par la culture de leur époque, celle de la Renaissance pour Cartier, du classicisme pour Champlain et des Lumières naissantes pour Lahontan.

BILAN DES AUTEURS ET DES ŒUVRES

JACQUES CARTIER

Homme de la Renaissance, le navigateur malouin pénètre, en 1534, dans le golfe du Saint-Laurent. Il en explore les rives et en dresse la cartographie. Nous lui devons le plus ancien témoignage écrit sur les cultures amérindiennes de ces régions ainsi qu'une description de la faune, de la flore et des paysages laurentiens.

SAMUEL DE CHAMPLAIN

Grand explorateur et premier gouverneur de la Nouvelle-France, le fondateur de la ville de Québec prône la christianisation des Sauvages et l'occupation du pays. Ses textes révèlent un observateur rigoureux et précis de la réalité géographique et un piètre ethnographe dont les propos condescendants sur les Amérindiens ont été contredits par les témoignages de certains de ses contemporains.

GABRIEL SAGARD

Religieux venu très tôt évangéliser les Indiens, il laisse, dans ses écrits, un témoignage de sa vie avec les Hurons qu'il a observés avec curiosité, sans condescendance, mais en ayant tout de même le désir de les convertir.

MARIE DE L'INCARNATION

Mystique et femme d'action, cette religieuse offre, dans son journal et ses lettres, un témoignage précis de la vie au début de la colonie. Le regard qu'elle porte sur les Amérindiens nuance les propos acides de Champlain.

ÉLISABETH BÉGON

Par ses lettres à son gendre, Bégon rend compte de ce qu'était la vie d'une certaine élite dans les dernières années du Régime français. Le caractère privé de sa correspondance lui permet une audace de ton et une critique des institutions que la publication officielle n'aurait pas tolérées.

BARON DE LAHONTAN

Fils d'un noble ruiné, Lahontan s'interroge sur l'organisation politique et sociale de son temps. Son ton provocateur annonce les attaques d'un Montesquieu ou d'un Voltaire contre l'ordre établi. Dressant un portrait idéalisé de l'Indien, il n'hésite pas à utiliser la voix d'un chef huron pour faire passer ses propos incendiaires.

CHAPITRE 2

LA LITTÉRATURE
DU XIXe SIÈCLE :
ENTRE LA SOUMISSION
ET LA CONTESTATION

Joseph Légaré (1795-1835).

Québec vu de la Pointe-Lévis, 1847. (Huile sur toile, 90 × 120 cm. Musée des beaux-arts de Montréal.)

Dans ce tableau, le regard panoramique du peintre embrasse le fleuve Saint-Laurent et la ville de Québec à partir de la Pointe-Lévis, ainsi nommée par Samuel de Champlain en hommage à Henri de Lévis, vice-roi de la Nouvelle-France. Le premier plan du tableau nous montre les abords d'une forêt touffue, puis une prairie verdoyante où paissent quelques vaches. Deux paysans semblent profiter d'un moment de repos pour goûter la douceur de ce paysage. En suivant la ligne d'horizon à partir de la gauche, on distingue nettement la citadelle, puis le profil curviligne de la ville de Québec qui s'étend jusqu'au fleuve. L'atmosphère paisible de ce tableau contraste avec les propos de Chevalier de Lorimier : deux versions de l'espoir en ce pays naissant.

Prison de Montréal,
14 février 1839,
11 heures du soir

LE PUBLIC ET MES AMIS en particulier attendent, peut-être, une déclaration sincère de mes sentiments ; à l'heure fatale qui doit nous séparer de la terre, les opinions sont toujours regardées et reçues avec plus d'impartialité […]. Pour ma part, à la veille de rendre mon esprit à son créateur, je désire faire connaître ce que je ressens et ce que je pense. Je ne prendrais pas ce parti, si je ne craignais qu'on ne représentât mes sentiments sous un faux jour ; on sait que le mort ne parle plus et la même raison d'État qui me fait expier sur l'échafaud ma conduite politique pourrait bien forger des contes à mon sujet. […]

Je meurs sans remords, je ne désirais que le bien de mon pays dans l'insurrection et l'indépendance, mes vues et mes actions étaient sincères et n'ont été entachées d'aucun des crimes qui déshonorent l'humanité, et qui ne sont que trop communs dans l'effervescence de passions déchaînées. Depuis 17 à 18 ans, j'ai pris une part active dans presque tous les mouvements populaires, et toujours avec conviction et sincérité. Mes efforts ont été pour l'indépendance de mes compatriotes.

Nous avons été malheureux jusqu'à ce jour. La mort a déjà décimé plusieurs de mes collaborateurs. Beaucoup gémissent dans les fers, un plus grand nombre sur la terre d'exil, avec leurs propriétés détruites, leurs familles abandonnées sans ressources aux rigueurs d'un hiver canadien. Malgré tant d'infortune, mon cœur entretient encore du courage et des espérances pour l'avenir, mes amis et mes enfants verront de meilleurs jours, ils seront libres, un pressentiment certain, ma conscience tranquille me l'assurent. Voilà ce qui me remplit de joie, quand tout est désolation et douleur autour de moi. Les plaies de mon pays se cicatriseront après les malheurs de l'anarchie et d'une révolution sanglante. Le paisible Canadien verra renaître le bonheur et la liberté sur le Saint-Laurent ; tout concourt à ce but, les exécutions mêmes, le sang et les larmes versés sur l'autel de la liberté arrosent aujourd'hui les racines de l'arbre qui fera flotter le drapeau marqué des deux étoiles des Canadas.

Je laisse des enfants qui n'ont pour héritage que le souvenir de mes malheurs. Pauvres orphelins, c'est vous que je plains, c'est vous que la main sanglante et arbitraire de la loi martiale frappe par ma mort. […] Quand votre raison vous permettra de réfléchir, vous verrez votre père qui a expié sur le gibet des actions qui ont immortalisé d'autres hommes plus heureux. Le crime de votre père est dans l'irréussite. Si le succès eût accompagné ses tentatives, on eut honoré ses actions d'une mention honorable.

Le crime fait la honte et non pas l'échafaud. Quant à vous, mes compatriotes, mon exécution et celle de mes compagnons d'échafaud vous seront utiles. Puissent-elles vous démontrer ce que vous devez attendre du gouvernement anglais !… Je n'ai plus que quelques heures à vivre, j'ai voulu partager ce temps précieux entre mes devoirs religieux et ceux dus à mes compatriotes ; pour eux je meurs sur le gibet de la mort infâme du meurtrier, pour eux je me sépare de mes jeunes enfants et de mon épouse sans autre appui, et pour eux je meurs en m'écriant : *Vive la liberté, vive l'indépendance !*

Marie-Thomas Chevalier DE LORIMIER,
Dernières lettres d'un condamné (1839).

DATES	ÉVÉNEMENTS POLITIQUES	ÉVÉNEMENTS SOCIOCULTURELS
1795		Naissance du peintre Légaré (†1855).
1802		Naissance d'Étienne Parent (†1874).
1803		Naissance de Marie-Thomas Chevalier de Lorimier (†1839).
1804		Naissance du peintre Plamondon (†1895).
1807		Naissance de Patrice Lacombe (†1863).
1809		Naissance de François-Xavier Garneau (†1866).
1815	Louis-Joseph Papineau est élu président de l'Assemblée législative.	
1819		Naissance de Louis-Antoine Dessaulles (†1895).
1826	Fondation du Parti patriote composé surtout de professionnels et de marchands.	
1827		Naissance de Napoléon Bourassa (†1916). — Naissance d'Octave Crémazie (†1879).
1831		Naissance d'Henri-Raymond Casgrain (†1904). — Parent dirige le journal *Le Canadien*.
1834	Dépôt des 92 résolutions du Parti patriote à l'Assemblée législative.	
1837	1er mars : Londres rejette les 92 résolutions. 5 septembre : première assemblée publique de la Société des Fils de la liberté. 23 novembre : bataille de Saint-Denis-sur-Richelieu remportée par les Patriotes. 25 novembre : bataille de Saint-Charles-sur-Richelieu où les Patriotes sont vaincus. 14 décembre : bataille de Saint-Eustache où les troupes britanniques incendient l'église paroissiale dans laquelle les Patriotes sont retranchés.	
1838	10 février : Londres suspend la Constitution du Bas-Canada et nomme Lord Durham gouverneur général de la province et haut-commissaire pour enquêter sur la rébellion.	
1839	11 février : publication du rapport Durham. 15 février : pendaison de douze patriotes à la prison du Pied-du-courant.	Naissance de Louis Fréchette (†1908). — 14 février : lettre d'adieu de Chevalier de Lorimier.
1840	Sanction par l'Angleterre de l'Acte d'Union du Haut-Canada et du Bas-Canada en une province unique : le Canada-Uni.	Naissance d'Arthur Buies (†1901).
1843		Naissance de Gaston-P. Labat (†1908).
1844		Fondation de l'Œuvre des bons livres par Mgr Bourget. Fondation de l'Institut canadien.
1845		Naissance de Laure Conan (†1924). — Garneau, *Histoire du Canada depuis sa découverte jusqu'à nos jours*.
1846		Lacombe, *La Terre paternelle*.
1848		Naissance d'Honoré Beaugrand (†1906).
1850		Naissance d'Armand de Haerne (†1902).
1852		Naissance du peintre Julien (†1908).
1855		Naissance du peintre Huot (†1930).
1858		Naissance du peintre Walker (†1938). — Condamnation épiscopale de l'Institut canadien.
1860		Fondation de l'École patriotique de Québec.
1863		Naissance du peintre Beau (†1949).
1864		Naissance du peintre Alexander (†1915).
1866		Bourassa, *Jacques et Marie, souvenirs d'un peuple dispersé*. — Casgrain, *Mouvement littéraire au Canada*.
1867	La promulgation de l'Acte de l'Amérique du Nord britannique scinde le Canada-Uni en provinces de Québec et d'Ontario et unit celles-ci avec la Nouvelle-Écosse et le Nouveau-Brunswick pour créer un pays indépendant : le Canada.	Dessaulles prononce son *Discours sur la tolérance* devant les membres de l'Institut canadien.
1868		Buies fonde le journal *La Lanterne*.
1869		Mgr Bourget met l'*Annuaire de l'Institut canadien pour 1868* à l'Index. — Le pape condamne l'Institut canadien.
1880		Fréchette reçoit un prix littéraire de l'Académie française pour son recueil *Les Fleurs boréales*. — L'Institut canadien est fermé définitivement.
1881		Conan, *Angéline de Montbrun*.
1887		Fréchette, *La Légende d'un peuple*.
1896		Crémazie, *Œuvres complètes*, édition préparée par l'abbé Casgrain.
1900		Beaugrand, *La Chasse-galerie : légendes canadiennes*.

LA CONQUÊTE ANGLAISE ET LE RÉGIME BRITANNIQUE

En 1763, l'Angleterre l'emporte sur la France dans la guerre pour le contrôle des colonies en Amérique, ce qui sonne le glas du régime français. Un peuple d'environ soixante-cinq mille personnes, majoritairement des paysans, doit désormais se soumettre à l'autorité britannique et se voit amputé de sa classe dirigeante, administrateurs, militaires, riches commerçants et seigneurs ayant pour la plupart choisi de retourner en France. L'Angleterre interdit par la suite tout contact avec la mère patrie que d'aucuns accuseront plus tard d'avoir abandonné son peuple. Les Britanniques réquisitionnent certains collèges pour les mettre à la disposition de l'armée. S'ils croient pouvoir assimiler rapidement ce petit peuple d'origine française, économiquement faible et privé d'éducation, ils s'aperçoivent bien vite que les Canadiens, comme on les appelle désormais, leur résistent plus que prévu, grâce à leur natalité prodigieuse et à leur organisation rurale et paroissiale. Ainsi, loin de l'influence de la ville et regroupés autour du clergé, qui constitue maintenant leur seule élite, les Canadiens réussissent à survivre. Ces conditions de vie ne développent certes pas leur intérêt pour la lecture : près de 80 % des gens sont analphabètes et les 20 % qui savent lire ne trouvent maintenant plus d'ouvrages en français. Cependant, plusieurs contes, légendes et chansons populaires de la vieille France se transmettent de génération en génération et créent une tradition orale bien vivante.

LA MONTÉE DU NATIONALISME ET LA RÉVOLTE DES PATRIOTES

Peu à peu, les Canadiens s'organisent, de nouveaux collèges ouvrent et une nouvelle élite locale voit le jour. Elle est formée de gens qui embrassent des professions accessibles aux peuples conquis : religion, enseignement, droit et médecine. Plusieurs d'entre eux se regroupent pour tenter de lutter contre la discrimination qui touche leur peuple et de défendre ses droits. C'est ainsi que le parti politique des Patriotes voit le jour. En 1834, Louis-Joseph Papineau, chef de ce parti, se rend à Londres pour présenter au représentant du roi un manifeste contenant 92 résolutions réclamant la fin de toute discrimination face au peuple canadien. Londres refuse toutes les demandes. Au pays, cet échec en incite plusieurs à s'interroger sur la possibilité d'améliorer le sort des Canadiens en suivant la voie démocratique. Les assemblées populaires se multiplient, la colère gronde et l'affrontement armé devient inévitable. La première bataille de ce que l'histoire appellera la révolte des Patriotes a lieu en novembre 1837 à Saint-Denis-sur-Richelieu et les Canadiens en sortent victorieux. Mais l'armée anglaise, mieux organisée et surtout mieux équipée, gagne ensuite les deux batailles les plus importantes, celles de Saint-Charles-sur-Richelieu et de Saint-Eustache. Après d'autres affrontements où les Patriotes essuieront maintes défaites, les présumés responsables de la rébellion, dont le plus connu est Marie-Thomas Chevalier de Lorimier, sont arrêtés, jugés, puis exilés ou pendus.

LE RAPPORT DURHAM

Afin d'éviter qu'un tel conflit ne se reproduise, l'Angleterre nomme John George Lambton, comte de Durham, gouverneur en chef de toutes les provinces britanniques de l'Amérique du Nord et lui donne le mandat d'examiner de plus près la situation du Bas-Canada. Lord Durham publie en 1839 un rapport sur les causes de l'insurrection et propose certaines solutions aux problèmes qu'il a cru déceler. Ainsi, selon lui, la cause première de la rébellion aurait été « la haine mortelle qui divise les habitants du Bas-Canada en deux groupes hostiles : Français et Anglais ». Il propose donc d'assimiler les Canadiens aux Britanniques, « la race supérieure », écrit-il : le gouvernement anglais doit « établir dans la province une population de lois et de langue anglaises, et [...] n'en confier le gouvernement qu'à une Assemblée décidément anglaise ». Toujours selon lui, c'est dans l'intérêt même des Canadiens que le gouvernement doit intervenir puisque « on ne peut guère concevoir de nationalité plus dépourvue de tout ce qui peut vivifier et élever un peuple que les descendants des Français dans le Bas-Canada, du fait qu'ils ont gardé leur langue et leurs coutumes particulières. C'est un peuple sans histoire et sans littérature. » Inspirée par les recommandations du rapport Durham, l'Angleterre procède en 1840 à l'unification du Haut-Canada et du Bas-Canada, afin de rendre minoritaire ce peuple dit « inférieur ». Mais cette mesure n'aura pas l'effet attendu. En 1867, le Canada obtient son indépendance de l'Angleterre, et les Canadiens français seront appelés à jouer un rôle important dans ce nouveau pays.

LA NAISSANCE DE L'IDÉOLOGIE DE CONSERVATION

Si la défaite des Patriotes et le rapport Durham n'ont pas les conséquences politiques souhaitées par les Anglais, leurs répercussions n'en sont pas moins importantes en matière sociale et littéraire. En effet, les Canadiens acceptent difficilement l'échec de la rébellion de 1837-1838, car, pour la deuxième fois en moins d'un siècle, ils se voient vaincus. Ils se sentent de plus en plus infériorisés et méprisés par les Anglais et croient désormais que plus jamais ils ne réussiront à concrétiser leur rêve d'autonomie. L'avenir leur paraissant incertain, voire inquiétant, ils préfèrent se tourner vers leur passé, souvent glorieux à l'époque de la Nouvelle-France. De plus, les Anglais occupant à peu près tous les postes liés à l'industrie et au commerce, les Canadiens n'ont d'autre choix que de continuer à se consacrer à l'agriculture. Encore une fois, leur très haut taux de natalité leur permet de résister aux tentatives d'assimilation. De surcroît, la religion catholique, indissociable de la langue française, contribue à leur redonner une certaine fierté en les convainquant que Dieu les a choisis pour accomplir une mission spirituelle sur terre. Tous ces éléments permettent au peuple canadien-français de survivre et constituent la base de ce que l'on appelle l'idéologie de conservation, idéologie qui marquera profondément la littérature canadienne-française naissante.

LA NAISSANCE DE LA LITTÉRATURE

En affirmant que les Canadiens français sont un peuple sans histoire et sans littérature, Lord Durham donne bien involontairement un coup d'envoi au développement des lettres. D'abord, François-Xavier Garneau décide de démontrer, en rédigeant son *Histoire du Canada depuis sa découverte jusqu'à nos jours* (1845-1849), que son peuple jouit d'un passé glorieux dont il peut s'enorgueillir. Ensuite, plusieurs écrivains suivront cette voie pour faire connaître à leurs lecteurs les grands moments de leur histoire. Enfin, d'autres se tourneront vers ce qui deviendra la littérature du terroir, laquelle adhère à l'idéologie dominante en montrant au Canadien français la conduite qu'il doit adopter s'il veut s'assurer bonheur et prospérité. Toute transgression des normes de l'idéologie de conservation entraîne inévitablement le malheur, l'échec et parfois même la mort du fautif. L'Église veille au grain : seuls les ouvrages qui prônent le respect de ses consignes pourront être publiés.

LA NAISSANCE DE LA CENSURE

Tous les écrits du XIXᵉ siècle passent devant la censure ecclésiastique et gare aux auteurs qui feraient preuve d'immoralité ! Ils se verraient rapidement interdits de lecture et de publication. C'est dans cet esprit que Mᵍʳ Bourget, évêque de Montréal, fonde l'Œuvre des bons livres en 1844. Il s'agit d'une bibliothèque qui rend accessibles aux lecteurs uniquement les ouvrages dignes d'être lus, après avoir été approuvés par le clergé. Si une grande partie des Canadiens se plie aux volontés de l'Église, une certaine élite s'y oppose avec vigueur. Ainsi, la même année, deux cents jeunes se réunissent pour fonder l'Institut canadien de Montréal, une société qui entend promouvoir les idées libérales par les échanges et les débats, et dont la devise est *Justice pour nous, justice pour tous ; Raison et liberté pour nous, raison et liberté pour tous*. L'Institut dispose d'une bibliothèque laïque qui compte plus de dix mille ouvrages, tant scientifiques que juridiques ou littéraires (dont plusieurs sont à l'Index, notamment ceux de Voltaire, d'Hugo et de Lamartine). Dans sa salle de lecture, on trouve les principaux journaux du pays et plus de cent vingt-cinq périodiques de l'Europe et des États-Unis. Le clergé voit évidemment d'un mauvais œil ce foyer de contestation et n'entend pas que son autorité soit ainsi défiée. L'Institut canadien sera d'abord victime d'une condamnation épiscopale en 1858 et ensuite d'une condamnation papale en 1869. En 1880, il se verra contraint de fermer ses portes et de céder le contenu de sa bibliothèque au Fraser Institute, aucune organisation francophone et catholique ne voulant se charger de tous ces livres jugés immoraux ou impies. Ce ne sera pas la dernière fois que l'Église bâillonnera ceux qui osent s'opposer à sa domination en matière d'idées.

PARTIE 1

LES FONDEMENTS DE NOTRE LITTÉRATURE

LES GRANDS BOULEVERSEMENTS sociopolitiques que le Canada français a connus au XIXᵉ siècle et la menace d'extinction de son peuple ont certes influencé la naissance de la littérature. Mais sur quelle base cette nouvelle littérature doit-elle s'édifier ? Quelles valeurs doit-elle défendre ? Quelle doit être son inspiration ? L'historien François-Xavier Garneau sera l'un des premiers auteurs à répondre à ces questions en affirmant que notre littérature doit être avant tout au service du nationalisme canadien-français, comme en témoigne la conclusion de son *Histoire du Canada*. Un peu moins de vingt ans après, l'essayiste Henri-Raymond Casgrain réaffirmera la nécessité d'une littérature essentiellement patriotique, qui se doit de défendre les valeurs propres de son peuple. Les principales assises des lettres canadiennes-françaises étaient alors posées.

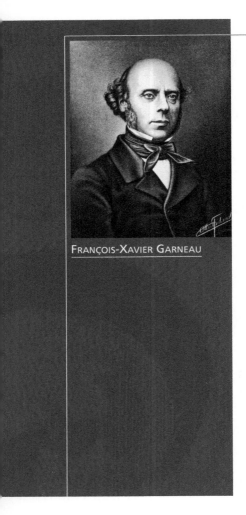

FRANÇOIS-XAVIER GARNEAU

François-Xavier Garneau (1809-1866)

Issu d'une modeste famille de la ville de Québec et n'éprouvant pas d'attirance pour la vie religieuse, le jeune François-Xavier Garneau n'a pas accès aux études classiques. C'est de façon autodidacte qu'il étanche son inépuisable soif de savoir. Il devient donc clerc dans un bureau de notaire, avant d'embrasser lui-même cette profession. Il touche aussi au journalisme aux côtés d'Étienne Parent, éditeur du journal *Le Canadien*, avec qui il partage le besoin de se porter à la défense de la survie du peuple canadien-français, devant la menace et le mépris anglais. Il en vient ainsi à s'intéresser à l'histoire de son pays. En 1839, lorsque Lord Durham écrit, dans son rapport sur les troubles de 1837-1838, que les Britanniques doivent assimiler les Canadiens, car « c'est un peuple sans histoire et sans littérature », Garneau est fortement indigné. Les siens ont, au contraire, un passé glorieux, affirme-t-il, mais le récit de leur histoire n'a pas vraiment été mis sur papier. C'est pour pallier ce manque que Garneau entreprend la rédaction de l'*Histoire du Canada depuis sa découverte jusqu'à nos jours*, œuvre de mille six cents pages en trois volumes publiés respectivement en 1845, 1846 et 1849. Ce travail colossal lui vaudra le titre de premier historien national.

Un des principaux mérites de Garneau est certes de tenter de redonner confiance aux Canadiens, ce dont ils ont grandement besoin après deux défaites en moins de cent ans et avec la menace d'assimilation qui pèse sur eux. L'historien croit à la survie de son peuple, pour autant qu'il demeure sous la protection de son élite et de l'Église. Cette pensée teintera fortement la littérature canadienne qui en est alors à ses tout premiers balbutiements. On en trouvera d'ailleurs des traces évidentes, même des décennies plus tard, dans le célèbre roman de Louis Hémon, *Maria Chapdelaine* (1916).

■ HISTOIRE DU CANADA DEPUIS SA DÉCOUVERTE JUSQU'À NOS JOURS (1845-1849)

Avec l'Histoire du Canada depuis sa découverte jusqu'à nos jours, pour la première fois, les descendants des premiers colons français ont droit à une histoire cohérente et bien documentée qui renouvelle la vision qu'ils ont d'eux-mêmes en leur montrant le courage dont ils ont fait preuve dans leur lutte constante contre l'assimilation. En effet, Garneau s'appuie sur des données historiques pour montrer aux Canadiens que, même si menace il y a, ils font partie d'un peuple qui n'est pas près de disparaître : « Quoi qu'on fasse, la destruction d'un peuple n'est pas chose aussi facile qu'on pourrait s'imaginer […]. Le sort des Canadiens français n'est pas plus incertain aujourd'hui qu'il l'était il y a un siècle. Nous ne comptions que 60 000 âmes en 1760 et nous sommes aujourd'hui près d'un million. » L'extrait retenu fait partie du troisième volume, que Garneau conclut en faisant aux siens quelques recommandations qui leur permettront d'assurer leur survie.

Les Canadiens fidèles à eux-mêmes

Quoique peu riche et peu favorisé, le peuple canadien a montré qu'il conserve quelque chose de la noble nation dont il tire son origine. Depuis la conquête, sans se laisser distraire par
5 les déclamations des philosophes ou des rhéteurs sur les droits de l'homme et autres thèses qui amusent le peuple des grandes villes, il a fondé toute sa politique sur sa propre conservation. Il était trop peu nombreux pour pré-
10 tendre ouvrir une voie nouvelle aux sociétés, ou se mettre à la tête d'un mouvement quelconque à travers le monde. Il s'est resserré en lui-même, il a rallié tous ses enfants autour de lui, et a toujours craint de perdre un usage, une pensée, un
15 préjugé de ses pères, malgré les sarcasmes de ses voisins. C'est ainsi qu'il a conservé jusqu'à ce jour sa religion, sa langue, et un pied-à-terre à l'Angleterre dans l'Amérique du Nord en 1775 et en 1812…

20 Les Canadiens français forment un peuple de cultivateurs, dans un climat rude et sévère. Ils n'ont pas, en cette qualité, les manières élégantes et fastueuses des populations méridionales ; mais ils ont de la gravité, du caractère et de
25 la persévérance. Ils en ont donné des preuves depuis qu'ils sont en Amérique, et nous sommes convaincus que ceux qui liront leur histoire de bonne foi, reconnaîtront qu'ils se sont montrés dignes des deux grandes nations aux destinées
30 desquelles leur sort s'est trouvé ou se trouve encore lié.

Au reste, ils n'auraient pu être autrement sans démentir leur origine. Normands, Bretons, Tourangeaux, Poitevins, ils descendent de cette
35 forte race qui marchait à la suite de Guillaume le Conquérant, et dont l'esprit, enraciné ensuite en Angleterre, a fait des habitants de cette petite île une des premières nations du monde ; ils
40 viennent de cette France qui se tient à la tête de la civilisation européenne depuis la chute de l'empire romain, et qui, dans la bonne comme dans la mauvaise fortune, se fait toujours respecter ; de cette France qui, sous ses
45 Charlemagne comme sous ses Napoléon, ose appeler toutes les nations coalisées à des combats de géants ; ils viennent surtout de cette Vendée normande, bretonne, angevine, dont le monde à jamais respectera le dévouement sans
50 bornes pour les objets de ses sympathies, et dont l'admirable courage a couvert de gloire le drapeau qu'elle avait levé au milieu de la révolution française.

Que les Canadiens soient fidèles à eux-mêmes ; qu'ils soient sages et persévérants, qu'ils ne se
55 laissent point séduire par le brillant des nouveautés sociales et politiques. Ils ne sont pas assez forts pour se donner carrière sur ce point. C'est aux grands peuples à faire l'épreuve des nouvelles théories ; ils peuvent se donner
60 toute liberté dans leurs orbites spacieuses. Pour nous, une partie de notre force vient de nos traditions ; ne nous en éloignons ou ne les changeons que graduellement. Nous trouverons dans l'histoire de notre métropole, dans
65 l'histoire de l'Angleterre elle-même, de bons exemples à suivre. Si l'Angleterre est grande aujourd'hui, elle a eu de terribles tempêtes à essuyer, la conquête étrangère à maîtriser, des guerres religieuses à éteindre et bien d'autres
70 traverses. Sans vouloir prétendre à si haute destinée, notre sagesse et notre ferme union adouciront beaucoup nos difficultés, et, en excitant leur intérêt, rendront notre cause plus sainte aux yeux des nations.

QUESTIONS

1 Comment Garneau montre-t-il que, contrairement à ce que Durham écrivait, les Canadiens ne sont pas un peuple sans histoire ?

2 Garneau a-t-il une image positive des Canadiens français ? À quoi le voit-on ?

3 a) Garneau utilise de nombreux qualificatifs pour décrire les Canadiens français. Quel portrait Garneau en dresse-t-il ainsi ?

b) Tout au long du texte, Garneau parle des Canadiens français à la 3ᵉ personne du pluriel. Cependant, dans le dernier paragraphe, il utilise la 1ʳᵉ personne du pluriel. Comment expliquez-vous ce changement ?

c) Que signifient les références à Guillaume le Conquérant, à Charlemagne, à Napoléon pour définir le peuple canadien ?

d) Quelles sont les bases de l'idéologie de conservation mises en place par Garneau ?

4 Est-il juste de situer les Canadiens français dans la descendance des grands héros français tout en leur proposant de défendre les valeurs de l'idéologie de conservation ?

5 Croyez-vous qu'Étienne Parent exprime la même opinion que Garneau dans son *Adresse au public canadien* (p. 57-58) ?

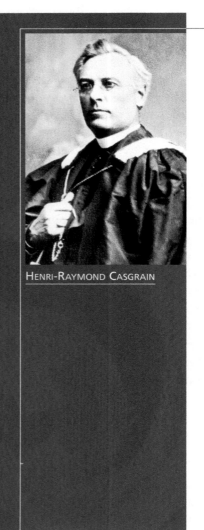

HENRI-RAYMOND CASGRAIN

Henri-Raymond Casgrain (1831-1904)

L'abbé Henri-Raymond Casgrain est une des figures marquantes du XIXᵉ siècle. Certains auteurs vont jusqu'à faire de lui le « père nourricier de notre littérature ». À la fois historien, biographe, conteur, poète, c'est aussi le premier critique littéraire que les lettres d'ici aient connu. On peut qualifier le parcours de Casgrain d'éclectique. En effet, d'abord inscrit à l'école de médecine et de chirurgie, il délaisse les sciences pour la théologie. Il enseigne ensuite quelques années au Collège de Sainte-Anne-de-la-Pocatière, puis devient vicaire de la paroisse Notre-Dame de Québec. Plus tard, des problèmes de santé lui causant de graves difficultés dans l'exercice de son ministère, le jeune abbé se consacre à l'étude de l'histoire et à la littérature. On lui doit en tout une trentaine d'ouvrages, certains à caractère historique, d'autres présentant la biographie de certains de ses contemporains, comme François-Xavier Garneau ou Philippe Aubert de Gaspé père. Casgrain s'adonne aussi à la création littéraire et publie un recueil intitulé *Légendes canadiennes* et des poèmes d'inspiration romantique. Toutes ces œuvres ont un point en commun : elles mettent en relief le Canada français, ses valeurs et les personnes qui ont contribué à les faire connaître.

À Québec, l'abbé Casgrain devient, comme Étienne Parent, Louis Fréchette et Antoine Gérin-Lajoie notamment, un habitué de la librairie d'Octave Crémazie, dont il deviendra l'ami et le confident. Animateur respecté, il se plaît à guider et à conseiller les nouveaux talents de la littérature naissante de son pays. Il participe aussi activement à la création des revues *Soirées canadiennes* (1861-1865) et *Foyer canadien* (1863-1866) qui entendent promouvoir, populariser et diffuser les écrits des jeunes écrivains, et qui parviennent à l'époque à rejoindre un lectorat de quelques milliers de personnes. On peut donc dire que Casgrain a largement contribué à l'essor des lettres d'ici. Gérard Tougas écrira d'ailleurs en 1960 à son sujet qu'il « fut un admirable catalyseur des écrivains en herbe ».

■ LE MOUVEMENT LITTÉRAIRE AU CANADA (1866)

En 1866, Henri-Raymond Casgrain publie Le Mouvement littéraire au Canada, *essai dans lequel il présente l'essentiel de sa pensée. Il y affirme notamment vouloir « donner à la France une colonie intellectuelle, comme nous lui avons donné une France nouvelle sur ce continent ». Casgrain croit donc en l'avenir d'une littérature canadienne-française, pour autant qu'elle soit le reflet de son peuple, c'est-à-dire patriotique, respectueuse des valeurs catholiques héritées des ancêtres français et fortement inspirée du milieu canadien. Il pose ainsi les premiers jalons d'une littérature qu'il veut nationale en en définissant les normes, normes auxquelles plusieurs écrivains de son époque se sont d'ailleurs conformés.*

L'extrait retenu apparaît dans la troisième partie de l'ouvrage. Après avoir tracé un bref historique des débuts de la littérature canadienne-française et établi le rôle de la critique, Casgrain décrit ce que doit être désormais la littérature.

Si nous avons tardé longtemps à diriger notre attention vers la culture des lettres, c'est qu'après de difficiles commencements, des guerres interminables, au lendemain des désas-
5 tres de la conquête, nous avions tant de précieuses choses à sauver du naufrage ! notre foi, notre langue, nos lois, toutes nos libertés, la patrie tout entière. Il y a lieu même de s'étonner des progrès qui ont été faits, malgré tant
10 d'obstacles.

Ainsi rien ne justifie les conjectures sceptiques de certains esprits superficiels, à l'égard de notre avenir littéraire. Au fond, ces sentiments prennent leur source dans une pensée antipatrio-
15 tique, qu'on n'ose s'avouer ou proclamer : on ne croit pas à notre avenir intellectuel, parce qu'on n'a pas de foi dans notre avenir national… Mais, heureusement, ces voix isolées ne trouvent point d'écho.

20 Nous pouvons donc l'affirmer avec une légitime assurance, le mouvement qui se manifeste actuellement ne s'arrêtera pas, il progressera rapidement et aura pour résultat de glorieuses conquêtes dans la sphère des intelligences. Oui,
25 nous aurons une littérature indigène, ayant son cachet propre, original, portant vivement l'empreinte de notre peuple, en un mot, une littérature nationale.

30 On peut même prévoir d'avance quel sera le caractère de cette littérature.

Si, comme cela est incontestable, la littérature est le reflet des mœurs, du caractère, des aptitudes, du génie d'une nation, si elle garde aussi l'empreinte des lieux, des divers aspects de la
35 nature, des sites, des perspectives, des horizons, la nôtre sera grave, méditative, spiritualiste, religieuse, évangélisatrice comme nos missionnaires, généreuse comme nos martyrs, énergique et persévérante comme nos pionniers d'autre-
40 fois ; et en même temps elle sera largement découpée, comme nos vastes fleuves, nos larges horizons, notre grandiose nature, mystérieuse comme les échos de nos immenses et impénétrables forêts, comme les éclairs de nos aurores
45 boréales, mélancolique comme nos pâles soirs d'automne enveloppés d'ombres vaporeuses, comme l'azur profond, un peu sévère, de notre ciel, chaste et pure comme le manteau virginal de nos longs hivers.

50 Mais surtout elle sera essentiellement croyante et religieuse. Telle sera sa forme caractéristique, son expression ; sinon elle ne vivra pas, et se tuera elle-même. C'est sa seule condition d'être ; elle n'a pas d'autre raison d'existence ; pas plus
55 que notre peuple n'a de principe de vie sans religion, sans foi ; du jour où il cesserait de

croire, il cesserait d'exister. Incarnation de sa pensée, verbe de son intelligence, la littérature suivra ses destinées.

60 Ainsi sa voie est tracée d'avance ; elle sera le miroir fidèle de notre petit peuple dans les diverses phases de son existence, avec sa foi ardente, ses nobles aspirations, ses élans d'enthousiasme, ses traits d'héroïsme, sa généreuse
65 passion de dévouement. Elle n'aura point ce cachet de réalisme moderne, manifestation de la pensée impie, matérialiste ; mais elle n'en aura que plus de vie, de spontanéité, d'originalité, d'action.

70 Qu'elle prenne une autre voie, qu'elle fausse sa route, elle sèmera dans un sillon stérilisé, et le germe mourra dans son enveloppe d'où il s'échappe à peine, desséché par le vent du siècle, comme ces fleurs hâtives qui s'entr'ouvrent aux
75 premiers rayons du printemps, mais que le souffle de l'hiver flétrit avant qu'elles aient eu le temps de s'épanouir.

Heureusement que, jusqu'à ce jour, notre littérature a compris sa mission, qui est de favo-
80 riser les saines doctrines, de faire aimer le bien, admirer le beau et connaître le vrai, de moraliser le peuple en ouvrant son âme à tous les nobles sentiments, en murmurant à son oreille, avec les noms chers à ses souvenirs, les actions
85 qui les ont rendus dignes de vivre, en couronnant leurs vertus de son auréole, en montrant du doigt les sentiers qui mènent à l'immortalité. Voilà pourquoi nous avons foi dans son avenir.

QUESTIONS

1 En quoi les principes défendus par Casgrain sont-ils le reflet de son époque ?

2 Quelles sont selon vous les principales caractéristiques de la littérature nationale au Canada français ?

3 a) Relevez le vocabulaire qui associe la littérature à la nature canadienne. Qu'en déduisez-vous ?

b) Quelle figure de style domine la relation entre la littérature et le passé des Canadiens français ? Que nous suggère l'auteur par cette figure de style ?

c) Casgrain a été très influencé par le romantisme français. Relevez-en les traces dans ce texte.

4 La conception que Casgrain se fait de la littérature nous permet-elle de conclure que le peuple canadien-français n'est pas voué à disparaître ?

5 a) De tous les textes présentés dans ce chapitre, lequel correspond le mieux à la conception que Casgrain propose de la littérature nationale ? Justifiez votre réponse.

b) Comment concevoir une littérature nationale de nos jours ? Ce concept a-t-il encore un sens au XXIe siècle ?

Art et littérature

LA VIE PAYSANNE

Horatio Walker a réussi à saisir l'essence de la vie paysanne au Canada français. On raconte que cet artiste ontarien aux ancêtres français aurait parcouru à pied le Chemin du Roy en s'arrêtant dans tous les villages, pour bien s'imprégner des paysages et se familiariser autant que possible avec les mœurs canadiennes-françaises ! Son respect pour les gens qui travaillent la terre a valu à Walker d'être surnommé le « Millet canadien ». Ce tableau témoigne à merveille de l'importance de la religion et de l'omniprésence de l'Église au XIXe siècle. Une femme s'arrête momentanément pour se recueillir devant un calvaire. Les mains jointes, elle semble complètement absorbée par sa prière.

Relevez les éléments du tableau qui rappellent les traits que Garneau attribue aux Canadiens français.

Comment ce tableau souligne-t-il l'omniprésence de la religion, particulièrement dans la vie rurale ?

Peut-on y voir les signes de ce que doit être notre littérature selon Casgrain ?

Horatio Walker (1858-1938).
Le calvaire de Saint-Laurent, Île d'Orléans, n. d. (Huile sur toile, 84 × 68,6 × 8,7 cm [prof.]. Musée de la civilisation, Québec.)

PARTIE

LA LITTÉRATURE COMME VÉHICULE DES VALEURS ÉTABLIES

C'EST DANS LA LIGNE DE PENSÉE des Garneau et Casgrain que la littérature se développe au XIXe siècle. L'écriture se met alors à défendre la thèse voulant que la survie de la race canadienne-française tienne au respect des valeurs catholiques et de la langue française, à l'importance de rester dans la province et plus particulièrement de vivre à la campagne, et à la référence constante à son passé glorieux, hérité des ancêtres français. Le poète Octave Crémazie et le romancier Patrice Lacombe se donneront pour mission de défendre ces valeurs de l'idéologie dominante, l'idéologie de conservation.

Octave Crémazie

Octave Crémazie (1827-1879)

Octave Crémazie est au cœur de la vie littéraire canadienne-française du XIXe siècle. Sa librairie, rue de la Fabrique à Québec, devient vite un des foyers culturels de la vieille capitale. Dans son arrière-boutique se succèdent ceux qui marqueront peu à peu les lettres de leur pays dès leurs premiers balbutiements : François-Xavier Garneau, Louis Fréchette, Henri-Raymond Casgrain. Ensemble, ils donneront naissance au premier mouvement littéraire du Canada français, l'École patriotique de Québec. Crémazie se révèle un piètre homme d'affaires. Acculé à la faillite, accusé de fraude, il préfère prendre le chemin de l'exil en France plutôt que d'affronter la honte d'un procès. Cet exil lui permet d'être un critique sévère de l'élite canadienne-française. Les Canadiens français, écrit-il, constituent une société d'épiciers :

> J'appelle épicier tout homme qui n'a d'autre savoir que celui qui lui est nécessaire pour gagner sa vie. [...] Le patriotisme devrait peut-être, à défaut du goût des lettres, les porter à encourager tout ce qui tend à conserver la langue de leurs pères. Hélas ! [...] nos messieurs riches et instruits ne comprennent l'amour de la patrie que lorsqu'il se présente sous la forme d'actions de chemin de fer et de mines d'or promettant de beaux dividendes, ou bien encore quand il leur montre en perspective des honneurs politiques, des appointements et surtout des chances de jobs. (Lettre à l'abbé Casgrain, le 10 août 1866.)

Cette critique sera reprise bien des années plus tard par Jean-Charles Harvey d'abord, dans son roman *Les Demi-Civilisés* (1934), et ensuite par Paul-Émile Borduas et tous les autres signataires de *Refus global* en 1948.

■ « ÉMIGRATION » (1853)

L'œuvre poétique de Crémazie est peu abondante, tout au plus une quarantaine de poèmes écrits de 1849 à 1862. « Les poèmes les plus beaux sont ceux que l'on rêve mais que l'on n'écrit pas », affirme-t-il dans une lettre à son ami Casgrain en 1867. On sent dans son œuvre l'influence du romantisme français, alliée à un patriotisme grandissant qui s'inscrit parfaitement dans le mouvement des lettres de l'époque. L'histoire littéraire reconnaît Crémazie comme le premier poète national des Canadiens français, car il défend les valeurs chères à leur cœur : il chante leur passé glorieux, témoigne de la nature grandiose du pays, fait l'éloge de la race française et exhorte ses compatriotes à ne pas quitter leur pays. Il faut dire que, de 1840 à 1900, plus d'un million de Canadiens français fuient la misère en s'exilant aux États-Unis pour travailler dans les manufactures de textile. L'élite canadienne s'inquiète des effets de cette vague d'émigration ; elle craint qu'elle n'ait des retombées négatives sur le développement économique du pays, mais surtout qu'elle n'affaiblisse la race canadienne-française. C'est dans cet esprit que Crémazie a écrit le poème suivant, publié le 4 janvier 1853 dans le Journal de Québec.

Loin de vos vieux parents, phalange dispersée,
Ô jeunes Canadiens, qu'une fièvre insensée
Entraîne loin de nous aux régions de l'or,
Avez-vous bien compris ce grand mot : la patrie ?
5 Ce ciel que vous quittez pour une folle envie,
Ce ciel du Canada, le verrez-vous encor ?

Oh ! pourquoi donc quittant le pays de vos pères,
Aller semer vos jours aux rives étrangères ?
Leur ciel est-il plus pur, leur avenir plus beau ?
10 Et peut-être, ô douleur ! ces lointaines contrées,
Dans vos illusions tant de fois désirées,
Ne vous donneront pas l'aumône d'un tombeau !

Quand vous auriez de l'or les faveurs adorées,
Ces biens rempliraient-ils vos âmes altérées ?
15 Car l'homme ne vit pas seulement d'un vil pain.
C'est un Dieu qui l'a dit. Cette sainte parole
Dans les maux d'ici bas nous calme et nous console,
Et d'un séjour plus pur nous montre le chemin.

Il nous faut quelque chose, en cette triste vie
20 Qui nous parlant de Dieu, d'art et de poësie,
Nous élève au-dessus de la réalité.
Quelques sons plus touchants dont la douce harmonie,
Écho pur et lointain de la lyre infinie,
Transporte notre esprit dans l'idéalité.

25 Or, ces sons plus touchants et cet écho sublime
Qui sait de notre cœur le sanctuaire intime,
C'est le ciel du pays, le village natal ;
Le fleuve au bord duquel notre heureuse jeunesse
Coula dans les transports d'une pure allégresse ;
30 Le sentier verdoyant où chasseur matinal,

Nous aimions à cueillir la rose et l'aubépine ;
Le clocher du vieux temple et sa voix argentine ;
Le vent de la forêt glissant sur les talus
Qui passe en effleurant les tombeaux de nos pères,
35 Et nous jette au milieu de nos tristes misères
Le parfum consolant de leurs nobles vertus.

Loin de son lieu natal l'insensé qui s'exile,
Traîne son existence à lui même inutile.
Son cœur est sans amour, sa vie est sans plaisirs
40 Jamais pour consoler sa morne rêverie,
Il n'a devant les yeux le ciel de la patrie,
Et le sol sous ses pas n'a point de souvenirs.

Au nom de vos aïeux qui moururent pour elle,
Au nom de votre Dieu qui pour vous la fit belle,
45   Restez dans la patrie où vous prîtes le jour.
Gardez pour ses combats votre ardeur enivrante,
Gardez pour ses besoins votre force puissante,
Pour ses saintes beautés gardez tout votre amour.

Aimez ce beau pays, où la vie est si pure,
50   Où du vice hideux fuyant la joie impure,
Des austères vertus on respecte la loi ;
Où trouvant le bonheur, notre âme recueillie,
Des plaisirs insensés méprisant la folie,
Respire un doux parfum d'espérance et de foi.

[…]

55   La forêt vous attend. Défricheurs intrépides,
La fortune naîtra de vos travaux rapides ;
Dans ce rude combat soyez au premier rang.
L'avenir est à vous. Travaillez sans relâche,
Fécondez de vos bras dans cette noble tâche
60   Ce sol que vos aïeux arrosaient de leur sang.

Allez. Des vieux Hurons les mânes ranimés
Se levant tout-à-coup dans la forêt sonore,
Frémiront de bonheur en voyant encore,
Les fils de ces Français qu'ils avaient tant aimés.

QUESTIONS

1 En vous attardant tant au fond qu'à la forme du poème, quelles traces du romantisme remarquez-vous ?

2 Selon l'auteur, à quels signes reconnaît-on sa patrie ?

3 a) Dans les trois premières strophes, dans quel but le poète utilise-t-il plusieurs fois la forme interrogative ?

   b) En quoi les deux anaphores comprises dans la huitième strophe sont-elles importantes (v. 43-48) ?

   c) En quoi la construction du dernier vers de cette même strophe est-elle significative (v. 48) ?

   d) Quel message Crémazie tente-t-il de transmettre en utilisant plusieurs fois l'impératif ?

   e) Quel portrait Crémazie trace-t-il des Canadiens en général et de ceux qui songent à l'exil ? Qu'en concluez-vous ?

4 Crémazie livre-t-il un message d'inquiétude ou de foi en l'avenir ?

5 a) Le patriotisme de Crémazie et le nationalisme de Gaston Miron dans le poème *Compagnon des Amériques* (p. 194), plus d'un siècle plus tard, reposent sur des bases complètement différentes. Discutez.

   b) À la lumière de ce que vous avez appris dans le chapitre 1, êtes-vous surpris de cette attitude positive, et non hostile, de la part des Amérindiens ?

Patrice Lacombe (1807-1863)

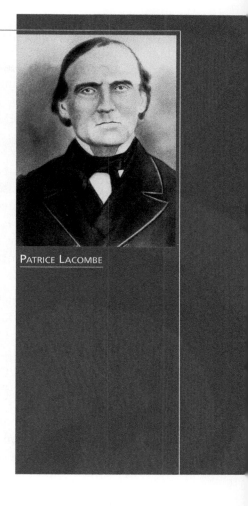

PATRICE LACOMBE

On sait peu de choses de la vie de Patrice Lacombe, si ce n'est qu'il est reçu notaire en 1830, après avoir terminé ses études au Collège de Montréal. Par la suite, il devient agent d'affaires pour le compte de la Compagnie des prêtres de Saint-Sulpice dont il gère les biens pendant la majeure partie de sa vie. Il s'adonne aussi à l'écriture, mais comme simple passe-temps. Il n'a d'ailleurs publié qu'un seul roman, *La Terre paternelle*, qui paraît d'abord en feuillets en 1846, sous le couvert de l'anonymat, dans *L'Album littéraire et musical de la Revue canadienne*.

Avec *La Terre paternelle*, Lacombe signe le tout premier roman de la terre, roman qui veut alors inciter le lecteur à respecter les fondements de l'idéologie de conservation. Environ une soixantaine d'œuvres paraîtront par la suite, reprenant plus ou moins le même thème où la survie des valeurs est assurée par le retour d'un fils qui se mariera, s'installera sur la terre et fera à son tour prospérer sa famille. D'ailleurs, Lacombe, à la fin de son roman, s'adresse en ces termes aux lecteurs et aux futurs écrivains :

> Quelques-uns de nos lecteurs auraient peut-être désiré que nous eussions donné un dénouement tragique à notre histoire ; ils auraient aimé voir nos acteurs disparaître violemment de la scène, les uns après les autres, et notre récit se terminer dans le genre terrible, comme un grand nombre de romans du jour. […] Laissons aux vieux pays […] leurs romans ensanglantés, peignons l'enfant du sol, tel qu'il est, religieux, honnête, paisible de mœurs et de caractère, […] supportant avec résignation et patience les plus grandes adversités.

Ainsi sera fixé l'essentiel du contenu idéologique du roman du terroir au XIXe siècle.

■ LA TERRE PATERNELLE (1846)

La Terre paternelle raconte les déboires d'une famille paysanne, les Chauvin, à la suite de la décision du fils cadet, Charles, de quitter l'espace paisible de la campagne pour se faire coureur des bois. La famille ne connaîtra que la déchéance, la pauvreté, la maladie et la mort tant que le jeune Charles ne sera pas de retour chez lui, près de son église et des valeurs ancestrales, se conformant ainsi de nouveau aux diktats de l'idéologie de conservation.

DESCRIPTION DE LA VIE À LA CAMPAGNE

Ce lieu charmant ne pouvait manquer d'attirer l'attention des amateurs de la belle nature ; aussi, chaque année, pendant la chaude saison, est-il le rendez-vous d'un grand nombre d'habitants
5 de Montréal, qui viennent s'y délasser, pendant quelques heures, des fatigues de la semaine, et échanger l'atmosphère lourde et brûlante de la ville contre l'air pur et frais qu'on y respire.

10 Parmi toutes les habitations de cultivateurs qui bordent l'île de Montréal en cet endroit, une se fait remarquer par son bon état de culture, la propreté et la belle tenue de la maison et des divers bâtiments qui la composent.

15 La famille qui était propriétaire de cette terre, il y a quelques années, appartenait à l'une des plus anciennes du pays. Jean Chauvin, sergent dans un des premiers régiments français envoyés en ce pays, après avoir obtenu son congé, en avait été le premier concession-
20 naire, le 20 février 1670, comme on peut le constater par le terrier des seigneurs ; puis il l'avait léguée à son fils Léonard ; des mains de celui-ci, elle était passée par héritage à Gabriel Chauvin, puis à François, son fils. Enfin, Jean-
25 Baptiste Chauvin, au temps où commence notre histoire, en était propriétaire comme héritier de son père François, mort depuis peu de temps, chargé de travaux et d'années. [...]

[...] Le bon ordre et l'aisance régnaient dans
30 cette maison. Chaque jour, le père au dehors, comme la mère à l'intérieur, montraient à leurs enfants l'exemple du travail, de l'économie et de l'industrie, et ceux-ci les secondaient de leur mieux. La terre, soigneusement labou-
35 rée et ensemencée, s'empressait de rendre au centuple ce qu'on avait confié dans son sein. Le soin et l'engrais des troupeaux, la fabrication des diverses étoffes, et les autres produits de l'industrie formaient l'occupation journalière de
40 cette famille. La proximité des marchés de la ville facilitait l'exportation du surplus des produits de la ferme, et régulièrement une fois la semaine, le vendredi, une voiture chargée de toutes sortes de denrées, et conduite par la mère
45 Chauvin accompagnée de Marguerite, venait prendre au marché sa place accoutumée. De retour à la maison, il y avait reddition de compte en règle. Chauvin portait en recette le prix des grains, du fourrage et du bois qu'il avait ven-
50 dus ; la mère, de son côté, rendait compte du produit de son marché ; le tout était supputé jusqu'à un sou près, et soigneusement enfermé dans un vieux coffre qui n'avait presque servi à d'autre usage pendant un temps immémorial.

[...]

55 La paix, l'union, l'abondance régnaient donc dans cette famille ; aucun souci ne venait en altérer le bonheur. Contents de cultiver en paix le champ que leurs ancêtres avaient arrosé de leurs sueurs, ils coulaient des jours tranquilles

60 et sereins. Heureux, oh ! trop heureux les habitants des campagnes, s'ils connaissaient leur bonheur !

■ ■ ■

DESCRIPTION DE LA VIE À LA VILLE

Après le départ de Charles, le père Chauvin décide de « se donner » à son fils aîné, prénommé Jean-Baptiste tout comme lui, moyennant certaines rétributions. Mais le fils sera incapable de satisfaire les exigences du père, qui vendra alors sa terre pour se lancer, sans préparation aucune, dans le commerce. Il échouera et émigrera à la ville.

L'hiver venait de se déclarer avec une grande rigueur. La neige couvrait la terre. Le froid était
65 vif et piquant. [...]

Deux hommes, dont l'un paraissait de beaucoup plus âgé que l'autre, conduisaient un traîneau chargé d'une tonne d'eau, qu'ils venaient de puiser au fleuve, et qu'ils allaient revendre
70 de porte en porte, dans les parties les plus reculées des faubourgs. Tous deux étaient vêtus de la même manière : un gilet et un pantalon d'étoffe du pays sales et usés ; des chaussures de peau de bœuf dont les hausses enveloppant
75 le bas des pantalons, étaient serrées par une corde autour des jambes, pour les garantir du froid et de la neige ; leur tête était couverte d'un bonnet de laine bleu du pays. Les vapeurs qui s'exhalaient par leur respiration s'étaient con-
80 gelées sur leur barbe, leurs favoris et leurs cheveux, qui étaient tout couverts de frimas et de petits glaçons. La voiture était tirée par un cheval dont les flancs amaigris attestaient à la fois et la cherté du fourrage, et l'indigence du pro-
85 priétaire. La tonne, au-devant de laquelle pendaient deux seaux de bois cerclés en fer, était, ainsi que leurs vêtements, enduite d'une épaisse couche de glace.

Ces deux hommes finissaient le travail de la
90 journée : exténués de fatigue et transis de froid, ils reprenaient le chemin de leur demeure située dans un quartier pauvre et isolé du faubourg Saint-Laurent. Arrivés devant une maison basse et de chétive apparence, le plus vieux se hâta d'y
95 entrer, laissant au plus jeune le soin du cheval et du traîneau. Tout dans ce réduit annonçait

la plus profonde misère. Dans un angle, une paillasse avec une couverture toute rapiécée ; plus loin, un grossier grabat, quelques chaises
100 dépaillées, une petite table boiteuse, un vieux coffre, quelques ustensiles de fer-blanc suspendus aux trumeaux, formaient tout l'ameublement. La porte et les fenêtres mal jointes permettaient au vent et à la neige de s'y engouffrer ;
105 un petit poêle de tôle dans lequel achevaient de brûler quelques tisons, réchauffait à peine la seule pièce dont se composait cette habitation, qui n'avait pas même le luxe d'une cheminée, le tuyau du poêle perçant le plancher
110 et le toit en faisait les fonctions.

Près du poêle, une femme était agenouillée. La misère et les chagrins l'avaient plus vieillie encore que les années. Deux sillons profondément gravés sur ses joues annonçaient qu'elle
115 avait fait un long apprentissage des larmes. Près d'elle, une autre femme que ses traits, quoique pâles et souffrants, faisaient aisément reconnaître pour sa fille, s'occupait à préparer quelques misérables restes pour son père et son
120 frère qui venaient d'arriver.

Nos lecteurs nous auront sans doute déjà devancé, et leur cœur se sera serré de douleur en reconnaissant, dans cette pauvre famille, la famille autrefois si heureuse de Chauvin !…
125 Chauvin après s'être vu complètement ruiné, et ne sachant plus que faire, avait pris le parti de venir se réfugier à la ville.

■ ■ ■

RETOUR À LA CAMPAGNE

Contre toute attente, Charles revient des pays d'en haut avec tout l'argent gagné dans ses poches. Il retrouve sa famille à la ville, rachète la terre paternelle et s'y installe avec les siens. Cet extrait reproduit la fin du roman.

Le père Chauvin, sa femme et Marguerite [Jean-Baptiste, le fils aîné, est mort à la ville] recou-
130 vrèrent bientôt, à l'air pur de la campagne, leur santé affaiblie par tant d'années de souffrances et de misères. Cette famille, réintégrée dans la terre paternelle, vit renaître dans son sein la joie, l'aisance et le bonheur, qui furent encore
135 augmentés quelque temps après par l'heureux mariage de Chauvin avec la fille d'un cultivateur des environs. Marguerite ne tarda pas à suivre le même exemple ; elle trouva un parti avantageux, et alla demeurer sur une terre voi-
140 sine. Le père et la mère Chauvin font déjà sauter sur leurs genoux des petits-enfants bien portants. […]

Nous aimons à visiter quelquefois cette brave famille, et à entendre répéter souvent au père Chauvin, que la plus grande folie que puisse
145 faire un cultivateur, c'est de se donner à ses enfants, d'abandonner la culture et son champ, et d'emprunter aux usuriers.

QUESTIONS

1 Dans cet extrait, quelles composantes de l'idéologie de conservation l'auteur met-il de l'avant ?

2 La vie sur la terre assure la pérennité de la race. Croyez-vous que cela se vérifie tout au long de l'extrait ?

3 a) Dès le début de l'extrait, une antithèse amorce le récit. Relevez les mots qui forment cette antithèse. Quelles sont les caractéristiques de ces deux pôles ? Que nous indique cette antithèse sur le point de vue de l'auteur ?

b) Établissez le champ lexical dominant dans chacune des trois parties. Que constatez-vous ?

c) Quel est le sens des interventions du narrateur dans chacune des parties ?

4 À la lecture de la situation initiale et de la situation finale décrites dans cet extrait, peut-on dire que le narrateur donne au lecteur un modèle à suivre ?

5 Peut-on dire que la terre décrite par Lacombe a les mêmes traits que la patrie décrite par Crémazie dans « Émigration » (p. 51-52) ?

PARTIE 3

LA LITTÉRATURE AU SERVICE DE LA CONTESTATION

CERTAINS AUTEURS du XIXᵉ siècle osent s'opposer à l'autorité britannique en revendiquant des droits pour leur peuple. D'autres remettent en cause les valeurs établies qui empêchent, affirment-ils, les Canadiens français d'évoluer. C'est ainsi qu'Étienne Parent prend la plume pour dénoncer le pouvoir britannique qui les ostracise ; que Louis Fréchette, en plus de magnifier le passé de son peuple, élève les Patriotes au rang de martyrs ; et que Napoléon Bourassa, au moyen du roman historique, fait connaître au lecteur des pans de l'histoire des Acadiens ressemblant étrangement aux Canadiens français du Bas-Canada. Quant à Honoré Beaugrand, à Arthur Buies et à Louis-Antoine Dessaulles, ils critiquent le clergé omniprésent dans toutes les sphères sociales du Québec d'alors. Si ces libres-penseurs dénoncent la crédulité du peuple soumis aux principes religieux, ils en ont surtout contre la mainmise du clergé qui l'empêche de s'épanouir et de vivre librement. Aussi auront-ils plus souvent qu'à leur tour maille à partir avec les toutes-puissantes autorités religieuses de la province.

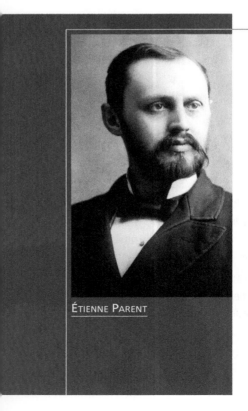

ÉTIENNE PARENT

Étienne Parent (1802-1874)

Né à Beauport en 1802, dans une famille de cultivateurs, Étienne Parent a plusieurs cordes à son arc. Il exerce les professions d'avocat, de fonctionnaire, de traducteur, de politicien, mais c'est surtout sa carrière d'essayiste, de journaliste et d'orateur qui lui vaut sa renommée. Pendant ses études, il s'intéresse déjà au journalisme. En 1831, il dirige *Le Canadien*, journal associé idéologiquement au Parti canadien qui deviendra plus tard le Parti patriote. Parallèlement à cette activité, il assume la responsabilité de la bibliothèque de l'Assemblée législative du Bas-Canada. Très ouvert intellectuellement et convaincu de la nécessité de la démocratie politique et culturelle, il la réorganise complètement en en facilitant l'accès et en augmentant le nombre de ses acquisitions. Cependant, quelque trente mois plus tard, il est forcé de démissionner de ses fonctions à cause de ses opinions politiques. En décembre 1838, en plein cœur des « troubles de 1837-1838 », il est arrêté et emprisonné : on l'accuse de « menées séditieuses » puisqu'on le considère comme le chef intellectuel du Parti patriote. À sa sortie de prison, en avril 1839, il continue à s'occuper du *Canadien*. En 1842, il quitte la direction du journal pour se lancer dans l'arène politique, mais sa surdité, apparue lors de son séjour en prison, l'empêche de s'acquitter de sa tâche comme il le souhaite. En 1846, il se fait conférencier. Il prononcera plusieurs de ses discours devant les membres de l'Institut canadien de Montréal.

■ ADRESSSE AU PUBLIC CANADIEN (1831)

Parent est un des premiers intellectuels à réfléchir sur le destin des Canadiens français ; aussi devient-il rapidement le défenseur de leur cause. Il préconise de nombreuses réformes pour assurer leur survie, et son journal lui procure une tribune de choix. D'ailleurs, le sociologue Jean-Charles Falardeau écrit à son sujet : « Philosophe par formation, journaliste par tempérament, lutteur par nécessité, il fait passer dans les pages du Canadien l'ardeur de ses convictions. » Ce qui reflète exactement le ton du premier numéro du Canadien, aux allures de manifeste, paru le 7 mai 1831.

Nous ne saurions nous présenter devant le public sans commencer par le remercier de l'accueil qu'il a fait généralement à l'entreprise patriotique que nous commençons aujour-
5 d'hui ; et la bonne disposition qu'on a montrée depuis qu'a été faite la proposition d'établir un papier français à Québec, nous fait concevoir les meilleures espérances de succès. Il semble que ce succès ne doive plus maintenant dé-
10 pendre que de nous, de nos efforts et de notre zèle à remplir la tâche importante que nous nous sommes imposée, et à satisfaire l'attente d'un public libéral. Ce but nous tâcherons de l'atteindre ; tout nous y invite, notre intérêt,
15 notre honneur, notre réputation, et nos sentiments.

Notre mot d'ordre dans la campagne que nous ouvrons, nous le tirerons des cœurs de tous ceux pour qui l'amour du pays n'est pas un mot
20 vide de sens ; de ceux qui dans la vie jettent les yeux au delà de leur existence individuelle, qui ont un sentiment national, cette belle vertu sans laquelle les sociétés ne seront entre autres choses que des assemblages d'êtres isolés inca-
25 pables de ces grandes et nobles actions, qui font les grands peuples, et qui rendent les nations un spectacle digne de l'œil divin ; ce mot qui sera notre guide dans la carrière épineuse dans laquelle nous faisons le premier pas sera
30 « *nos institutions, notre langue, et nos lois !* » Car c'est le sort du peuple canadien d'avoir non seulement à conserver la liberté civile, mais aussi à lutter pour son existence comme peuple : c'est

ainsi que l'histoire représente nos pères condui-
35 sant d'une main la charrue, et de l'autre repoussant les attaques des barbares indigènes. C'est par des efforts et une constance aussi héroïques que nos premiers ancêtres ont créé le nom Canadien. Ce nom que nos pères nous
40 ont légué sans souillure ; ce nom dont ils ont soutenu l'honneur sur le champ de bataille, et maintenu l'existence dans nos conseils contre les efforts constants d'une politique aveugle et intéressée, c'est à la génération croissante à le
45 transmettre aussi beau qu'elle l'a reçu. C'est la noble tâche de cette belle jeunesse qui à la voix du peuple, est venue dernièrement se ranger dans les rangs vénérables de nos anciens défenseurs, eux qui ont conduit jusqu'ici, au
50 milieu des écueils, l'arche de la liberté Canadienne. Avec elle nous avons applaudi aux efforts, nous avons admiré les vertus et les talents de ces vétérans patriotes, et avec elle nous travaillerons à suivre leurs traces, à compléter leur
55 ouvrage.

Nous aurons, pour nous guider dans la carrière de la liberté, l'exemple des deux plus belles nations du globe, à l'une des quelles nous tenons par les liens du sang, et à l'autre, par
60 ceux d'une adoption honorable et avantageuse pour nous. Nous y serons de plus suivis des vœux et de l'approbation de tout le monde civilisé. Car tous les peuples se trouvent simultanément animés d'un même esprit, d'un
65 même désir, celui de participer à leur gouvernement, de manière à ce que d'antiques

préjugés, de vieilles maximes et des intérêts individuels, ne puissent les priver d'institutions rendues nécessaires par de nouveaux besoins,
70 et les empêcher d'exercer des droits essentiels à leur bonheur. C'est ce que les Anglais appellent *self-government*, c'est à dire le gouvernement de soi. [...]

Canadiens, [m]ériterons-nous de devenir le
75 rebut des peuples, un troupeau d'esclaves, les serfs de la glèbe, que nous tournerons au profit de quiconque voudra se rendre notre maître ? C'est pourtant le sort qui nous est réservé, si nous ne prenons le seul moyen que nous avons
80 de nous y soustraire, qui est d'apprendre à nous gouverner nous-mêmes. Point de milieu, si nous ne nous gouvernons pas, nous serons gouvernés. [...]

Canadiens de toutes les classes, de tous les
85 métiers, de toutes les professions, qui avez à

conserver des lois, des coutumes et des institutions qui vous sont chères, permettez-nous de vous répéter qu'une presse canadienne est le plus puissant moyen que vous puissiez
90 mettre en usage. [...] De toutes les presses, la presse périodique est celle qui convient le mieux au peuple, c'est de fait la seule bibliothèque du peuple. Mais dans un nouveau pays comme le nôtre, pour que la presse réussisse
95 et fasse tout le bien qu'elle est susceptible de produire, il faut que tous ceux qui en connaissent les avantages s'y intéressent particulièrement, qu'ils s'efforcent, chacun dans le cercle de son influence, de procurer des lecteurs ; et
100 en cela ils peuvent se flatter de travailler pour le bien de leur pays ; car le savoir est une puissance, et chaque nouveau lecteur ajoute à la force populaire.

---

1. *cognée* : grosse hache à biseau étroit utilisée pour abattre les arbres.

QUESTIONS

1 Quel rapprochement peut-on faire entre le point de vue de Parent et l'action des Patriotes ?

2 « Nos institutions, notre langue, et nos lois ! » (l. 30). Selon vous, quel est le sens de ce mot d'ordre du *Canadien ?*

3 a) Dans le premier paragraphe, quel est l'effet de l'énumération suivante : « notre intérêt, notre honneur, notre réputation, et nos sentiments » (l. 14-16) ?

b) Montrez comment la valorisation du passé et la survie des Canadiens français sont intimement liées dans le deuxième paragraphe.

c) Les deux derniers paragraphes (l. 74-103) commencent par une phrase emphatique. Pourquoi, selon

vous, Parent veut-il attirer l'attention du lecteur plus particulièrement sur ces passages ?

d) Parent affirme que la presse périodique est « la seule bibliothèque du peuple » (l. 92-93). Expliquez.

e) Parent insiste sur le fait que les institutions canadiennes-françaises ont été et sont encore en danger. Expliquez quels sont ces dangers.

4 Croyez-vous que Parent prône surtout des valeurs libérales ?

5 Peut-on dire que les idées défendues par Parent rejoignent celles d'Arthur Buies (p. 70-72) ?

UNE PAGE D'HISTOIRE DU CANADA

Une cinquantaine d'années après les événements de 1837, Charles Alexander, pour commémorer cet événement important, puise dans des documents d'archives et réalise ce tableau imposant qu'il présente au *Salon des artistes français* de 1891.

L'assemblée des « six comtés » du Richelieu était un caucus radical de la Chambre d'Assemblée du Bas-Canada. En octobre 1837, réunie à Saint-Charles-sur-Richelieu, elle adopte de nombreuses résolutions équivalant à une déclaration d'indépendance.

Le tableau de Charles Alexander représente la foule enflammée par les paroles du chef du Parti patriote, Louis-Joseph Papineau. Les banderoles arborant les slogans *À bas les tyrans* et *Mort aux traîtres* traduisent éloquemment le sentiment de révolte des Patriotes qui dénoncent le gouvernement britannique.

Les drapeaux semblent répondre aux chefs patriotes des comtés du Richelieu regroupés sur l'estrade pour s'adresser à la foule. Après avoir adopté treize résolutions touchant les droits des Canadiens et rendu hommage à Papineau, les Patriotes jurent fidélité à leur pays. La colonne coiffée du bonnet de la liberté rappelle leur serment.

CHARLES ALEXANDER (1864-1915).
Manifestation des Canadiens français contre le gouvernement anglais, à Saint-Charles, en 1837, dit aussi L'Assemblée des six comtés, 1891. (Huile sur toile, 300 × 690 cm. Musée national des beaux-arts du Québec.)

- Quels éléments iconographiques confèrent à ce tableau son caractère historique ?
- Comment sent-on l'agitation de la foule ?
- Quels liens établissez-vous entre le sentiment que le peintre a traduit dans cette œuvre et celui que de Lorimier a décrit dans sa dernière lettre ?

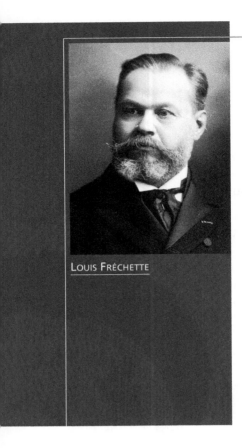

Louis Fréchette

Louis Fréchette (1839-1908)

« Louis Fréchette, poète », voilà comment cet homme de lettres se présente lui-même dans le répertoire des adresses de Montréal, au XIXe siècle. Il ne se limite toutefois pas à la seule poésie, puisqu'il est aussi un des premiers dramaturges canadiens, un conteur important et un pamphlétaire redoutable. Ses critiques sévères de l'ultramontanisme et ses idées trop libérales lui valent quelques années d'exil volontaire aux États-Unis d'abord, puis en France. Rentré au pays, de sa plume acérée, il continue à pourfendre le clergé qui, selon lui, maintient les Canadiens français dans la pauvreté et l'ignorance.

L'œuvre de Louis Fréchette est marquée par le romantisme français, conformément aux goûts de l'époque et aux principes de l'École patriotique de Québec, à laquelle il est associé. En 1880, l'Académie française lui octroie un prix littéraire pour son recueil *Les Fleurs boréales*. C'est à ce moment qu'il rencontre Victor Hugo. Il s'inspire fortement de sa *Légende des siècles* pour écrire *La Légende d'un peuple*. Cette œuvre est dédiée à la France en des termes plutôt éloquents, malgré un reproche à peine voilé : « Mère, je ne suis pas de ceux qui ont eu le bonheur d'être bercés sur tes genoux. Ce sont de bien lointains échos qui m'ont familiarisé avec ton nom et ta gloire. Ta belle langue, j'ai appris à la balbutier loin de toi. J'ose cependant, aujourd'hui, apporter une nouvelle page héroïque à ton histoire déjà si belle et si chevaleresque. Cette page est écrite plus avec le cœur qu'avec la plume. »

■ LA LÉGENDE D'UN PEUPLE (1887)

La Légende d'un peuple *est une suite de poèmes de plus de trois mille vers qui retracent les événements les plus significatifs de l'histoire du Canada français, de Jacques Cartier à Papineau. Le poète y chante la patrie et ses gloires traditionnelles, et contredit ainsi Durham en démontrant que son peuple avait une histoire et a désormais une littérature. Dans la dernière partie, Fréchette fait une large place à la révolte des Patriotes. Les premiers vers de son poème « Saint-Denis » donnent le ton : « Un jour, après avoir longtemps courbé le front, / Le peuple se leva pour venger son affront. » C'est donc comme des marques d'héroïsme qu'il présente leurs luttes et commente notamment, dans « L'Échafaud », la pendaison des principaux acteurs de la rébellion condamnés pour haute trahison par le gouvernement britannique.*

« L'Échafaud »

Ils étaient innocents, oui ; mais il fallait bien
Qu'on n'eût pas érigé ce tribunal pour rien.

D'ailleurs, c'est entendu, quand l'homme s'émancipe,
On doit toujours sévir pour sauver le principe.
5 Redresser les griefs, reconnaître son tort,
C'est très bien ; mais il faut des exemples d'abord !

Si, dans *L'Échafaud*, Louis Fréchette jette sur toute cette affaire un regard romantique empreint de lyrisme et d'idéal, Henri Julien semble avoir ici adopté le même parti pris. En effet, la composition du dessin ne permet pas d'évaluer l'ampleur de la foule, qui paraît infinie, mais attire l'attention sur la forte présence militaire qui l'encadre et surtout sur cet échafaud tellement haut qu'il sert, comme l'a si bien écrit Fréchette, de piédestal aux héros du peuple.

Parmi les prisonniers d'élite on en prit douze ;
Certes, le choix fut fait par une main jalouse ;
Et, tandis que le reste — à quoi bon tant trier ? —
10   Allait languir là-bas sous un ciel meurtrier,
Les juges — oh ! de vrais modèles de droiture —
Dirent à l'échafaud :
— Toi, voici ta pâture !

Et ces juges, choyés, approuvés, applaudis,
15   Qui peut-être eussent eu pour de réels bandits
Dans leurs cœurs de torys plus de miséricorde,
Osèrent d'une main ferme passer la corde
Au cou de citoyens dont le crime devait,
Comme dans le passé celui de Du Calvet[1],
20   Confondant des bourreaux l'éternel égoïsme,
Dans la bouche de tous s'appeler héroïsme !

Oh ! cet échafaud-là, malgré son nom brutal,
Ne fut pas un gibet, ce fut un piédestal !
L'injustice des lois en fut seule flétrie.
25   Et, tandis que, plus tard, on verra la Patrie,
— Oh ! l'avenir toujours donne à chacun son rang, —
Venir aux yeux de tous s'incliner en pleurant
Devant ces champions d'une cause sacrée,
Cherchez qui défendra la mémoire exécrée
30   De ces juges hautains dont l'orgueil crut pouvoir
Flétrir en meurtriers ces martyrs du devoir !

---

1. Pierre du Calvet (1735-1786) : commerçant montréalais accusé de trahison par le gouvernement britannique et emprisonné pendant trois ans. À sa sortie de prison, il publie *Appel à la justice de l'État*, dans lequel il réclame une réforme de l'administration de la justice et revendique la reconnaissance des droits politiques des Canadiens français à l'intérieur de l'Empire britannique.

QUESTIONS

1 À la lumière de ce que vous savez des troubles de 1837-1838, comment interprétez-vous le sens des deux premiers vers du poème ?

2 À première vue, quel est le thème du poème ?

3 a) Quelle tonalité le poète utilise-t-il dans la deuxième strophe (v. 3-6) ? Pourquoi ? Retrouve-t-on cette tonalité ailleurs dans le poème ?

b) Quel est le sens de « à quoi bon tant trier » (v. 9) ?

c) Pourquoi Fréchette écrit-il que le « reste » des prisonniers « Allait languir là-bas sous un ciel meurtrier » (v. 10) ?

d) Quelle image l'auteur présente-t-il des juges dans la quatrième strophe (v. 14-21) ?

e) Quelle image présente-t-il, dans la cinquième et dernière strophe, des prisonniers ayant été exécutés (v. 22-31) ?

f) Observez le nombre de vers de chacune des strophes. Comment est-il lié à la progression des idées dans le poème ?

4 Peut-on conclure que Fréchette ne fait qu'une critique du système de justice britannique ?

5 Le poème de Fréchette et la lettre que Marie-Thomas Chevalier de Lorimier écrit la veille de son exécution (p. 39) reprennent les mêmes thèmes. Discutez.

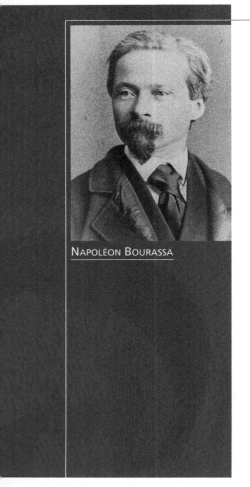

NAPOLÉON BOURASSA

Napoléon Bourassa (1827-1916)

Père du journaliste et fondateur du quotidien *Le Devoir* Henri Bourassa et gendre de Louis-Joseph Papineau, Napoléon Bourassa est surtout connu comme peintre et architecte. À vingt-cinq ans, il part en Europe pour perfectionner son art. Il étudie avec de grands maîtres à Paris, à Rome et à Florence. À son retour au Québec, il travaille principalement comme critique d'art et professeur, mais peu à peu il reçoit des offres tant comme peintre que comme architecte. On lui doit notamment la construction et les murales de la chapelle Notre-Dame-de-Lourdes à Montréal ainsi que les plans de l'église de Montebello. Homme engagé dans son milieu, il devient président de la Société Saint-Jean-Baptiste et participe, avec d'autres artistes, à la fondation du Musée des beaux-arts du Canada. Ses nombreuses activités lui font prendre conscience de la pauvreté artistique de son pays, ce qui l'amène à fonder la *Revue canadienne* pour diffuser la littérature aussi bien que les arts visuels. C'est dans cette même revue qu'est publié en feuilleton, de juillet 1865 à août 1866, son unique roman, *Jacques et Marie, souvenirs d'un peuple dispersé*.

Cette œuvre s'inscrit dans la tradition du roman historique, dont les Canadiens français de l'époque sont avides. L'action se situe à Grand-Pré, en Acadie, peu avant ce que plusieurs historiens appellent « le Grand Dérangement », c'est-à-dire la déportation des Acadiens par les Britanniques en 1755. Bourassa présente à ses lecteurs un héros qui se bat pour sa patrie et la survie de son peuple, évocation des luttes des Patriotes qui eurent lieu quelques décennies plus tôt. Certains critiques littéraires estiment d'ailleurs que ce roman est une transposition qui permet à son auteur, étroitement lié à l'ultramontanisme, de ne pas appuyer directement cette rébellion.

■ JACQUES ET MARIE, SOUVENIRS D'UN PEUPLE DISPERSÉ (1865-1866)

Jacques Hébert et Marie Landry sont fiancés et doivent se marier sous peu. Cependant, les parents de Jacques refusent de vivre plus longtemps sous le joug anglais et s'exilent avec leur famille. Les amoureux sont alors contraints de se séparer. Pendant que Jacques est au Québec, George Gordon, officier anglais, tombe amoureux de la jeune Marie et s'engage à éviter la déportation de sa famille si elle accepte de l'épouser. Marie se retrouve devant un dilemme cornélien : doit-elle privilégier la raison ou l'amour, le bien-être de ses vieux parents ou la fidélité à Jacques ? Dans une scène dominée par l'exaltation du sentiment national, son père l'aidera à prendre sa décision. Plus tard, après plusieurs rebondissements et péripéties, les fiancés seront à nouveau réunis, à Montréal, et pourront enfin se marier.

Une main frappa quelques coups à la porte, qui s'ouvrit presque aussitôt, et George demanda, avec douceur et même avec timidité, s'il pouvait entrer. [...]

5 [Le père de Marie] s'était levé pour aller au-devant de l'officier, et sans lui présenter la main, il lui dit, cependant, avec beaucoup de déférence :

— Entrez, monsieur, entrez, asseyez-vous ;
10 vous en avez plus que la permission ; vous êtes maintenant chez vous, ici...

— Comment ! dit George, en prenant avec empressement les mains du vieillard, vous auriez été favorable à la demande de Mlle Marie !
15 Ah ! merci, j'en suis heureux !... Vous êtes tous sauvés, et il est inutile que vous vous donniez la peine et la fatigue de ce bouleversement, puisque nous devons rester tous ensemble !

[...]

— Pardon, monsieur, dit-il, mais je ne vous
20 comprends pas : ma fille ne m'a pas encore fait part des engagements qu'elle a pris avec vous... Vous vous méprenez sur le sens de mes paroles ; je voulais dire que cette maison m'ayant été enlevée par votre gouvernement,
25 vous aviez désormais, plus que moi-même, le droit de vous y asseoir. Je suis ici, maintenant, votre obligé...

[...]

— M. le lieutenant, reprit aussitôt le vieillard,
30 [...] vous êtes donc venu pour me demander ma fille en mariage ?

— Oui, monsieur, je venais avec l'espoir d'obtenir votre consentement.

— Ce n'était pas la peine, monsieur ; je n'ai
35 jamais prétendu gêner les sentiments légitimes de ma fille ; si elle en sent assez pour vous épouser, elle peut le faire ; elle est libre, elle a l'âge nécessaire pour décider elle-même de ses propres volontés. Nous lui avons toujours laissé
40 le choix de son bonheur, et elle ne s'est jamais plaint que nous l'empêchions d'y arriver. Nous n'avons exigé de nos enfants que d'être honnêtes jusque dans leur pensée, et de respecter la loi de Dieu, l'honneur de leurs parents et
de leur pays. Parlez donc à ma fille, monsieur ;
45 je n'ai pas la garde de son cœur ; elle ne me doit que l'amour d'un enfant ; vous lui en avez demandé un autre, il n'appartient qu'à elle de le donner. Le mariage, paraît-il, sera chose facile ; Marie a là une toilette de noce, et le notaire et
50 le père ont reçu tout exprès leur liberté... Il ne manque que le prêtre ; (il est vrai qu'il aurait peu à faire, dans ce cas-ci)...

— M. Landry, je déclare aujourd'hui que je suis catholique.

55 — J'en suis bien aise, monsieur... Quant à mes propriétés, il ne peut pas en être question dans cette affaire ; je ne les possède plus... Votre

Par ce grand tableau, le peintre a voulu immortaliser la page la plus noire de l'histoire de l'Acadie : la déportation de 1755. Si certains détails historiques et géographiques ne sont pas réalistes, notamment le costume acadien et le paysage de Grand-Pré où l'événement s'est déroulé, c'est que Beau a créé cette œuvre dans son studio de Paris bien des années après ce « Grand Dérangement » et qu'il y a inséré des éléments puisés dans son imagination. D'ailleurs, en plaçant au centre de la toile une femme en qui l'on peut reconnaître la fameuse Évangéline, l'artiste a voulu souligner, comme le fait Bourassa dans son œuvre, la dimension humaine de cette tragédie qui brise les familles.

HENRI BEAU (1863-1949).

La dispersion des Acadiens ; 1755, 1900. (Huile sur papier, 238 × 355 cm. Musée acadien de l'Université de Moncton.)

gouvernement a cru juste de me les enlever, soit : mais je les avais trop bien gagnées pour
60 me sentir aujourd'hui le désir de les racheter avec de l'argent si l'on m'en offrait l'occasion, encore moins avec la volonté, le sang et la vie des miens. Parlez donc à ma fille, qu'elle dispose seule de ce qui lui appartient : je serais
65 fâché qu'elle en sacrifiât quelque chose pour moi ou pour conserver des biens qui ne sont plus à nous. Votre gouvernement a décrété que nous étions tous des traîtres à notre roi, que nous ne pouvions plus être considérés comme
70 des sujets loyaux de Sa Majesté ; cet arrêt est tombé sur moi comme sur mes voisins, mes enfants, tous mes compagnons ; or, je pourrais jurer sur ma conscience et sur la parole de Dieu (si cela m'était permis) qu'aucun de ceux que
75 votre sentence a frappés n'est plus coupable que moi... Ce n'est pas un mariage, monsieur, qui peut absoudre d'un crime d'État, qui peut laver d'une flétrissure de l'autorité souveraine, si l'on juge qu'elle est méritée, et si la sentence est
80 maintenue. Je rougirais de manger le pain que me donnerait ma terre, si ce n'était pas la loi même de mon pays qui m'en rendait la propriété intacte ; je rougirais de rester seul ici... ; avec l'apparence du seul citoyen innocent de
85 Grand-Pré, je me sentirais la conscience du seul coupable, du seul traître ; je rougirais devant mes enfants, devant ma fille... ; et à mon âge, monsieur, on n'apprend pas la honte et on ne

l'enseigne pas à sa famille. Je ne suis donc pas
90 libre de rester ici ; que ceux des miens qui veulent profiter de vos bontés demeurent s'ils le désirent, s'ils craignent de m'imposer la responsabilité de leurs misères ; moi, je partirai comme tous les Acadiens ; et comme je crois
95 devoir encore le moment de liberté dont je jouis aujourd'hui à la faveur de ce futur mariage, je ne puis pas en faire usage plus longtemps : on dit déjà, autour de la maison, que je suis à marchander des pardons. Je pars... Vous avez un
100 notaire, monsieur, et vous pouvez avoir des témoins ; ma femme peut donner le consentement pour deux : ça suffit pour ces sortes de mariages... Marie, réponds à présent à M. George ; c'est à toi qu'il s'adresse...

105 La jeune fille s'était d'abord caché la figure sur le sein de sa mère, pour entendre l'arrêt qui allait décider de son sort ; mais pendant que les phrases graves de son père tombaient une à une sur elle, comme pour déposer sur son front la
110 responsabilité soit de l'honneur, soit de la honte de la famille, et l'investir du libre arbitre de sa conduite, elle avait relevé peu à peu la tête, puis s'était détachée de l'étreinte maternelle, et aux derniers mots qui lui furent directement
115 adressés, elle se trouvait déjà debout, imposante comme une reine, le visage resplendissant de toute la noblesse de ses traits et de toutes les beautés de son âme. George s'était retourné de son côté, mais elle n'attendit pas qu'il lui fît une

120 question qu'il n'avait plus, d'ailleurs, la force et la dignité de formuler ; elle se précipita aux genoux de son père, et passant ses mains autour de son cou, elle lui dit en attachant sur lui un regard où l'amour et le bonheur débordaient :

[…]

125 — J'aurais dû pourtant penser […] que vous n'accepteriez pas cet échange de votre petite fille contre votre liberté, cette alliance étrangère, cet isolement honteux dans le malheur commun… Ah ! que je vous aime ainsi, noble et 130 généreux ; que vous me faites du bien, que vous me rendez orgueilleuse de vous !… Ah ! quelle action j'allais faire ! quel sacrifice, mon Dieu !… Comme il comprimait mon âme ! comme il

135 blessait mes instincts ! comme il clouait mes aspirations !… Ah ! que je me sens bien, là, maintenant, avec vous, devant l'indépendance de notre exil !… Je respire !… je respire, dans ce souffle que vous répandez sur mon visage, tous les parfums de ma vie que je croyais per- 140 dus, la liberté de mes anciens cultes, l'amour de la France… Je me sens encore fière, je me retrouve ce que j'étais ; je suis toute votre fille, parce que vous êtes tout mon père… Oui ! oui ! nous irons en exil, nous irons… Je vous aime- 145 rai tant, tant !… que vous ne souffrirez pas, que vous ne vieillirez pas, que vous vous croirez encore dans notre Grand-Pré, avec tous vos parents, tous vos amis, avec tout ce qui vous faisait plaisir, rien qu'avec votre petite Marie !…

QUESTIONS

1 Napoléon Bourassa, a-t-on dit, était lié de près à l'ultramontanisme. Cela se voit-il dans ce texte ?

2 Comment cette scène nous touche-t-elle ?

3 a) Expliquez la méprise de George Gordon quand le père Landry lui dit : « vous êtes maintenant chez vous, ici… » (l. 10-11). Quel est le sens des points de suspension ?

    b) Relevez les caractéristiques morales du père Landry.

    c) Relevez les caractéristiques morales de Marie.

    d) Voyez les différentes positions du corps de Marie dans cet extrait. Que disent-elles de ses valeurs ?

4 Le père Landry et sa fille Marie sont-ils des modèles proposés à la société canadienne-française ?

5 Quelles similitudes et quelles différences voyez-vous entre le comportement du père Landry face au gouvernement britannique et celui des Patriotes ?

Honoré Beaugrand (1848-1906)

Honoré Beaugrand est un original en son temps, c'est le moins qu'on puisse dire. Dès l'âge de dix-sept ans, il s'engage volontairement dans l'armée française. En 1867, il s'installe en France où il séjournera pendant deux ans. Il y découvre les idées libérales et anticléricales qu'il fera siennes plus tard. Il vit ensuite au Mexique, puis dans le Massachusetts où il se donne pour mission de défendre les droits des exilés canadiens aux États-Unis. Épris d'idées nouvelles et de liberté, il adhère, en 1873, à la franc-maçonnerie, une association humaniste et libérale fustigée par tous les mouvements conservateurs et catholiques de l'époque parce qu'elle prône la tolérance et n'impose aucune croyance en un Dieu révélé. Ce choix de Beaugrand fera évidemment l'objet de moult reproches de la part de ses nombreux détracteurs. De retour au pays, il se consacre au journalisme en fondant *La Patrie*, journal qui provoquera souvent le scandale et la polémique par ses positions radicales contre le clergé et les idées conservatrices. À sa mort, en 1906, les autorités religieuses refusent de l'ensevelir dans un cimetière catholique parce qu'il était franc-maçon. Sa dépouille repose donc au cimetière juif de Montréal.

HONORÉ BEAUGRAND

Dans un roman en marge de la production littéraire de l'époque par son caractère social et laïc, *Jeanne la fileuse : épisode de l'émigration franco-canadienne aux États-Unis* (1878), Beaugrand analyse les causes de l'émigration canadienne-française et dénonce les conditions de vie des exilés. Quant à ses récits de voyage, ils suscitent beaucoup d'intérêt, particulièrement chez Louis Fréchette qui admire le style enfin différent de l'auteur, loin des phrases ronflantes et des rêveries romanesques à la Chateaubriand, en rupture avec les normes françaises qui ont si longtemps régi la littérature d'ici.

■ LA CHASSE-GALERIE : LÉGENDES CANADIENNES

Dans son édition originale, La Chasse-galerie : légendes canadiennes *comprend cinq contes :* La Chasse-galerie, Le Loup-garou, La Bête à grand'queue, Macloune *et* Le Père Louison. *Dans la réédition de 1973, s'ajoutera* Le Fantôme de l'avare. *Si, dans certains de ses contes, il aborde à la fois la vie de village et la vie de chantier, Honoré Beaugrand pose aussi un regard ironique sur la justice, la religion et la croyance des paysans du XIXᵉ siècle en des phénomènes fantastiques qu'ils imputent à Dieu. Au début du conte dont le passage suivant est extrait, le narrateur informe le lecteur que Fanfan Lazette, personnage principal du récit, est « un mauvais sujet qui faisait le désespoir de ses parents, qui se moquait des sermons du curé, qui semait le désordre dans la paroisse ». Lazette raconte à des amis qu'il a rencontré la bête à grand'queue lorsqu'il revenait de Berthier avec Sem Champagne, qui « avait pris un coup de trop ».*

La Bête à grand'queue

[J]'avais à peine fait une demi-lieue, que la tempête éclata avec une fureur terrible. [...] Nous arrivâmes ainsi jusque chez Louis Trempe dont j'aperçus la maison jaune à la lueur d'un
5 éclair qui m'aveugla, et qui fut suivi d'un coup de tonnerre qui fit trembler ma bête et la fit s'arrêter tout court. Sem lui-même s'éveilla de sa léthargie et poussa un gémissement suivi d'un cri de terreur :

10 — Regarde, Fanfan ! la bête à grand'queue !

Je me retournai pour apercevoir derrière la voiture deux grands yeux qui brillaient comme des tisons et, tout en même temps, un éclair me fit voir un animal qui poussa un hurlement de
15 *bête-à-sept-têtes*[1] en se battant les flancs d'une queue rouge de six pieds de long — J'ai la queue chez moi et je vous la montrerai quand vous voudrez ! Je ne suis guère peureux de ma

nature, mais j'avoue que me voyant ainsi, à la
20 noirceur, seul avec un homme saoul, au milieu d'une tempête terrible et en face d'une bête comme ça, je sentis un frisson me passer dans le dos et je lançai un grand coup de fouet à ma jument qui partit comme une flèche. Je vis que
25 j'avais la double chance de me casser le cou dans une coulée ou en roulant en bas de la côte, ou bien de me trouver face à face avec cette fameuse bête à grand'queue dont on m'avait tant parlé, mais à laquelle je croyais à peine.
30 C'est alors que toutes mes Pâques de renard[2] me revinrent à la mémoire et je promis bien de faire mes devoirs comme tout le monde, si le bon Dieu me tirait de là. Je savais bien que le seul moyen de venir à bout de la bête, si ça en
35 venait à une prise de corps, c'était de lui couper la queue au ras du trognon, et je m'assurai que j'avais bien dans ma poche un bon couteau à

ressort de chantier qui coupait comme un rasoir. Tout cela me passa par la tête dans un instant pendant que ma jument galopait comme une déchaînée et que le grand Sem Champagne, à moitié dégrisé par la peur, criait :

— Fouette, Fanfan ! la bête nous poursuit. J'lui vois les yeux dans la noirceur.

Et nous allions un train d'enfer […]. Les éclairs pénétraient à peine à travers le feuillage des arbres et le moindre écart de la pouliche devait nous jeter soit dans le fossé du côté du manoir, ou briser la charrette en morceaux sur les troncs des grands arbres. Je dis à Sem :

— Tiens-toi bien mon Sem ! Il va nous arriver un accident.

Eh vlan ! patatras ! un grand coup de tonnerre éclate et voilà la pouliche affolée qui se jette à droite dans le fossé, et la charrette qui se trouve sens dessus dessous. Il faisait une noirceur à ne pas se voir le bout du nez, mais, en me relevant tant bien que mal, j'aperçus au-dessus de moi les deux yeux de la bête qui s'était arrêtée et qui me reluquait d'un air féroce. Je me tâtai pour voir si je n'avais rien de cassé. Je n'avais aucun mal et ma première idée fut de saisir l'animal par la queue et de me garer de sa gueule de possédé. Je me traînai en rampant, et, tout en ouvrant mon couteau à ressort que je plaçai dans ma ceinture, et au moment où la bête s'élançait sur moi en poussant un rugissement infernal, je fis un bond de côté et l'attrapai par la queue que j'empoignai solidement de mes deux mains. Il fallait voir la lutte qui s'ensuivit. La bête, qui sentait bien que je la tenais par le bon bout, faisait des sauts terribles pour me faire lâcher prise, mais je me cramponnais comme un désespéré. […] À la fin, voyant qu'elle ne pouvait pas me faire lâcher prise, la voilà partie sur la route au triple galop, et moi par derrière, naturellement.

Je n'ai jamais voyagé aussi vite que cela de ma vie. Les cheveux m'en frisaient en dépit de la pluie qui tombait toujours à torrents. La bête poussait des beuglements pour m'effrayer

davantage et, à la faveur d'un éclair, je m'aperçus que nous filions vers le pont de Dautraye. Je pensais bien à mon couteau, mais n'osais pas me risquer d'une seule main, lorsqu'en arrivant au pont, la bête tourna vers la gauche et tenta d'escalader la palissade. La maudite voulait sauter à l'eau pour me noyer. Heureusement que son premier saut ne réussit pas, car, avec l'erre d'aller que j'avais acquise, j'aurais certainement fait le plongeon. Elle recula pour prendre un nouvel élan et c'est ce qui me donna ma chance. Je saisis mon couteau de la main droite et, au moment où elle sautait, je réunis tous mes efforts, je frappai juste et la queue me resta dans la main. J'étais délivré et j'entendis la charogne qui se débattait dans les eaux de la rivière Dautraye et qui finit par disparaître avec le courant. Je me rendis au moulin où je racontai mon affaire au meunier et nous examinâmes ensemble la queue que j'avais apportée. C'était une queue longue de cinq à six pieds, avec un bouquet de poil au bout, mais une queue rouge écarlate ; une vraie queue de possédée, quoi !

La tempête s'était apaisée et à l'aide d'un fanal, je partis à la recherche de ma voiture que je trouvai embourbée dans un fossé de la route, avec le grand Sem Champagne qui, complètement dégrisé, avait dégagé la pouliche et travaillait à ramasser mes marchandises que le choc avait éparpillées sur la route.

Sem fut l'homme le plus étonné du monde de me voir revenir sain et sauf, car il croyait bien que c'était le diable en personne qui m'avait emporté.

[…]

— Voilà mon histoire et je vous invite chez moi un de ces jours pour voir la queue de la bête. Baptiste Lambert est en train de l'empailler pour la conserver.

■ ■ ■

Le récit qui précède donna lieu, quelques jours plus tard, à un démêlé resté célèbre dans les annales criminelles de Lanoraie. Pour empêcher

---

1. *bête-à-sept-têtes* : référence à la bête de l'*Apocalypse* représentant l'Antéchrist.
2. *faire des Pâques de renard* : faire ses Pâques tardivement ou au dernier moment.

un vrai procès et les frais ruineux qui s'ensui-
vent, on eut recours à un arbitrage dont voici
125   le procès-verbal :

Ce septième jour de novembre 1856, à 3 heures
de relevée, nous soussignés, Jean-Baptiste Gallien,
instituteur diplômé et maître-chantre de la paroisse de Lanoraie, Onésime Bombenlert, bedeau
130   de ladite paroisse, et Damase Briqueleur, épicier,
ayant été choisis comme arbitres du plein gré des
intéressés en cette cause, avons rendu la sentence
d'arbitrage qui suit dans le différend survenu
entre *François-Xavier Trempe*, surnommé *Francis
135   Jean-Jean* et *Joseph*, surnommé *Fanfan Lazette*.

Le susnommé F.-X. Trempe revendique des
dommages-intérêts, au montant de cent francs,
audit Fanfan Lazette, en l'accusant d'avoir
coupé la queue de son taureau rouge dans la
140   nuit du samedi 3 octobre dernier, et d'avoir
ainsi causé la mort dudit taureau d'une manière
cruelle, illégale et subreptice, sur le pont de la
rivière Dautraye, près du manoir des seigneurs de Lanoraie.

145   Ledit Fanfan Lazette nie d'une manière énergique l'accusation dudit F.-X. Trempe et la
déclare malicieuse et irrévérencieuse, au plus
haut degré. Il reconnaît avoir coupé la queue
d'un animal connu dans nos campagnes sous
150   le nom de *bête à grand'queue* dans des conditions fort dangereuses pour sa vie corporelle et
pour le salut de son âme, mais cela à son corps
défendant et parce que c'est le seul moyen
reconnu de se débarrasser de la bête.

155   Et les deux intéressés produisent chacun un
témoin pour soutenir leurs prétentions, tel que
convenu dans les conditions d'arbitrage.

Le nommé Pierre Busseau, engagé au service
dudit F.-X. Trempe, déclare que la queue pro-
160   duite par le susdit Fanfan Lazette lui paraît être
la queue du défunt taureau de son maître, dont
il a trouvé la carcasse échouée sur la grève,
quelques jours auparavant, dans un état avancé
de décomposition. Le taureau est précisément
165   disparu dans la nuit du 3 octobre, date où ledit
Fanfan Lazette prétend avoir rencontré la *bête*

à grand'queue. Et ce qui le confirme dans sa
conviction, c'est la couleur de la susdite queue
du susdit taureau qui, quelques jours aupara-
170   vant, s'était amusé à se gratter sur une barrière
récemment peinte en vermillon.

Et se présente ensuite le nommé Sem Champagne, surnommé Sem-à-gros-Louis, qui désire
confirmer de la manière la plus absolue les décla-
175   rations de Fanfan Lazette, car il était avec lui pendant la tempête du 3 octobre et il a aperçu et vu
distinctement la *bête à grand'queue* telle que
décrite dans la déposition dudit Lazette.

En vue de ces témoignages et dépositions et :

180   Considérant que l'existence de la *bête à
grand'queue* a été de temps immémoriaux
reconnue comme réelle, dans nos campagnes,
et que le seul moyen de se protéger contre la
susdite bête est de lui couper la queue comme
185   paraît l'avoir fait si bravement Fanfan Lazette,
un des intéressés en cette cause ;

Considérant, d'autre part, qu'un taureau rouge
appartenant à F.-X. Trempe est disparu à la
même date et que la carcasse a été trouvée,
190   échouée et sans queue, sur la grève du Saint-
Laurent par le témoin Pierre Busseau, quelques
jours plus tard ;

Considérant qu'en face de témoignages aussi
contradictoires il est fort difficile de faire plaisir
195   à tout le monde, tout en restant dans les limites
d'une décision péremptoire ;

Décidons :

1. Qu'à l'avenir ledit Fanfan Lazette soit forcé
de faire ses Pâques dans les conditions voulues
200   par notre Sainte Mère l'Église, ce qui le protégera contre la rencontre des loups-garous, bêtes
à grand'queue et feux follets quelconques, en
allant à Berthier ou ailleurs.

2. Que ledit F.-X. Trempe soit forcé de renfer-
205   mer ses taureaux de manière à les empêcher de
fréquenter les chemins publics et de s'attaquer
aux passants dans les ténèbres, à des heures
indues du jour et de la nuit.

Arthur Buies (1840-1901)

Arthur Buies est le parfait exemple de l'esprit de contestation qui anime certains intellectuels canadiens-français dans la seconde partie du XIXᵉ siècle. Sa vie tumultueuse et ses écrits fougueux en témoignent. Élève indiscipliné, il est renvoyé de plusieurs collèges, aussi son père l'envoie-t-il terminer ses études à Dublin, en anglais. Après quelques mois, Buies se rebelle et décide d'aller étudier dans sa langue à Paris. Pendant les vacances d'été, il s'enrôle comme volontaire dans l'armée de Garibaldi, combat contre le Pape, mais déserte, car il ne peut pas supporter le cadre étroit de la vie de camp. Après six ans d'absence, il rentre au Canada et se joint au controversé Institut canadien dont les membres, intellectuels peu conformistes, prônent la séparation de l'Église et de l'État et revendiquent l'éducation primaire obligatoire. Buies fait ainsi ses premières armes dans la polémique. Il fonde plusieurs journaux afin de pouvoir diffuser librement ses idées. On lui doit *La Lanterne*, journal anticlérical qui paraît pendant vingt-sept semaines de septembre 1868 à mars 1869, ainsi que *L'Indépendant* (1870) et *Le Réveil* (1876). En 1879, il fait la connaissance du curé Antoine Labelle, apôtre de la colonisation, qui le fait nommer à la Commission des terres publiques. Buies deviendra plus tard agent général de la colonisation. L'amitié entre Buies et le curé Labelle peut paraître surprenante, mais une même cause unissait ces deux hommes : la nécessité d'ouvrir de nouvelles terres afin de contrer l'émigration des Canadiens français.

ARTHUR BUIES

Les écrits d'Arthur Buies mettent de l'avant des idées progressistes pour l'époque. Il s'élève d'abord contre la peine de mort. Il réclame aussi une réforme du système d'éducation qu'il veut non confessionnel, accessible à tous et davantage axé sur la science, ce qui est indispensable à l'édification d'une société moderne. Il exhorte les jeunes Canadiens à s'instruire et pourfend la mainmise de l'Église sur les collèges classiques, le domaine public, la culture et le peuple. Toute sa vie, il aura fustigé l'intolérance et les préjugés, réclamé la liberté et l'autonomie. En cela, il aura ouvert la porte aux Olivar Asselin, Jules Fournier, Jean-Charles Harvey et même aux artisans de la Révolution tranquille, des décennies plus tard.

■ CLÉRICALISME, COLONIALISME

Pour arriver à ses fins, Buies utilise souvent l'humour et la dérision, comme on le constate dans ce qu'il écrit à propos des saints du calendrier catholique :

> *Sérieusement, un homme qui fend du bois pour nourrir sa famille, ou bêche la terre pour faire croître un brin d'herbe, une femme qui fait la soupe pour son mari et ses enfants et leur tricote des bas, sont plus agréables et plus obéissants à Dieu, et d'un meilleur exemple pour les hommes, que ces fainéants, ces hallucinés et ces hystériques que l'on propose et parfois que l'on impose à la vénération.*

Il arrive cependant qu'il adopte un ton plus sérieux, tout aussi incisif. Ainsi, dans le texte qui suit, publié dans La Lanterne, Buies dénonce de façon virulente la mainmise du clergé sur la société de l'époque et le tient pour responsable du retard des Canadiens français.

Ah ! nous en sommes bien encore au temps où le clergé forçait Copernic à dire que le Soleil est immuable, parce que Josué l'ayant arrêté, il n'était pas dit qu'il l'eût fait repartir, et où il emprison-
5 nait Galilée pour avoir prétendu que la Terre tourne. Et il en sera ainsi du clergé de tous les temps, parce que la science démolit l'échafaudage théocratique, amas de légendes et de puérilités qu'ont détrôné Newton, Kepler, Laplace,
10 et Cuvier[1].

Voilà des noms qu'on ignore dans les collèges, parbleu ! Mais en revanche, on y passe les deux tiers de la vie en prières, l'autre tiers à apprendre les racines grecques et à maudire les philo-
15 sophes.

Oh ! les philosophes ! on n'en connaît qu'un, Voltaire ; il est vrai qu'on ne le connaît que de nom, mais c'est assez pour le maudire.

Eh bien ! c'est une chose poignante et terrible
20 qu'un état de société comme le nôtre. Quoi ! nous sommes aussi vieux que les États-Unis, et où en sommes-nous ? Quand je descends dans cet abîme, je reste épouvanté. Mais je ne craindrai pas d'y descendre encore davantage,
25 parce que je veux vous le montrer dans sa nudité béante, je veux te le faire voir, à toi, jeunesse endormie du Canada, à toi, peuple, qui jouis de la servitude.

30 Je viens plaider aujourd'hui, devant l'histoire et devant la civilisation, la cause du peuple canadien, peuple vigoureux et intelligent, dont on essaie en vain de faire un troupeau stupide. Je la plaide devant les Anglais qui en
35 sont venus à nous mépriser, ne pouvant s'expliquer comment nous aimons à ce point la soumission.

Remontons dans le passé de notre abaissement ; nous pouvons aller loin ; toutes les tyrannies, hélas ! ont des dates anciennes, la liberté seule
40 n'a qu'un passé récent.

Lorsque les colonies, nos voisines, s'affranchirent et proclamèrent leur immortelle déclaration des droits de l'homme, elles firent d'éloquents appels aux Canadiens de se joindre à elles.

45 Mais nous n'écoutions alors, comme aujourd'hui, que la voix des prêtres qui recommandaient une soumission absolue à l'autorité. En vain Franklin vint-il lui-même, en 1775, offrir au Canada d'entrer dans la confédération
50 américaine, lui garantissant telle forme de gouvernement qu'il lui conviendrait d'adopter et une liberté de conscience absolue, les mêmes lois et la même Constitution que les États-Unis, il ne fut pas même écouté.

55 En même temps, le Congrès envoyait au Canada une invitation pressante et l'engageait à élire des

1. Hommes de science européens.

Pur produit de la tradition néoclassique qui prévalait alors à l'Académie, le peintre Antoine Plamondon, qui avait étudié dans cette institution parisienne, fut durant toute sa carrière un chroniqueur de la vie au Québec. Il laissa de nombreux portraits de petits-bourgeois et de membres du clergé, comme celui de Mgr Modeste Demers. Se détachant d'un paysage sombre, le personnage incarne la stabilité et l'autorité — à la droite de sa tête, les rayons du soleil couchant jouent un rôle apaisant. La Bible à la main, les joues roses, l'air en santé, il porte des habits d'apparat qui ne laissent planer aucun doute sur sa situation pécuniaire. Arthur Buies reprochera toujours au clergé cette aisance monétaire et cette calme assurance, en un mot, tout ce qui donnait aux ecclésiastiques le pouvoir de soumettre le peuple à ses lois.

députés qui le représenteraient dans l'assemblée générale de tous les États ; le comte d'Estaing, qui commandait une flottille au service de la cause américaine, nous écrivit de son côté une lettre chaleureuse où il disait que nous n'avions qu'à vouloir être libres pour le devenir… tous ces appels, toutes ces sollicitations à l'indépendance parvinrent à peine aux oreilles des Canadiens, ou furent étouffés sous les sermons et les mandements dans lesquels on ne prêchait qu'une chose, l'obéissance passive.

Ainsi la cause du peuple n'était déjà plus celle du clergé, et c'est lui cependant qui a osé se dire jusqu'à ce jour notre protecteur et notre défenseur !

Uni à la noblesse, le clergé conspira l'extinction de tous les germes d'indépendance nationale qui se manifesteraient. Ces deux ordres étaient tenus de servir obséquieusement la métropole, pour que rien ne fût enlevé aux privilèges ecclésiastiques ni aux privilèges féodaux.

Jouissant d'une influence incontestée, d'un ascendant sans bornes sur la population, ils s'en servirent pour enchaîner leur patrie. Ils déployèrent dans cette tâche une activité infatigable ; le clergé surtout, comprenant que tout son prestige s'effacerait si le Canada, uni à la

république américaine, avait des écoles libres où l'instruction religieuse fût formellement interdite, a fait depuis quatre-vingt-dix ans aux États-Unis une guerre de calomnies et d'injures qui, heureusement, sont si ridicules qu'elles perdent le plus souvent de leur portée.

Plus tard, lorsque le monde retentit de révolutions, que la France souffla à l'oreille de tous les peuples ses principes humanitaires, que les colonies espagnoles se soulevèrent contre un joug ténébreux, les Canadiens seuls, entretenus dans l'ignorance, reçurent à peine un écho de toutes ces grandes choses. Les philosophes qui ont affranchi l'humanité n'avaient pas même de nom chez eux ; le livre, cette puissance du siècle, était proscrit ; chaque message des gouverneurs, chaque mandement des évêques retentissait d'imprécations contre le peuple français qu'on appelait l'ennemi de la civilisation, parce qu'il conviait les peuples à briser leurs fers sur les trônes des rois.

En 1838, ce même clergé, ennemi traditionnel de tout affranchissement, anathématisa les patriotes déjà voués au gibet. Depuis, il a écrasé le parti libéral qui, en 1854, tenta de soulever contre lui la conscience publique ; il a étouffé toute manifestation libre de la pensée, non seulement dans le domaine de la philosophie, mais encore dans les choses les plus ordinaires de la vie.

115 Vint enfin 1866 qui trouva les Canadiens français tout à fait ignorants de l'immense changement politique qui allait s'accomplir dans l'Amérique anglaise, qui les trouva incapables de se former une opinion à ce sujet.

120 C'est là le résultat de l'obscurantisme érigé en système, depuis l'origine de la colonie.

Pour n'avoir appris que cette phrase sacramentelle mille fois répétée, cet adage traditionnel inscrit partout « Les institutions, la religion, les lois de nos pères », pour n'avoir voulu vivre que 125 de notre passé, nous y sommes restés enfouis, aveugles sur le présent, inconscients de l'avenir.

QUESTIONS

1 En quoi les idées défendues ici s'inscrivent-elles en faux contre la pensée dominante de l'époque ?

2 Quelle définition de l'obscurantisme Buies propose-t-il ?

3 a) Relevez les grandes étapes où le clergé a entravé la liberté des Canadiens français. Quelle évolution y voyez-vous ?

b) Dans le deuxième paragraphe, quel jugement Buies porte-t-il sur l'éducation dans les collèges ?

c) Expliquez le sens de cette phrase : « Oh ! les philosophes ! on n'en connaît qu'un, Voltaire ; il est vrai qu'on ne le connaît que de nom, mais c'est assez pour le maudire » (l. 16-18). Quel ton l'auteur utilise-t-il ici ? Relevez d'autres marques de ce ton dans le texte.

d) Relevez les mots appartenant au champ lexical de la servitude des Canadiens français. Qu'en déduisez-vous ?

4 Aurait-on raison d'affirmer que les Canadiens français ont leur part de responsabilité dans le retard intellectuel qu'ils accusent ?

5 a) Peut-on dire que Buies et les signataires de *Refus global* (p. 163) ont constaté les mêmes maux dans la société ?

b) Après avoir fait une recherche sur la période allant de 1944 à 1959, dites si cette époque qualifiée de Grande Noirceur et ce que Buies appelle « l'obscurantisme érigé en système » (l. 118-119) reposent sur les mêmes bases.

LOUIS-ANTOINE DESSAULLES

Louis-Antoine Dessaulles (1819-1895)

Au XIXe siècle, lorsqu'on parle de contestation des idées reçues, de libre pensée, d'idéal de démocratie, Louis-Antoine Dessaulles est sans contredit le premier nom qui vient à l'esprit. Neveu de Louis-Joseph Papineau, le jeune Louis-Antoine trouvera dans son oncle illustre la figure paternelle disparue trop tôt. Doté d'une intelligence vive et d'une curiosité insatiable, Dessaulles étudie le droit, mais s'intéresse aussi aux sciences et à la politique. Il participe à plusieurs activités du Parti patriote avec son oncle, qu'il rejoint plus tard en exil aux États-Unis puis en Europe. Ces voyages marquent Dessaulles en ouvrant son esprit sur le monde. À son retour d'Europe, il devient rédacteur en chef du *Pays*, journal de l'opposition libérale. Polémiste redoutable, il s'oppose plus souvent qu'à son tour au conservatisme religieux, ce qui lui vaut plusieurs inimitiés. En 1855, il devient membre du controversé Institut canadien où il prononcera une vingtaine de conférences publiques et dont il sera trois fois président. Parallèlement à ses activités publiques, Dessaulles tente de s'occuper de la gestion de ses affaires, mais éprouve de graves difficultés financières. C'est pour fuir la honte de la faillite qu'il décide, en 1875, de s'expatrier, d'abord en Belgique, puis en France où il mourra après vingt ans d'exil.

Louis-Antoine Dessaulles consacre sa vie à pourfendre les détracteurs de la liberté en général et l'Église catholique en particulier, dont il dénonce de façon virulente tous les excès et les travers. L'Institut canadien lui procure une tribune idéale pour défendre ses idées. Rappelons que cette institution laïque indépendante de tout pouvoir religieux ou politique réunit de jeunes intellectuels, catholiques ou protestants, qui s'opposent principalement à l'ultramontanisme et à l'intégrisme religieux de l'Église, et veulent faire progresser la société par l'étude, le travail et la recherche de connaissances de plus en plus étendues. Ces jeunes désirent ainsi créer une sorte d'université populaire dont la pierre d'assise serait la liberté sous toutes ses formes.

■ DISCOURS SUR LA TOLÉRANCE (1867)

C'est peu de dire que le clergé catholique ne voit pas d'un bon œil l'Institut canadien et ses membres. Il se méfie de la mixité confessionnelle qu'il perçoit comme une menace religieuse et nationale. Mgr Ignace Bourget, alors évêque de Montréal, décide d'en finir avec ce qu'il considère comme un élément social perturbateur. Il décrète que les membres de l'Institut canadien de Montréal seront excommuniés, donc privés des sacrements et de la sépulture chrétienne. Louis-Antoine Dessaulles répond à cette attaque en prononçant, le 17 décembre 1867, son fameux Discours sur la tolérance, *qui sera ensuite publié dans l'Annuaire de l'Institut canadien pour 1868. Ce sera le premier texte canadien mis à l'Index, sur recommandation de Mgr Bourget.*

[…] On nous accuse sur tous les tons d'impiété, d'irréligion, d'hostilité à l'ordre social ! De tous côtés nous viennent des reproches d'orgueil et d'insubordination intellectuelle ! […] Il
5 doit donc être permis au moins une fois l'an de repousser les diatribes que l'on nous sert régulièrement une fois par semaine, et de nous expliquer sur notre vrai but comme sur nos vrais motifs. Nous devons sûrement avoir le
10 droit de dire que nous les connaissons aussi bien que nos calomniateurs.

Nous formons une société ayant pour but l'étude et l'enseignement mutuel. Le principe fondamental de notre association est la tolé-
15 rance, c'est-à-dire le respect des opinions des autres. Nous invitons tous les hommes de bonne volonté, à quelque nationalité ou quelque culte qu'ils appartiennent. Nous voulons la fraternité générale et non l'éternelle hostilité
20 des races ! Nous voulons que des chrétiens s'entr'aiment, au lieu de se regarder éternellement comme des ennemis, et cela au nom de Dieu ! Nous voulons que la religion cesse d'être

une cause constante de mépris et d'insultes
25 mutuelles ! Nous croyons que des hommes servant le même Dieu, et possédant en commun ces mêmes principes fondamentaux du christianisme qui ont civilisé le monde, devraient cesser d'être perpétuellement en lutte les uns
30 avec les autres sous prétexte de religion. Singulière manière de comprendre la religion que de tenir les hommes en perpétuelle hostilité ! Ne pouvons-nous rester fidèles à notre culte tout en vivant en bons termes avec ceux
35 qui ne pensent pas comme nous ?

PAIX AUX HOMMES DE BONNE VOLONTÉ ! a-t-il été écrit. D'où viennent donc ces écoles qui semblent n'avoir d'autre mission que d'empêcher les hommes de bonne volonté
40 appartenant aux diverses dénominations religieuses d'être en paix les uns avec les autres ? Sont-ce vraiment là ces écoles chrétiennes ?

Le plus fondamental de tous les principes de la religion est d'aimer Dieu et de s'aimer les uns
45 les autres. Voilà les lois et les prophètes.

Eh bien, on dirait qu'il y a des gens qui ne savent tirer de la religion que l'esprit d'intolérance et de haine.

[…]

Mais de quoi s'agit-il donc au fond?

50 Nous formons une société d'étude ; et de plus, cette société est purement laïque. L'association entre laïcs, en dehors du contrôle religieux direct, est-elle permise catholiquement parlant? Où est l'ignare réactionnaire qui osera dire

55 NON?

L'association entre laïcs appartenant à diverses dénominations religieuses est-elle catholiquement permise? Où est encore l'ignare réactionnaire qui osera dire NON?

60 Eh bien, dans un pays de religion mixte, où est le mal que les esprits bien faits appartenant aux diverses sectes chrétiennes se donnent mutuellement le baiser de paix sur le champ de la science? Quoi! Quand des protestants et

65 des catholiques sont *juxtaposés* dans un pays, dans une ville, il ne leur sera pas permis de travailler en commun à leur progrès intellectuel!

Certaines gens ne seront tranquilles que quand ils en auront fait des ennemis, et dans le domaine

70 de la conscience et dans celui de l'intelligence! Où donc ces gens prennent-ils leurs notions évangéliques?

Et pourtant, où sont donc la prudence et le simple bon sens? Ce sont ceux qui sont en

75 minorité dans l'État qui ne veulent endurer personne et ont toujours l'ostracisme à la bouche! Mais nous vous endurons bien, nous, avec tous vos travers d'esprit, et de cœur surtout! Imitez donc un bon exemple au lieu d'en donner un

80 mauvais!

Nous formons donc une société littéraire *laïque*! Notre but est le progrès, notre moyen est le travail, et notre lien est la tolérance. Nous avons les uns pour les autres ce respect que les

85 hommes sincères ne se refusent jamais. Il n'y a que les hypocrites qui voient le mal partout, et qui se redoutent *parce qu'ils se connaissent*.

Qu'est-ce au fond, que la tolérance? C'est l'indulgence réciproque, la sympathie, la charité

90 chrétienne. C'est le bon vouloir mutuel, donc le sentiment que doivent entretenir les uns pour les autres *les hommes de bonne volonté*. La grande parole : « Paix sur la terre aux hommes de bonne volonté », est autant un précepte de

95 charité qu'un souhait de paix intérieure à leur adresse.

La tolérance, c'est l'une des applications pratiques du plus grand de tous les principes moraux, religieux et sociaux : « Faites aux

100 autres ce que vous voulez qui vous soit fait à vous-même. » La tolérance, c'est donc la fraternité, l'esprit de religion bien comprise.

La charité est la première vertu du chrétien, la tolérance est la seconde. La charité, c'est

105 l'amour actif, le secours ; c'est le bon Samaritain pansant le lépreux. La tolérance, c'est le respect du droit d'autrui, c'est l'indulgence pour l'erreur ou la faute ; c'est le Christ disant aux accusateurs de la femme adultère : « Que celui

110 d'entre vous qui est sans péché lui jette la première pierre. »

La tolérance, c'est, au fond, l'humilité, l'idée que les autres nous valent ; c'est aussi la justice, l'idée qu'ils ont des droits qu'il ne nous est

115 pas permis de violer. Mais l'intolérance, c'est l'orgueil ; c'est l'idée que nous valons mieux que les autres ; c'est l'égoïsme ou l'idée que nous ne leur devons rien ; c'est l'injustice ou l'idée que nous ne sommes pas tenus de respecter leur

120 droit de créatures de Dieu.

La tolérance, c'est toujours la vertu puisqu'elle se résume dans la bonté ; l'intolérance, c'est presque toujours la cruauté et le crime, parce que c'est la destruction des sentiments dont la

125 religion exige la présence active au cœur de l'homme.

[…]

Eh bien, on aura beau faire, il faudra pourtant qu'ici comme ailleurs, la raison et le bon droit finissent par l'emporter. On veut nous trai-

130 ter comme des enfants de collège, eh bien, nous ne nous laisserons pas nullifier ainsi! Nous ne demandons que la considération que l'on accorde ordinairement aux gens respectables, et cela nous avons droit de l'exiger.

135 Nous ne sommes pas hostiles, mais quand nous sommes condamnés sans être entendus, nous le ressentons ! Quand nous montrons du bon vouloir et que nous allons nous heurter à la plus raide inflexibilité, nous trouvons que la 140 charité et le devoir pastoral ne sont pas là !

Espérons que l'on finira par comprendre que la doctrine que l'on nous applique, celle de l'intolérance et de la sévérité opiniâtre, ne peut faire que du mal ici comme partout ailleurs ; 145 et que celle dont nous réclamons l'application est la seule que l'esprit chrétien, et les lumières du siècle, et les progrès de la civilisation recommandent comme juste, sensée et même politique.

QUESTIONS

1 En quoi l'Institut canadien s'inscrit-il en faux contre les valeurs dominantes de l'époque ?

2 D'après vous, pourquoi ce texte a-t-il été mis à l'Index ?

3 a) Relevez les nombreuses phrases interrogatives et exclamatives. Qu'est-ce que l'auteur veut mettre en évidence par leur emploi fréquent ?

b) Relevez les mots qui apparaissent en majuscules et ceux qui sont en italique. Que constatez-vous ?

c) L'auteur utilise diverses citations bibliques dans le texte. Relevez-en trois et dites à quoi elles servent.

d) Qui sont les détracteurs de l'Institut canadien ? Sont-ils nommément mentionnés ? Pourquoi ?

4 Faut-il encenser ou condamner Dessaulles pour ses positions ?

5 Croyez-vous que certaines des idées défendues dans ce texte sont encore actuelles dans le Québec d'aujourd'hui ? Lesquelles ? Pourquoi ?

Laure Conan (1845-1924)

Laure Conan est le pseudonyme de Félicité Angers, une des premières femmes de lettres du Québec à vivre de sa plume. Née à La Malbaie, elle fait ses études au Couvent des Ursulines. Plusieurs critiques voient dans ses premiers écrits la mise en scène romancée de la relation difficile qu'elle a eue avec le politicien Pierre-Alexis Tremblay. Restée célibataire, la jeune femme passe une grande partie de sa vie avec sa famille dans le comté de Charlevoix. Intellectuelle et studieuse, elle lit des auteurs français comme Bossuet et Chateaubriand, et nourrit son intérêt pour l'histoire canadienne en se renseignant auprès de l'historien François-Xavier Garneau et en consultant les écrits de la colonie. Elle collabore à plusieurs revues, ce qui fait d'elle une pionnière dans le monde très masculin du journalisme.

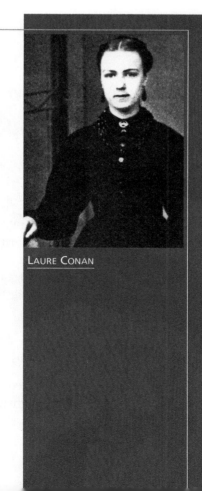

LAURE CONAN

L'œuvre littéraire de Laure Conan est audacieuse à plusieurs titres. Ainsi, *Angéline de Montbrun* est à la fois le premier roman écrit par une femme au Québec et le premier à s'intéresser à l'étude psychologique des personnages. Même si Conan y affectionne certains thèmes chers à ses contemporains, la résignation chrétienne et le patriotisme notamment, elle se distingue de ces auteurs de romans nationalistes et agriculturistes de la fin du XIXᵉ siècle tant par la forme que par le fond. D'une part, abandonnant le regard omniscient et la trame narrative conventionnelle, elle multiplie les points de vue en associant des lettres, des fragments de journaux intimes et un court passage narratif. D'autre part, elle

se penche sur le thème de l'amour passionné, décrit les émotions intimes et accorde à la parole de ses personnages féminins une place qu'on ne lui a encore jamais reconnue.

Encouragée par l'abbé Casgrain, Laure Conan exprime ensuite sa ferveur patriotique et son intérêt pour l'histoire nationale dans des essais et des romans historiques, dont le plus connu est *La Sève immortelle*. Même si les héroïnes de ces romans ne sont pas en totale rupture avec les diktats religieux et sociaux, la critique féministe a montré qu'elles ne sont jamais non plus totalement résignées à la soumission qu'on attend d'elles, et c'est là un premier pas vers la résistance.

■ ANGÉLINE DE MONTBRUN (1881)

D'abord publié comme roman-feuilleton dans La Revue canadienne, Angéline de Montbrun *raconte l'histoire d'une jeune fille de dix-huit ans qui vit seule avec son père depuis que sa mère est morte. Un lien d'affection intense et unique, voire ambigu, unit la fille et le père. Maurice, le frère de son amie Mina, a tôt fait de tomber amoureux d'Angéline et de la demander en mariage. Mais les malheurs s'accumulent : d'abord, le père d'Angéline meurt d'un accident de chasse, puis la jeune fille reste défigurée après avoir été elle aussi victime d'un accident. En perdant la beauté, Angéline perd aussi l'amour de Maurice qui n'a plus pour elle que de la pitié. Elle rompt avec lui et se retire dans la demeure paternelle où elle s'abîme dans la souffrance de son double deuil : celui de son père et celui de son amour.*

Le premier passage est extrait d'une lettre d'Angéline à Mina, qui a choisi la vie religieuse et vient tout juste d'entrer au couvent. Le second est tiré du journal intime d'Angéline, où, seule et souffrante, elle implore Dieu de la consoler de la mort de son père.

Angéline de Montbrun à Mina Darville

Votre frère m'a envoyé de vos cheveux. Veuillez le remercier de ma part, et lui faire comprendre qu'il ne doit plus m'écrire. À quoi bon !

Chère sœur, je ne puis regarder sans émotion
5 ces belles boucles brunes que vous arrangiez si bien. Qui nous eût dit qu'un jour cette superbe chevelure tomberait sous le ciseau monastique ? qu'un guimpe de toile blanche entourerait votre charmant visage ?

10 Ma chère mondaine d'autrefois, comme j'aimerais à vous voir sous votre voile noir.

Ainsi, vous voilà consacrée à Dieu, obligée d'aimer Notre-Seigneur d'un amour de vierge et d'épouse.

15 Ce qu'on dit contre les vœux perpétuels me révolte. Honte au cœur qui, lorsqu'il aime, peut prévoir qu'il cessera d'aimer.

Mon amie, je ne dors guère, et en entendant sonner quatre heures, votre souvenir me revient
20 toujours. Ma pensée vous suit, tout attendrie, dans ces longs corridors des Ursulines.

J'ai assisté à l'oraison des religieuses. J'aimais à les voir immobiles dans leurs stalles, et toutes les têtes, jeunes et vieilles, inclinées sous la
25 pensée de l'éternité. L'éternité, cette mer sans rivages, cet abîme sans fond où nous disparaîtrons tous !

Si je pouvais me pénétrer de cette pensée ! Mais je ne sais quel poids formidable m'attache à la

30 terre. Où sont les ailes de ma candeur d'enfant ?
Alors je me sentais portée en haut par l'amour.
Mon âme, comme un oiseau captif, tendait toujours à s'élever. Oh ! le charme profond de ces
enfantines rêveries sur Dieu, sur l'autre vie.

35 J'aimais mon père avec une ardente tendresse,
et pourtant, je l'aurais laissé sans regret pour
mon père du ciel. Mina, c'était la grâce encore
entière de mon baptême. Maintenant, la chrétienne, aveuglée par ses fautes, ne comprend
40 plus ce que comprenait l'innocence de l'enfant.
Mina, j'ai vu de près l'abîme du désespoir. Ni
Dieu ni mon père ne sont contents de moi, et
cette pensée ajoute encore à mes tristesses.

Dans votre riante chapelle des Ursulines, j'ai-
45 mais surtout la chapelle des Saints, où je priais
mieux qu'ailleurs. Pendant mon séjour au
pensionnat, tous les jours j'allais y faire brûler
un cierge, pour que la sainte Vierge me rame-
nât mon père sain et sauf, et maintenant, je
50 voudrais que là, aux pieds de Notre-Dame du
Grand-Pouvoir, une lampe brûlât nuit et jour
pour qu'elle me conduise à lui.

Je suis charmée que vous soyez sacristine. Vous
faites si merveilleusement les bouquets. Quels
55 beaux paniers de fleurs je vous enverrais, si
vous n'étiez si loin.

Ma chère Mina, soyez bénie pour le tendre souvenir que vous donnez à mon père. Puisque
votre office vous permet d'aller dans l'église, je
60 vous en prie, ne passez un jour sans vous age-
nouiller, sur le pavé qui le couvre. Cette fosse
si étroite, si froide, si obscure, je l'ai toujours
devant les yeux. Vous dites que dans le ciel il
est plus près de moi qu'autrefois.

65 Mina, le ciel est bien haut, bien loin, et je suis une
pauvre créature. Vous ne pouvez comprendre
à quel point il me manque, et le besoin, l'irrésistible besoin de me sentir serrée contre son
cœur.

70 Le temps ne peut rien pour moi. Comme
disait Eugénie de Guérin, les grandes douleurs
vont en creusant comme la mer. Et le savait-
elle comme moi ! Elle ne pouvait aimer son
frère comme j'aimais mon père. Elle ne tenait
75 pas tout de lui. Puis rien ne m'avait préparée

à mon malheur. Il avait toute la vigueur, toute
l'élasticité, tout le charme de la jeunesse. Sa vie
était si active, si calme, si saine, et sa santé si
parfaite. Sans ce fatal accident ! C'est peut-être
80 *une perfidie de la douleur*, mais j'en reviens toujours là.

Mon amie, vous savez que je ne me plains pas
volontiers, mais votre amitié est si fidèle, votre
sympathie si tendre, qu'avec vous mon cœur
85 s'ouvre malgré moi. Ma santé s'améliore. Qui
sait combien de temps je vivrai. Implorez pour
moi la paix, ce bien suprême des cœurs morts.

[…]

15 août.

J'ai honte de moi-même. Qu'ai-je fait de mon
90 courage ! qu'ai-je fait de ma volonté ?

Jamais, non jamais, je n'aurais cru que l'âme
pût se renverser ainsi dans les nerfs. Je ne saurais rester en repos. Je suis parfaitement incapable de tout travail, de toute application quel-
95 conque. Malgré moi, mon livre et mon ouvrage
m'échappent des mains. Tout m'émeut, tout me
trouble, et même en la présence de mes domestiques, des larmes brûlantes s'échappent de mes
yeux. Ô mon père ! que penseriez-vous de moi ?
100 vous si noble ! vous si fier !

Mais je n'y puis rien. À mesure que mes forces
reviennent, le besoin de le revoir se réveille terrible dans mon cœur. La prière ne m'apporte
plus qu'un soulagement momentané, ou plutôt
105 je ne sais plus prier, je ne sais plus qu'écouter
mon cœur désespéré.

Ô mon Dieu ! pardonnez-moi. Ces regrets passionnés, ces dévorantes tristesses, ce sont les
plaintes folles de la terre d'épreuve. Je ne sau-
110 rais les empêcher de croître. Ô mon Dieu, arra-
chez et brûlez, je vous le demande, je vous en
conjure. Ah, que de fois, pendant les jours terribles que je viens de passer, n'ai-je pas été me
jeter à vos pieds. J'ai peur de moi-même, et je
115 passe des heures entières dans l'église.

Ô Seigneur Jésus, vous le savez, ce n'est pas
vous que je veux, ce n'est pas votre amour dont
j'ai soif, et même en votre adorable présence,
mes pensées s'égarent.

120 Hier, il faisait un vent furieux, une épouvantable tempête. À genoux dans l'église, le front caché dans mes mains j'écoutais le bruit de la mer moins troublée que mon cœur. Au plus profond de mon âme, d'étranges, de sauvages

125 tristesses répondaient aux rugissements des vagues, sur la grève solitaire, et par moments des sanglots convulsifs déchiraient ma poitrine.

L'église était déserte. Une humble chandelle de suif, allumée par la femme d'un pauvre pêcheur,
130 brûlait sur un long chandelier de bois, devant l'image de la Vierge.

Ô Marie ! tendez votre douce main à ceux que l'abîme veut engloutir. Ô Vierge ! ô Mère ! ayez pitié.

QUESTIONS

1 En quoi ce texte diffère-t-il des romans écrits par les auteurs masculins de la même époque ? Observez plus particulièrement la forme narrative et les thèmes abordés.

2 La foi religieuse est-elle une consolation pour Angéline ?

3 a) Qu'est-ce qu'Angéline admire chez Mina et les religieuses qu'elle observe ?

b) Angéline note des oppositions entre celle qu'elle était avant la mort de son père et celle qu'elle est devenue après. Quelles sont-elles ?

c) Quels sentiments cette transformation suscite-t-elle chez Angéline ?

d) Relevez les marques d'expressivité dans l'écriture d'Angéline. Quelles idées renforcent-elles ?

4 Pourquoi peut-on dire qu'Angéline est, malgré elle, une figure féminine rebelle ?

5 D'après vous, Laure Conan est-elle une auteure romantique ?

PARTIE 4

LA CHANSON PATRIOTIQUE

LA CHANSON PATRIOTIQUE naît avec la rébellion au milieu du XIXᵉ siècle et s'éteint avec l'avènement de l'urbanisation au XXᵉ siècle. Très militantes, les premières chansons sont pour la plupart chantées sur des airs déjà connus. Mais rapidement, des musiciens de talent composent pour elles des musiques originales. Les chansons patriotiques, que l'on pourrait aussi appeler « chansons du terroir », véhiculent les mêmes valeurs terriennes que les poésies et romans de leur époque : la religion, la langue et les traditions. Des centaines de ces chansons voient leurs partitions musicales imprimées et peuvent donc pénétrer dans tous les foyers où l'on réunit un ou une pianiste habile et une bonne voix. Certaines ont des auteurs aussi célèbres qu'Octave Crémazie (« Le Drapeau de Carillon ») et Louis Fréchette (« Vive la France»). Ces chansons ont toujours la même forme: phrases pompeuses, style emphatique et ton vindicatif, de sorte qu'elles tombent inévitablement dans ce que Verlaine, à la même époque, aurait conspué: l'éloquence! Rédigés dans un romantisme édulcoré ou stéréotypé, ces textes restent néanmoins touchants puisqu'ils défendent avec véhémence ce qui fait alors l'identité du Canadien français: la fidélité, la religion, l'amour de la langue, les valeurs familiales rurales et la nostalgie de ce paradis perdu qu'est la France.

« Ô Canada » (1880)

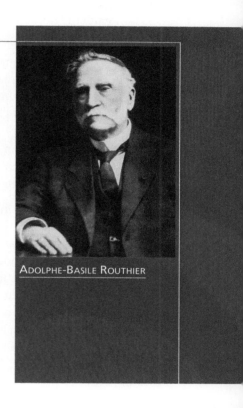

ADOLPHE-BASILE ROUTHIER

Voici un exemple mémorable de la création d'une musique originale sur un texte patriotique. Au congrès des Canadiens français de 1880, organisé sous l'égide des Fêtes de la Saint-Jean-Baptiste, le musicien Ernest Gagnon suggéra à Calixa Lavallée, compositeur reconnu, et au juge Adolphe-Basile Routhier, parolier à ses heures, d'écrire un chant pour la circonstance. Cet hymne fut interprété au banquet de clôture des Fêtes de la Saint-Jean, à Québec. Il avait pour titre « Ô Canada ». La foule et les dignitaires présents à la cérémonie furent médusés par la puissance de cette œuvre. Ce chant rassembleur, qui deviendra officiellement cent ans plus tard l'hymne national du Canada, est donc d'abord une chanson « nationaliste ».

En 1880, les mots « Québécois » et « Canadiens » n'avaient pas le même sens qu'aujourd'hui. Le premier désignait les habitants de la ville de Québec et le second, les francophones de la province. Il est donc juste d'affirmer que dans le texte de la chanson, le mot « Canada » signifie le Québec (« Terre de *nos* aïeux » [l. 1]), et la métonymie « Canadien » de la deuxième strophe, le peuple francophone (« près du fleuve géant » [l. 10]). D'ailleurs, il est superflu de rappeler que, jusque dans les années 1960, dans l'esprit des francophones, il y avait deux peuples dans ce pays: les Canadiens (nous) et les Anglais (les autres).

Paroles: Adolphe-Basile Routhier
Musique: Calixa Lavallée

Ô Canada! Terre de nos aïeux, — *l'histoire*
Ton front est ceint de fleurons glorieux!
Car ton bras sait porter l'épée,
Il sait porter la croix! — *grâce à notre foi*
5 Ton histoire est une épopée
Des plus brillants exploits.
Et ta valeur, de foi trempée, *tard*
Protégera nos foyers et nos droits
Protégera nos foyers et nos droits[1].

Traduction en français de la version anglaise
de l'hymne national

Ô Canada, notre patrie et pays natal
Objet de l'amour patriotique de tous tes fils
Le cœur heureux, nous te regardons grandir
Pays du nord, puissant et libre
5 De loin et de partout, Ô Canada
Nous sommes prêts à tout pour toi
Dieu garde notre patrie glorieuse et libre
Ô Canada, nous sommes prêts à tout pour toi
Ô Canada, nous sommes prêts à tout pour toi.

(Source: Patrimoine canadien / Canadian Heritage)

---

1. Couplet officiel de l'hymne national.

10 Sous l'œil de Dieu, près du fleuve géant, *St. Lawrence*
Le Canadien grandit en espérant,
Il est né d'une race fière, *— patriotisme*
Béni fut son berceau ; *— blessed cradle*
Le ciel a marqué sa carrière
15 Dans ce monde nouveau.
Toujours guidé par Sa lumière,
Il gardera l'honneur de son drapeau,
Il gardera l'honneur de son drapeau.

De son patron, précurseur du vrai Dieu,
20 Il porte au front l'auréole de feu ;
Ennemi de la tyrannie,
Mais plein de loyauté,
Il veut garder dans l'harmonie
Sa fière liberté.
25 Et par l'effort de son génie,
Sur notre Sol asseoir la vérité,
Sur notre Sol asseoir la vérité !

Amour sacré du trône et de l'autel *— throne — altar*
Remplis nos cœurs de ton souffle immortel.
30 Parmi les races étrangères
Notre guide est la foi ;
Sachons être un peuple de frères,
Sous le joug de la loi ;
Et répétons comme nos pères
35 Le cri vainqueur : « Pour le Christ et le Roi »
Le cri vainqueur : « Pour le Christ et le Roi ».

QUESTIONS

1 Relevez dans le texte original les éléments qui font de ce chant un hymne patriotique.

2 Cet texte rend-il les Canadiens français plus grands que nature ? À quoi le sent-on ?

a) Notez les hyperboles. Peut-on qualifier le langage de cette chanson d'ampoulé ou de pompeux ? Pourquoi ?

b) Qu'est-ce qui donne à certains passages de ce chant un ton belliqueux ?

c) Notre hymne national est un texte du terroir. Dégagez les thèmes qui illustrent ce constat.

d) Relevez tous les éléments relatifs à la religion. Quelle est l'importance de ce thème ?

4 Cette chanson pourrait-elle être considérée comme un hymne au messianisme ? Semble-t-elle être le chant vibrant d'une nation sainte ou, à la limite, d'un peuple élu ?

5 a) Dans la deuxième strophe, on lit « Le Canadien grandit en espérant » (v. 11). Quel sens donneriez-vous à ce vers aujourd'hui ?

b) Il est arrivé souvent dans l'histoire récente que des nationalistes québécois huent notre hymne national lors de cérémonies, d'événements sportifs, etc. Sur le strict plan du contenu, avaient-ils raison ?

c) En généralisant son approche, le couplet anglais perd-il en intensité et en relief ? Le Canadien français y est-il encore la figure centrale comme dans le couplet original ?

La saveur ultramontaine

Les deux prochaines chansons illustrent les valeurs du terroir dans ce qu'elles ont de plus cliché et s'inscrivent en cela dans la ligne de pensée des Casgrain, Lemay, Tardivel et autres disciples de l'ultramontanisme. La première parle de la vaillance du paysan, de la nostalgie de la France et de l'omniprésence bienveillante de l'Église, lesquelles fondent l'identité du Canadien et doivent donc être conservées. La seconde laisse entendre que c'est à la femme de transmettre ces valeurs de génération en génération. Les rôles sont donc bien établis et le mode impératif les impose sans équivoque.

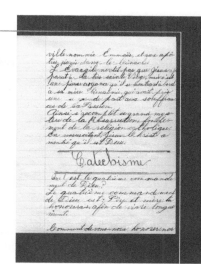

« Canadien, toujours ! » (1907)

Paroles : Gaston Fleury
Musique : Charles Tanguy

J'ai parcouru les bois par les vents tourmentés,
Où le fier bûcheron fait résonner sa hache,
J'ai visité la plaine aux contours enchantés
Où le vieux paysan travaille sans relâche.
5   Et comme au temps des grands labours
Montait de la terre féconde

Henri Julien (1852-1908).

L'Étoffe du pays, 1908. (Huile sur toile, 30,7 × 23 cm. Musée national des beaux-arts du Québec.)

Comme Honoré Daumier, Henri Julien fut caricaturiste et a laissé derrière lui plusieurs œuvres parodiant les Canadiens et leurs institutions. Même si elles ne jouaient pas le même rôle que les dessins à saveur politique qu'il publiait dans différents journaux, ses toiles s'en apparentaient par le style de leur exécution. Le Canadien présenté dans *L'Étoffe du pays* semble effectivement avoir l'étoffe d'un vrai : enveloppé dans un manteau épais tenu fermé par une ceinture fléchée, cet homme d'âge avancé marche dans la neige en fumant et en s'appuyant sur sa canne. Il ne semble pas souffrir du froid et parcourt son pays, fier, comme le Canadien de la chanson de Gaston Fleury, d'habiter un tel territoire.

L'ardente voix de l'ancien monde. (bis)
Ô peuple canadien, garde fiers (sic) tes amours,
Reste vaillant et canadien toujours. (bis)

10   Au milieu des champs d'or et des blanches maisons,
S'élève pure et belle une église au toit sombre :
Le clocher près du ciel y fait des oraisons
Pour nous lorsque la nuit nous enveloppe d'ombre.
Et l'on entend aux alentours
15   Murmurer, le soir, à la brise
La sainte voix de notre église. (bis)
Ô peuple canadien, garde fiers (sic) tes amours,
Reste croyant et canadien toujours. (bis)

« La fermière canadienne » (début du XXᵉ siècle)

Paroles : Maurice Morisset
Musique : Oscar O'Brien

Comme vos paisibles grand'mères,
Canadiennes, soyez fermières !
Aimez vos tranquilles foyers,
Votre langue et vos fiers clochers.
5   Nobles semeuses de croyance,
Les aïeules venues de France,
Ont partout jeté le bon grain,
En fredonnant un vieux refrain !

REFRAIN (bis)

Bonne fermière canadienne,
10   De nos foyers sois la gardienne ;
Transmets aux mains de tes enfants
Le sol sacré que tu défends.

QUESTIONS

1 Faites le portrait de la société de l'époque en vous basant sur les paroles de ces deux chansons.

2 Quelle impression se dégage de l'écriture de ces chansons ?

3 a) Dans quels termes la chanson « Canadien, toujours ! » met-elle en valeur la terre, la mère patrie et la religion ?

    b) Dans « La fermière canadienne », quel est le rôle de la femme ?

    c) Relevez les figures de style associées à la femme dans « La fermière canadienne ». Quelles réalités évoquent-elles ?

    d) Quels sont les thèmes de cette chanson ?

4 Ces deux chansons véhiculent toutes les valeurs terriennes de la fin du XIXᵉ siècle. Sous quel angle les présentent-elles ?

5 Parmi les valeurs défendues dans ces chansons, lesquelles retiendriez-vous pour définir l'identité du Québécois, aujourd'hui ?

LA CHANSON PATRIOTIQUE

Vous pouvez faire une chanson de style patriotique, comme on en écrivait à la fin du XIXᵉ siècle. Il suffit de chanter la gloire de la patrie, de célébrer les hauts faits des aïeux, de faire l'apologie de la vie paysanne, de promouvoir les traditions et de louer les bienfaits de notre sainte mère l'Église. Vous pouvez aussi lier étroitement langue et religion. À l'époque, l'une n'allait pas sans l'autre. Enfin, les textes des ultramontains de l'époque seront de nature à vous nourrir généreusement, si vous manquez d'inspiration.

Pour écrire votre texte, n'hésitez pas à recourir aux techniques suivantes. Utilisez beaucoup de verbes à l'impératif : soyons, soyez, restons, parlons, combattons. Faites usage de l'apostrophe : Habitant ! Patriote ! Catholique ! Canadien ! Affectionnez les interjections : Hélas ! Oh ! Eh ! Ah ! Recourez aux personnifications : l'église bienveillante, la sainte voix du village, les fiers clochers ; aux métaphores tonitruantes ou sirupeuses : le tonnerre de notre rage frappera l'ennemi, sur l'autel fleuri je dépose mon âme soumise ; et au vocabulaire belliqueux, militaire : honneur, gloire, victoire, combat, épée, sang, au pas, courageux villageois ! pointons vers l'étranger le glaive de notre foi. Utilisez des clichés : les moissons abondantes, la terre féconde, errer dans la campagne, entonner des cantiques, rendre gloire à Dieu, répandre son sang, foncer vers l'ennemi, le vent qui pleure dans les arbres, le grand manteau blanc de l'hiver, le fleuve qui gronde. Enfin, n'hésitez pas à recourir aux incises et aux appositions : fermière, semeuse de croyance, transmets à tes enfants ; l'habitant, fier de ses origines, s'agenouille devant Dieu. Et surtout, n'oubliez pas de parler de la foi, de la langue française, de la terre, de la famille, des traditions et de notre mère, la douce France.

Vous aurez ainsi composé une chanson patriotique et, avec un peu de chance, peut-être un poème à la Crémazie ou à la Fréchette, si vous êtes très inspiré.

FANTÔMES, DIABLES ET LOUPS-GAROUS : LE CONTE FANTASTIQUE AU XIXᵉ SIÈCLE

LE FANTASTIQUE est un genre littéraire qui joue avec le surnaturel (histoires de fantômes, de vampires, de diables) et la peur. Roger Caillois le définit comme une rupture de l'ordre naturel des choses, quand le surnaturel fait une intrusion brutale dans la réalité pour remettre en question l'ordre logique et rationnel du monde. Dans la littérature fantastique, l'écrivain cherche à inquiéter son lecteur, à créer un climat de peur ou de panique. Sous l'influence du roman gothique anglais, des légendes celtiques et des contes folkloriques allemands, ce genre se répand dans toute l'Europe romantique au début du XIXᵉ siècle. Qualifié de fantastique par l'écrivain allemand Hoffmann, auteur de nombreux contes à caractère surnaturel, il devient un genre littéraire fort apprécié des amateurs de sensations fortes et se développera tout au long du siècle. Au Québec, plusieurs facteurs encouragent l'essor du conte surnaturel, notamment le climat religieux propice aux superstitions et aux légendes, la tradition orale des récits folkloriques venus de France, riche en thèmes surnaturels, et la mythologie amérindienne. Des auteurs connus, comme Honoré Beaugrand, Louis Fréchette, Pamphile Lemay, Narcisse Faucher de Saint-Maurice, Joseph-Ferdinand Morissette, Joseph-Charles Taché, ou d'autres qui le sont moins, comme Gaston-P. Labat et Armand de Haerne, transforment des récits de la tradition orale en contes littéraires qu'ils publient dans les journaux et les magazines. Bien ancrées dans la réalité canadienne-française de l'époque (vie rurale, religion, camps de bûcherons, etc.), ces histoires de revenants, de fantômes, de chasse-galerie ou de loups-garous rejoignent un public lettré qui y trouve à la fois un divertissement intelligent et un enseignement. Contrairement au roman, qui a mauvaise réputation, la lecture du conte est considérée comme un passe-temps agréable et surtout sans danger pour les bonnes mœurs.

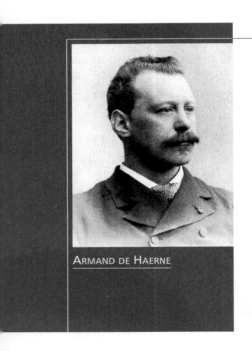

ARMAND DE HAERNE

Armand de Haerne (1850-1902)

Descendant d'une des plus nobles familles comtales des Flandres, Armand de Haerne est né à Turnhout (Belgique) le 27 novembre 1850. À l'âge de dix-sept ans, il s'engage comme zouave pontifical pour défendre la cause du pape menacé par les troupes de Garibaldi. Il est blessé en 1870 lors du siège de Rome. Après avoir mené une vie d'aventurier et de dandy puis subi une faillite financière, il part pour le Canada en 1883 et s'installe à Stoke où il se marie. Au décès de sa première épouse, il cède son domaine à son beau-père. Par la suite, il accepte un poste de traducteur aux Communes. Sa carrière littéraire se résume à quelques collaborations avec divers journaux et publications, dont *Le Courrier de Saint-Hyacinthe*, *La Tribune*, *La Patrie*, dans lesquels il publie des contes fantastiques ou merveilleux comme *Le Diable au bal*, variante personnelle et originale de la légende canadienne de Rose Latulipe, dont il existe plus de cinq cents versions dans la tradition orale du Québec. Plusieurs contes inédits ont été retrouvés dans les archives du petit-fils de l'auteur, parmi lesquels *Nésime le tueur*, écrit entre 1880 et 1890.

■ NÉSIME LE TUEUR (v. 1880-1890)

Ce conte inédit d'Armand de Haerne est très représentatif du récit à thème surnaturel publié dans les journaux et les revues de l'époque. Le personnage central est un robuste bûcheron qui se nomme Onésime. Il travaille dans un des nombreux chantiers le long de la rivière Ottawa. Doté d'une force herculéenne, Onésime inspire une certaine crainte et agit parfois de façon mystérieuse. Souvent, après le repas du soir, il disparaît. Nul ne sait où il se rend, encore moins ce qu'il fait. On chuchote donc

dans son dos, on lui prête toutes sortes de mauvaises actions. Et puis, le soir du
1ᵉʳ novembre, une vive discussion éclate entre Onésime et ses compagnons, dispute
violente au cours de laquelle le redoutable bûcheron se met à invectiver ses compagnons,
à blasphémer et à nier l'existence même de Dieu.

Tout à coup, et tandis que Nésime, pourpre de colère, les yeux injectés de sang, profère ses défis sacrilèges en les accompagnant des plus monstrueuses imprécations, au dehors se fait
5 entendre le bruit cadencé des pas d'un cheval lancé dans un galop effréné et frappant la terre durcie de ses sabots ferrés. À ce bruit se mêle la clameur plaintive d'un être humain implorant pitié, miséricorde et secours. Par-dessus tout
10 se perçoit le cliquetis lugubre des chaînes qui s'entrechoquent.

La porte du chantier s'ouvre avec fracas, comme poussée par une main puissante mais invisible.

Un coup de vent éteint la torche et plonge le
15 campement dans les ténèbres.

Entouré d'un nimbe de feu, un cavalier lancé à toute bride franchit le seuil et vient s'arrêter devant Nésime, la tête du cheval lui touchant la poitrine.

20 Jean-Pierre et ses compagnons, muets, tremblants et comme médusés de terreur, se signent à la vue de la sinistre apparition.

Le cheval noir luit comme le diamant.

De ses yeux, de ses narines s'échappent de lon-
25 gues gerbes de feu.

L'écume de sa bouche est teinte de sang.

Un hideux squelette, enveloppé d'un ample suaire blanc monte l'impétueux coursier.

Dans le crâne décharné, l'orbite des yeux, les
30 narines, la bouche, brillent des charbons ardents.

Les mains et les pieds sont chargés de lourdes chaînes.

Un couteau de matelot est planté jusqu'à la garde dans la poitrine à l'endroit du cœur.

35 Un flot de sang noir s'échappe de la plaie béante, ruisselle sur le suaire, se répand par terre et va baigner les pieds de Nésime.

— Grâce, Nésime, grâce ! Laisse-moi vivre ! Ne me tue pas, implore le spectre.

40 Nésime pâlit, tremble aux accents de cette voix qui lui est familière.

Cette défaillance ne dure qu'un instant, elle passe rapide comme l'éclair.

Maître de lui, calme et résolu, Nésime tire son
45 couteau et, le bras levé, se rue en ricanant sur le fantôme.

— Ah ! Tu n'es donc pas mort, Antonio ! Il te prend fantaisie de venir me braver ! Tu as le courage de jouer tes lugubres farces à Nésime !
50 À Nésime ? Penses-tu en vérité lui faire peur comme à une de ces vieilles femmes que voilà ? Attends, mon gaillard, je vais te faire passer pour toujours le goût des sinistres plaisanteries, la fantaisie de faire le fantôme.

55 Le bras de Nésime s'abat, mais pour rencontrer le vide.

Le couteau échappe à sa main dont la terreur vient de desserrer les doigts.

Le spectre, toujours à cheval sur sa sombre
60 monture, de sa main droite, montre à l'hercule effaré le poignard fiché dans son cœur.

— Écoute, Nésime, dit-il d'une voix sépulcrale. Je suis mort, bien mort. Ton poignard m'a tué là-bas dans la forêt. Les loups et les oiseaux de
65 proie ont dévoré mon cadavre. Mes ossements sont dispersés. Mieux que la fosse que tu m'as creusée dans la grotte, les fauves ont assuré ton impunité devant le tribunal des hommes. Apprends maintenant mon destin et le tien ! Je
70 suis condamné à monter sans relâche pendant l'éternité le dernier cheval que nous avons volé ensemble ! Reconnais-tu l'étalon noir dont j'ai assassiné le gardien endormi ? Regarde, c'est lui que je monte, enchaîné par les pieds et les mains.
75 Lancé dans un galop infernal, il fend l'espace sans arrêter, ni le jour ni la nuit et moi, dévoré

CHARLES-ÉDOUARD HUOT (1855-1930).

La Veillée du diable, v. 1900. (Fusain et craie sur papier, 42,2 × 60,4 cm. Musée national des beaux-arts du Québec.)

Connu pour avoir décoré plusieurs églises au Québec, le peintre Charles-Édouard Huot représente ici un visiteur cornu dont l'arrivée sème la panique et la confusion parmi les occupants de ce lieu non précisé : le crucifix se retrouve accroché à l'envers, une femme s'est évanouie et les hommes, tous en mouvement, hésitent quant à la marche à suivre. Comme Nésime, ils sont à la fois médusés par la peur et incapables de détourner le regard de cette soudaine apparition surnaturelle, que le peintre a entourée d'un halo de lumière blanche pour attirer le regard du spectateur sur cette partie du tableau et montrer à quel point les croyances relevant du merveilleux et du fantastique religieux étaient prégnantes dans l'imaginaire canadien-français du XIXe siècle.

par un feu intérieur, frappé au cœur d'un poignard que je ne puis arracher, sentant mon sang brûlant me jaillir au visage et s'échapper de
80 mon corps, je chevauche sans trêve ni merci, souffrant en une seconde mille morts les plus atroces !

— Tu mens, misérable ! lance Nésime hors de lui. Cesse tes sortilèges, Antonio, tu m'as déjà
85 trop fait souffrir comme cela ! À l'avenir, je partagerai loyalement notre butin ! Pour l'amour de Dieu, Antonio, épargne-moi et je te donne ta juste part de toutes nos opérations ! Non ! je la doublerai, mais pour Dieu ou pour le diable,
90 cesse tes sorcelleries, rends-moi mes forces que je sens s'échapper de mon être !

— Tu trembles, Nésime ! Tu pries ! Tu conjures ! Tu crois aux sortilèges ! Je pourrais me railler, me moquer de toi et tu le mériterais, mais je te
95 plains ! Reprends ton calme et ton courage, car il t'en faudra, et écoute-moi : avant de te quitter, j'ai une mission à remplir. Tu dois apprendre de ma bouche le sort qui t'attend, ainsi l'a commandé Dieu, notre maître à tous, à toi comme
100 à moi, Nésime ! Jusqu'à cette nuit, ta sentence

restait en suspens. Les larmes et les prières d'une pieuse et charitable mère implorant la miséricorde divine en faveur d'un fils indigne avaient arrêté le courroux de l'Être Suprême, que tu as
105 nié et blasphémé toute ta vie. Quand, ce soir, tu as ici, en présence de tes camarades, renié tes parents, la patience du Souverain juge s'est lassée. Malgré les supplications de ta pauvre mère, il m'a chargé, moi, Antonio, ton ancien
110 complice, ta victime, moi le damné, de te porter la sentence prononcée contre toi, et de te révéler le châtiment qui t'est réservé.

Nésime tremblait de tous ses membres.

Ses genoux arqués fléchissaient sous son corps
115 secoué par la terreur.

Ses mains roidies, les doigts écartés, s'allongeaient dans le vide, comme pour repousser l'horrible vision.

Des sanglots convulsifs, montant de sa poitrine,
120 l'étranglaient avec le râle de l'agonie dans la gorge.

Une sueur froide perlait de son front et coulait le long de ses joues en feu.

125 Ses yeux glacés d'épouvante avaient pris la fixité de la folie, tandis que sa langue, paralysée, faisait de vains efforts pour articuler une dernière menace.

— Tu as déjà peur, Nésime, tu trembles comme un lâche, comme un enfant, et le plus terrible 130 te reste à apprendre : la peine qui t'est imposée. Tu vivras errant, craint, haï de tout le monde, traqué comme une bête immonde, comme un fauve malfaisant ! Avec tes mains pleines d'or 135 et d'argent, tu souffriras la faim et la soif ! Ainsi qu'un pestiféré, un repoussant lépreux, on te chassera loin des habitations, on te refusera le grabat du mendiant, oui, l'hospitalité de la porcherie même. Quand tu auras ainsi erré pendant trente ans, tu tomberas anéanti le long du 140 chemin, les passants te repousseront du pied, s'éloigneront de toi en se signant, les loups de la forêt, les vautours du ciel, te dévoreront vivant et au milieu de ces atroces tourments, tu entreras dans l'éternité !

QUESTIONS

1 En vous basant sur la définition du genre par Roger Caillois, trouvez les éléments qui font de ce conte un récit fantastique.

2 Par qui et pourquoi Nésime est-il menacé dans ce récit ?

3 a) Relevez les procédés qui visent à créer la peur.

b) La religion occupe une place importante dans les contes fantastiques québécois du XIXᵉ siècle. Indiquez les passages et les thèmes reliés à la religion.

c) Étudiez le personnage de Nésime : sa personnalité, ses forces, ses faiblesses.

4 Ce conte a-t-il pour seul but d'amuser ou a-t-il une fonction édificatrice reliée à la réalité québécoise de l'époque ?

5 Dans ce conte, certains éléments sont propres à la culture québécoise, d'autres ont valeur universelle. Lesquels ? Départagez-les.

Gaston-P. Labat (1843-1908)

Gaston-P. Labat est né en France en 1843. Avant d'émigrer au Canada (à une date indéterminée), il fait carrière dans les services médicaux des forces armées françaises. En 1870, il participe à la désastreuse campagne franco-prussienne. Puis il part pour le Canada. En 1885, le sergent d'hôpital Labat accompagne quatre cents volontaires canadiens qui vont participer à la campagne militaire des Britanniques au Soudan. Ces volontaires ignorent tout de la tâche qui les attend. Ils ne portent pas d'uniformes, n'ont pas d'armes et ne participent pas aux combats. De cette expédition militaire peu glorieuse, Labat tire un récit fort coloré intitulé *Les Voyageurs canadiens à l'expédition du Soudan, ou quatre vingt-dix jours avec les crocodiles*, publié à Québec en 1886. Par la suite, il collabore à divers journaux, dont *Le Canadien* et *Le Monde illustré*. Il y publie surtout de brefs contes fantastiques ou merveilleux qui véhiculent ses préoccupations morales et sociales ainsi que ses convictions religieuses ultramontaines. Inspiré par les récits oraux de diverses régions de France et par les légendes canadiennes publiées dans les journaux, Labat s'est servi du conte pour divertir et enseigner. Il est mort à Montréal le 9 février 1908.

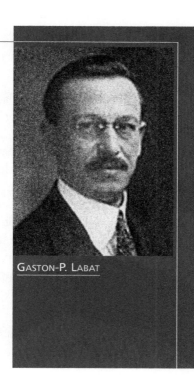

GASTON-P. LABAT

■ L'AUBERGE DE LA MORT (1899)

Bref conte fantastique, L'Auberge de la Mort *paraît dans* Le Monde illustré
*le 30 décembre 1899. Comme c'est la veille d'un nouveau siècle, Labat raconte une
histoire hybride, mélange de surnaturel et d'anticipation, qui propose une vision
du futur, un aperçu sombre de ce XXe siècle qui frappe à la porte. Trois hommes morts
depuis longtemps sont réveillés au moment où commence le nouveau siècle : un soldat,
un ouvrier et un paysan.*

*Précieux pour l'histoire des idées, ce bref récit, qui est aussi un des premiers textes
d'anticipation québécois, propose un discours social affirmé dans lequel se précise
une certaine peur de la modernité scientifique. Pour Labat, le progrès industriel
inaugure une nouvelle forme d'esclavage, car il transforme les humains en machines.
Seule consolation : la survivance de la foi catholique, véritable fondement de la
société.*

… Minuit !… heure du sommeil pour les consciences tranquilles, heure d'insomnie pour
ceux qui souffrent, heure du crime pour les
méchants et les mauvais, venait de sonner au
5 beffroi de la Ville Sainte.

C'était en l'an de grâce mil… et quelques cents
ans… Donc, le dernier coup du beffroi annonçait la mort d'un siècle et la naissance d'un
nouveau.

10 Telle est la vie : tombeau et berceau, deux bé-
quilles qui servent l'homme à passer du
temps… à l'éternité.

Un hibou réveilla de son cri nocturne trois êtres
qui dormaient *depuis cent ans* !

15 Le premier, un soldat enveloppé dans son glorieux manteau de bataille, percé de balles pas-
sagères et de vers… qui rongent gloire, puissance et trônes de ce monde, ayant cru entendre
les accents joyeux de la diane matinale battue
20 par les tambours ; le second, ouvrier aux mains
calleuses, ces joyaux du travail quotidien, avait
ouvert l'œil, pensant ouïr le chant du coq labo-
rieux et matinal ; le troisième, un campagnard
aux vêtements usés par les mancherons de l'anti-
25 que charrue, s'était agenouillé aux premiers tin-
tements de la cloche angélique.

Fatigués par leur long sommeil, leurs paupières
alourdies, rougies et à peine entr'ouvertes, lais-
saient percer des yeux hagards, vitrés, glacés,

30 qui ne pouvaient croire ce qu'ils voyaient.

Tous trois se rencontrèrent sur le même chemin,
poudreux et blanchi de neige, car ils venaient
tous trois de la même hôtellerie : *L'Auberge de la
Mort !* Ils se saluèrent sans se dire un mot et cha-
35 cun se dirigea vers le sanctuaire de son travail.

Le militaire à la caserne, l'ouvrier à son atelier,
le campagnard aux champs.

— C'est étrange, murmurait le guerrier, cette
tempête de neige a été si forte durant mon som-
40 meil, que je ne m'y reconnais plus. Où est donc
la caserne, *le bivouac*, et que vont penser mes
soldats, moi qui les surprenais tous les matins ?

Allons ? bon, maugréait l'ouvrier, la bordée de
neige de cette nuit a dû emporter mon atelier,
45 car il est disparu.

— *Batèche !* s'écria le campagnard, *c'est y* le feu
qu'a dévoré mes granges et les loups mon
bétail, car je ne trouve plus rien, pas même…
ma vieille grise.

50 Et chacun avançait cherchant, explorant devant
lui, tout comme un capitaine de navire perdu
en pleine mer, ou un voyageur égaré en forêt…

Tout à coup, une fusillade terrible, une canon-
nade infernale se fit entendre, déchirant l'air de
55 sifflements effrayants, et comme par enchantement, le guerrier se trouva transporté sur une
île… sauvage sur un rocher désert… À ses

pieds, la mer portait sur ses flancs d'immenses bâtiments, naviguant sans voiles, dégorgeant une fumée noirâtre, sombre et triste comme une crêpe de deuil… Des soldats, la fleur d'un pays emplissaient ces bâtiments qui les débarquaient sur la rive opposée d'où venaient tous ces bruits de guerre… de bataille… de tuerie…

Prenant sa longue vue, le guerrier regarda et aperçut une scène horrible et nouvelle pour lui… Deux valeureux peuples étaient aux prises, et les victimes héroïques tombaient dru de chaque côté comme des feuilles emportées par un vent d'orage.

Des engins de guerre formidables, et qu'il n'avait jamais vus, inventés par l'enfer qui veut la destruction du genre humain, vomissaient la mort…

Croyant que c'était un effet d'optique, il nettoya les verres de sa longue vue, il se frotta les yeux, et de nouveau il regarda.

Le carnage continuait en faisant tomber l'héroïsme sous le feu meurtrier du… progrès, de la civilisation.

Alors, n'y tenant plus, et d'une voix qui fit trembler et le ciel et la terre, il s'écria :

— *Faites donner la garde!*

Et, enfourchant sa cavale blanche, tout disparut selon la volonté de Dieu!

L'ouvrier, lui, continuait à chercher son atelier qui devenait de plus en plus introuvable. À la place où il l'avait laissé la veille, il trouva d'immenses constructions aux bruits assourdissants, dégorgeant des flots de fumée volés au sang du peuple, constructions qu'envahissait une nuée d'êtres à la figure glabre et délabrée, que des voitures roulant sans chevaux déposaient sur la rue…

Ils n'avaient ni la gaieté ni la santé de ses compagnons de la veille… Ces gens-là avaient l'air de *machines*, tant il est vrai que la machine rend l'homme machine.

Comme il croyait rêver, il allait demander un renseignement à un passant marchant ahuri par le bruit du progrès, quand des sifflets stridents,

semblables à ceux des vipères de l'enfer, partirent de toutes les usines environnantes… et l'ouvrier disparut de frayeur.

— Et ben! en v'la une bonne farce, s'écria le campagnard, toujours à la recherche de sa ferme faite de *billots*. V'là t'y pas qu'y z'ont mis une seigneurie à sa place. Pourvu qu'y z'aient laissé ma grise, au moins.

Et il entra… Le bonhomme crut qu'il était fou ou qu'il allait le devenir, car à la place de sa charrue, il trouva une voiture qui avait la forme d'un chariot romain comme il en avait vu dans les cirques, et sa grise… *sa vieille grise*, elle était montée dans une voiture et faisait marcher des pieds une machine qui sciait du bois…

Rouge de colère, le bonhomme allait faire un mauvais parti aux intrus qui avaient ainsi profané l'héritage de ses pères, quand un valet de ferme, pimpant comme un paon, mit en mouvement une batteuse à vapeur… et le bonhomme court encore.

Vers l'aurore du même matin, le guerrier, l'ouvrier et le campagnard se rencontrèrent sur la même route poudrée de neige. Ils étaient tristes et pensifs comme des spectres en rupture de ban. Non seulement ils ne se dirent rien, mais ils se regardaient avec méfiance, avec frayeur, tant ils avaient été ahuris, affolés par ce qu'ils avaient vu.

Tout à coup, un gai carillon de cloches se fit entendre, des chants résonnèrent; une lumière, soudaine comme celle de l'éclair, illumina le fond d'un temple dont les portes s'entr'ouvraient, et devant une foule religieusement prosternée aux pieds d'un grand crucifix, un pontife vêtu de blanc bénissait l'humanité entière à l'aurore d'un nouveau siècle!

Et, tombant tous trois à genoux, le guerrier, l'ouvrier et le campagnard, le front dans la neige, s'écrièrent :

— Voilà la seule chose qui ne changera jamais!

Puis, fatigués de tout ce qu'ils avaient vu, ils furent, pour se reposer, continuer leur sommeil éternel dans le sépulcre de l'*Auberge de la Mort*!…

QUESTIONS

1 a) Quels éléments fantastiques trouve-t-on dans ce texte ?

b) Pourquoi peut-on affirmer que ce texte relève à la fois du fantastique et de l'anticipation ?

2 À première vue, quelle est la morale de cette histoire ?

3 a) Comparez les lieux qu'observent les trois personnages. Qu'ont-ils en commun ?

b) Comparez la réaction des personnages dans leur quête.

4 a) Comment l'auteur entrevoit-il le futur ? Quelle conception se fait-il du progrès ?

b) Croyez-vous que sa vision de l'avenir et du progrès est tributaire de l'esprit de son temps ?

5 En dépit de sa date de publication et de son aspect moralisant, peut-on dire que ce conte est résolument moderne, que son auteur exprime quelques inquiétudes d'une troublante actualité ?

Texte écho

■ DISCOURS À L'ACADÉMIE (1897)
de Joaquim Nabuco

La littérature brésilienne présente plusieurs similitudes avec la littérature québécoise. D'une part, le Brésil, ancienne colonie portugaise ayant obtenu son indépendance en 1822, est isolé linguistiquement de ses voisins hispanophones. D'autre part, les principaux auteurs brésiliens du XIXᵉ siècle veulent que leurs œuvres témoignent de la particularité de leur peuple et affirment leur indépendance du Portugal. C'est dans cet esprit qu'est née une littérature que l'on voulait nationale et que fut fondée, en 1896, l'Académie Brésilienne des Lettres.

Le poète et journaliste Joaquim Nabuco a été le tout premier secrétaire général de l'Académie. Intellectuel brillant devenu député, il se fait remarquer par ses prises de position en faveur de l'abolition de l'esclavage des Noirs au Brésil. Sa carrière diplomatique à Londres et à Washington lui permet ensuite de continuer à promouvoir la liberté, ce qui lui vaut d'être nommé membre du tribunal permanent de La Haye.

Le 20 juillet 1897, dans un discours important à l'Académie Brésilienne des Lettres, Nabuco présente sa conception de la littérature. En voici un extrait.

La principale question à formuler en fondant une Académie Brésilienne des Lettres, c'est de savoir si nous allons tendre à l'unité littéraire avec le Portugal. J'ai toujours jugé stérile la
5 tentative de nous créer une littérature sur les traditions de races qui n'en eurent aucune ; j'ai toujours pensé que la littérature brésilienne devait sortir principalement de notre fond européen. Je considère comme une autre utopie,
10 de penser que nous devions nous développer

littérairement dans le même sens que le Portugal, ou conjointement avec lui dans tout ce qui ne dépend pas du génie de la langue.

15 Le fait est que, tout en parlant la même langue, le Portugal et le Brésil auront dans l'avenir des destinées littéraires aussi profondément divisées que le sont leurs destinées nationales. Vouloir l'unité serait, en ces conditions, un effort perdu. Les Portugais, certainement, ne 20 prendraient jamais rien d'essentiel au Brésil, et la vérité est qu'ils possèdent très peu de choses, de première main, que nous consentirions à prendre d'eux. Les uns et les autres nous nous fournissons d'idées, de style, d'éru-25 dition et de points de vue chez les fabricants de Paris, de Londres ou de Berlin... La race portugaise, cependant, comme race pure, a plus de résistance et conserve mieux à cause de cela son idiome ; nous devrions tendre, nous aussi, 30 vers cette uniformité de langue écrite. Nous devrions opposer une barrière à la déformation qui devient plus rapide chez nous ; nous

devons reconnaître que les sources leur appartiennent, que les nôtres s'appauvrissent plus 35 vite, et qu'il nous faut les rajeunir en nous rapprochant d'eux. La langue est un instrument d'idées qui peut et doit avoir une fixité relative ; sur ce point, nous devons nous appliquer à seconder les efforts, et accompagner les travaux 40 de ceux qui se consacrent, en Portugal, à la pureté de notre idiome, à conserver les formes naturelles, caractéristiques, lapidaires de sa grande époque.[…] La langue doit rester perpétuellement *pro-indiviso* entre nous ; quant à 45 la littérature, elle doit suivre lentement l'évolution différente des deux pays, des deux hémisphères. La formation de l'Académie des Lettres est l'affirmation que, littérairement comme politiquement, nous sommes une nation qui a sa 50 destinée, son caractère distinct, et qui ne peut être dirigée que par elle-même, en développant son originalité par ses propres ressources, en voulant seulement, en désirant seulement la gloire qui pourra lui venir de son génie.

QUESTION

Comment Nabuco conçoit-il la littérature brésilienne ? De quelle façon cette conception s'apparente-t-elle à celle des auteurs québécois du XIXe siècle ? Peut-on dire que Nabuco et Casgrain entrevoient un avenir similaire pour la littérature de leur peuple respectif ?

CLÉS POUR COMPRENDRE LES ÉCRITS DU XIXᵉ SIÈCLE AU QUÉBEC

1 Depuis qu'ils sont passés sous le régime colonial anglais, les Canadiens français ont le sentiment que leur religion catholique, leur langue française et leurs institutions politiques et sociales ne sont pas respectées et qu'ils sont menacés d'extinction par le régime britannique.

2 Dans les années 1830, fortement touchés par ce sentiment d'oppression et d'urgence, des membres de professions libérales et des petits marchands décident d'agir. Devant le refus de Londres d'acquiescer à leurs demandes, certains leaders proposent la révolte ouverte et armée.

3 Voulant écraser ces velléités de révolte, les autorités britanniques imposent une structure politique visant à assurer la stabilité de leur emprise sur la colonie et à favoriser l'assimilation des descendants de Français vivant au Québec en réduisant leur possibilité de protéger leur langue, leurs institutions politiques et leur système d'éducation.

4 De ce contexte naît chez les Canadiens français une idéologie qui leur dicte comment se protéger des dangers de l'assimilation : être fiers de leur passé glorieux, vivre sur leurs terres, avoir de nombreux enfants, continuer à parler français et, surtout, respecter tous les principes de la religion catholique.

5 Cette idéologie est renforcée par l'adhésion de certains dirigeants religieux et politiques à une doctrine fortement opposée au libéralisme, l'ultramontanisme. Ses tenants aspirent à une société autosuffisante dans laquelle l'Église catholique dominerait tous les aspects de la vie canadienne. Pour contrôler la diffusion d'idées contraires, les chefs religieux se servent de l'Index pour proscrire, sous peine d'excommunication, la lecture de tout écrit qui dénonce ou critique l'Église et risque ainsi de détourner les fidèles de leur foi.

6 D'autres intellectuels libéraux, réunis notamment à l'Institut canadien, participent à des discussions ouvertes à tous, sans égard à la religion ni à la nationalité. En plus de donner à ses membres l'accès à une bibliothèque publique dont la collection d'ouvrages scientifiques, juridiques et littéraires comprend plusieurs titres mis à l'Index, l'Institut devient un lieu de débats et de conférences pour les sociétés littéraires et scientifiques de Montréal dont les écrits reflètent d'autres conceptions politiques et sociales.

7 Des écrivains, notamment ceux de l'École patriotique de Québec, prônent une poésie didactique qui fait l'éloge de la patrie, des événements historiques mettant en valeur les Canadiens, des bienfaits de la religion et du mode de vie rural, des beautés de la nature du Québec et de la langue française. La poésie de l'École patriotique s'en tient donc à trois grandes orientations : la croix, l'épée et la charrue.

BILAN DES AUTEURS ET DES ŒUVRES

FRANÇOIS-XAVIER GARNEAU

Considéré comme le premier historien national, Garneau s'oppose au rapport Durham en présentant une synthèse des faits marquants du passé des Canadiens français et en montrant, surtout, que l'histoire des siens fut une lutte constante pour la survivance.

HENRI-RAYMOND CASGRAIN

Animateur des lettres canadiennes, l'abbé Casgrain entend que la littérature soit l'instrument du maintien des valeurs essentielles que sont le respect de la religion, la valorisation du passé et la célébration du terroir.

OCTAVE CRÉMAZIE

Libraire, poète d'inspiration romantique qui chante l'amour de sa patrie, Crémazie est aussi un des premiers critiques de la situation marginale de la littérature à peine naissante de son pays. Il s'attaque à l'un des fléaux de sa société : l'émigration canadienne-française aux États-Unis.

PATRICE LACOMBE

Avec *La Terre paternelle*, son unique roman, Patrice Lacombe illustre parfaitement ce qu'est le roman à thèse du XIXᵉ siècle. Ici, le discours moralisateur fait la démonstration que hors de la terre, il n'y a point de salut.

ÉTIENNE PARENT

Comme directeur du *Canadien*, Parent fait figure de précurseur dans le journalisme de combat. Sa grande lucidité et son profond patriotisme auront contribué à l'éveil d'une conscience politique canadienne-française.

LOUIS FRÉCHETTE

À l'instar de Victor Hugo, dont il est un admirateur inconditionnel, Fréchette est un polémiste engagé. Libéral dans l'âme, il met son ardeur au service de l'État aussi bien que des lettres. Sa poésie critique notamment le traitement judiciaire des Patriotes.

NAPOLÉON BOURASSA

Dans son roman historique *Jacques et Marie, souvenirs d'un peuple dispersé,* Bourassa décrit l'oppression qu'ont subie les Acadiens pour exalter l'esprit national et montrer qu'il est indispensable de résister à l'envahisseur anglais si l'on veut préserver ses valeurs, que l'on soit Canadien français d'Acadie ou du Bas-Canada.

HONORÉ BEAUGRAND

Dans son recueil de contes *La Chasse-galerie*, Beaugrand offre quelque chose de très rare dans la littérature de l'époque : la surprise, le sourire et parfois même le rire. Pour la première fois, la littérature ne se prend pas trop au sérieux. Elle se permet de se moquer de la justice, des mœurs électorales, de la croyance aux phénomènes fantastiques et de leur lien avec la religion.

ARTHUR BUIES

Pamphlétaire virulent, Buies est l'intellectuel qui a le plus fortement fustigé le clergé et dénoncé les travers d'une certaine élite canadienne-française. Il est aussi un des premiers à réclamer une éducation laïque pour les siens.

LOUIS-ANTOINE DESSAULLES

Directeur de l'Institut canadien, Dessaules est l'apôtre de la liberté d'expression. Son *Discours sur la tolérance*, qui réclame le droit à la différence, est encore aujourd'hui d'actualité.

LAURE CONAN

Laure Conan est une pionnière de l'institution littéraire québécoise à plusieurs égards. Elle est une des premières femmes à vivre de sa plume au Québec. Son œuvre la plus connue, *Angéline de Montbrun*, est le premier roman écrit par une femme et aussi le premier à faire une description minutieuse des émotions intimes de ses personnages. Le récit accorde une place privilégiée aux personnages féminins et propose une structure moderne qui multiplie les points de vue et mélange les genres littéraires.

ARMAND DE HAERNE

Par leur dimension tragique et leur pouvoir d'évocation macabre, les contes d'Armand de Haerne se démarquent des productions souvent mièvres ou moralisatrices de l'époque.

GASTON-P. LABAT

Dans *L'Auberge de la Mort,* Gaston-P. Labat propose une vision pessimiste du futur, fait une critique du progrès et exprime toute sa confiance dans la pérennité et la force des institutions religieuses.

CHAPITRE 3

UN DUR COMBAT POUR LA MODERNITÉ, 1900-1945

MARC-AURÈLE DE FOY SUZOR-CÔTÉ (1869-1937).

Après-midi d'avril, 1920. (Huile sur toile, 80,8 × 100,7 cm.
Musée national des beaux-arts du Québec.)

Les dernières glaces fondent sous le soleil d'avril, la rivière se gonfle et fait entendre son chant après le long silence de l'hiver. Ce paysage de Suzor-Côté s'inspire de la nature qui entoure son village natal d'Arthabaska. Ce tableau est un poème à la gloire de ce coin de pays. Le peintre y célèbre la beauté du printemps naissant dans une fête vibrante d'ombres et de lumière. Il évoque aussi, par ce moment du dégel, l'effet du temps qui passe sur la nature et sur les hommes, comme le poète en parle en idéalisant la vie de ses ancêtres. À la fois traditionnel par son thème et moderne par son approche de la nature, Suzor-Côté s'est inspiré des peintres impressionnistes pour chanter d'une manière toute nouvelle le paysage canadien.

« LIMINAIRE »

JE SUIS un fils déchu de race surhumaine,
Race de violents, de forts, de hasardeux,
Et j'ai le mal du pays neuf, que je tiens d'eux,
Quand viennent les jours gris que septembre
[ramène.

Tout le passé brutal de ces coureurs des bois :
Chasseurs, trappeurs, scieurs de long,
[flotteurs de cages,
Marchands aventuriers ou travailleurs
[à gages,
M'ordonne d'émigrer par en haut pour cinq mois.

Et je rêve d'aller comme allaient les ancêtres ;
J'entends pleurer en moi les grands espaces blancs,
Qu'ils parcouraient, nimbés de souffles d'ouragans,
Et j'abhorre comme eux la contrainte des maîtres.

Quand s'abattait sur eux l'orage des fléaux,
Ils maudissaient le val, ils maudissaient la plaine,
Ils maudissaient les loups qui les privaient de laine :
Leurs malédictions engourdissaient leurs maux.

Mais quand le souvenir de l'épouse lointaine
Secouait brusquement les sites devant eux,
Du revers de leur manche, ils s'essuyaient les yeux
Et leur bouche entonnait : « À la claire fontaine » …

Ils l'ont si bien redite aux échos des forêts,
Cette chanson naïve où le rossignol chante,
Sur la plus haute branche, une chanson touchante,
Qu'elle se mêle à mes pensers les plus secrets :

Si je courbe le dos sous d'invisibles charges,
Dans l'âcre brouhaha de départs oppressants,
Et si, devant l'obstacle ou le lien, je sens
Le frisson batailleur qui crispait leurs poings larges ;

Si d'eux, qui n'ont jamais connu le désespoir,
Qui sont morts en rêvant d'asservir la nature,
Je tiens ce maladif instinct de l'aventure,
Dont je suis quelquefois tout envoûté, le soir ;

Par nos ans sans vigueur, je suis comme le hêtre
Dont la sève a tari sans qu'il soit dépouillé,
Et c'est de désirs morts que je suis enfeuillé,
Quand je rêve d'aller comme allait mon ancêtre ;

Mais les mots indistincts que profère ma voix
Sont encore : un rosier, une source, un branchage,
Un chêne, un rossignol parmi le clair feuillage,
Et comme au temps de mon aïeul, coureur des bois,

Ma joie ou ma douleur chante le paysage.

Alfred DESROCHERS, *À l'ombre de l'Orford*, 1929.

DATES	ÉVÉNEMENTS POLITIQUES	ÉVÉNEMENTS SOCIOCULTURELS
1871		Naissance d'Albert Laberge (†1960).
1873		Naissance d'Arsène Bessette (†1921).
1879		Naissance d'Émile Nelligan (†1941). — Naissance de Rodolphe Girard (†1956).
1880		Naissance de Louis Hémon (†1913).
1889		Naissance de Paul Morin (†1963).
1891		Naissance de Jean-Charles Harvey (†1967).
1893		Naissance de Germaine Guèvremont (†1968).
1894		Naissance de Claude-Henri Grignon (†1976).
1895		Naissance de Ringuet (†1960).
1896		Naissance de Jean-Aubert Loranger (†1942). — Naissance de Félix-Antoine Savard (†1982). — Naissance de Medjé Vézina (†1981).
1900		Naissance de Jovette Bernier (†1981). — Naissance d'Alain Grandbois (†1975).
1901	63,5 % de la population canadienne-française vit à la campagne.	Naissance d'Alfred DesRochers (†1978).
1904		Parution d'*Émile Nelligan et son œuvre*. — Girard, *Marie Calumet*, condamné par Mgr Paul Bruchési.
1909		Début de la revue *Le Terroir*. — Condamnation par Mgr Bruchési du chapitre « Les Foins », de Laberge.
1910		Fondation du journal *Le Devoir* par Henri Bourassa.
1911		Morin, *Le Paon d'émail*.
1912		Naissance d'Hector de Saint-Denys Garneau (†1943).
1913		Fondation de la Ligue des droits du français.
1914	Début de la Première Guerre mondiale.	Bessette, *Le Débutant*, condamné par Mgr Bruchési.
1916		Hémon, *Maria Chapdelaine*.
1917	Droit de vote accordé aux femmes au fédéral. — Conscription pour la Première Guerre mondiale et émeutes contre cette loi au Québec.	
1918		Début de la revue *Le Nigog*. — Laberge, *La Scouine*.
1919		Naissance de Roger Lemelin (†1992).
1920		Loranger, *Atmosphères*.
1921	48,2 % de la population canadienne vit à la campagne.	
1922		La Ligue des droits du français devient la Ligue d'Action française.
1927	Fondation de l'Alliance canadienne pour le vote des femmes par Idola Saint-Jean.	
1929	Le jeudi noir : début de la crise économique.	DesRochers, *À l'ombre de l'Orford*.
1931	Statut de Westminster, déclarant l'indépendance du Canada. — 40,5 % de la population canadienne-française vit à la campagne.	Bernier, *La Chair décevante*.
1933		Grignon, *Un homme et son péché*.
1934		Grandbois, *Poëmes d'Hankéou*. — Harvey, *Les Demi-Civilisés*, interdits de lecture par Mgr Villeneuve. — Vézina, *Chaque heure a son visage*.
1936		Début de la parution des *Pamphlets de Valdombre* (1943).
1937		Saint-Denys Garneau, *Regards et jeux dans l'espace*. — Harvey fonde le journal *Le Jour*.
1938		Ringuet, *Trente arpents*.
1939	Entrée du Canada dans la Seconde Guerre mondiale.	Début du radioroman *Un homme et son péché*.
1940	Obtention du droit de vote pour les femmes dans la province de Québec	
1944		Grandbois, *Les Îles de la nuit*.
1945	Fin de la Seconde Guerre mondiale.	Guèvremont, *Le Survenant*. — Lemelin, *Au pied de la pente douce*.
1949		Film *Un homme et son péché* de Paul Gury.
1952		Début du radioroman *Les Plouffe* (1967).
1953		Début du radioroman *Le Survenant* (1955).
1954		Début du téléroman *Le Survenant* (1960).
1956		Début du téléroman *Les Belles Histoires des pays d'en haut*, adaptation d'*Un homme et son péché*.
1957		Film *Le Survenant*, de Denys Gagnon.
1981		Film *Les Plouffe*, de Gilles Carle.
2002		Film *Un homme et son péché*, de Charles Binamé.
2005		Film *Le Survenant*, d'Éric Canuel.

POUR PLUSIEURS, le Québec d'avant la Révolution tranquille est une société peu éduquée, fermée sur elle-même, qui a peur de tout ce qui lui est inconnu. C'est également une Église qui ne se contente pas de veiller sur l'âme de ses ouailles, mais qui veut aussi diriger presque toutes les sphères de la société, l'éducation, les soins médicaux, les services sociaux, la vie familiale et même politique. Or la première moitié du XXe siècle est une période marquée par les deux guerres mondiales et la crise économique, qui ébranlent la vie des Canadiens français et leurs traditions.

LE NATIONALISME CANADIEN-FRANÇAIS

Le Canada français du début du XXe siècle se cherche. Sur le plan politique, on en est encore à analyser les effets de la Confédération créée en 1867. Bien des intellectuels d'ici trouvent que cette union ne convient pas aux Canadiens français du Québec, puisque toute l'administration fédérale se fait en anglais, que ce soit les tribunaux, les timbres, la monnaie, etc., et que peu de leurs concitoyens trouvent des emplois dans cette fonction publique. Sans oublier qu'on compte sur la population et la classe politique pour assurer la « bonne entente » entre les deux peuples fondateurs. Il se crée donc au Canada français des groupes qui veulent à la fois montrer ce qu'est leur société et revendiquer la maîtrise de leur espace politique et économique. Ainsi, tant par sa revue, *L'Action française*, que par son *Almanach de la langue française* et ses multiples conférences, la Ligue des droits du français, mise sur pied en 1913 et devenue la Ligue d'Action française en 1922, entend proposer des pistes de réflexion et d'action qui permettent à la société canadienne-française de conserver sa langue et sa culture, en somme sa place véritable, au sein de cette Confédération. Dirigée par l'abbé Lionel Groulx, l'équipe de la revue veut stimuler la fibre nationale des Canadiens français et leur montrer que la réflexion comme les gestes quotidiens doivent se parer de leur culture. Témoin, ces vignettes dispersées au fil des pages de l'*Almanach* au message on ne peut plus clair : « Demandez qu'on vous réponde en français. » « Écrivez à votre député pour que les timbres soient bilingues, puisqu'ils sont des ambassadeurs. » « Exigez le respect du français sur les produits comestibles. »

LA VIE SOCIALE

La vie quotidienne change. Alors qu'en 1901, pas moins de 63,9 % de la population vivait à la campagne, en 1931, ce n'est plus le cas que de 40,5 %. Encouragée par le développement de l'industrie et l'impossibilité pour beaucoup d'agriculteurs de vivre décemment de leur terre, cette urbanisation accélérée bouleverse les mœurs. En vivant en ville, les gens ont un tout autre rythme de vie. Nombreux sont ceux qui travaillent dans une usine avec différents quarts de travail ; les jeunes femmes ne sont plus limitées au service dans des familles aisées, mais font leur entrée dans les manufactures. Résultat, cette population rurale devenue citadine se trouve à côtoyer beaucoup de gens d'horizons divers et de cultures différentes. Elle a désormais accès à la nouvelle culture de masse, et plus particulièrement à celle des États-Unis, par le cinéma hollywoodien, les *comic books*, les *pulp fictions* et le baseball. Sa vie quotidienne est aussi transformée par la fréquentation des grands magasins, où le client devient anonyme, et des bars et dancings, lieux de rencontres inattendues. Avec la création en 1920 de la première station de radio canadienne et en 1922 de la première chaîne francophone, CKAC, les gens découvrent des réalités autres que les leurs.

De plus, l'ouverture de l'École des hautes études commerciales et de programmes d'études en ingénierie, en journalisme et en sciences sociales vient élargir l'horizon de la formation universitaire canadienne-française jusqu'alors confinée au sacro-saint trio théologie, médecine et droit.

LA PRÉSERVATION DES TRADITIONS

Bien sûr, l'élite du pays, particulièrement le clergé de tendance ultramontaine (voir le chapitre 2), n'apprécie pas tous ces changements. Craignant de voir se perdre le fait français et le caractère catholique qui distinguent la province de Québec du reste de l'Amérique, à la culture et aux mœurs impies et immorales, plusieurs intellectuels deviennent de véritables missionnaires à la défense de l'idéologie de conservation apparue au siècle précédent. On trouve les traces de ce discours dans les revues, les journaux et les œuvres littéraires dites du terroir qui datent de cette période. Sous la gouverne du clergé, on voit s'ouvrir des bibliothèques de paroisse et se former des cercles d'études et de discussion dont le but avoué est d'encadrer les jeunes dans leurs réflexions et leurs lectures pour les préserver des ouvrages aux idées novatrices, jugées irréligieuses parce qu'elles incitent leurs lecteurs à faire preuve d'esprit critique à l'endroit de la pensée dominante. D'ailleurs Antoine Dessaulles avait déjà dénoncé cette démarche en écrivant : « Pour l'ignorant, vous déclarez que l'éducation primaire est un danger ; pour l'homme instruit que les neuf-dixièmes des livres qui sont le résumé de l'intelligence humaine sont dangereux. »

UNE NOUVELLE LITTÉRATURE ?

Quelques-uns de ceux qui ne supportent pas la chape de plomb qui recouvre la vie d'ici ont la chance d'aller en Europe, surtout en France. Ils y découvrent des sociétés où la diversité des opinions et l'échange des points de vue sont bénéfiques. Néanmoins, la plupart d'entre eux reviennent assez rapidement au pays, non pas par choix, mais parce que la Première Guerre les y force. Une fois rentrés, ils veulent continuer de vivre et d'écrire aussi librement qu'en France. Ce faisant, ils contestent l'idéologie véhiculée par la littérature du terroir et font apparaître une certaine modernité. Dans l'entre-deux-guerres, même si les États-Unis sont démonisés par l'élite conservatrice locale, plusieurs jeunes, prenant conscience qu'ils font partie de l'Amérique du Nord et que ce voisin n'a pas que des défauts, se nourrissent des mœurs états-uniennes sans pour autant les importer telles quelles. Ainsi germe chez eux l'idée qu'en tant qu'habitants de l'Amérique du Nord ils doivent prendre possession non seulement de leur territoire, mais aussi de la spécificité de leur culture américaine et de leur langue canadienne-française, réflexion qui s'étend à l'attitude des Canadiens français vis-à-vis de la ville, de la religion et de l'amour. La littérature n'est plus confinée au terroir, l'individualité s'y manifeste de plus en plus, ce qui prépare le passage de la société québécoise à la modernité. Pour exprimer leur monde intérieur, les écrivains proposent désormais de nouvelles formes d'écriture et jettent ainsi les bases de la littérature actuelle.

PARTIE 1

LA PATRIE RÊVÉE

APRÈS LES ÉVÉNEMENTS sociaux et politiques survenus au XIXe siècle (les troubles de 1837-1838, l'union des deux Canada, l'émigration massive aux États-Unis, etc.), la société canadienne-française cherche à se définir en tant que peuple. D'abord et avant tout pour le bénéfice de ses membres, elle veut préciser ce qui la distingue à la fois de son voisin du sud, du reste du Canada et de la France. Les Canadiens français ont peu accès à l'école, aux emplois bien rémunérés ; ils ne possèdent ni usines ni industries et encore moins de fortunes. On mise donc sur ce qui les particularise depuis longtemps : la terre. De peur de les voir disparaître, les dirigeants élèvent la langue, la religion, les traditions et tâches de la vie rurale au rang d'absolus. Les œuvres littéraires étant encore considérées comme un excellent moyen de propager ces idées, plusieurs écrivains suivent le mot d'ordre de leur élite et chantent le pays. Cependant, si Félix-Antoine Savard et Alfred DesRochers mettent en scène le territoire canadien-français, c'est dans une perspective nouvelle, plus ouverte, qui englobe toutes les réalités du pays.

Félix-Antoine Savard (1896-1982)

Natif de Québec, Félix-Antoine Savard fait un bac en littérature avant d'entrer au Grand Séminaire de Chicoutimi pour devenir prêtre. Après une brève expérience comme enseignant à Chicoutimi, puis un séjour chez les moines bénédictins, il devient finalement prêtre et va exercer son ministère dans les régions rurales du Québec, notamment en Abitibi et dans Charlevoix. C'est d'ailleurs là qu'il entre véritablement en contact avec la nature, les coureurs des bois et les colons, et qu'il apprend les histoires sur lesquelles reposeront ses romans. En 1941, il devient professeur de littérature à l'Université Laval, dont il sera plus tard le doyen. Grand amateur des mythes et légendes qui fondent la culture canadienne-française, il crée les Archives de folklore à l'Université Laval.

Contrairement à la plupart des auteurs de son époque, Savard a étudié en littérature. Il a longuement fréquenté Shakespeare, Mistral et Claudel, sans oublier les auteurs grecs et latins ; il a donc une connaissance profonde de la littérature, ce qui explique peut-être la richesse de son premier roman. *Menaud, maître-draveur* tient autant de la poésie que du roman, grâce notamment au style lyrique de l'auteur, à la recherche rythmique et à l'abondance de métaphores. Toutefois, cette œuvre n'envoie pas un message parfaitement clair aux lecteurs. En effet, si elle reprend les grandes idées du roman à thèse de l'époque, en résumant tous les thèmes chers à la littérature du terroir – une société qui mise sur le passé et

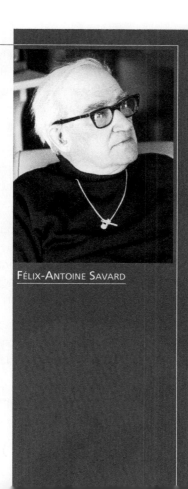

FÉLIX-ANTOINE SAVARD

le maintien des traditions pour survivre, la terre considérée comme un lieu à explorer et à cultiver pour rester en vie et être heureux, etc. –, elle se termine sur l'échec pathétique d'un homme voulant à tout prix conserver son patrimoine tel qu'il est. En cela, *Menaud, maître-draveur* annonce les changements qui apparaîtront clairement après la Seconde Guerre mondiale.

■ MENAUD, MAÎTRE-DRAVEUR (1937)

Menaud est un veuf d'une soixantaine d'années dont le garçon et la fille sont en âge de se marier. Cultivateur par nécessité, il se sent l'âme d'un coureur des bois. Il répond à l'appel de la montagne par la chasse et la drave. Mais plus qu'un appel individuel, c'est la voix de son pays qu'il entend lorsque sa fille Marie lui lit Maria Chapdelaine de Louis Hémon : « Au pays du Québec, rien ne doit changer. » Menaud est inquiet, car des « étrangers » veulent prendre possession de la montagne. Pour empêcher les habitants de la région de chasser dans la forêt comme ils l'ont toujours fait et s'en assurer l'usage exclusif, ces « étrangers » veulent embaucher un gardien du coin, un traître, selon Menaud pour qui la forêt, la rivière et la liberté qu'il y trouve sont sacrées. Il compte sur son fils pour tenir au loin ces envahisseurs, mais Joson se noie le premier jour de la drave. Non seulement Menaud doit-il vivre la peine de cette mort, mais il sent sur lui toute la responsabilité de sauver la terre que lui ont léguée ses ancêtres. Cette terre qu'ils ont dû découvrir, puis arpenter, avant d'en prendre possession.

Tous ces rites des semailles où, dans la grande nuit de printemps, alternaient les parfums, les voix, la clarté de la lune et d'étoiles, étaient frères des cérémonies saintes, rappelaient l'encens, les
5 cantiques, les cierges.

Ils avaient, comme les rites d'Église, façonné l'âme des laboureurs, établi, au cours des siècles, un parfait accord entre les mœurs de l'homme et la vie des champs.

10 Ils prêchaient la confiance dans le calme, enseignaient la valeur du travail et le prix du repos, révélaient des lois saintes, immuables, tranquilles, dans le bénéfice desquelles on entrait dès qu'on avait promis à la terre son labeur et sa fidélité.

15 En somme, tout cela, tout autour, dans les champs et sur la montagne, assurait qu'une race fidèle entre dans la durée de la terre elle-même…

C'était le sens des paroles : « Ces gens sont d'une
20 race qui ne sait pas mourir… »

On avait survécu parce que les paysans comme Josime, les coureurs de bois comme lui-même, s'étaient appliqués, d'esprit et de cœur, les premiers, aux sillons, les autres, à la montagne, à
25 tout le libre domaine des eaux et des bois.

Les paysans avaient appris de la terre la sagesse lente et calme, la volonté tenace de parvenir, la patience des lentes germinations, la joie des explosions généreuses de la vie.

30 C'était sur la terre féconde, parmi les gerbes, qu'ils avaient pris le goût des berceaux pleins d'enfants.

Les coureurs de bois, eux, avaient conquis sur la forêt elle-même leur hardiesse au milieu des périls, leur endurance à la misère, leur ingénio-
35 sité dans tous les besoins.

Ils s'étaient fait une âme semblable à l'âme des bois, farouche, jalouse, éprise de liberté ; ils s'étaient taillé un amour à la mesure des grands espaces. Ils avaient tous, depuis les lointaines
40 et prodigieuses randonnées des leurs, dans le

MARC-AURÈLE FORTIN (1888-1970).

Anse-aux-Gascons, vers 1942. (Huile sur toile, 76 × 122 cm.)

Le pinceau de Marc-Aurèle Fortin laisse s'exprimer toute la puissance de la nature. La terre, creuset des forces nourricières, cohabite avec le fleuve ou les rivières qui sillonnent le pays. Cette vue de l'Anse-aux-Gascons témoigne de la possession d'un pays neuf et vaste. Ce paysage semble proposer un dialogue entre la lumière tranquille de la vie rurale et la densité de la forêt gaspésienne. Ces deux dimensions évoquent le cultivateur et le coureur des bois, les héros de F.-A. Savard, dont le sang a nourri diversement la terre pour créer le pays.

passé, un orgueil de caste et comme un droit d'aînesse sur le sédentaire des champs.

De tout cela, rien n'eût été possible sans un instinct de possession né de la vie elle-même.

45 C'est cet instinct qui avait poussé tant de héros jusqu'aux limites des terres de ce pays, entraîné tous les défricheurs à poser, sur les droits de découverte, le sceau du travail et du sang, mis toutes les volontés en marche de conquête, 50 emporté toutes les énergies jusqu'aux confins du domaine.

Posséder ! s'agrandir !

Pour une race, tout autre instinct était un instinct de mort.

55 Ennemis, les frères que cet instinct ne commandait plus ; ennemis, les étrangers qu'il commandait contre nous !

Posséder ! s'agrandir !

Tel était le mot d'ordre venu du sang, tel était 60 l'appel monté de la terre, la terre qui, toute, dans la grande nuit de printemps, clamait : « Je t'appartiens ! Je t'appartiens ! par le droit des morts dont je suis le reliquaire sacré, par tous les signes de possession que, depuis trois cents ans, 65 les tiens ont gravés dans ma chair ! »

QUESTIONS

1 Pourquoi dit-on que l'écriture de Savard est poétique ?

2 Qu'est-ce qui surprend dans la présentation que Savard fait de la vie rurale ? Quel élément nouveau ajoute-t-il ?

3 a) Deux rituels façonnent le Canadien français. Quels sont-ils ? Quelles qualités engendrent-ils chez l'homme ? Pourquoi l'auteur les expose-t-il ainsi ?

b) Comment Savard décrit-il les coureurs des bois ? Et les agriculteurs ? Ces deux descriptions s'opposent-elles ?

c) À la fin de l'extrait, Menaud répète : « Posséder ! s'agrandir ! » (l. 52 et 58). Quel effet et quelle signification cette répétition exclamative a-t-elle ?

d) Expliquez à quel sentiment patriotique le dernier paragraphe de l'extrait fait appel.

4 Les coureurs des bois et les cultivateurs entretiennent-ils un rapport à la terre semblable ou complémentaire ?

5 Est-ce qu'en lisant les écrits de Patrice Lacombe (p. 53-55) et de Félix-Antoine Savard, on doit conclure que la valorisation de la vie rurale se fait de la même façon aux XIXᵉ et XXᵉ siècles ?

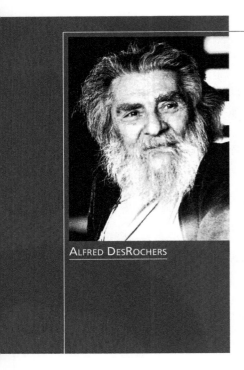

ALFRED DESROCHERS

Alfred DesRochers (1901-1978)

La période littéraire de DesRochers va de la moitié des années 1920 à la moitié des années 1930. Non seulement publie-t-il trois ouvrages, mais il participe à divers journaux et revues. Il est aussi en contact avec plusieurs écrivains, dont Émile Coderre (qui écrit sous le pseudonyme de Jean Narrache), Claude-Henri Grignon, Albert Pelletier, Louis Dantin. Il est le conseiller littéraire de plusieurs auteures, dont Éva Senécal, Jovette Bernier, Alice Lemieux et même Germaine Guèvremont.

Pour DesRochers, la poésie doit d'abord être un geste gratuit et ludique ; c'est pourquoi son premier recueil, *L'Offrande aux vierges folles* (1928), est d'inspiration lyrique. Mais cette conception ludique et désintéressée de la poésie évolue et l'écriture poétique devient, selon les mots mêmes de l'auteur, « une aspiration vers le divin, aspiration suscitée par le dégoût du transitoire terrestre ». Dans *À l'Ombre de l'Orford* (1929), il réussit à combiner des éléments des cultures populaire et savante, et à créer ainsi une œuvre peu commune. Ses poèmes puisent aussi bien aux chansons populaires qu'au vocabulaire de chantier, au langage du commun qu'à la langue des esthètes en les associant avec bonheur dans une rythmique tout ce qu'il y a de plus classique.

■ À L'OMBRE DE L'ORFORD (1929)

Publié dans la revue Les Idées *en octobre 1935, puis dans la réédition d'À l'ombre de l'Orford en 1948, ce poème décrit l'ascendance maternelle, originelle, comme amérindienne, peut-être parce que DesRochers croit avoir du sang amérindien. Le poète se réclame cependant des deux héritages amérindien et européen et fonde sur leur mélange son idée de la patrie et surtout des êtres d'origine culturelle différente qui l'habitent et se définissent par elle. Dans ce poème, DesRochers propose une nouvelle conception du territoire, plus vaste, qui embrasse tous ceux qui l'ont habité, et se l'approprie sans imposer pour autant la sédentarisation.*

« Ma Patrie »

Mon trisaïeul, coureur des bois,
Vit une sauvagesse, un soir.
Tous deux étaient d'un sang qui n'aime
[qu'une fois ;
Et ceux qui sont nés d'elle ont jusqu'au désespoir
5   L'horreur de la consigne et le mépris des lois.

Ils ont aussi les muscles plats,
L'insouciance du danger,
Le goût du ton criard et de fougueux ébats.
Leur fils, parmi les Blancs velus et graves, j'ai
10   Le teint huileux, la barbe rare et le front bas.

Et par les soirs silencieux,
Quand je parais aller, rêvant
De chimères, d'aventures sous d'autres cieux,
J'écoute en moi rugir la voix d'un continent
15   Que dans la nuit des temps habitaient mes aïeux.

[…]

Les Blancs ont mis en moi le goût de l'aventure.
Le rêve de laisser au monde un nom qui dure
Et de forcer le sort comme ils forçaient les loups ;
Le besoin de sentir la fatigue aux genoux

20   Rappeler que la lutte a rempli la journée,
     Tandis qu'au cœur résonne une hymne forcenée
     Vers un but à saisir au delà des couchants !
     Quel merci je vous crie, ô mes ancêtres blancs,
     Vous dont les pas téméraires traquaient les bêtes

25   Jusques au sépulcral repaire des tempêtes,
     Non dans l'espoir d'un gain, mais dans celui
                            [de voir
     Surgir un matin neuf où sombrait un vieux soir !
     Ô contempteurs d'édits des seigneurs et des
                               [prêtres,
     Vous qui partiez, enfants, pour les bois, où sans
                               [maîtres,

30   Vous emplissiez vos sens d'espace illimité,
     Quel merci je vous dois de m'avoir implanté
     Au cœur, sur les débris des regrets, l'espérance,
     Votre horreur du lien et votre violence !

     Mais, de mon indolente aïeule, j'ai reçu
35   Un excessif amour qui n'est jamais déçu,
     Un amour oubliant l'affront qu'il ne pardonne.
     Quand mon œil s'étrécit, quand mon torse
                               [frissonne,
     Quand l'imprécation se crispe en mon gosier,
     Le souvenir d'un son perdu vient la brouiller :
40   Une cascade trille au flanc d'une colline ;
     Des framboisiers, au jeu de la brise câline,
     Dans le silence des clairières, font surgir
     Comme un frisson de vie augural ; l'avenir
     Aura la paix intérieure des savanes
45   Où perche l'alouette au sommet des bardanes.
     L'injure se confond avec le bruit que fait
     Le lièvre brusquement levé dans la forêt !

     Et j'écoute ta voix alors, ô ma patrie,
     Et je comprends tes mots, flamboyante anarchie
50   Éparse sur un quart de globe ! Je saisis
     Pourquoi, malgré les coups du sort, les maux
                                 [subis,
     Ceux qui portent ta boue épaisse à leurs semelles
     Ont la calme lenteur des choses éternelles,
     Car ils sont à jamais empreints de ta beauté,
55   Toute faite de force et de fécondité !

[…]

Alors mon poing crispé pour l'outrage et l'insulte
Se desserre, tandis que mon âme en tumulte
Devient le carrefour des sangs qui sont en moi.
Le passé me possède et m'astreint à sa loi :
60   Cette terre n'est plus exclusivement mienne
     Car tant d'autres, avant qu'elle ne m'appartienne,
     Ont sur elle semé leur rêve et leur espoir
     Que ces fruits en sont nés dont s'embaume le soir !
     Je ne vois plus un ennemi, je compte un frère
65   Dans l'homme aux yeux brouillés qui contemple
                               [ma terre
     Et, pour ses fils proscrits, voudrait y transporter
     L'autel du souvenir et de la liberté !
     Sa peine itérative à mon tour me harcèle
     Et parmi le mirage épars en ma prunelle,
70   Je vois, sans ressentir la fureur des hiers,
     Le sein de ma patrie allaiter l'univers !

[…]

     Ô patrie immortelle, aussi vieille pourtant
     Que la naissance de l'aurore et du couchant,
     Ô toi, qui répondis au Seigneur la première,
75   Quand séparant les eaux boueuses de la Terre,
     Son verbe fustigea le dos des océans,
     Au cri des Béhémoths[1] et des Léviathans[2],
     Tu dressas tes Shickshocks effarés dans les nues ;
     Pays des bois géants, pays des étendues
80   Sans bornes ; ô pays, qui poses sur cinq mers,
     Simulant de leurs traits des rayures d'éclairs,
     Tes littoraux, hantés des sternes et des cygnes ;
     Ô pays des lichens arctiques et des vignes
     Tropicales ; pays qui mets des orangers
85   En fleurs à ton tortil de sommets enneigés ;
     Qui, fouetté par les vents du Nord et les cyclones,
     Fais mûrir au soleil les climats de trois zones
     Dans tes toundras, sur tes mesas, dans tes bayous ;
     Ô pays constellé de lacs, dont les remous
90   Mireraient, émiettés, tous les ciels d'Italie,
     À dix peuples divers, l'homme dans sa folie
     Au gré des préjugés vainement t'afferma,
     Tu vas des pics du Pôle au col de Panama !

---

1. *Béhémoths* : désigne, en hébreu biblique, les animaux domestiques.
2. *Léviathan* : nom d'un serpent mythique mentionné dans la Bible.

QUESTIONS

1 Repérez dans « Ma Patrie » des traces de l'idéologie de conservation.

2 Quel point de vue original sur la patrie le poète nous propose-t-il ici ?

3 a) Comment DesRochers renvoie-t-il à ses ancêtres d'ascendance européenne ?

b) Quel portrait dresse-t-il de la relation des Amérindiens avec la nature ?

c) Comment le rapport au territoire s'inscrit-il pour les Amérindiens et pour les Blancs ?

d) Quel nouveau thème DesRochers amène-t-il dans les deux dernières strophes du poème (v. 56-93) ? Comment pourriez-vous le qualifier par rapport à l'idéologie de conservation ? Par quelle entité géographique connue pourriez-vous désigner la patrie évoquée dans cette strophe ?

e) Quelles sont les images qui dépeignent le personnage du narrateur ? Par quelle relation est-il lié à la terre ?

4 a) Le poème de DesRochers est-il une invitation à l'acceptation de l'autre, à l'intégration ? Justifiez votre réponse.

b) Les deux peuples occupent différemment l'espace. Discutez.

5 La notion de territoire et de l'attachement à celui-ci est au cœur du poème d'Alfred DesRochers, de l'extrait de *Menaud, maître-draveur* (p. 100-101) et de l'allocution de Raphaël Picard (p. 35-36). Discutez.

PARTIE

EXPLORER DES MONDES

POUR CONTRER la conception littéraire soutenue par l'élite et obtenir un peu plus de liberté en cette matière, de jeunes intellectuels se regroupent et fondent à la fin de 1895 l'École littéraire de Montréal, dont Nelligan fréquentera les soirées. Au départ, leur but est de constituer un milieu littéraire vivant et de se distinguer du passé. Quelques années plus tard, d'autres jeunes, dont certains reviennent d'Europe à cause de la Première Guerre mondiale, se rencontrent chez un jeune architecte. Ils créent la revue *Le Nigog*, en 1919, et espèrent pouvoir grâce à elle ouvrir les Canadiens français à la modernité artistique et littéraire qu'ils ont observée en France. Certains articles de cette revue suscitent une polémique sur les thèmes de la littérature d'ici qui, selon la majeure partie de l'élite, se doit toujours de promouvoir les valeurs traditionnelles. Bien qu'il n'ait pas participé au *Nigog*, Paul Morin est considéré comme le poète le plus exotique de cette période, car ses poèmes évoquent des pays d'outre-mer qu'il fréquente et des mythes qu'il invente. Quant à Nelligan, inspiré par sa lecture des poètes romantiques et symbolistes, il sonde ses propres angoisses et expose son territoire intime tumultueux, tout comme Jean-Aubert Loranger. Pour ces écrivains, la poésie est la seule patrie. Ainsi naît avec eux une nouvelle vision littéraire qui marquera le monde de la création et de la réflexion.

Émile Nelligan (1879-1941)

Émile Nelligan est le fils de David Nelligan, un Irlandais arrivé au Canada vers 1855, et d'Émilie-Amanda Hudon, une Canadienne française qui valorise culture et patrimoine et se passionne pour la musique. Les parents de Nelligan incarnent les déchirements entre les cultures francophone et anglophone du Québec.

En 1899, à la demande de son père, Nelligan est interné à la retraite Saint-Benoît-Joseph-Labre parce qu'il se querelle violemment avec son père et se montre agressif avec sa mère. Il entre peu en contact avec les gens qui l'entourent. Il va achever sa vie à l'Hôpital Saint-Jean-de-Dieu. À partir du moment où il entre en institution, Nelligan n'écrit plus : il ne fait que réciter ou transcrire les poèmes qu'il a déjà écrits aux visiteurs qui lui en font la demande.

Nourri de la poésie parnassienne et symboliste, Nelligan fait la part belle à la musique dans ses poèmes, notamment dans leur structure rythmique. Mais il témoigne aussi de son mal de vivre constant, de ce désespoir qu'il ressent devant une société qui lui est hostile et qu'il ne comprend pas. Il a la nostalgie de l'enfance, cette époque bénie où la mère est omniprésente et à laquelle se trouvent associés la liberté et le bonheur à jamais perdus. Bien sûr, il poursuit l'amour qui pourrait le sauver de son mal de vivre, mais ce qui transcende ces thèmes et traverse toute la poésie de Nelligan, c'est la recherche de l'Idéal, malheureusement inaccessible, ce qui renforce la douleur morale du poète.

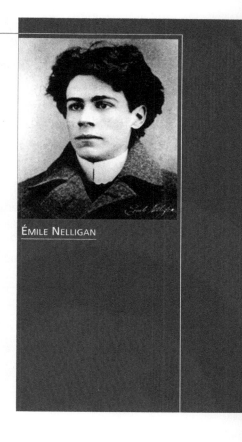

ÉMILE NELLIGAN

■ ÉMILE NELLIGAN ET SON ŒUVRE (1904)

Le poète semble ici jeter un regard plein d'amertume sur la vie qu'il mène et qui lui fait regretter, non pas la joie de son enfance, mais le fait d'en être sorti à jamais. Un sentiment de perte insoluble est donc perceptible non seulement dans les thèmes abordés et dans les images évoquées, mais aussi dans le ton lyrique du poème.

« Devant mon berceau »

En la grand'chambre ancienne aux rideaux de guipure
Où la moire est flétrie et le brocart fané,
Parmi le mobilier de deuil où je suis né
Et dont se scelle en moi l'ombre nacrée et pure ;

5 Avec l'obsession d'un sanglot étouffant,
Combien ma souvenance eut d'amertume en elle,
Lorsque, remémorant la douceur maternelle,
Hier, j'étais penché sur ma couche d'enfant.

Quand je n'étais qu'au seuil de ce monde mauvais,
10 Berceau, que n'as-tu fait pour moi tes draps funèbres ?
Ma vie est un blason sur des murs de ténèbres,
Et mes pas sont fautifs où maintenant je vais.

Ah ! que n'a-t-on tiré mon linceul de tes langes,
Et mon petit cercueil de ton bois frêle et blanc,
15   Alors que se penchait sur ma vie, en tremblant,
Ma mère souriante avec l'essaim des anges !

QUESTIONS

1 Relevez les signes du désespoir du poète devant son berceau.

2 Que voit le poète en regardant son berceau ?

3 a) Relevez les mots appartenant au champ lexical du temps qui passe et de la mort. Que vous apprennent-ils de la vie du poète ?

    b) À quoi les éléments positifs de ce poème sont-ils rattachés ?

4 Peut-on dire que seule la vie actuelle du poète est empreinte d'angoisse ?

5 Est-ce que Nelligan, dans « Devant mon berceau », et Réjean Ducharme, dans l'extrait du *Nez qui voque* (p. 187-189), expriment un sentiment analogue à l'égard de l'enfance ?

■ ÉMILE NELLIGAN ET SON ŒUVRE (1904)

On sait qu'Émile Nelligan n'avait pas de bonnes relations avec son père, qui n'aimait pas que son fils écrive des poèmes et fréquente des amis qui le détournaient des us et coutumes. Mais Nelligan ne pouvait se contenter d'une vie qui symbolisait la mort de sa créativité, il avait besoin de liberté pour créer. C'est ce qu'il exprime dans « Un poète » qui, paradoxalement, ne sera publié pour la première fois qu'en 1909 alors que Nelligan est interné depuis déjà dix ans. Bien qu'elle soit tardive, on pourrait voir dans cette publication la reconnaissance, par ses confrères de l'École littéraire de Montréal, de la douleur et du destin incompris de ce poète.

« Un poète »

Laissez-le vivre ainsi sans lui faire de mal !
Laissez-le s'en aller ; c'est un rêveur qui passe ;
C'est une âme angélique ouverte sur l'espace,
Qui porte en elle un ciel de printemps auroral.

5   C'est une poésie aussi triste que pure
Qui s'élève de lui dans un tourbillon d'or.
L'étoile la comprend, l'étoile qui s'endort
Dans sa blancheur céleste aux frissons de guipure.

Il ne veut rien savoir ; il aime sans amour.
10   Ne le regardez pas ! que nul ne s'en occupe !
Dites même qu'il est de son propre sort dupe !
Riez de lui !... Qu'importe ! il faut mourir un jour...

Alors, dans le pays où le bon Dieu demeure,
On vous fera connaître, avec reproche amer,
15   Ce qu'il fut de candeur sous ce front simple et fier
Et de tristesse dans ce grand œil gris qui pleure !

QUESTIONS

1 Quels éléments distinguent le poète présenté par Nelligan des conceptions littéraires de son époque ?

2 Le poète paraît-il bien accueilli dans son milieu ?

3 a) Que retenez-vous de la description du poète donnée dans les deux premières strophes ? Quel champ lexical vous le fait comprendre ?

    b) Comment l'image du poète se précise-t-elle dans les deuxième et quatrième strophes ?

    c) Les injonctions multiples des première et troisième strophes suivent-elles une progression ou y a-t-il un élément de rupture ?

    d) Qu'est-ce qui fait souffrir le poète ? Comment le comprenez-vous dans le poème ?

4 Nelligan présente-t-il une conception négative du poète ?

5 Le poète est-il encore un incompris de nos jours ?

Art et littérature

LA MUSE ENDORMIE

Dans la mythologie, Érato est la muse de la poésie lyrique et de la musique. Ozias Leduc la représente ici sous les traits d'une jeune femme nue qui s'est abandonnée au sommeil. Elle semble faire une pause avant de reprendre sa course dans un « tourbillon d'or » pour regagner le pays rêvé d'où elle vient.

Leduc situe Érato dans un cadre imprécis comme s'il voulait laisser à l'observateur le soin d'interpréter l'univers qui l'entoure. La fréquentation d'œuvres de peintres et d'écrivains symbolistes a inspiré à Leduc et à Nelligan leur désir d'évoquer la vérité qui se cache derrière l'ordre matériel des choses et des êtres.

OZIAS LEDUC (1864-1955).

Étude pour Érato (Muse endormie), vers 1898. (Fusain sur toile, 61 × 91,2 cm. Musée national des beaux-arts du Québec.)

- Interprétez l'espace qui entoure Érato. Où se trouve-t-elle selon vous ?

- Pourquoi peut-on dire que ce nu est innocent et qu'il n'incite ni au voyeurisme ni à la sensualité ?

- Quels rapprochements pouvez-vous faire entre la description du poète dans le poème de Nelligan et la représentation de la muse endormie de Leduc ?

PAUL MORIN

Paul Morin (1889-1963)

Paul Morin est né en 1889 dans une famille aisée et cultivée de Montréal, qui lui fait découvrir très tôt la poésie. À quatorze ans, il publie son premier poème. Pendant un séjour d'études à Paris, il fait paraître *Le Paon d'émail*. En 1914, il est engagé pour enseigner la littérature française à l'Université McGill et devient ainsi le premier professeur canadien-français de cette institution. En 1922, il fait paraître chez un éditeur fictif son deuxième recueil de poésie, *Poèmes de cendre et d'or*, qui reçoit un accueil plutôt mitigé. Morin ne publie pour ainsi dire plus après 1922. Au prix de bien des efforts, il réussit néanmoins à faire éditer son dernier recueil, *Géronte et son miroir*, à la fin de l'année 1960 et ses *Œuvres poétiques*, dans la collection « Nénuphar », en 1961.

La poésie très travaillée de Morin n'a jamais eu beaucoup d'écho dans le Canada français. En effet, le poète cisèle ses poèmes comme des pièces d'orfèvrerie, plaçant la forme avant le fond, ce qui est tout à fait contraire à la tendance dominante de la littérature canadienne-française de son époque. C'est donc à Paris, chez l'éditeur des poètes parnassiens et symbolistes qui publie notamment Théophile Gautier, José Maria Heredia et Leconte de Lisle, que paraît *Le Paon d'émail*, qui deviendra le recueil le plus connu de Morin. C'est tout un honneur pour un jeune de vingt et un ans qui vient du Québec que d'être édité par cette maison de prestige, même si c'est à compte d'auteur. Cela s'explique peut-être bien par la thématique du *Paon d'émail* qui, plutôt que de reprendre le credo du terroir, regorge de références aux dieux de la Grèce antique, à des villes d'Italie, de France et à l'Asie. L'inspiration de Morin est tout sauf canadienne. Il ouvre sa poésie aux voyages qu'il a faits, à ceux qu'il invente.

■ LE PAON D'ÉMAIL (1911)

Dans le dernier poème du Paon d'émail, *Paul Morin semble se souvenir de son pays et de ce que les gens d'ici attendent de la poésie. Comme il n'a à aucun moment effleuré les thèmes chers aux défenseurs de la vie rurale et du conservatisme, il s'en explique dans « À ceux de mon pays ». Ce plaidoyer tient autant de la profession de foi littéraire que de la défense contre les foudres de la critique traditionnelle.*

« À ceux de mon pays »

Et si je n'ai pas dit la terre maternelle,
    Si je n'ai pas chanté
Les faits d'armes qui sont la couronne éternelle
    De sa grave beauté,

5   Ce n'est pas que mon cœur ait négligé de rendre
    Hommage à son pays,
Ou que, muet aux voix qu'un autre sait entendre,
    Il ne l'ait pas compris;

JAMES WILSON MORRICE (1865-1924).

Venise au crépuscule, 1907.
(Huile sur toile, 65,4 × 46,3 cm.
Musée des beaux-arts de Montréal.)

Au tournant du siècle, la peinture au Québec connaît une diversité sans précédent sur le plan thématique. Le peintre montréalais James Wilson Morrice parcourt une partie de l'Europe où il découvre à la fois de nouvelles sources d'inspiration et de nouveaux langages picturaux comme l'impressionnisme et le fauvisme. Cette démarche du peintre rappelle les mots du poète Morin qui juge nécessaire d'expliquer à ses compatriotes son besoin de parler d'ailleurs. Dans *Venise au crépuscule*, l'artiste s'affranchit de la réalité pour traduire l'effet de la lumière crépusculaire sur le canal. Des coloris fauves viennent habiller les façades de reflets intenses et vibrants. Si le sujet du tableau invite au rêve et à l'évasion, il témoigne aussi d'une recherche esthétique pure.

Mais la flûte d'ivoire est plus douce à ma bouche
10   Que le fier olifant,
Et je voulais louer la fleur après la souche,
          La mère avant l'enfant.

N'ayant pour seul flambeau qu'une trop neuve lampe,
          Les héros et les dieux
15   N'étant bien célébrés que l'argent à la tempe
          Et les larmes aux yeux,

J'attends d'être mûri par la bonne souffrance
          Pour, un jour, marier
Les mots canadiens aux rythmes de la France
20   Et l'érable au laurier.

QUESTIONS

1 Quelle image le poète donne-t-il de ceux qui chantent sa patrie ?

2 À la lecture de ce poème, le poète vous semble-t-il se sentir coupable du type de poésie qu'il écrit ?

3 a) Comment Morin décrit-il ce pays qu'il n'a pas chanté ?

b) La troisième strophe (v. 9-12) oppose deux façons de faire la poésie. Relevez les symboles qui représentent chacune d'elles et expliquez-les.

c) Pour quelles raisons Morin commence-t-il son poème par des phrases négatives ? Qu'est-ce que cela révèle sur ses intentions ?

4 Faut-il considérer ce poème comme une justification ou un manifeste ?

5 Par ses choix esthétiques et thématiques, Paul Morin a-t-il ouvert un espace que l'on explore encore de nos jours ?

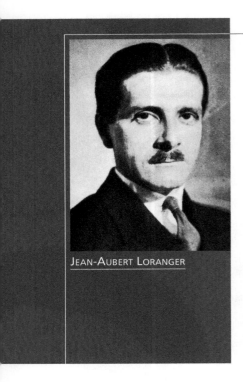

JEAN-AUBERT LORANGER

Jean-Aubert Loranger (1896-1942)

Jean-Aubert Loranger, orphelin de père à quatre ans, a fait ses études primaires et secondaires à la maison, avec des précepteurs. Il n'a donc pas reçu l'éducation formatée par l'élite religieuse conservatrice donnée à la plupart des jeunes de son âge. Cela explique probablement sa préférence pour la littérature moderne et celle des pays asiatiques.

Loranger vient d'une famille d'écrivains, dont Philippe Aubert de Gaspé, auteur des *Anciens Canadiens*, et Robert de Roquebrune, son cousin. Ce dernier le présente à de jeunes intellectuels pour qui la société canadienne-française est sclérosée. De leurs réunions naîtra la revue *Le Nigog*, à laquelle Loranger participera. Agent d'assurances le jour, il écrit la nuit et publie deux recueils (*Atmosphères*, 1920, et *Poèmes*, 1922). Tiraillé entre modernité et tradition, il délaisse la poésie moderne pour écrire des contes inspirés du terroir.

La poésie de Loranger se veut moderne par ses thèmes. Le poète sonde son monde intérieur et met au jour les angoisses, les déchirements et le sentiment d'inadéquation qui l'habitent continuellement. La forme est elle aussi résolument moderne, car Loranger utilise le vers libre.

■ POËMES (1922)

Le recueil Poëmes *est une suite de fragments, de « moments » où le poète cherche à se libérer d'un mouvement qui le ramène toujours vers les sentiers battus. Le poème qui suit ressemble donc à un instantané pris sur le vif, mais d'une situation d'auto-analyse puisque le poète est en dehors de lui-même et se regarde agir. Tant le poète que le lecteur ressentent de la douleur devant cet être qui se désagrège, sous son propre regard, comme un mime dégingandé ou un pantin désarticulé. Cependant, la simplicité de la forme et des images fait contrepoids à ce déchirement intérieur.*

Moments VIII

Les pas que je fais en plus,
    Ceux hors de moi-même,
Depuis la forme du banc,
    — La forme allongée
5 Du banc vert sous les lilas.

Et sous les chocs de mes pas,
    Dans l'allée du parc,
Je me désarticulai,
    Pareil à la caisse
10 Qu'on fait rouler sur ses angles.

QUESTIONS

1 Relevez ce qui à première vue apparaît moderne dans ce poème.

2 Quelle impression laisse la lecture de ce poème ?

3 a) Les deux premiers vers décrivent un mouvement du poète ; que représente ce mouvement ?

b) Quelle image les répétitions des mots « pas », « banc » et « forme » créent-elles ?

c) Qu'amène la référence au parc et aux éléments qui le composent ?

d) Qu'est-ce qui suggère la fragilité dans ce poème ?

4 Le poète est-il à la recherche de l'équilibre ?

5 À la lecture du poème de Loranger, pouvez-vous affirmer que le déséquilibre sous-tend la démarche poétique de cet auteur ?

3
PARTIE

DES BRÈCHES PLUS PROFONDES DANS UN MONDE MONOLITHIQUE

BIEN QUE LA SOCIÉTÉ CANADIENNE-FRANÇAISE du début du XXe siècle repose sur l'idéologie de conservation, les écrivains ne vivent pas dans des cages de verre et respirent l'air du temps de leurs concitoyens. Ainsi, une certaine remise en question des fondements mêmes de l'idéologie dominante transparaît à travers leurs œuvres, même si elle est parfois camouflée sous des allures d'obéissance au dogme. Certains personnages sont dotés d'une profondeur psychologique qui permet au lecteur de mieux saisir les difficultés auxquelles ils font face dans cette société en transformation. C'est le cas de *Maria Chapdelaine*, de Louis Hémon. Dans ce roman, bien que l'auteur cède à la morale du temps en amenant Maria à opter pour la tradition en mariant son voisin, il nous fait aussi pénétrer dans le monde intérieur de la jeune femme, nous transforme en témoins des élans et hésitations de son cœur. Pour ce qui est d'*Un homme et son péché*, de Claude-Henri Grignon, Séraphin périra par son vice ; mais cet anti-héros nous donne un portrait plus véridique de son monde intérieur. Quant aux romans de Rodolphe Girard et d'Albert Laberge, ils ont suscité la grogne lors de leur parution, parce qu'ils révèlent de façon assez réaliste ou trop moqueuse les désirs naïfs ou charnels des personnages, les mesquineries dont ils sont capables ainsi que les dures conditions de vie de celui qui travaille la terre.

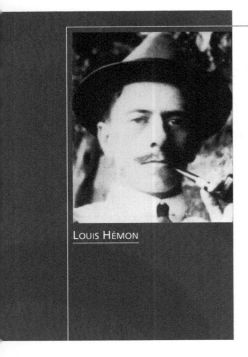

Louis Hémon

Louis Hémon (1880-1913)

Louis Hémon est né à Brest, en France. Bon étudiant, Hémon suit ses passions et obtient donc ses meilleurs résultats dans les matières qu'il aime le plus. Aventurier, il ne veut pas d'une vie toute tracée. Avant de venir au Canada, il passe huit ans en Angleterre où il travaille comme commis de bureau. C'est là qu'il fait ses premières armes littéraires en collaborant à des revues françaises. Il écrit aussi trois romans dont la publication posthume n'aura lieu qu'après le succès de *Maria Chapdelaine*, mais dans lesquels on trouve déjà cette manière toute personnelle qu'il a de peindre avec émotion des personnages devenant sous ses traits des archétypes de la misère humaine. À la fin de 1911, il part pour le Canada. Il reste peu de temps à Québec et à Montréal, et part dès la mi-juin 1912 pour le Lac-Saint-Jean, où il devient « homme engagé » sur une ferme. C'est pendant ce séjour qu'il apprend à connaître les habitants de cette région et qu'il accumule les notes qui lui serviront dans l'écriture de *Maria Chapdelaine*, à laquelle il s'attelle à la fin de la même année. Venu au Canada pour voir du pays, Hémon quitte le Lac-Saint-Jean, fait à nouveau un bref séjour à Montréal, puis se rend en Ontario, où il mourra en 1913, frappé par un train.

■ MARIA CHAPDELAINE (1914)

Maria Chapdelaine est un roman mythique et fondateur dans la littérature québécoise. D'abord, le fait qu'un étranger réussisse à saisir une partie de l'âme canadienne-française et de ses aspirations, et qu'il en fasse le sujet d'un roman prouve, selon certains défenseurs d'une littérature canadienne-française régionaliste, qu'on peut ancrer les romans dans la terre d'ici et obtenir un grand succès en France. Cette œuvre plaît aussi parce qu'elle rappelle haut et fort que « Au pays du Québec, rien ne doit changer ». Ainsi, après avoir choisi l'amour et pensé à quitter son village natal pour aller vivre aux États-Unis, Maria décide de rester fidèle à la vie que sa famille a toujours vécue.

Les Chapdelaine vivent à Péribonka, isolés des villages, et n'ont qu'un seul voisin. Maria, l'aînée de la famille, est en âge de se marier. Elle est amoureuse de François Paradis, qui, à la mort de son père, a vendu la terre pour être guide dans la forêt et travailler dans les chantiers. Peu commune chez les jeunes hommes de ce temps, cette attitude témoigne d'une soif de liberté qui attire fortement Maria. Aussi la jeune femme accepte-t-elle quand, au mois d'août, avant de partir pour les bois, François lui demande de l'attendre jusqu'au printemps suivant. Elle songe à ce qu'elle ressent pour cet homme libre, un amour plein de rêves, de sourires et de jours ensoleillés.

À vingt pas de la maison, le four, coiffé de son petit toit de planches, faisait une tache sombre ; la porte du foyer ne fermait pas exactement et laissait passer une raie de lumière rouge ; la
5 lisière du bois se rapprochait un peu dans la nuit. Maria restait immobile, goûtant le repos et la fraîcheur, et sentait mille songes confus tournoyer autour d'elle comme un vol de corneilles.

Autrefois cette attente dans la nuit n'était qu'un
10 demi-assoupissement, et elle ne cessait de souhaiter patiemment que la cuisson achevée lui

permît le sommeil ; depuis que François Paradis avait passé, la longue veille hebdomadaire lui était plaisante et douce, parce qu'elle pouvait

15 penser à lui et à elle-même sans que rien vînt interrompre le cours des choses heureuses qu'elle imaginait. Elles étaient infiniment simples, ces choses, et n'allaient guère loin. Il reviendrait au printemps ; ce retour, le plaisir de le revoir,

20 les mots qu'il lui dirait quand ils se retrouveraient seuls de nouveau, les premiers gestes d'amour qui les joindraient, il était déjà difficile à Maria de se figurer clairement comment tout cela pourrait arriver.

25 Elle essayait pourtant. D'abord elle se répétait deux ou trois fois son nom entier, cérémonieusement, tel que les autres le prononçaient : François Paradis, de Saint-Michel-de-Mistassini... François Paradis... et tout à coup, intimement

30 François.

C'est fait. Le voilà devant elle, avec sa haute taille et sa force, sa figure cuite par le soleil et la réverbération de la neige, et ses yeux hardis. Il est revenu, heureux de la revoir et heureux

35 aussi d'avoir tenu ses promesses, d'avoir vécu toute une année en garçon sage, sans sacrer ni boire. Il n'y a pas encore de bleuets à cueillir, puisque c'est le printemps ; mais ils trouvent quelque bonne raison pour s'en aller ensemble

40 dans le bois ; il marche à côté d'elle sans la toucher ni rien lui dire, à travers le bois de charme qui commence à se couvrir de fleurs roses, et rien que le voisinage est assez pour leur mettre à tous deux un peu de fièvre aux tempes et leur

45 pincer le cœur.

Maintenant ils se sont assis sur un arbre tombé, et voici qu'il parle.

— Vous êtes-vous ennuyée de moi, Maria ?

C'est assurément cela qu'il demandera d'abord ;

50 mais elle ne peut pas aller plus loin dans son rêve, parce que lorsqu'elle est arrivée là une détresse l'arrête. Oh ! mon Dou ! Comme elle aura le temps de s'ennuyer de lui, avant que ce moment-là ne vienne ! Encore tout le reste de l'été

55 à traverser, et l'automne, et tout l'interminable hiver ! Maria soupire ; mais l'infinie patience de sa race lui revient bientôt, et elle commence à penser à elle-même, et à ce que toutes ces choses signifient pour elle.

C<small>LARENCE</small> G<small>AGNON</small> (1881-1942).

La Vie au village, 1933. (Techniques mixtes sur papier, 22,9 × 26,1 cm. McMichael Canadian Art Collection.)

Gagnon a créé une cinquantaine d'œuvres pour illustrer une édition de luxe du roman de Louis Hémon. Ici, il représente la vie au village de Péribonka, empreinte de routine et de traditions. Pour bien des femmes, le mariage est « une longue suite d'années presque semblables aux précédentes ». En proposant ces personnages stéréotypés et sans individualité, Gagnon semble souligner ce destin commun qui leur échoit. C'est précisément à cette existence terne et prévisible que Maria Chapdelaine ne veut d'abord se résoudre.

60 Pendant qu'elle était à Saint-Prime une de ses cousines, qui devait se marier prochainement, lui a parlé plusieurs fois de ce mariage. Un jeune homme du village et un autre, de Normandin, l'avaient courtisée ensemble, venant tous deux 65 pendant de longs mois passer dans sa maison la veillée du dimanche.

— Je les aimais bien tous les deux, a-t-elle avoué à Maria, et je pense bien que c'était Zotique que j'aimais le mieux ; mais il est parti pour la drave 70 sur la rivière Saint-Maurice ; il ne devait pas revenir avant l'été ; alors Roméo m'a demandée et j'ai répondu oui. Je l'aime bien aussi.

Maria n'a rien dit ; mais elle a songé qu'il devait y avoir des mariages différents de celui-là, et 75 maintenant elle en est sûre. L'amitié que François Paradis a pour elle et qu'elle a pour lui, par exemple, est quelque chose d'unique, de solennel et pour ainsi dire d'inévitable, car il est impossible de concevoir comment les choses 80 eussent pu être autrement, et cela va colorer et réchauffer à jamais la vie terne de tous les jours. Elle a toujours eu l'intuition confuse qu'il devait exister quelque chose de ce genre : quelque chose de pareil à l'exaltation des messes chantées, à 85 l'ivresse d'une belle journée ensoleillée et venteuse, au grand contentement qu'apporte une aubaine ou la promesse sûre d'une riche moisson.

Dans le calme de la nuit le mugissement des chutes se rapproche et grandit ; le vent du nord-90 ouest fait osciller un peu les cimes des épinettes et des sapins avec un grand bruissement frais qui est doux à entendre ; plusieurs fois de suite, et de plus en plus loin, un hibou crie. Le froid qui précède l'aube est encore loin, et Maria se 95 trouve parfaitement heureuse de rester assise sur le seuil et de guetter la raie de lumière rouge qui vacille, disparaît et luit de nouveau au pied du four.

Il lui semble que quelqu'un a chuchoté long-100 temps que le monde et la vie étaient des choses grises. La routine du travail journalier, coupée de plaisirs incomplets et passagers ; les années qui s'écoulent, monotones, la rencontre d'un jeune homme tout pareil aux autres, dont la 105 cour patiente et gaie finit par attendrir ; le mariage, et puis une longue suite d'années pres-que semblables aux précédentes, dans une autre maison : c'est comme cela qu'on vit, a dit la voix. Ce n'est pas bien terrible et en tout cas 110 il faut s'y soumettre ; mais c'est uni, terne et froid comme un champ à l'automne.

Ce n'était pas vrai, tout cela, Maria secoua la tête dans l'ombre avec un sourire incons-cient d'extase, et songe que ce n'est pas vrai. 115 Lorsqu'elle pense à François Paradis, à son aspect, à sa présence, à ce qu'ils sont et seront l'un pour l'autre, elle et lui, quelque chose fris-sonne et brûle tout à la fois en elle. Toute sa forte jeunesse, sa patience et sa simplicité sont 120 venues aboutir à cela : à ce jaillissement d'espoir et de désir, à cette prescience d'un contentement miraculeux qui vient.

À la base du four la raie de lumière rouge vacille et s'affaiblit.

125 « Le pain doit être cuit », se dit-elle.

Mais elle ne peut se résoudre à se lever de suite, craignant de rompre ainsi le rêve heureux qui ne fait que commencer.

QUESTIONS

1 Quels éléments de l'extrait illustrent une conception de la vie attachée à la tradition ?

2 Compte tenu du contexte social de l'époque durant laquelle se passe le roman, qu'est-ce qui peut surprendre dans la rêverie de Maria ?

3 a) Relevez les marques de réflexion rêveuse de Maria. Quelles en sont les étapes ?

b) Qu'est-ce que Maria imagine de ses rapports avec François ? Quelle est sa réflexion sur l'amour ?

c) Que symbolise la voix que Maria entend ? Comment y réagit-elle ?

d) Comparez les conceptions de l'amour et du mariage des deux cousines.

4 Maria Chapdelaine respecte-t-elle la tradition ? En souffre-t-elle ?

5 L'amour est-il encore aujourd'hui l'enjeu de conflits entre les élans du cœur et les attentes sociales ?

Claude-Henri Grignon (1894-1976)

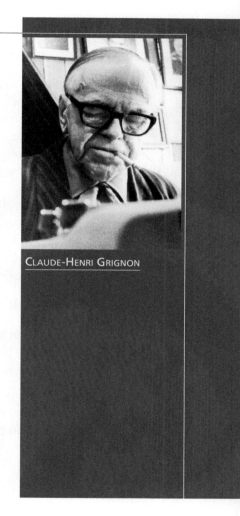

CLAUDE-HENRI GRIGNON

Claude-Henri Grignon est né à Sainte-Adèle, où son père, Wilfrid Grignon, médecin, avait suivi le curé Labelle pour aider à la colonisation des pays d'en haut. La famille vécut pauvrement, car les colons avaient peu d'argent à dépenser en frais médicaux. Malgré un séjour de deux ans au collège Saint-Laurent puis un autre d'un an à l'Institut d'agronomie d'Oka, Grignon n'obtient pas de diplôme et complète sa formation par lui-même, en lisant les classiques. Après la mort de son père, en 1916, il déménage à Montréal où il demeure pendant une quinzaine d'années. Il y travaille d'abord comme fonctionnaire et collabore à divers journaux. Dans les années 1930, il revient dans sa ville natale pour se consacrer à l'écriture, mais dans ces années de crise économique il est plutôt ardu, surtout au Québec, de vivre de sa plume.

Fervent admirateur des polémistes français, Grignon percevra toujours son métier de journaliste sous cet angle. Ses *Pamphlets de Valdombre*, revue dont il est l'unique rédacteur et qu'il tient à bout de bras de décembre 1936 à juin 1943, relèvent de l'exploit. Il y pourfend les politicailleurs, les écrivailleurs et autres suppôts de la bêtise. Il y défend ardemment une langue qui reflète les particularités de la vie, « une langue canadienne faite de français, de canadianismes, et à l'occasion de mots anglais ». Il y énonce aussi ses convictions mais, s'il est convaincu qu'il faut posséder le sol et respecter les traditions canadiennes-françaises, il n'accrédite pas pour autant les œuvres qui idéalisent à outrance les mœurs de ses ancêtres, et se démarque en cela de la vision traditionnelle : « Il y a des grosses têtes qui s'imaginent que du roman régionaliste, c'est du roman habitant, un roman de la terre. C'est faux. » Et s'il est croyant, Grignon est quand même indépendant par rapport à certaines directives de l'Église, comme celles de l'Index.

■ UN HOMME ET SON PÉCHÉ (1933)

Claude-Henri Grignon a su utiliser les différents moyens de diffusion au fur et à mesure qu'ils s'offraient à lui, que ce soit le radioroman, le téléroman, le cinéma ou encore la bande dessinée, pour accroître la durée de vie de son roman. Aujourd'hui encore, cette œuvre continue de marquer l'imaginaire québécois : le destin tragique et le sacrifice de Donalda, l'image du bel Alexis épris de liberté et ouvert sur l'ailleurs, et surtout le caractère atypique de cet homme avare, dont rien ne semble toucher le cœur sauf la possession de son or. Ce premier anti-héros canadien-français est en fait une figure si prégnante que son prénom même est devenu synonyme de son vice.

Dans l'extrait qui suit, Séraphin, maintenant veuf, sombre encore plus dans son vice, économisant sur tout. Approché pour investir dans une mine, il décide à la dernière minute de n'en rien faire. La suite de l'histoire lui donne raison, car l'homme, un certain Perdichaud, est un escroc qui s'envole avec les fonds de ses investisseurs. Inquiet pour la sécurité de son argent, l'avare retire à la fabrique les sommes qu'il lui avait prêtées pour la construction de l'église. Il se retrouve chez lui avec plus de quatre mille dollars, une somme faramineuse pour l'époque. Aimant l'argent comme une femme dont il serait passionnément et sensuellement épris, il en devient obsédé.

De loin, Poudrier aperçut sa maison juchée sur la colline, près du chemin de fer. Bâtie en grosses pierres de bois équarries et blanchies à la chaux, avec sa toiture en pignon que recouvraient des
5 bardeaux gris et noirs, et le haut côté plus élevé que la cuisine, cette maison ressemblait aux habitations des vieilles seigneuries du Québec, et elle portait un air de bourgeoisie et de confort qui faisait l'orgueil de Séraphin Poudrier.
10 Elle lui plaisait d'autant plus qu'il y vivait seul, à sa guise, séparé du monde, et qu'elle cachait sa passion, ses rêves et son or.

Après avoir dételé son cheval et jeté un coup d'œil aux animaux dans le pâturage, il entra.
15 Quoique le soleil dardât les murs et le plancher, l'avare trouvait qu'il n'y faisait pas chaud. Mais au lieu de gaspiller du bois, il mangerait.

— T'as dépensé deux dollars soixante-quinze, s'adressa-t-il à lui-même. Tu vas faire pénitence,
20 à c't'heure. Il va falloir rattraper ça. Puis tu vas te priver tout de suite. De la soupe froide, d'abord.

Et debout, près de la porte qui était restée ouverte, il avala, en grimaçant, le fétide breuvage.

25 Il enleva ensuite son bel habit des dimanches, pour se vêtir d'un pantalon de toile, dernier ouvrage de Donalda, et d'une vieille chemise grise, vêtements qui paraissaient enduits de goudron, tant la crasse y luisait. Il ferma la
30 porte, y accrocha une vieille catalogne, qu'il gardait toujours à portée de la main pour boucher la vue, et de son bel habit, il sortit la bourse de cuir qu'il déposa sur la table. Un bruit sourd rompit aussitôt le silence dans la
35 maison. L'homme se pencha, se frotta les mains, délia tranquillement les cordons de la bourse et vida le contenu d'un seul coup. Ce fut un ruissellement de pièces d'or et d'argent au milieu
40 d'un fouillis de billets de banque. Les sonorités de cette symphonie épanouirent le visage de l'avare. Les deux mains tendues sur cette richesse qu'il avait sauvée des fausses mines de Perdichaud, Séraphin renversa son dos courbé sur la peau de mouton de la berceuse, et il
45 tomba dans une extase où sa passion déroulait des rythmes d'amour et de volupté. Puis il se pencha sur l'argent, le renifla, lui sourit comme à la plus aimée des maîtresses. Il mit à part toutes les pièces de même grandeur et les billets
50 de banque. Il fit trois piles : l'or, l'argent et le papier. Après quoi, il commença de compter, en prenant son temps. Il recommença plusieurs fois. Ce travail dura deux heures. Finalement, il trouva la somme de quatre mille sept cent
55 cinquante-sept dollars.

Lorsque Poudrier eut appris que l'homme des mines de Saint-Damase du Lac était parti avec l'argent qu'on lui avait confié, il s'était empressé de retirer le sien à la Fabrique de sa paroisse,
60 soit une somme de quatre mille deux cents dollars qu'il avait prêtée pour la construction de l'église. Il préférait ne pas courir de risque.

— On ne sait jamais, dit-il.

Et il alla cacher son trésor dans un sac d'avoine,
65 en haut. Il rêva le reste de l'après-midi, ne mangea point, se coucha vers neuf heures, mais ne put s'endormir qu'à l'aube, quand les oiseaux s'éveillent.

X

Il arriva que la vie de Séraphin Poudrier fut sen-
70 siblement changée. Maintenant qu'il possédait une forte somme en papier et en belles espèces sonnantes, était-il prudent de la garder dans la maison ? Autrefois, la petite bourse de cuir représentait pour l'usurier l'unité de bonheur ;
75 aujourd'hui, elle pesait lourdement sur son âme.

Il s'en trouvait embarrassé. Le secret qu'elle contenait, et la catastrophe qu'il pourrait causer s'il était découvert, augmentaient l'angoisse de Séraphin. Il se sentait épié. Il se sentait traqué. Il avait peur des voleurs. Il avait peur du feu. Il pouvait mourir subitement. À l'approche silencieuse mais inévitable de la nuit, surtout, il était pris d'une sorte d'épouvante. Lorsque les ténèbres emplissaient la maison, son tourment prenait les caractères d'un mal incurable. Il se réveillait tout en sueurs, et, à tâtons, se rendait jusqu'aux trois sacs d'avoine. Il rapportait la bourse, la couchait avec lui comme un enfant, puis, la pressant sur son cœur, essayait de s'endormir.

Le matin, le mal recommençait. On eût dit que les angoisses lui servaient de nourriture. Séraphin, alors, de se traîner péniblement dans un labyrinthe de réflexions. Le malheur grandissait sans cesse autour de lui. Un moment, il crut voir la folie, face à face. Une malédiction pesait sur sa vie, aussi durement que sa passion avait accablé Donalda durant un an et un jour.

Il se rappelait que les printemps passés, depuis dix ans, il prêtait sur billet des sommes de deux à cinq cents dollars, formant un total de deux ou trois mille dollars. Cette année, rien. Qu'est-ce que ça voulait dire ? Le mois de mai touchait à sa fin et pas un emprunteur encore ne s'était montré.

— Commenceraient-ils à me lâcher, les v'limeux, pensa-t-il ?

Son intuition le trompait rarement. Un dimanche, après la grand'messe, il avait rencontré son fameux et éternel débiteur, Siméon Destreilles, qui lui devait mille dollars depuis cinq ans, à dix pour cent d'intérêt. Mais comme Destreilles venait d'hériter d'une de ses tantes, il parlait de remettre à Poudrier les mille piastres, plus les intérêts de l'année courante.

— Je suis pas pressé, prenez votre temps, lui avait dit Séraphin.

— Ça fait assez longtemps que ça traîne, je veux vous payer, lui avait répondu Destreilles.

Toute la semaine, l'avare, ne s'éloignant pas de la maison, guetta ce mauvais débiteur qui voulait payer ses dettes et qui, heureusement, ne vint pas.

— J'espère qu'il ne viendra pas plus tard, ce maudit-là. En tout cas, si je le vois apparaître, je me cache.

Et il se tourmentait. Il cherchait un remède à tous les maux qui semblaient se multiplier. Finirait-il par trouver ce qui mettrait fin à ses souffrances ? Et il retombait dans son péché, plus profondément encore, semblable à l'ivrogne qui tend ses lèvres en feu au gris alcool qui le mène au délire. Plus il s'approchait de son or, plus il souffrait. Il souhaitait de garder toujours près de lui, plus près encore, cet argent, nourriture de son âme métallique ; mais il voulait en même temps anéantir les inquiétudes qu'il lui causait. Quel enfer !

QUESTIONS

1 Relevez les éléments propres au roman régionaliste.

2 Quel sentiment domine l'extrait ?

3 a) Relevez les termes associés à la religion. Qu'en déduisez-vous ?

b) De quelles façons Grignon exprime-t-il le rapport à l'argent de Séraphin ? À quel(s) sentiment(s) l'associez-vous ?

c) Qu'est-ce qui entraîne la modification du comportement de l'avare ?

4 Qu'est-ce qui caractérise le plus la passion de Séraphin : l'ivresse ou l'angoisse ?

5 Croyez-vous que l'attachement à l'argent soit important dans le monde actuel ? À quoi le voyez-vous ?

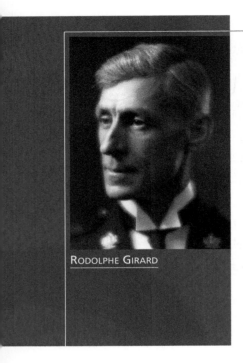

RODOLPHE GIRARD

Rodolphe Girard (1879-1956)

À la fin de son cours classique, Rodolphe Girard devient reporter au journal *La Patrie*, puis à *La Presse* où il publie régulièrement des contes. C'est là qu'il rencontre Albert Laberge, l'auteur de *La Scouine*, dont il devient l'ami. Il s'inspire des faits divers qu'il rédige pour écrire *Marie Calumet* qui paraît en 1904. *La Presse* réserve un accueil enthousiaste à ce roman et interviewe l'auteur, ce qui semble avoir un effet sur le public, puisque les mille exemplaires se vendent en quelques jours. Malheureusement, un article de la très respectée *Semaine religieuse* et une lettre de Mgr Paul Bruchési, archevêque de Montréal, qui déclare que ce roman est « aussi grossier qu'immoral et impie », signent la fin de la carrière de journaliste de Girard, qui est congédié de *La Presse*. Devenu un auteur pestiféré, Girard s'exile à Ottawa, où il sera journaliste au *Temps*, l'interdiction de l'archevêque de Montréal n'ayant pas juridiction dans la capitale du Canada. Il occupera ensuite divers postes de fonctionnaire jusqu'à sa retraite en 1941. Son emploi lui laisse tout le loisir d'écrire et de participer à la vie culturelle d'Ottawa : il devient président de l'Institut canadien-français, dont le comité littéraire se réunit deux fois par mois, et initie la création de l'Alliance française à Ottawa.

■ MARIE CALUMET (1904)

À quarante ans, Marie Calumet se retrouve sans famille, sans mari ni emploi. Elle devient la servante du curé Flavel. À son arrivée, le presbytère et les finances du curé ne sont guère florissants. Marie réussit à tout remettre en ordre et s'attire ainsi l'estime et l'amitié du curé. En fait, tout le village adopte la nouvelle servante du curé.

Femme ordonnée, efficace et d'une croyance naïve, elle a pour seuls défauts sa franchise et son excentricité. Alors qu'elle se promène dans les rues de Montréal, elle aperçoit une crinoline dans une vitrine et entre pour la regarder de plus près. Remarquant sa naïveté, les vendeuses lui vantent les mérites de cet accessoire qui fait fureur chez les dames, tout en la mettant en garde cependant de ne pas oublier de mettre un caleçon, car le moindre faux pas peut mettre son honnêteté à rude épreuve. Offusquée, Marie Calumet répond que cela ne lui arrive jamais, qu'elle est une honnête femme. Revenue au presbytère, elle attend le bon moment pour épater le village avec son achat.

Peut-être était-elle tout simplement indisposée ?

Dans tous les cas, on aurait de ses nouvelles, puisque Narcisse, de ce pas, et quel pas de course, retournait au presbytère.

5 Il atteignit l'extrémité du champ, lorsque Marie Calumet apparut sur la route, enveloppée d'un nuage de poussière. La voiture s'arrêta.

Hilarité générale.

Comment ! ça, Marie Calumet ? C'était impos-
10 sible. Pourtant, on ne se trompait pas.

Cette tonne, cette outre monumentale, c'était Marie Calumet. Mais alors ?

Et tous de se pâmer.

Quand je vous dis tous, j'exagère : le curé Flavel
15 fumait de colère. Quant à son homme engagé, il s'abîmait dans un chagrin cuisant.

Cette masse en délire se payait la tête de Marie Calumet, de celle qu'il s'obstinait, malgré tout, à regarder comme sa promise. Ah ! les gredins,
20 qu'il eût donc voulu ne leur voir qu'une seule

tête afin de la trancher d'un coup, à l'instar de cet empereur romain qui, lui aussi, des siècles avant Narcisse, désira commettre cet acte.

L'infortuné, d'un autre côté, sentait bien que
25 tous ces gens-là avaient raison, et c'était pour lui une nouvelle cause d'affliction.

Comment une fille aussi intelligente que Marie Calumet pouvait-elle agir de la sorte?

Voilà ce que se demandait Narcisse.

30 Pour étrenner son ballon, la ménagère de monsieur le curé avait résolu d'attendre une circonstance exceptionnelle, une fête à laquelle tout Saint-Ildefonse assisterait.

Elle n'aurait pu trouver mieux.

35 Elle voulait créer de la sensation.

Ses vœux, hélas! ne furent que trop bien exaucés.

Avant de commencer sa toilette, la servante du presbytère avait fait en sorte que tous fussent partis pour la fête.

40 Et c'est l'explication de son retard que, dans leur excitation, les gens du presbytère, fait étrange, avaient oubliée. La ménagère, en effet, les avait prévenus de ne point l'attendre au départ, retenue qu'elle était par une affaire urgente. Elle
45 leur avait dit de ne pas s'inquiéter; qu'elle les rejoindrait bientôt, profitant d'une occasion.

Le moment venu d'entrer dans ce ballon, qu'elle avait caché sous son lit durant la nuit, elle eut peur. Si cette innovation allait causer un scandale?

50 Que dirait monsieur le curé?

On la chasserait honteusement du presbytère, il n'y avait pas là l'ombre d'un doute.

Devait-elle braver le sentiment populaire? Cette crinoline, lui avait-on dit, les élégantes de Mont-
55 réal la portaient; mais Montréal, après tout, ce n'était pas Saint-Ildefonse. Elle aurait dû en parler à monsieur le curé et à Suzon, ce qu'elle faisait, du reste, chaque fois qu'elle achetait un article quelconque au magasin général du village.

60 Plus elle se mirait, plus elle se trouvait énorme.

Il se livra alors dans son esprit indécis un rude combat. Finalement, son excentricité l'emporta. C'est ce qui devait la perdre.

À son ballon, elle ajouta un corsage, coupé en
65 cœur sur la gorge, sans oublier la petite croix d'argent retenue par le mince ruban de velours noir. Dans cet affublement, elle se contempla une dernière fois, et descendit en s'accrochant aux meubles.

70 Le forgeron, qui avait eu plusieurs chevaux à ferrer, n'avait pu se rendre de bonne heure à la fête. Il s'en allait donc, avec sa nichée dans une barouche, lorsqu'il vit, à une centaine de verges en avant, quelque chose d'énorme res-
75 semblant au tangage et au roulis d'un navire ballotté par les vagues.

— Hé! la vieille, toé qu'a de bons yeux, dit-il à sa femme, es-tu capable de distinguer ce qui s'en va là-bas?

80 — Ça m'a tout l'air d'une criature, mais j'sus pas ben certaine.

Le forgeron donna un coup de fouet à son cheval et l'on fut bientôt près de la curiosité.

— Si j'me trompe pas, c'est mamzelle Marie
85 Calumet!

— Marie Calumet!

— Régardez-moé donc Marie Calumet!

— Cré nom de nom!

— Vous avez ben engraissé tout d'un coup!

90 — Qu'ost-ce que vous portez sous vot'jupe?

Tous les membres de la famille passaient chacun leurs remarques.

La ménagère avait plusieurs fois ouvert la bouche pour donner des explications, mais en vain.

95 — Eh ben! embarquez, embarquez, fit le forgeron, vous nous conterez ça en route.

Monter, c'était plus facile à dire qu'à exécuter. On pouvait, il est vrai, disposer d'une place, mais comment loger le ballon?

100 On désespérait d'y réussir, lorsque Gustave céda généreusement son siège.

Il se rendrait à pied.

Pour rattraper le temps perdu, le forgeron lança sa bête à bride abattue. Et c'est dans un nuage de
105 poussière soulevé par la voiture que les villageois

entrevirent pour la première fois Marie Calumet et son ballon.

Après que celle-ci fut descendue ou plutôt après qu'on l'eut descendue de la barouche, elle eut 110 l'air hébété. De se voir ainsi entourée, l'objet de plaisanteries malignes, elle fut toute déconfite.

Voilà ce qu'il en coûtait de vouloir lancer une mode à Saint-Ildefonse, et surtout une mode de ce genre-là.

115 Comme il se faisait tard, on demanda à la ménagère du curé, la cuisinière la plus accomplie du village, de diriger les apprêts du festin.

Narcisse, empressé, galant, allait, venait, travaillait comme quatre. Çà et là, il découvrit plusieurs 120 roches qu'il entassa en un cercle de deux pieds de hauteur. Il en combla l'intérieur de brindilles sèches et d'écorce de bouleau. Sur cet amoncellement de roches il posa des marmites en fonte aux flancs rebondis. Il frotta une allumette, 125 et la flamme s'éleva en pétillant joyeusement.

La cuisinière, retroussant ses manches et attachant devant elle un tablier, se mit en frais de faire bouillir la soupe, une soupe aux pois engraissée de tranches de lard et assaisonnée de persil.

130 Notre cordon bleu poussait la besogne quoique son ballon gênât fort ses mouvements.

Le curé Flavel lui dit de se reposer un instant, qu'elle allait se fatiguer.

Sans s'arrêter, Marie Calumet tourna la tête 135 pour lui répondre. Mal lui en prit. Elle ne vit pas une racine de noyer à la surface du sol.

Alors se produisit cet accident bête que la vendeuse du marchand de nouveautés aurait sans doute pu prévenir par quelque sage conseil.

140 La pauvre fille la heurta du pied et s'étendit tout du long sur le dos.

Décidément, le ballon ne fut pas une bonne invention.

Un jupon ordinaire, ça s'adaptait à toutes les 145 circonstances parfois scabreuses, mais, avec cet article en lames de métal ou baleines, c'était tout différent.

Et, pour comble de malheur, la ménagère, qui avait déclaré avec indignation qu'elle portait 150 constamment un caleçon, l'avait oublié dans sa hâte.

Le chaste curé Flavel qui, pour la première fois, voyait ce qu'il n'avait jamais vu, rougit comme un coquelicot. Il se signa.

155 Le curé Lefranc risqua un œil et s'étouffa. Il fallait être digne. Il le fut.

Suzon se tordait, et Zéphirin n'avait pas trop de ses yeux.

Narcisse, qui se rappelait avoir lu dans son 160 Histoire sainte, à l'école du village, la mésaventure du bonhomme Noé à la suite d'une cuite, se porta à reculons au secours de son amie.

Il détournait pudiquement la tête.

Les joues en feu, superbe de courroux, Marie 165 Calumet lança une apostrophe cinglante comme un coup de cravache.

— Vous êtes ainqu'une bande de cochons!

Et, des larmes perlant à ses paupières, elle désigna Narcisse.

170 — Au moins, en v'là un homme qui, au lieu de bêtiser comme un tas de crapauds, sauve l'honneur d'une pauv'fille outragée.

Vot'bras, monsieur Narcisse!

Silence.

175 Et l'on vit s'effacer, peu à peu, dans le poudroiement de la poussière doralisée par les rayons obliques du soleil, l'oscillation d'une grosse cloche.

Marie Calumet partie, plus de plaisir possible. L'entrain était tombé à plat, et déjà l'on parlait 180 de s'en retourner chacun chez soi.

QUESTIONS

1 Dans cet extrait, la religion est-elle tournée en ridicule?

2 Comment décririez-vous le personnage de Marie Calumet?

3 a) À quels signes voit-on que Marie Calumet est une personne excentrique? Semble-t-elle tout à fait à l'aise avec sa crinoline? Qu'est-ce qui vous l'indique?

b) Quel est le ton de l'épisode de la rencontre entre Marie Calumet et la famille du forgeron ?

c) Comment les villageois accueillent-ils la servante du curé dans son accoutrement ?

d) Relevez les réactions des différents personnages devant la culbute de Marie Calumet. Qu'en déduisez-

vous ? Le ton est-il exclusivement humoristique dans ce passage ?

4 Pourquoi, selon vous, l'Église a-t-elle condamné ce roman ? Pour son réalisme, pour son humour ?

5 Les convenances sont-elles respectées dans cet extrait et dans celui d'*Un homme et son péché* (p. 116-117) ?

Albert Laberge (1871-1960)

Fils aîné de cultivateurs de Beauharnois, Albert Laberge est remarqué par le directeur de son école secondaire qui, avec l'aide du curé, réussit à convaincre son père de le laisser poursuivre ses études. Il entre donc au Collège Sainte-Marie, à Montréal, mais, pris à lire un livre défendu, il en sera exclu avant d'avoir complété ses cours. Laberge n'acceptera jamais cette sanction trop sévère à ses yeux. Il se trouve un emploi chez des avocats tout en continuant à étudier le soir. Pendant son passage au Collège Sainte-Marie, il fait la connaissance de Jean Charbonneau et de Louvigny de Montigny. Avec eux, il participe en 1895 à la création de l'École littéraire de Montréal, dont il ne deviendra membre qu'en 1909. De 1896 à 1932, Laberge fait carrière à *La Presse*, comme rédacteur sportif et comme critique d'art plutôt impressionniste. Auteur très prolifique, il écrit de nombreux contes, des poèmes et des critiques dans les journaux de l'époque. Cependant, il reste plutôt méconnu durant sa vie, car il publie la plupart de ses œuvres en édition privée à tirage très limité – soixante exemplaires –, par crainte de ne les voir mal accueillies par la critique ou trop rapidement reléguées aux rayons des librairies de livres d'occasion.

Se définissant lui-même comme un « peintre de la vie », Albert Laberge est un véritable conteur. Ses écrits montrent l'homme dans ses rapports avec ses semblables, des rapports qui sont loin d'être harmonieux et satisfaisants. Son œuvre se distingue donc à la fois par son réalisme et son pessimisme.

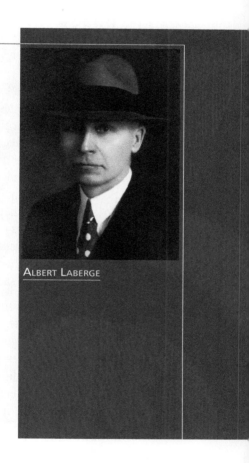

ALBERT LABERGE

■ LA SCOUINE (1918)

La Scouine est le surnom que l'une des jumelles Deschamps s'est vu attribué parce qu'elle mouille son lit, qu'elle ne se lave pas et que son odeur rappelle celle de la moufette. Elle fait partie d'une famille de cultivateurs pour qui la vie n'est pas facile. Ce roman n'a pas véritablement la Scouine pour personnage principal. Composé de trente-quatre chapitres autonomes, dont plusieurs ont été publiés dans différents journaux de l'époque, il arbore ce surnom pour suggérer l'aspect négatif et ignoble de la vie rurale que Laberge y souligne : rien n'est rose ni joyeux dans ce roman de la terre où, régulièrement, apparaît sur la table « le pain sûr et amer, marqué d'une croix ».

En 1909, l'extrait suivant paraît dans La Semaine, *un hebdomadaire qui fustige la mainmise de l'Église sur l'éducation. Cette parution ne passe pas inaperçue, car le clergé a déjà à l'œil le journal. Il faut dire qu'avec « Les Foins » Laberge ne propose pas une évocation bucolique de cette activité rurale essentielle, mais plutôt une description du dur labeur des cultivateurs et de leur soumission aux aléas de la température. Surtout, il évoque deux actes sexuels gratuits, courants dans la vie, mais que les tabous de l'époque interdisent de faire figurer dans un roman. Exaspéré, l'Archevêché de Montréal condamne le journal et qualifie ainsi ce texte de Laberge : « C'est de l'ignoble pornographie [...]. C'en est trop, il faut couper le mal dans sa racine. »*

« Les foins »

Les foins étaient commencés depuis un mois, mais par suite des pluies continuelles il n'y avait presque rien de fait nulle part. À quelques heures d'intervalle, les orages se succédaient

5 après la courte apparition d'un soleil fantômal. Subitement, le ciel devenait noir, menaçant, et de gros nuages en forme de corbillards, se poursuivant à l'horizon, crevaient sur la campagne verte et plate, déversant sur elle des déluges d'eau qui

10 la noyaient. Parfois, la pluie tombait interminablement pendant des journées entières, battant les fenêtres, où souvent un vieil habit bouchait un carreau cassé, et chantant sur les toits des maisons et des granges sa complainte monotone.

15 Et pendant les nuits sombres, sans étoiles, une petite note aigue et désolée, d'une inexprimable tristesse, obsédante jusqu'à l'angoisse, le coassement des grenouilles, déchirait les ténèbres. En vain, celles-ci semblaient vouloir l'étouffer de

20 leur baillon humide et mou, la plainte, toujours renaissait, obstinée, douloureuse…

Dans les greniers, couchés sur leur paillasse ou une robe de carriole, les gars dormaient à poings fermés. Dans la journée, les pieds pataugeant

25 dans une boue gluante, devenaient lourds, énormes. Avant d'entrer, on les essuyait sur une brassée de poysar déposée à côté du perron.

Tous les efforts des fermiers étaient paralysés et le découragement commençait à se faire

30 sentir. Dans un moment de dépression, un homme s'était pendu. L'inutilité des labeurs, des durs travaux, apparaissait. Le curé et son vicaire ne pouvaient suffire à chanter toutes les grand'messes recommandées par les cultivateurs

35 de la paroisse. Chaque dimanche, au prône, le vieux prêtre exhortait d'une voix navrée ses ouailles à la prière, afin de fléchir le Seigneur et d'obtenir un terme à ses rigueurs. Finalement,

40 après quatre semaines d'orages et d'averses, le beau temps si ardemment désiré revint. Un soleil ardent chauffa la terre, mûrissant foins et grains. Bientôt, les faucheuses mécaniques firent entendre leur puissant ronflement. Du matin au soir, planait sur cette mer de verdure le sonore

45 bourdonnement de l'essaim des machines de fer, semblable à celui d'une meule géante. La paix et le calme étaient comme brisés, hachés. Une fièvre de travail et d'activité animait tout le pays, le faisait vivre d'une vie intense. Il fallait se hâter.

50 Le vieux Deschamps avait loué deux aides, Bagon le Coupeur et l'Irlandaise, une vagabonde arrivée depuis quelque temps dans la région. C'était une grande femme de quarante ans, sèche et jaune, qui, aux jours de chômage, se saoulait abomina-

55 blement au gin. Dure à la besogne autant qu'un homme, dont elle ne recevait que la moitié du salaire, elle était une vaillante ouvrière.

Deschamps coupait sans relâche, la Scouine râtelait, Bagon mettait le foin en veillottes,

60 Charlot et l'Irlandaise faisaient le charroyage.

On était au vendredi.

Dans la grande chaleur, les hommes et les chevaux dégageaient une forte odeur de sueurs, un puissant relent d'animalité. Très incommo-

65 dantes, les mouches piquaient avec un acharnement féroce.

Le midi ardent brûlait le sang.

De tous côtés, dans les champs, se dressait la masse des charretées de foin, et la stature

70 du chargeur découpait sur le ciel bleu sa silhouette noire.

Bagon qui, depuis quelques minutes, prononçait des paroles inintelligibles, planta sa fourche dans le sol, et s'arrêta derrière une veillotte. Du 75 haut de son voyage, l'Irlandaise l'aperçut, jouissant solitairement. Elle lui cria des obscénités, mais Bagon demeura sourd, tout secoué par son spasme.

Charlot et l'Irlandaise riaient très haut, et com- 80 mentaient la chose avec des mots ignobles qui les troublaient eux-mêmes.

Il plut le lendemain, et l'Irlandaise, ayant reçu un peu d'argent, partit pour aller chercher un flacon de genièvre. Elle ne rentra qu'à la nuit 85 noire, à moitié ivre.

Depuis le commencement des travaux, Charlot couchait dans le foin, dans la grange. Il dormait ce soir-là depuis un temps inappréciable, lorsqu'il fut soudain éveillé. C'était l'Irlandaise qui mon- 90 tait péniblement, en geignant, l'échelle conduisant sur la tasserie. Charlot crut qu'elle ne parviendrait jamais à arriver en haut. À un énergique juron, il comprit qu'elle avait manqué un échelon. Il se demanda si elle n'allait pas échapper 95 prise et tomber dans la batterie. Après beaucoup d'efforts, l'Irlandaise mit finalement le pied sur le carré. D'une voix rauque et avinée, elle se mit à appeler:

— Charlot! Charlot!

100 — Quoi? demanda celui-ci.

Se dirigeant dans la direction de la voix, les jambes embarrassées dans le foin et trébuchant à chaque pas, l'Irlandaise arriva à Charlot. Elle s'affaissa près de lui, les jupes trempées et 105 boueuses, l'haleine puant l'alcool. Attisée par le genièvre, elle flambait intérieurement, et Charlot éprouvait lui aussi des ardeurs étranges. Ses trente-cinq ans de vie continente, ses nuits toujours solitaires dans le vieux sofa jaune, 110 allumaient à cette heure en ses entrailles de luxurieux et lancinants désirs. Cet homme qui n'avait jamais connu la femme, sentait sourdre en lui d'impérieux et hurlants appétits qu'il fallait assouvir. Toute la meute des rêves mauvais, 115 des visions lubriques, l'assiégeait, l'envahissait.

Une solitude immense et des ténèbres profondes, épaisses comme celles qui durent exister avant la création du soleil et des autres mondes stellaires, enveloppaient les deux êtres. La pluie 120 battait la couverture de la grange, chantant sa complainte monotone, et la sempiternelle et lugubre plainte des grenouilles s'entendait comme un appel désespéré.

Alors Charlot se rua.

125 Et le geste des races s'accomplit.

Ce fut sa seule aventure d'amour.

QUESTIONS

1 Quels éléments de ce chapitre ont pu susciter les foudres de l'archevêque?

2 Quel sentiment ressort de cette description de la vie à la campagne?

3 a) Comment Laberge décrit-il la vie des cultivateurs pendant la pluie et après l'arrivée du beau temps? Relevez les bruits que l'auteur associe à ces deux périodes de temps. La vie décrite ici vous semble-t-elle facile?

b) L'Irlandaise est-elle un personnage sympathique? Qu'est-ce que cela indique sur le rapport des Canadiens français avec les étrangers?

c) Comment Albert Laberge décrit-il la vie sexuelle de Charlot?

d) Relevez les termes qui décrivent les actes sexuels. Comment la sexualité est-elle présentée?

4 Ce récit est-il vraiment outrageant, voire «pornographique» comme le déclare l'archevêque de Montréal?

5 a) *La Scouine*, d'Albert Laberge, et *Marie Calumet*, de Rodolphe Girard (p. 118-120), ont tous deux subi les foudres du clergé. Est-ce pour les mêmes raisons?

b) La vie est-elle aussi difficile à la ferme qu'à la ville dans les extraits de *La Scouine*, d'Albert Laberge, et de *La Terre paternelle*, de Patrice Lacombe (p. 53-55)?

PARTIE 4

LA VILLE ET LA DIVERSITÉ

ALORS QUE LES ROMANS de la section précédente scrutent l'âme humaine dans un monde rural associé à l'idéologie de conservation ou dépeignent en les exagérant les travers de la société, ceux dont il sera question ici abordent les problèmes sociaux que soulève l'urbanisation grandissante. Ils décrivent les différents styles de vie qu'offre la ville ou encore les tensions que ces nouvelles réalités et valeurs provoquent chez ces citadins de fraîche date, encore attachés au discours idéologique qui continue de valoriser la vie rurale. Ils soulignent enfin que les Canadiens français peuvent accéder à de meilleures positions et obtenir un salaire qui ne soit pas de simple survivance. Bien entendu, cette ouverture d'esprit n'est pas sans conséquence sur les auteurs. Ainsi, Arsène Bessette et Jean-Charles Harvey ont-ils suscité l'ire du haut clergé pour avoir pointé du doigt la fourberie de certaines élites et s'être insurgés contre le manque de liberté de pensée. Quant à Ringuet, avec *Trente arpents*, il pose un regard plutôt pessimiste sur le Québec de la période allant de la révolution industrielle à la Crise économique des années 1930. De son côté, Germaine Guèvremont construit son *Survenant* sur l'opposition entre le repli sur soi du monde rural et l'ouverture du monde extérieur. Enfin, dans *Au Pied de la pente douce*, Roger Lemelin met en scène des personnages qui tentent d'adapter leurs modes de vie et leurs croyances à la réalité de leur nouvel univers désormais urbain.

ARSÈNE BESSETTE

Arsène Bessette (1873-1921)

Son père, juge et maire de Saint-Hilaire, s'étant ruiné financièrement en politique, le jeune Bessette n'a pas pu faire d'études universitaires après son cours classique. Il devient journaliste et assez rapidement rédacteur en chef du *Canada français* qui a pignon sur rue à Saint-Hilaire, mais qu'on peut lire dans les grandes villes du Québec. Fondé en 1860 par Félix-Gabriel Marchand, futur premier ministre du Québec de 1897 à 1900, ce journal libéral promulgue des idées progressistes, telles la liberté d'opinion, la séparation entre l'Église et l'État et une éducation plus accessible. Bessette s'y intéresse à l'actualité sociale, politique et littéraire. Il a aussi lancé deux revues, qui n'ont pas vécu longtemps. Associé à la franc-maçonnerie, il a souvent été pointé du doigt par les tenants de l'orthodoxie morale et religieuse. En 1917, comme la survie du *Canada français* est incertaine, Bessette déménage à Montréal où il obtient un emploi à *La Presse*, avant d'accepter un poste d'inspecteur à la Compagnie de Tramways en 1920. Il meurt subitement en 1921.

Le Débutant est l'unique roman de Bessette qui s'y inspire fortement de ses expériences. L'auteur critique l'hypocrisie des classes dirigeantes et prône des idées nouvelles et libérales, ce qui vaut au roman d'être condamné par l'archevêque de Montréal, Mgr Bruchési.

■ LE DÉBUTANT (1914)

Intelligent, doué et surtout épris de liberté, Paul Mirot a grandi à la campagne.
Une fois ses études classiques achevées dans une petite ville, il ne sait trop vers quelle
profession se tourner. Il rencontre un jour Jacques Vaillant, son bon ami du collège
qui lui fournissait des livres à l'Index. Ce dernier l'incite à le rejoindre au Populiste,
en lui vantant les mérites du journalisme qui permet de dire ce que l'on pense et
de faire œuvre d'éducation. Épris d'idéalisme, Paul va trouver le directeur du journal
et obtient un emploi. Si ses premières assignations sont loin d'être aussi palpitantes
que celles d'un reporter, elles lui permettent néanmoins de faire ses débuts et de se
familiariser avec la grande ville de Montréal. Durant les premiers jours de sa nouvelle
vie, il peut compter sur Jacques Vaillant pour s'initier à la vie montréalaise. Une
promenade à la sortie du travail devient ainsi l'occasion de parler des prostituées
et de l'hypocrisie de certains dirigeants canadiens-français.

— Les *seineuses* sont les concurrentes des *piano-legs*[1]. On les nomme *seineuses* parce que, si elles n'ont pas l'avantage des mollets découverts et l'attrait qu'inspire aux esprits déréglés le mys-
5   tère des petites filles, elles sont, en revanche, plus expertes en l'art de tendre leur croupe et de jeter leurs filets pour attraper le poisson. Cette grande brune est, si je ne me trompe pas, la bonne amie de Solyme Lafarce, qui, en plus
10   de son métier de reporter, exerce celui de pour-voyeur de clients dans la maison où cette drô-lesse exploite ses jolis talents. Mais tu n'as pas encore répondu à ma question, connais-tu cette femme ?

15   — Oui et non. C'est-à-dire qu'il me semble que c'est la voix, la démarche et le sourire provo-cant de celle que je rencontrai un jour et qui me dit : *Come on, dear, I love you*. Mais, ne lui ayant pas même répondu, j'ignore son nom et
20   le reste, tout en croyant la connaître.

— Tu raisonnes comme notre professeur de philosophie au collège de Saint-Innocent, c'est admirable à ton âge. Mais trêve de plaisante-ries, écoute bien ce que je vais te dire. Tu es
25   d'un tempérament passionné, par conséquent capable de tous les emballements, il faut que je te mette en garde contre ton inexpérience. Ces femmes, qu'elles portent robe courte ou robe longue, qu'elles affichent un vice précoce
30   ou des charmes plus mûrs, appartiennent à la basse prostitution, elles constituent un danger public. Et on ne fait rien pour protéger la jeu-nesse contre ce danger, sous prétexte qu'il ne faut pas donner de sanction au vice. Parler de
35   réglementation à nos hypocrites, autant vau-drait s'adresser à des eunuques. Tant pis pour les naïfs qui s'y laissent prendre. Quant à toi, tu es averti : ni *piano-legs*, ni *seineuses*.

— Oh ! sois tranquille, j'ai une plus haute con-
40   ception de l'amour. Du reste, ce n'est pas pour moi le temps d'aimer. J'ai autre chose à faire, pour le moment.

— Ce temps-là viendra peut-être plus tôt que tu ne crois.

45   — À propos de ce dont nous parlions, il me semble que l'autorité civile ne devrait pas hési-ter à adopter une loi pour assurer, autant que possible, la sécurité au citoyen que ces femmes peuvent entraîner.

50   — L'autorité civile, elle s'incline toujours sous les menaces des faux défenseurs de notre

---

1. *piano-legs* : « Ces petites bêtes de joie… ou de proie, cela s'appelle des *piano-legs*, parce que leurs jambes ressemblent beaucoup aux pieds de ces meubles harmonieux que l'on tapote dans toutes les maisons qui se respectent au grand ennui, sinon au désespoir des visiteurs. » (p. 106)

vertu nationale, cette vertu qui change souvent de nom quand on ose porter la main sur elle pour arracher son masque. Il y a en ce pays,
55 comme ailleurs, des femmes trompant leurs maris. Chez nos jeunes filles, la candeur n'est pas toujours réelle, et il y en a beaucoup qui sont parfaitement renseignées, et pour cause, sur l'admirable symbolisme de l'histoire de la
60 pomme au Paradis Terrestre, pomme qui joua un si grand rôle dans le monde depuis l'aventure d'Adam et Ève. Et combien d'hommes affectant des mœurs austères ne sont que des trousseurs de cotillons ? D'autres, chez lesquels
65 la passion de l'argent domine, deviennent de véritables brigands en affaires, n'ont ni parole, ni scrupules quand il s'agit de s'accaparer le bien d'autrui. Et cela n'empêche pas qu'on les salue chapeau bas s'ils patronnent hypocrite-
70 ment des œuvres de bienfaisance, s'ils vont à la messe tous les dimanches et se laissent élire marguilliers. Nous avons eu le spectacle d'hommes politiques posant à toutes les vertus quand ils avaient tous les vices, invoquant le
75 ciel à tout propos quand ils n'y croyaient plus, léchant les crosses épiscopales qui menaçaient de leur casser les reins, par opportunisme et

lâcheté, abandonnant ceux qui les avaient aidés à arriver aux honneurs pour favoriser,
80 ensuite, leurs pires ennemis. Nous en sommes rendus à ce degré d'abrutissement et de fanatisme qu'un honnête homme exprimant franchement son opinion, si cette opinion n'est pas conforme aux enseignements reçus et accep-
85 tés, risque de compromettre gravement son avenir, heureux encore si on ne lui enlève pas le pain de sa famille, si on ne l'accuse pas des pires infamies. Tu te rappelles qu'au collège de Saint-Innocent on nous représentait les Anglais
90 et les Yankees comme des espèces de barbares s'enrichissant par le vol, n'ayant ni conscience ni moralité. Eh bien ! on nous trompait comme on trompe ce bon peuple depuis si longtemps pour mieux l'exploiter. Nos compatriotes
95 anglais, et particulièrement nos voisins des États-Unis, doivent leur richesse à leur esprit d'entreprise : ils sont plus avancés que nous parce qu'ils reçoivent une éducation progressiste, parce qu'ils ne repoussent et n'ignorent
100 aucun progrès, parce qu'ils ne dédaignent aucun moyen d'améliorer leur état social. Mon père est dans ces idées-là, il aime le progrès, tôt ou tard ça lui jouera quelque mauvais tour.

QUESTIONS

1 Quels thèmes abordés ici ont pu choquer l'establishment canadien-français ?

2 Comment Jacques considère-t-il ses compatriotes ?

3 a) Relevez les éléments qui permettent de tracer un portrait de Paul. Comment Jacques nous le fait-il voir ?

b) De quoi Jacques accuse-t-il implicitement beaucoup de ses compatriotes ?

c) Comment traite-t-on, selon Jacques, les hommes francs et honnêtes ?

d) Quelles différences l'auteur fait-il ici entre les Canadiens français et les Américains et les Britanniques ?

e) À quels signes voyez-vous que Jacques dénonce les travers de sa société ?

4 Jacques pose-t-il un regard lucide ou exagérément noir sur la société dans laquelle il vit ?

5 a) Arthur Buies, dans « Cléricalisme, colonialisme » (p. 70-71), et Arsène Bessette, dans l'extrait du *Débutant*, s'insurgent-ils contre le même déni des réalités sociales ?

b) Pensez-vous que la double vie que l'auteur décrit dans cet extrait existe toujours dans la société d'aujourd'hui ?

Jean-Charles Harvey (1891-1967)

Après des études classiques, un séjour de cinq ans chez les jésuites où il prononce ses vœux pour devenir prêtre, vœux auxquels il renonce finalement, et des études en droit à l'Université Laval, Jean-Charles Harvey choisit le métier de journaliste où il ne cessera d'affronter les autorités religieuses. Il travaille dans différents journaux montréalais, dont *La Presse*, avant de se lancer dans la rédaction d'un journal ouvrier. C'est dans ce travail que Harvey forge ses idées, qu'il défendra toute sa vie, sur le monde économique canadien-français et le système scolaire d'ici : le premier devrait se doter d'une main-d'œuvre qualifiée afin de concurrencer les États-Unis et le second, offrir autre chose qu'une formation d'esthètes en classiques grecs et latins. Après cette aventure ouvrière, Harvey revient à un monde journalistique plus habituel : il travaille au *Soleil* de Québec, journal du Parti libéral. Il y reste jusqu'à ce que son roman *Les Demi-Civilisés* fasse trop de vagues et le force à disparaître du paysage journalistique. En 1937, il fonde *Le Jour*, un journal antinationaliste, antifasciste, anticlérical et à tendance socialiste, bref, qui a tout pour déplaire aux épiscopats canadiens-français. En effet, Harvey y affirme haut et fort son désir de voir l'Église restreindre son champ d'action au domaine de la foi et se retirer une fois pour toutes des affaires de l'État.

JEAN-CHARLES HARVEY

■ LES DEMI-CIVILISÉS (1934)

Les Demi-Civilisés est le roman le plus connu de Jean-Charles Harvey. Alors rédacteur en chef du Soleil de Québec, l'auteur est bien au fait des rouages politiques et les expose au grand jour. Il dénonce aussi le fait que les industries d'ici appartiennent aux Américains et aux Britanniques, mais, plus encore, il accuse les autorités religieuses de maintenir la population dans la peur de tout ce qui n'est pas conforme aux normes qu'elles édictent, et de rendre ainsi la pensée critique et le libre arbitre quasi immoraux. Bien entendu, cette accusation ne plaît pas à l'évêque de Québec qui publie un interdit : « Il est donc défendu, sous peine de faute grave, de le publier, de le lire, de le garder, de le vendre, de le traduire ou de le communiquer aux autres. » Même si le roman se vend très bien hors du diocèse de Québec, Harvey paie cher son audace et son refus de se rétracter puisqu'il perd son poste au Soleil.

Max Hubert fonde la revue Le Vingtième siècle pour sortir des sentiers battus de l'idéologie bien-pensante. Entouré de collaborateurs valorisant la réflexion personnelle, il peut compter sur son ami Lucien Joly dont il admire la façon de penser inspirée des conseils d'un professeur d'université n'ayant toujours pas intégré les rangs de l'orthodoxie de l'époque.

Ce fils de paysan s'était forgé une morale et une philosophie à lui, mais sans dogmatisme. Un jour que je lui demandais le secret de sa forte logique, il m'expliqua :

5 — En quittant l'université, à l'âge de vingt-deux ans, un de mes professeurs laïques, Louis Latour, me prit à l'écart et me dit :

10 « Depuis trois ans que je vous suis pas à pas, je ne vous ai enseigné que ce que j'avais le droit de vous montrer, ici, dans ce milieu fermé, où l'on m'enlèverait mon gagne-pain si je m'écartais de certaines frontières. Vous comprenez ? Je ne vous ai pas tout appris. Dites-vous bien que vous ne savez rien et que tout l'effort d'une

15 vie ne suffirait pas à vous donner ce qui vous manque.

« C'est en sortant d'ici que vous commencez vos études, oui, vos études à vous, et non celles des autres. Vous devenez votre propre guide, et c'est 20 mieux pour vous, car vous avez de l'étoffe, vous êtes apte à tout comprendre, et il ne tient qu'à vous d'en profiter pour devenir quelqu'un dans la foule des médiocres que forment nos institutions de nivellement.

25 « Les idées, les opinions, les théories scientifiques, les dogmes et les histoires qu'on vous a inculqués pendant quinze ans, allez les chercher dans tous les recoins de votre cerveau, ramassez-les au râteau, faites-en un tas devant vous, puis, com- 30 mencez le triage. Examinez attentivement chacune de ces acquisitions, armez-vous d'une loupe, à la lumière du soleil, et mirez-les toutes une à une. Vous en verrez de saines, vous en verrez de nulles, vous en verrez de pourries. Ne 35 gardez que celles qui, selon vous, après un pénible effort de pensée, sont conformes à votre jugement et à votre raison. Rejetez tout ce qui froisse votre bon sens. Admettez loyalement ce qui convient à votre esprit. Condamnez le reste 40 au crible du doute ou au dépotoir de l'absurde. Quand vous doutez, ayez le courage d'en rester à votre doute jusqu'au jour où, peut-être, des lueurs nouvelles vous en délivreront. Le doute est d'ailleurs à la base même du savoir, puisqu'il

45 est la condition essentielle de la recherche de la vérité. On ne court jamais après ce qu'on croit posséder avec certitude. On vous a toujours dit : "Ne doutez pas!" Moi, je vous dis : "Doutez!" C'est la planche de salut de l'intelligence, c'est 50 la ligne de flottaison de l'être raisonnable. Créez en vous la belle et courageuse inquiétude qui vous épargnera la maladie du sommeil et vous conduira à des trouvailles splendides.

« La pensée, non pas la pensée des autres, mais 55 la vôtre, celle qui sort de votre âme comme la branche sort de l'arbre, fait la supériorité. Sans elle, aucune personnalité n'est possible. On vous dit parfois qu'il vous est défendu de penser librement. Les auteurs d'un décret aussi 60 infâme sont grandement coupables. On ne saurait mieux s'y prendre pour tuer la valeur individuelle au nom d'on ne sait quelle médiocrité collective qu'on encourage pour le seul profit d'une caste, sous le faux semblant de l'ordre, de 65 la tradition et de l'autorité. »

Ce discours de mon professeur fit sur moi une impression si profonde que chaque phrase s'est fixée en coulée de bronze dans mon esprit.

Je me suis délivré du réseau ténu des influences 70 qui comprimaient mon cerveau, de la nasse des imitations qui détruisaient mon action personnelle, de la buée des gaz qui empoisonnaient la respiration de mon âme. Je suis devenu moi-même…

QUESTIONS

1 Quels éléments chers à la pensée de Harvey trouvez-vous dans cet extrait des *Demi-Civilisés* ?

2 Quelle qualité permet de posséder une personnalité forte, selon le professeur Latour ?

3 a) À quoi comprenez-vous que le professeur n'a pas toute liberté de parole ?

b) Quelles métaphores Louis Latour utilise-t-il pour parler des connaissances acquises par un étudiant ? Qu'est-ce que cela indique sur sa conception de l'enseignement ?

c) Énumérez les conseils que Louis Latour donne à Lucien Joly. Qu'en comprenez-vous ?

d) Que représente la métaphore de la maladie du sommeil (l. 52) ?

4 Harvey trace-t-il un portrait exclusivement noir et pessimiste de la société ?

5 Pensez-vous que le doute et la remise en question soient acceptés dans la société québécoise actuelle ? N'y a-t-il pas des cas où la pensée commune semble la norme ?

Écriture littéraire

LE RÉCIT URBAIN

Dans cet exercice de créativité, vous allez écrire un récit urbain dans l'esprit de la première moitié du xxe siècle. Vous devrez pour cela faire appel à votre imagination et effectuer une petite recherche.

Procurez-vous un exemplaire d'un journal de votre choix et consultez la rubrique nécrologique. Parmi les photos de personnes décédées, choisissez quelqu'un qui a au moins quatre-vingts ans et inventez-lui une histoire. La consigne à respecter est la suivante : cette personne a quitté la campagne et est venue tenter sa chance en ville, dans les années 1930 ou 1940 ; elle a laissé un milieu rural très dur, terne et peu engageant afin d'améliorer son sort et de faire dans la cité l'expérience d'une vie plus trépidante.

Elle a dû toutefois affronter les difficultés de l'ajustement à la vie urbaine. Le reste vous appartient et rien ne vous empêche de choisir plus d'une photo et de recréer la vie d'un couple ou d'une paire d'amis.

Pour bien rendre le contexte et l'atmosphère de cette époque, vous devrez vous documenter en consultant, dans le confort de votre foyer ou dans les bibliothèques, les archives de Montréal, de Québec ou d'autres villes ou en visitant des musées virtuels comme le Musée virtuel du Canada et la Bibliothèque nationale du Québec. Avec un minimum de débrouillardise, vous aurez, avec Internet, accès à une foule de renseignements et d'illustrations. Votre récit devra faire de deux cents à trois cents mots.

Ringuet (1895-1960)

Après avoir complété une licence en médecine, Ringuet, de son vrai nom Philippe Panneton, séjourne en Europe pour se spécialiser. De retour, il pratique à Montréal et enseigne pendant plusieurs années à la faculté de médecine de l'Université de Montréal. En 1946, il entre dans la diplomatie. En 1947, il participe à la création de l'Académie canadienne-française dont la mission est de défendre la langue française et la littérature d'ici, tant sur le territoire québécois et canadien qu'à l'extérieur.

Ringuet commence sa carrière littéraire en lion avec *Trente arpents*, considéré par plusieurs comme l'apogée du roman de la terre, courant initié par *La Terre paternelle* de Patrice Lacombe en 1871. Très bien accueilli, *Trente arpents* remporte plusieurs prix dont celui de l'Académie française en 1939. Et pour cause : s'il pose un regard plutôt pessimiste sur ce que deviendra la société canadienne-française, Ringuet se garde bien d'attaquer de front ce qui la sclérose et présente plusieurs personnages profondément attachés à la terre. Bien écrit et bien structuré, *Trente arpents* appelle à une réflexion d'ensemble sur le Québec en montrant comment le rapport quasi symbiotique que les gens entretiennent avec la terre se modifie et les déchirements que ces changements provoquent.

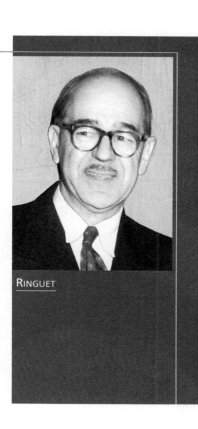

RINGUET

■ TRENTE ARPENTS (1934)

Trente arpents dépeint l'évolution d'une famille rurale qui, au contact de la modernité, voit s'effriter son patrimoine : Éphrem et Lucinda quittent la ferme paternelle et Étienne utilise les nouvelles technologies pour travailler ses champs. Euchariste Moisan, le patriarche, vit très mal les transformations de son univers. Profondément attaché à cette terre et à ses traditions, il jette un regard désespéré sur le sort de la société qui s'urbanise de plus en plus. Même s'il est devenu un paysan assez prospère pour envoyer son fils aîné étudier en vue de devenir prêtre, il se remet mal de la disparition de sa femme Alphonsine, morte en donnant naissance à la petite dernière.

Par une nuit d'été, un cousin éloigné, qui habite depuis longtemps aux États-Unis, arrive avec sa femme et son fils pour passer les vacances. C'est de la grande visite et les enfants en âge de veiller, Étienne, Éphrem et Lucinda, de même qu'Albert, l'homme engagé qui vient des « vieux pays », participent à la collation improvisée. Toute la famille Moisan découvre alors la vie américaine.

Quand on eut bien éclairci la parenté par des rappels de l'histoire familiale, Euchariste, mis un peu à l'aise, s'informa :

— Dis donc, ton nom, ton vrai nom de chré-
5 tien, c'est quoi ?

— J'ai été baptisé Alphée, mais aux États, i's peuvent pas prononcer des noms de même, ça fait que j'ai été obligé de les laisser m'appeler autrement. C'est Walter qu'i' m'appellent à
10 c't'heure.

Il faisait cette déclaration d'un ton amusé, comme pour montrer aux cousins du fond des campagnes québecoises qu'il faisait partie désormais de la nation américaine, de cette race
15 violemment vivante qui se façonne du trop-plein de toutes les autres nations, comme ces courtepointes bigarrées faites de retailles cousues à la fantaisie.

Mais il hésita un moment avant de continuer :

20 — C'est comme pour not' nom : Larivière, on l'a pas laissé se perdre, ben sûr. Mais le monde comprenait jamais. [...] En anglais ça fait Rivers, que ça veut dire la même chose. Larivière, Rivers, c'est tout de même pi du pareil.

25 — Ouais, mais avec ça t'es pu canayen pan-toute !

— Qu'est-ce que tu veux ! Aux États, *well*, faut faire comme aux États. Tout le monde fait de

même. Les Bourdon, ça fait Borden, et y a not'
30 voisin, un Lacroix, qui s'appelle Cross.

Mais cette fois, il avait parlé sans chaleur, avec même une certaine gêne. Car sûrement le nom de baptême vous appartient en propre ; et qui en change ne touche qu'à son bien. Mais chan-
35 ger son nom de famille, celui que l'on a hérité de toute la lignée des vieux, c'est un peu répu-dier les ancêtres et dépouiller tout ce que le passé familial a pu accumuler sur ce nom d'hon-neur, de tradition laborieuse, de continuité mal-
40 gré tout. Et si déjà le départ aux États-Unis était une façon de désertion, ce dernier abandon, il le sentait, était en quelque sorte un reniement comme celui de saint Pierre, et même une tra-hison, comme celle de Judas.

45 Et il n'y avait pas que le nom de Larivière que ce Normand canadien avait dépouillé en pas-sant la frontière. Alphée Larivière, devenu Walter S. Rivers, ne parlait même plus le fran-çais vieillot et bigarré des rives laurentiennes.
50 À part l'accent américain qui lui faisait pronon-cer les mots comme s'il eût eu de la glu dans la bouche, il lui venait couramment des mots étranges d'un anglais chichement francisé et que personne ne comprenait, pas même Albert, qui
55 pourtant était un homme instruit et qui con-naissait tous les mots qui existent en français. Quand il disait : « *Mon* grand fille Lily alle est *comme ouiveuse* dans une factrie sur la *Main.*

Alle *a* pas venu parce qu'alle *doit marier* un *boss*
60 de *gang* du Ruthland », Moisan n'osait pas dire
qu'il n'y entendait goutte.

Pour détourner la conversation, il demanda :

— Pourquoi c'est que t'as pas amené les autres
petits Larivière ?

65 Il ne pouvait tout de même pas les appeler des
Rivers !

— Y en a pas d'autres. Rien que Lily et Billy.

— Quiens ! demanda Moisan naïvement. C'est-
y que ta femme est malade ?

70 « Rivers » se mit à rire bruyamment et traduisit
à Grace qui ouvrit des yeux stupéfiés, puis con-
vertit une immense envie de rire en une grimace
mi-sourire, mi-mépris.

— *Well*, cousin, on trouve que c'est assez de
75 deux, un *boy* pi une fille.

— Moé itou j'aurais p't'êt' aimé autant pas en
avoir treize. Mais on mène pas ça comme on veut.

— Damn it ! ma femme pi moé on a décidé de
mettre les *brékes*, déclara-t-il péremptoirement.

80 Moisan se tut, déconcerté, gêné. Comment
pouvait-on parler ouvertement de pareilles

choses ? Il n'avait pas compris le mot. Mais pour
lui il n'était pas douteux qu'il s'agît là de
quelqu'une de ces pratiques monstrueuses
85 dont M. le curé avait parlé un jour à la retraite
des hommes et qui ont pour but d'empêcher
de s'accomplir les desseins de la Providence. Il
détourna un peu les yeux.

La femme d'Alphée était assise à la table où
90 Lucinda avait improvisé un réveillon et près
d'elle s'était glissé Éphrem. Il la regardait de
côté, sournoisement, toute audace perdue devant
cette femme d'une espèce différente ; détaillant
à petites œillades furtives le visage aux yeux gris
95 un peu troubles, la bouche mince et équivoque,
la poitrine affichée où, lorsqu'elle se penchait
pour boire son bol de thé, la blouse décolletée
ne cachait plus les choses secrètes. Grace, par
moments, levait sur lui des yeux amusés et
100 avertis qui abattaient précipitamment les siens.
Tout de suite ces deux-là avaient commencé de
s'entendre ; elle, attirée par sa force visible de
rustre solide qu'elle devinait audacieux sous des
dehors de bête domptée ; lui, retrouvant en elle
105 tout ce qui, de la femme, lui paraissait le plus
désirable au monde : des vêtements qui ne soient
pas de travail, une conversation qui ne soit pas
de la terre, des soucis qui ne soient ni des bêtes

ADRIEN HÉBERT (1890-1967).

Rue Saint-Denis, 1927. (Huile sur toile, 190,6 × 138,2 cm.
Musée national des beaux-arts du Québec.)

Adrien Hébert fait figure de pionnier en témoignant de l'urbanisation du Québec. Ce tableau capte l'atmosphère qui régnait
dans le Montréal de l'entre-deux-guerres. Le point de vue sur
la rue Saint-Denis à partir du sud permet de distinguer le clocher de l'église aujourd'hui intégré dans l'édifice de l'Université
du Québec à Montréal. Par l'usage de couleurs complémentaires, Adrien Hébert attire le regard du spectateur sur deux femmes élégamment vêtues, qui marchent librement et semblent
habituées « à vivre au contact d'hommes divers ». Comme le personnage de Grace mis en scène par Ringuet, elles illustrent à
la perfection la vie citadine et tranchent avec l'image de la
femme proposée dans la littérature du terroir.

110 ni des moissons. Il sentait surtout en elle la femme habituée à vivre au contact d'hommes divers, à sentir leur désir peser sur sa poitrine et lui serrer les hanches, et à lutter constamment contre lui. Il la croyait capable d'y céder sans hésitation, par un acte formel de consen-115 tement, et non par terreur ou par simplicité, comme celles qu'il avait eues jusqu'ici. Telle

était du moins l'idée qu'il se faisait des femmes étrangères.

Entre eux s'était engagée l'éternelle joute qui 120 ne pousse les sexes l'un vers l'autre que pour les faire se fuir aussitôt, cette lutte qui dans la ville remplace celle, plus directe, de l'homme contre la terre, femme aussi, et jamais soumises entièrement l'une ni l'autre.

QUESTIONS

1 Relevez les éléments qui font de *Trente arpents* un roman à la frontière entre la volonté de garder les traditions et le désir d'une vie différente.

2 Quelle perception a-t-on de ceux qui ont décidé d'aller vivre aux États-Unis ?

3 a) Pourquoi Euchariste est-il mal à l'aise au début de l'extrait ?

b) Comment le cousin présente-t-il les manières des États-Uniens et que ressent-il en le faisant ?

c) Quels éléments montrent que vivre aux États-Unis modifie la culture d'origine ? Ces changements sont-ils importants ?

d) Comment Euchariste Moisan réagit-il aux propos de son cousin qui dénotent son changement de mentalité ?

e) Comment l'auteur s'y prend-il pour montrer ce qui distingue Grace, l'Américaine, des femmes canadiennes-françaises ?

4 La vie américaine semble-t-elle attirante ?

5 a) Le désir d'une vie différente est-il le même dans l'extrait de *Maria Chapdelaine* que dans celui-ci ?

b) Selon vous, Alphée Larivière a-t-il dû faire des concessions pour aller vivre aux États-Unis ? Pensez-vous que tous les émigrants en font ?

GERMAINE GUÈVREMONT

Germaine Guèvremont (1893-1968)

Germaine Guèvremont est née dans une famille aisée pour qui l'éducation des filles est importante. Elle fait donc des études primaires et secondaires chez les sœurs et complète sa formation à Toronto, en apprenant l'anglais et le piano. En 1916, elle épouse Hyacinthe Guèvremont, avec qui elle a cinq enfants. En 1926, l'avant-dernière de ses filles, Lucille, meurt à l'âge de quatre ans. Pour surmonter sa peine, Germaine Guèvremont se lance dans le journalisme. Claude-Henri Grignon, son cousin, l'incite à écrire des contes paysans où les mêmes personnages reviennent. De ces contes, elle tire le recueil *En pleine terre* (1942). Après cette publication, elle se met à correspondre assidûment avec Alfred DesRochers, qui lui conseille de s'attaquer au roman. Elle écrit alors *Le Survenant*, qui paraît d'abord au Québec puis à Paris. Ce roman vaut rapidement à son auteure la consécration : la Société Saint-Jean-Baptiste de Montréal lui remet le prix Duvernay en 1945, la province de Québec, le prix David en 1946 et l'Académie française, le prix Sully-Olivier de Serres la même année. En 1947, Guèvremont publie *Marie-Didace*, la suite du *Survenant*. En 1950, ces deux romans sont traduits et édités à New York et à Londres. Guèvremont en rédigera plus tard les versions radio et télévision.

■ LE SURVENANT (1945)

Dans ce roman, l'étranger s'introduit dans un milieu rural fermé sur lui-même, ce qui provoque chez certains le désir de voir au-delà de leur région immédiate et chez d'autres la volonté de se défendre contre ce vent de changement. L'autre, l'étranger, acquiert ainsi une dimension mythique.

Un soir, un jeune homme s'arrête à la maison des Beauchemin, au Chenal du Moine, près de Sorel; il demande l'hospitalité contre le travail qu'il fera sur la ferme, le temps dont on aura besoin de lui, le temps qu'il voudra bien rester. Le chef de la famille Beauchemin, Didace, accepte cet homme aux cheveux roux qui ne veut pas dire son nom. Rivés à leur terre, les gens du Chenal du Moine n'aiment pas beaucoup les étrangers et encore moins ce qui vient rompre le rythme de leur vie bien réglée. Le Survenant se fait donc plus d'ennemis que d'amis. Parmi ses amis, Angélina Desmarais devient vite amoureuse de ce « grand dieu des routes » qui ne l'a jamais, lui, appelée la boiteuse. Mais, même si elle a beaucoup à offrir, puisqu'elle est la fille unique de David Desmarais, un cultivateur prospère, Angélina n'arrivera pas à retenir cet aventurier d'abord épris de liberté. Dans l'extrait suivant, Angélina et le Survenant se promènent en carriole; leurs réactions différentes lorsqu'ils croisent un campement de gitans montrent à quel point leurs mentalités se distinguent.

Après avoir traversé au pas la ville de Sorel, le cheval, sous la conduite du Survenant, s'engagea dans le chemin de Saint-Ours. Tout à coup il fit une embardée. Près d'une roulotte aban-
5 donnée dans le champ, un couple de bohémiens, vêtus de hardes de couleurs vives, se caressait, sur le talus, au bord de la route.

Angélina rougit :

— Regarde-moi donc ces campions…

10 — Quoi ! s'ils s'aiment…

— Raison de plus ! Je comprends pas que…

— Quoi, encore ?

— Qu'il y en ait pour qui l'amour soye… rien que ça.

15 L'air soudain attristé, le Survenant regarda ailleurs et marmonna :

— Faut jamais mépriser ce qu'on comprend pas. Peut-être qu'avec tout le reste, ce rien-que-ça, il y en a qui peuvent pas l'avoir.

20 Attristée à son tour de la tristesse inexplicable du Survenant, Angélina se tut. Ils allèrent ainsi, silencieux, côte à côte, si près qu'ils sentaient la chaleur de leurs bras à travers les vêtements, mais éloignés à des lieues par la pensée. Passé
25 la maison du gouverneur, ils virèrent de bord pour retourner au Chenal. Devant le campement de bohémiens, la jeune *gipsy*, maintenant seule, sourit au Survenant. De ses longs yeux pers, de ses dents blanches, de tout son corps
30 félin, elle l'appelait. Sans un mot il mit les guides dans les mains d'Angélina et sauta en bas de la voiture.

Abandonné à sa seule fantaisie, le cheval arracha d'abord un bouquet de feuillage à un arbris-
35 seau puis avança, pas à pas, en rasant l'herbe douce, à la lisière du chemin. Non loin de là une vieille bohémienne trayait une chèvre tout en parlant avec volubilité à une jeune femme occupée à laver un bébé dans une cuve.
40 Nu-pieds, en guenilles, deux gamins pourchassaient autour de la roulotte un chien jaunâtre, marqué de coups. Trois chevaux maigres, si maigres qu'on aurait pu compter leurs côtes — de vraies haridelles — assistaient impassi-
45 bles à la course. L'œil somnolent, la mâchoire baveuse, ils ne remuaient la queue ou la crinière que pour éloigner les mouches acharnées à leur carcasse.

— Ah! les campions de maquignons! pensa
50 avec mépris Angélina. Ils auront besoin
d'engraisser ces chevaux-là avant de les passer
aux gens du Chenal…

Mais au cœur d'Angélina, le temps ne filait pas
vite. Les minutes avaient la durée des heures.
55 Pourquoi le Survenant s'attardait-il ainsi auprès
de la *gipsy*? Si la première passante peut, d'un
regard en coulisse, d'un sourire effronté, d'un
déhanchement exercé, retenir un homme, ce
rien-que-ça a donc tant de prix à ses yeux? À
60 quoi sert alors à une fille qui ne l'a pas en partage d'être sage, dévouée, fidèle à son devoir?

Angélina ne comprenait plus rien. Ce qu'elle
avait cru une honte, une servitude, une pauvreté du corps, le Survenant en parlait comme
65 d'une richesse; une richesse se complétant
d'une richesse semblable cachée en un autre
être, quoi? Ses yeux s'ouvraient à la vie. Maintenant, la richesse lui apparaissait partout
dans la nature. C'est donc elle la beauté qui épa-
70 nouit une fleur sur la tige, à côté d'une corolle
stérile? Et encore elle, la joie qui donne à un
oiseau son chant, à l'aurore, près d'un oiseau
silencieux et caduc, sur la branche? Est-ce elle
la nostalgie qui rend plus farouche la louve
75 solitaire et la retient sur la sente où son compagnon succomba au piège de l'homme? C'est
elle qui, par les nuits trop douces, pousse la
bête à clamer en hurlements à la lune la peine
et l'inquiétude en ses flancs? Mais pourquoi les
80 uns en possèdent-ils le don et d'autres l'ignorent-
ils? Source vive, aux lois mystérieuses dont seul
le Créateur a le secret…

Angélina tourna la tête et affecta de se perdre
en contemplation devant le Petit Bois de la
85 Comtesse, mais, d'un regard oblique, elle pouvait apercevoir le couple. Penchée au-dessus,
la bohémienne examinait la main du Survenant
qu'elle tenait près d'elle.

— Flatter la main du Survenant, sa grande
90 main en étoile, faut pas être gênée! pensa Angélina avec une indignation mêlée de regret.

Mais quelle machine infernale s'avançait à une
allure effrénée sur la route, dans un nuage de

PRUDENCE HEWARD (1896-1947).
Jeune femme au chandail jaune, 1936.
(Huile sur toile, 116,2 × 122,2 cm.
Musée des beaux-arts du Canada.)

La peintre montréalaise Prudence Heward a marqué l'art moderne au Québec. Comme tous les
artistes du *Groupe du Beaver Hall* elle nourrit
l'ardent désir d'innover et connaît l'apport indéniable du travail formel des peintres du célèbre
Groupe des Sept. Cela se reflète notamment
dans ses audaces chromatiques et ses perspectives parfois singulières. La *Jeune femme au
chandail jaune* propose une nouvelle image de
la femme, à rapprocher de la bohémienne de
Germaine Guèvremont. Présentée en gros plan,
dans des vêtements légèrement moulants qui
soulignent bien la grâce de sa silhouette, la jeune
femme, quelque peu songeuse, semble hésiter
un moment entre deux mondes: derrière elle,
celui qu'elle quitte et, devant, invisible au spectateur parce qu'il est extérieur à l'œuvre, cet
« ailleurs » qui l'appelle et qui capte son regard.

95 poussière et un tintamarre effrayant ? Une automobile ! Angélina se précipita sur les guides.
Trop tard cependant. Le Blond, rétif, se cabrait,
cherchait à sortir des brancards et à tout casser.
« Voyons ! Le Blond ! » Angélina ne savait plus
comment le maîtriser. « Fais pas le fou, le Blond,
100 je t'en prie ! » Allait-il se jeter dans le fossé ou
renverser la voiture et partir à la fine épouvante ?

— Le Blond !

Heureusement le Survenant bondit comme par
enchantement. Il saisit le cheval à la bride et
105 d'une poigne dure le maintint tranquille : l'étrange
véhicule fonçait près d'eux.

Le cœur encore battant d'émoi, Angélina regarda
filer l'auto, mais elle n'entrevit que le dos de
deux femmes qui lui parurent élégantes, coif-
110 fées de bonnettes de soie tussah, laissant flotter
au vent de longues écharpes de tulle illusion,
bleu Marie-Louise.

Le Survenant reprit sa place à côté d'Angélina
et ils se remirent en route vers Sainte-Anne.

115 — Tu sais pas la grande nouvelle ? demanda
aussitôt Venant tout excité. Il y a un cirque qui
vient à Sorel à la fin de la semaine. Ah ! va falloir

que j'y aille à tout prix. Un cirque ! Tu y penses
pas ?

Un cirque ! Le Survenant regarda défiler en soi
120 la parade, au son de fanfares claironnantes : des
bouffons tristes en pirouettes, les paupières fen-
dues horizontalement d'un trait de *khôl*. Une
cavalcade de *cow-boys*. Un nain malmène un
géant. Des écuyères, la taille sanglée dans des
125 oripeaux aux couleurs impossibles, sourient,
sur des chevaux qui se cambrent. Grimpée sur
un carrosse rose et tout doré qu'on a assurément dérobé à un conte de fées, la reine de
la voltige envoie des baisers. Puis ondule la lon-
130 gue vague grise des éléphants à la queue-leu-
leu. Un phoque savant et vertical, dans sa robe
luisante, cherche à faire la belle. Les singes à
panache et à veston bigarré jouent des tours
au lion. Toute la jungle. Et le *Far West*. L'Asie.
135 L'Afrique. Le monde. Le vaste monde. Et puis
la route…

— C'est-il gratis ? questionna Angélina.

Le Survenant se réveilla : il revenait de loin et
ne put réprimer un long éclat de rire. Angélina
140 prononçait : grati. Ah ! la Normande qui pense
toujours à ses sous !

QUESTIONS

1 À quels signes voyez-vous que la vie canadienne-
française se modifie ?

2 Quelle image d'Angélina cet extrait renvoie-t-il ?

3 a) Comment Guèvremont décrit-elle les bohémiens ?
Qu'est-ce que cette description vous indique au
sujet d'Angélina ?

b) Angélina se pose beaucoup de questions pendant que le Survenant est avec la *gipsy*. Sur quoi
s'interroge-t-elle ? Qu'est-ce que cela vous révèle
sur Angélina ?

c) Quelle conception l'auteure présente-t-elle de la
modernité, représentée ici par la voiture et ses
occupantes ?

d) Que symbolisent les gitans et le cirque pour le
Survenant ? Repérez les éléments qui vous indiquent ce qu'il ressent.

e) En tenant compte du contexte de l'époque, dites
ce que signifie la phrase du Survenant : « Peut-être
qu'avec tout le reste, ce rien-que-ça, il y en a qui
peuvent pas l'avoir. » (l. 18-19).

4 Est-ce que les univers d'Angélina et du Survenant se
heurtent dans cet extrait ?

5 a) L'autre est-il une menace dans *Trente Arpents*
(p. 130-132) et dans *Le Survenant* ?

b) Qui est l'autre aujourd'hui pour vous ? Est-il
toujours menaçant ?

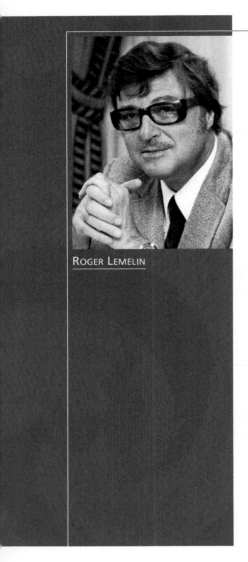

ROGER LEMELIN

Roger Lemelin (1919-1992)

Roger Lemelin doit interrompre ses études en huitième année pour gagner sa vie et aider sa famille que la crise économique met dans l'embarras. Après la parution de ses deux premiers romans, *Au pied de la pente douce* (1944) et *Les Plouffe* (1948), il devient journaliste, notamment pour les magazines *Time* et *Life*. En 1953, il obtient une bourse de la fondation américaine Rockefeller qui lui permet de rédiger une version télévisée de son deuxième roman, *Les Plouffe*. Pendant près d'un demi-siècle, ce roman remporte un succès qui ne se dément pas, que ce soit à la radio qui en présente les épisodes d'abord de 1952 à 1955, puis de 1961 à 1967, à la télévision, où la série attire près de quatre millions et demi de téléspectateurs dès sa deuxième année de diffusion, ou au cinéma dans l'adaptation qu'en proposera Gilles Carle en 1981. De 1972 à 1981, Lemelin profitera de son travail d'éditeur et président de *La Presse* pour analyser la vie politique et sociale de son époque. Il reviendra à la littérature en 1979, avec un recueil d'essais intitulé *Les Voies de l'espérance* et, en 1982, avec *Le Crime d'Ovide Plouffe* dont Gilles Carle réalisera une version filmique.

Une mauvaise blessure à une jambe a forcé Lemelin, adolescent, à se cantonner chez lui. Il aurait alors décidé de consacrer sa vie à l'écriture. Son désir de marquer la littérature canadienne-française le pousse à rechercher une certaine qualité littéraire en retravaillant le manuscrit d'*Au pied de la pente douce*, sous la supervision du critique littéraire et éditeur reconnu de l'époque Albert Pelletier. Avec ce roman, Lemelin est l'un des premiers à faire entrer véritablement la ville dans l'univers romanesque canadien-français sans en brosser un portrait exagérément sombre et malsain. Lemelin peint un monde grouillant de vie où s'opposent les différentes classes sociales divisant la ville de Québec des années 1940. S'il n'innove pas dans sa facture, traditionnelle, il se démarque et dérange en présentant sans complaisance la réalité des Canadiens français vivant en ville.

■ AU PIED DE LA PENTE DOUCE (1944)

Dans son premier roman, Lemelin ouvre la voie à une littérature urbaine ; sur un ton humoristique, il décrit en les dédramatisant les nombreuses difficultés de la vie des citadins. Les critiques ont vu dans Au pied de la pente douce *une œuvre « révélatrice de la jeune génération », et accrédité ce faisant la démarche littéraire de Lemelin, qui a d'ailleurs remporté, en 1946, le prix David pour ce roman, ex æquo avec Germaine Guèvremont pour* Le Survenant.

Dans la ville de Québec, le quartier Saint-Sauveur est habité par des gens qui travaillent dans les usines. Deux communautés s'affrontent, les Mulots, de simples ouvriers, et les Soyeux qui acquièrent une vie meilleure, en s'éduquant ou en devenant marguilliers de la paroisse. Deux jeunes amis, Denis Boucher, le seul de la famille à qui l'on a réussi à payer des études de sténographe, et Jean Colin, qui travaille dans une

manufacture de souliers, sont poursuivis par les policiers pour un vol de pommes ;
Lise Lévesque, fraîchement sortie du couvent, cache Colin dans un garage. Le jeune
homme en est tout retourné. Quelques jours plus tard, il se blesse un genou en tentant
de voler des prunes pour la remercier. Comme il ne soignera jamais sa blessure,
son genou mal en point durant près d'un an se met à enfler. Cela devient l'occasion
pour tous les gens du quartier de se réunir et surtout de s'affronter.

Et Jean, assailli par des guérisseurs d'occasion, se débattait, impuissant, contre ce genre d'ennemis. De la rue on entendait ses jurons, les supplications de Barloute[1] humiliée, pour
5 le faire taire. Le genou enflé de Jean avait fait le tour de la paroisse. C'était à qui imposerait sa recette de guérison. Rien n'intéresse les Mulots comme les membres démis, les fractures d'os qui permettent d'évoquer les exploits de rebou-
10 teurs célèbres, les procès intentés en vain par les médecins impuissants à ces guérisseurs géniaux. Cependant, les Soyeux croyaient plus facilement aux miracles.

Les demoiselles Latruche ne tenaient pas à lais-
15 ser s'enfuir une occasion de s'imposer dans une paroisse où la noblesse de leur apostolat était ternie par les racontars d'une Pritontin déchue. Enfin, on tenait un genou enflé qui ne guérissait pas. Elles avaient donc volé chez Colin, armées
20 de photos bénites de leur petit saint. Barloute, ainsi assaillie et qui se défendait mal contre l'embarras respectueux que lui imposaient ces sèches vierges évoluées en thaumaturges, sup- pliait son fils de se contenter des secours du
25 ciel, puisque Tit-Blanc[2] refusait ceux du méde- cin. Cécile et Peuplière, qui ne semblaient pas entendre les protestations de Jean, s'affairaient avec un zèle d'accoucheuses de la chambre au poêle, où se réchauffait la flanelle qui presse-
30 rait l'image bénite contre l'articulation malade. La cuisine était remplie d'acolytes bénévoles que le spectacle gratuit d'un miracle possible enthousiasmait. Quelle merveilleuse occasion pour les vieilles filles de redresser leur prestige

35 par un éclatant miracle paroissial ! Il y avait assez longtemps que les méchantes langues, activées par les démangeaisons envieuses qui convulsionnaient celle de madame Pritontin, insinuaient que l'ascète paroissial[3] négligeait ses
40 connaissances, et que, dédaigneux de sa race jusqu'à la moëlle de ses vertus, il guérissait plu- tôt les bobos anglo-saxons. Allez voir la vitrine des Latruche : elle regorge d'ex-voto anglais. Pendant que, chez les Colin, des conciliabules
45 bruyants se tenaient entre Cécile et Peuplière, pour savoir qui des deux apposerait l'image sur le genou du malade, ou s'il faudrait recourir à une femme mariée, les Mulotes sceptiques, au dehors, dépitées de n'avoir pu entrer au spec-
50 tacle, prédisaient l'échec de la photo. Elles étaient trop coriaces pour croire à un saint sorti du ventre d'une Soyeuse. Vive les remmancheurs !

— La v'là ! Bonjour madame Trousseau ! cria madame Pritontin en courant au devant de son
55 invitée.

La guérisseuse s'avançait, glorieuse, aux côtés du père Pitou, qui l'était allé chercher à l'arrêt des tramways. L'inconnue, auréolée de son passé fourmillant de guérisons extraordinaires, ser-
60 rait avec hauteur les mains des bonnes femmes qui lui demandaient son adresse au cas où une fracture tomberait sur la famille, ou un cancer. On touchait à sa robe avec respect, on était tra- versée par un courant d'admiration pour cette
65 créature qui se contentait de n'être que supra- terrestre, incarnait un surnaturel qu'on préférait à l'autre, si exigeant pour les pauvres bougres.

---

1. *Barloute* : surnom de la mère de Jean.
2. *Tit-Blanc* : surnom du père de Jean.
3. *ascète paroissial* : jeune homme de la paroisse, mort jeune, dont les deux vieilles filles veulent faire un saint qui guérit les maladies et les âmes.

70 Le regard qui parcourait le long corps desséché de madame Trousseau avait l'impression de gravir une échelle. Ses formes de jeune fille, auxquelles elle avait trop tenu, semblaient s'être ossifiées, et cela hérissait de saillies son inter-

75 minable personne contenue par de longues ridelles verticales, ses bras, ses jambes, ses pieds écartés, ses côtes proéminentes, sa bouche. Et quand elle prenait le ton doctoral du pronostic, ses lèvres, dont la ligne semblait tirée à l'infini, se ramassaient en une cédille pour en souligner l'importance. Quelle ennemie pour

80 les Latruche! Les incantations et les cataplasmes, qui l'avaient bardée de renommée, lui conféraient un dynamisme qui anéantirait les Latruche, dont l'infériorité consistait à avoir besoin d'un adolescent joli, mort et pieux.

85 La guérisseuse, escortée de la Chaton, de la Langevin, du vieux Pitou, fit irruption dans la chambre du malade, où les vieilles filles, secondées par Barloute et les voisines impatientes, tentaient de convaincre un Jean obstiné à ne pas

90 se laisser apposer l'image du jeune saint. Madame Trousseau toisa son monde, brisa le silence gêné de sa voix aiguë, autoritaire.

— Où ce qu'il est le genou qu'on me parle?

Les vieilles filles la toisèrent.

95 — Le saint est à l'entreprendre. Est-ce que ça vous regarde?

Madame Chaton gonfla sa poitrine. Elle avait l'honneur de dévoiler l'éminente personnalité de la visiteuse. L'échelle Trousseau apparaissait,

100 attendait l'explosion d'excuses.

— Reconnaissez Pulchérie Trousseau. C'est elle qui a sorti le cancer de madame Letiec.

— Oui, une sorcière de fond de cour. Vous péchez contre le premier commandement de

105 Dieu.

Peuplière s'était avancée, frémissante de colère. La guérisseuse la toisa.

— Quoi, les Catherines, on est jalouse de mon don? Regardez!

110 Jean n'eut pas le temps de repousser Pulchérie Trousseau. Elle avait arraché les couvertures,

tenait le genou dans ses mains ossues, le sondait, semblait l'évaluer.

— C'est quinze piastres si je le guéris, rien si

115 je ne le guéris pas.

Cécile Latruche, comme toujours, fut déplorable.

— C'est pour rien, nous autres.

L'échelle Trousseau sembla se défaire. Elle eut

120 un rire hilarant.

— C'est ben la première fois que le ciel ne charge rien.

Malgré ses larmes, Jean rit avec les assistants. Les demoiselles Latruche sortirent, pâles de

125 rage, et jetèrent un regard incendiaire sur Barloute désolée. Madame Trousseau, forte de son succès, ne laissa pas le temps à Tit-Blanc de soupeser le marché, car il ne tiendrait pas à ce que la guérison de son fils lui coutât $15.

130 — Si ces femmes-là s'étaient pas en allées, je sens que mon don n'aurait pas marché. Vous avez vu ma fleur du lit? C'est une fraise.

Les spectatrices croisèrent les mains, enthousiasmées. Le vieux Pitou gloussait et sa pipe

135 perdait son tabac. Tit-Blanc ne disait rien, soupçonneux. Avec solennité, la main Trousseau releva sa jupe, baissa son bas avec le geste commercial du voyageur qui étale sa marchandise. Une cuisse jaune de colimaçon mal lavé appa-

140 rut dans son inoffensive nudité, maculée par une sorte d'excroissance brune, ratatinée et qu'à vingt ans, Pulchérie appelait sa « fraise ». Le Père Pitou approcha son nez fureteur en hochant la tête en signe d'approbation. Dans le temps,

145 ç'avait dû être de la vraie belle cuisse. La Chaton n'en revenait pas.

— On dit que vous êtes la septième des filles de file?

— Oui, madame Chose. Quand M. le curé a

150 appris la chose, il m'a donné le don de guérir les maladies que le bon Dieu voulait me voir guérir. Pensez que les docteurs m'en veulent. Et silence! Qu'on ne dise pas que je suis venue ici. Les jaloux!

155 — À c'te heure, les curés sont moins «blood», ça ne se donne plus, coupa Tit-Blanc, sceptique.

— Entre nous autres, y voudraient en avoir des saints comme dans l'ancien temps. Aujourd'hui, ça se fait pu. Avec les théâtres, les bas de soie !

160 Elle bavardait, pour faire oublier à Tit-Blanc ses hésitations, et le forcer à croire qu'il avait dit oui. Elle se mit à déballer ses herbes, son livre à incantations sous les yeux des spectateurs béats. Cauteleuse, elle s'avança vers Jean. Le 165 vieux Pitou approcha son tabouret du lit, comme pour assister à une bataille de coqs. Le malade, dont la rage bourdonnait dans la fièvre, se préparait à se défendre de sa jambe disponible.

170 — Mon petit, il faut te laisser faire. Je veux ton bien.

— Je veux un médecin. Allez-vous-en ! Denis ! Denis !

Il bavait, haletant. Ah ! qu'était devenu son bon-
175 heur laissé dans la chambre par la visite de Lise ?

— Jean, sois poli, au moins ! gronda Barloute, humiliée.

Soudain, on frappa. « Encore un colporteur juif ». Tit-Blanc ouvrit, rageur.

180 — Vous, docteur Boutet ?

— Mon Tit-Blanc. Quelqu'un qui ne va pas ? Ta femme, hein, coquin !

Le jeune médecin riait de toutes ses dents, racontait à Tit-Blanc ébahi que les demoiselles Latruche 185 payaient la visite. Il remarqua à peine une grande créature en forme d'échafaudage qui s'enfuyait, son chapeau sur les yeux, affolée. Dehors, le rire sarcastique des vieilles filles coupa l'air.

— C'est mon gars, docteur, qu'a le genou ben 190 gros, fit Tit-Blanc, rasséréné.

— Où est-il, ce malade, que je l'achève ?

Le jeune homme s'approcha du lit de Jean, jovial. Un grand cri de joie retentit.

— Docteur ! Merci.

195 Le docteur Boutet, intrigué, demanda d'être laissé seul avec le malade. Le vieux Pitou s'en alla en bougonnant. Le médecin, c'était la ruine, la mort. Les Mulots avaient plus besoin de surnaturel que de science. Un homme à St-Joseph, 200 surtout, le savait : M. le curé.

QUESTIONS

1 De quelle façon la religion est-elle présentée ?

2 Quelle image l'auteur propose-t-il ici de la vie de quartier ?

3 a) Relevez la façon dont se comporte Jean. Comment pouvez-vous le qualifier ?

b) Pourquoi la maladie de Jean est-elle un événement dans le quartier ?

c) Comment les deux sœurs Latruche se comportent-elles ? Et la guérisseuse ? Y a-t-il une évolution dans leurs comportements ? Que traduisent-ils ?

d) Relevez les occurrences des gens du quartier en tant que groupe. Quel est leur rôle ?

e) À quoi voyez-vous la naïveté des Soyeux comme des Mulots ? Comment certains personnages en viennent-ils à aller chercher le médecin ?

4 Peut-on dire que les gens de la ville ont encore des comportements associés à la vie à la campagne ?

5 Y a-t-il encore aujourd'hui des convictions qui vous semblent farfelues ? Donnez-en des exemples. Expliquez ce qui, selon vous, pousse les gens à y croire.

Art et littérature

LES FÊTES RELIGIEUSES

Avec cette toile, Jean-Paul Lemieux nous transporte dans une époque où la vie, au Québec, était ponctuée par les fêtes religieuses. La Fête-Dieu est une fête catholique célébrée soixante jours après Pâques en l'honneur de l'Eucharistie. Soulignée avec faste et éclat, cette fête était l'occasion de faire une procession dans les rues de la ville et monopolisait l'attention de toute la population. Dans cette œuvre colorée qui rappelle l'art naïf, Lemieux représente la ville de Québec en contre-plongée. D'un seul regard, le peintre embrasse la totalité de l'espace. L'œil du spectateur suit le ruban sinueux des personnages qui part de la cathédrale de Québec pour s'étirer jusqu'à la petite église de la Place Royale. La diversité des gens rappelle le tableau plein de vie que Lemelin dépeint dans son œuvre.

JEAN-PAUL LEMIEUX (1904-1990).

La Fête-Dieu à Québec, 1944.
(Huile sur toile, 152,7 × 122 cm.
Musée national des beaux-arts du Québec.)

- Comment le peintre illustre-t-il la diversité des gens qui composent la foule bigarrée des spectateurs ?

- Malgré son aspect naïf, cette toile compte certains éléments réalistes. Quels sont-ils ?

- Cette œuvre de Lemieux et le texte de Lemelin semblent opposer des aspects rationnels et des croyances populaires. Expliquez.

LEVER LE VOILE SUR L'INTIMITÉ AU FÉMININ

LA SOCIÉTÉ QUÉBÉCOISE du début du XXᵉ siècle n'accorde que bien peu de place aux femmes. Bien qu'elles revendiquent sans relâche le droit de vote au Québec, ce n'est qu'en 1940 qu'elles finissent par le gagner à l'arrachée, le clergé craignant qu'il ne favorise une émancipation trop rapide et trop grande qui ne manquerait pas d'amoindrir l'importance de la foi dans les familles. Soumises à leurs maris, la majorité des femmes sont confinées aux tâches ménagères et à l'éducation des enfants. En 1931, elles obtiennent le droit de gérer elles-mêmes leur salaire, mais ce n'est qu'en 1964 que la loi reconnaîtra la femme mariée comme l'égale de l'homme dans la direction de la famille. Henri Bourassa, fondateur du journal *Le Devoir* et député, tient en 1918 un discours antiféministe où il prédit que « poussé à ses fins logiques, [le féminisme] aboutira à la destruction de la famille, à la désorganisation de l'ordre social, à la dégradation de la femme elle-même […] ».

En littérature, les femmes sont reléguées aux pages féminines ou encore à la littérature enfantine. Il faut attendre les années 1930 pour qu'une nouvelle génération de femmes créent quelques remous. Deux femmes ressortent par les thèmes qu'elles évoquent – la mère célibataire et le désir charnel –, la façon dont elles les abordent et leurs références implicites ou explicites à des auteurs romantiques : Jovette Bernier et Medjé Vézina.

Jovette Bernier (1900-1981)

Fille de menuisier, Jovette Bernier a toujours été une femme autonome. Après des études à l'École normale des Ursulines de Rimouski, elle a enseigné dans cette région avant de déménager à Québec. Non seulement ne s'est-elle jamais mariée, mais elle a mené une vie que certains de ses contemporains trouvaient légère. Journaliste dans différents journaux et revues de l'époque, autant en région qu'à Montréal, elle a aussi beaucoup écrit pour la radio et la télévision.

Comme plusieurs, Bernier débute par la poésie et écrit trois recueils marqués par les thèmes de l'amour, du désir et de la désillusion chers aux romantiques. Progressivement cependant, elle se détache de cette influence pour s'ouvrir à un « je » féminin qui cherche à découvrir son identité. Dans *Tout n'est pas dit* (1928) plus particulièrement, elle remet en question la condition féminine qu'elle trouve frustrante. Après la publication de *La Chair décevante* et du recueil *On vend le bonheur* (1931), elle revient à la poésie avec *Les Masques déchirés* (1932). Si Bernier publie l'essentiel de son œuvre au début des années 1930, elle fera toutefois paraître un autre recueil de poésie en 1945, *Mon deuil est rouge*, et un roman, *Non monsieur!* en 1969.

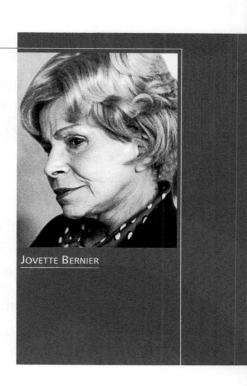

JOVETTE BERNIER

■ LA CHAIR DÉCEVANTE (1931)

Publié en 1931, La Chair décevante *retient l'attention par son titre. Ce roman a d'ailleurs de quoi choquer l'époque, car il décrit une situation bien réelle qu'on préfère taire, le fait pour une jeune femme de devenir enceinte sans être mariée. À cause de ce sujet tabou, l'auteure et l'éditeur cherchent à obtenir une sanction religieuse avant la publication. Bernier demande même à M*gr* Camille Roy, recteur de l'Université Laval et critique autorisé, de lire son manuscrit, mais celui-ci prétexte qu'il a trop de travail. Lors de sa parution, ce roman est accueilli par plusieurs critiques favorables, mais déclaré impie et immoral par l'abbé Bethléem, auteur d'un catalogue classant les écrits littéraires selon leur valeur morale.*

*L'histoire se passe au début du XX*e *siècle. Lorsque Didi Lantagne devient enceinte avant le mariage, c'est un déshonneur aussi bien pour la jeune femme que pour sa famille. Son fiancé l'abandonne lorsqu'il apprend qu'elle veut garder l'enfant, d'autant plus qu'il vient de rencontrer la fille d'un riche avocat. Didi met au monde un garçon et finit par épouser un homme bon, qui l'adopte avec joie. À la mort de son mari, elle annonce à Paul que cet homme n'était pas son père biologique, mais refuse de lui dire qui est ce dernier, car Paul travaille pour lui dans son cabinet d'avocats. Ce n'est que lorsqu'elle apprend, au retour d'un long voyage, que Paul veut épouser la fille de Jules Normand, son patron, qu'elle entreprend des démarches auprès de son ex-fiancé. Elle veut que Jules annonce lui-même à Paul qu'il est son père. Elle va donc le rencontrer.*

Normand entrait à son bureau comme je descendais de voiture.

Détail sans importance ; mais de l'avoir vu avant d'aller frapper à sa porte, cela me donne une
5 assurance que je ne raisonne pas bien. Je descends sur mes traits ma voilette vieillissante.

On m'introduit dès que j'arrive.

Avec l'air de dire : « que puis-je faire », Normand, d'un geste, me prie de m'asseoir. Il est très à l'aise.

10 Mes idées se mêlent du coup.

— C'est pour une consultation, monsieur Normand.

— Allez, madame, je vous écoute.

Cela me trouble qu'il tambourine son pupitre
15 avec son crayon. Voyons mon rôle :

— Voici : c'est une rupture de fiançailles. Je consulte pour une amie, monsieur. Le jeune homme, après avoir déshonoré sa fiancée, l'abandonne.

— Pénibles, ces choses… Y a-t-il fortune
20 quelque part ?

— Cet homme épouse de l'argent : raison de la rupture.

— La jeune fille délaissée peut en tirer tout le profit possible… à part l'irréparable, l'honneur…

25 — Mais sa mère ne voudrait jamais publiquement faire justifier la cause.

— Alors, madame, ce serait dire qu'on laisse opprimer la victime pour protéger le coupable, le…

30 — Je sais, monsieur Normand, que la justice est bien défendue quand vous la défendez ; mais les parents de la jeune fille sont honnêtes et pauvres…

— Je ferai tout, madame, pour que le lâche
35 prenne la responsabilité de sa faute, dès que vous m'aurez fourni les détails nécessaires.

— Je n'oserais m'en arroger le droit.

— Dites à cette amie que je mènerai l'affaire à bien, avec autant de discrétion qu'on entendra
40 le faire.

J'ai joué mon rôle, pour en venir à la vérité.

Une femme est allongée, nue, en pleine lumière, sur des draps défaits. Elle a la main derrière la nuque, sa tête est penchée vers la droite – dort-elle ou regarde-t-elle quelqu'un dont on devine-rait le corps, au pied du lit? Tout suggère que cette femme s'est abandonnée à un homme et ne le regrette pas. Elle ne se cache pas, ne tente pas de se couvrir. Alors que la société canadienne-française de la première moitié du XXᵉ siècle con-damnait ce type d'attitude, Holgate semble la glo-rifier, présentant toute la beauté tranquille d'un moment unique. Pourtant, si on lit Jovette Bernier, il apparaît clair que la situation n'est pas rose pour la femme qui vit sa sexualité en toute liberté. Son héroïne, Didi Lantagne, devra user de patience et de plusieurs stratagèmes pour faire admettre à un homme qu'il y a un prix à payer pour le plai-sir, et que ce prix doit être assumé par les deux partenaires.

Mais Normand continue :

— Ces gens sont de la ville ?

45 — Non, monsieur, des amis de mon village. Je suis madame d'Auteuil.

— Madame d'Auteuil, parente de Paul d'Auteuil?

— Sa mère.

—Madame, je ne perdrai pas l'occasion de vous féliciter de votre fils. Et je ne vous apprendrais

50 rien si je vous en parlais.

— Je vous en remercie. Mais si je vous appre-nais quelque chose?

Je souriais, pour que le doute ne se mâte pas si tôt.

55 — Rien qui me surprenne, madame. Vous savez que c'est un habitué de ma maison?

— Monsieur Normand, j'en suis honorée.

— Tout est bien partagé, madame.

— Ce qu'il y a de triste, c'est que tout n'est pas

60 partagé…

— Que voulez-vous dire?

— Que Paul aura bientôt de la peine.

— Qui lui en ferait?

— Vous et moi, monsieur.

65 — Jamais, pour ma part, je vous jure.

— Si vous n'en faites rien, il faudra que je sois le bourreau.

— Je ne comprends rien. Paul aurait-il désho-noré ma fille? Ce serait là, l'à-côté de votre

70 consultation?

— Non, monsieur. Paul est honnête.

Puis, très doux :

— Il a des aventures, peut-être?

Je ne bronchais pas, le laissant continuer.

75 — C'est de son âge. S'il n'a pas été lâche…

Puis, subitement :

— Voudriez-vous, madame, l'empêcher d'entrer à notre Étude?

— Vous n'y tenez pas pour l'Étude Danais-

80 Normande, mais pour Charlotte, votre fille.

— Libre à lui si vous en êtes là. Je vous avoue que ma fille est très attachée à votre fils, et que lui-même est loin d'être indifférent : on parle de fiançailles.

85 Il marchait de long en large et s'arrêtait de loin, derrière moi, me regardant dans le dos.

Je souriais toujours ; c'était mon masque.

— Dites, madame, reprocheriez-vous quelque chose à Charlotte ?

90 — Rien. Une excellente enfant.

— Et à Paul ?

— Mon fils que j'adore et que je vais faire pleurer.

— Vous êtes cruelle. Où voulez-vous en venir ?
95 Qu'est-ce qu'il y a de triste dans l'affaire ou dans les fiançailles ? Cela devient une plaisanterie et je vous dis, madame, que je ne peux pas plus longtemps la supporter…

— Ce qu'il y a de triste ? Ceci : c'est qu'avant
100 d'épouser Lucien d'Auteuil…

J'hésitais.

Il m'aida :

— Vous aviez un fils naturel ?

La figure de Normand se rembrunissait :

105 — Et la douleur vous a rendue amère, pauvre dame. Charlotte ne reculera pas devant ce préjugé.

Je m'apprête à relever ma voilette, et découvrant à vif mes traits :

110 — Le plus triste, monsieur, c'est que je m'appelais alors Didi Lantagne…

Le toit se serait effondré sur sa tête qu'il n'aurait pas eu figure plus terrifiée.

Il s'assit. Je le sentais penser au désespoir de sa
115 fille. Il ne songeait nullement à mon fils : cela me faisait mal. Il ne pensait pas à ma douleur non plus : cela me révoltait.

Après ce vertige de silence, il parla le premier :

— Alors, cette consultation ?

120 — Un subterfuge, pour que vous-même, avocat, vous vous accusiez. Vous avez dit : lâche, en parlant de cet homme fictif qui est vous. Tu as devant toi, Jules Normand, ta fiancée abandonnée et déshonorée. Tu n'as plus de femme,
125 je suis toujours ta fiancée… éternellement. Notre mariage a été consommé sans être béni. Notre fils, c'est l'affront qui en résulte… Confesse-toi à Paul, c'est ton devoir ; le seul que tu peux accomplir, le seul qui reste ; les autres,
130 je les ai accomplis, moi…

QUESTIONS

1 Qu'est-ce qui a pu choquer la société canadienne-française dans cet extrait ?

2 Didi Lantagne se laisse-t-elle abattre par le déshonneur d'avoir eu un fils hors mariage ?

3 a) À quels signes comprenez-vous que Didi Lantagne a planifié sa rencontre avec son ex-fiancé ?

b) Quel est l'état psychologique du personnage principal pendant l'entretien avec Jules Normand ? Relevez les marques de ce sentiment. L'avocat ressent-il la même chose ?

c) Être fille-mère était un déshonneur à cette époque. Trouvez les répliques qui en font foi.

d) Quelle est l'attitude de Jules Normand devant un homme qui abandonne sa fiancée enceinte ?

Et devant l'éventualité que Paul ait eu des aventures ? Qu'est-ce que cela vous indique sur sa personnalité ?

e) Comment Didi Lantagne réagit-elle en voyant Jules Normand accablé par la révélation qu'elle vient de lui faire ?

4 Jules Normand vous semble-t-il compréhensif ou perfide ?

5 Quel regard pose-t-on aujourd'hui sur les mères célibataires ? Les mentalités ont-elles changé face à ce phénomène ? Connaissez-vous des cultures où elles sont encore mal acceptées ?

Medjé Vézina (1896-1981)

MEDJÉ VÉZINA

Medjé Vézina, née Ernestine, est la fille d'un médecin. Avant d'être poète, elle est musicienne : elle a obtenu un lauréat de l'Académie de musique de Québec, un organisme qui vise à promouvoir le goût de la musique et à hausser le niveau des études musicales au Québec. Elle devient publiciste à l'École d'art paysan de Québec en 1926. Si elle publie dans quelques revues, elle est surtout codirectrice, puis unique rédactrice de *Terre et Foyer*, publiée par le ministère de l'Agriculture du Québec. Cette revue s'adresse aux femmes des régions rurales. Alors que dans sa poésie Medjé Vézina témoigne d'une audace peu commune pour nommer le désir féminin sans regret ni fausse pudeur, pendant plus de vingt-cinq ans elle fait l'apologie des valeurs qui retiennent la femme dans son rôle conventionnel de mère au foyer.

■ CHAQUE HEURE A SON VISAGE (1934)

Medjé Vézina fut la femme d'une seule œuvre, Chaque heure a son visage. *Dans ce recueil, elle joue librement avec les formes poétiques, ce qui s'observe notamment dans la longueur des strophes et la rythmique des vers. La qualité et la profondeur des images qu'elle crée témoignent de son aisance poétique. La poésie de Vézina célèbre la fusion entre les êtres. Le « je » féminin qui y prend la parole est torturé entre le désir, physique comme spirituel, et la révolte devant ce qui empêche de le combler : « Je veux briser la forme étroite de ma vie / Où mon âme s'attriste, inassouvie. »*

Dans le poème « Regretter est un blasphème », Vézina montre tout l'élan dont une femme est capable lorsqu'elle est amoureuse. Sans réserve, elle goûte et nomme tout ce que cette relation lui apporte.

« Regretter est un blasphème »

Je te bénis, ô toi qui m'es venu si beau,
Brisant entre les doigts de l'amour ma misère,
Ainsi que s'affale un bougement de flambeau
Quand le soleil brandit sa torche incendiaire.
5 Comme un dieu qui domine et commande
                                [au destin,

Tu es venu vers moi ; je sentis ma tendresse
Brusquement s'éveiller à l'éclat d'un matin
D'où rutilait déjà la moisson des promesses.
Je portais des chagrins à mes tempes rivés,
10 Comme un masque trop lourd attaché par
                                [deux brides ;

Mais toi, tu n'as pas craint mes songes
                                [aggravés,
Où s'effarait d'espoir mon être, encore avide
De n'avoir pas compris ce qu'est le mot :
                                [toujours.
Je te bénis de m'avoir faite en ta prunelle
15 Belle comme un été que le pollen des jours
Dans une averse d'or féconde et renouvelle.
Un délire vêtit mon corps fragile et nu
De tout l'amour qui me laissait inassouvie,
Nu de tous tes baisers que je n'avais pas
                                [connus,

8/25   *Cecil Buller*

CECIL BULLER (1886-1973).

Cantique des cantiques, chapitre 1, 2ᵉ verset, 1929.
(Gravure sur bois debout sur papier japon,
32,6 × 25,3 cm, 15,0 × 10,4 cm [block].
Musée des beaux-arts du Canada.)

La gravure de Cecil Buller représente l'étreinte des amants évoquée dans le *Cantique des cantiques* : « Qu'il me donne un baiser de sa bouche. Sa main gauche est sous ma tête, et il m'embrasse de sa main droite. » Les images sensuelles du texte inspirent à Cecil Buller un univers de rêve où l'amour triomphe. La gravure de cette artiste rappelle le moment de « tous les enlacements où gémit le plaisir » qu'évoque Medjé Vézina dans son texte.

20   Ô toi, qui t'approchais en apportant la Vie.
    Ah, sois béni d'avoir ébloui de beauté
    Ma destinée, ainsi qu'un firmament de lune
    Met l'extase aux bras des jardins aoûtés.
    J'ai souffert d'être heureuse en ces nuits dont
                       [chacune

25   Incendiait ma chair de ton fougueux désir,
    Je te bénis d'avoir aimé dans mon étreinte
    Tous les enlacements où gémit le plaisir,
    Voix d'une humanité plus chaude qu'une
                       [plainte.

    Dans un remous d'azur mon cœur haletait
30   Écouta sur le tien battre le pouls des heures.
    Je vis se profiler le visage parfait
    Du bonheur dont les traits, souvent rêvés,
                       [nous leurrent.

    Et quand l'aube venait infiltrer sa lueur,
    Écartant le sommeil qui nouait nos épaules,
35   Je suppliais les dieux, le sol, l'oiseau, la fleur,
    De rendre aussi diffus qu'un feuillage de saule
    Tous les parfums du jour que la brise confond.
    Pour toi, j'ai dénié jusqu'au remords de l'âme

    Qui pour prier n'a su que murmurer ton nom.
40   S'il me faut expier l'ivresse qu'on réclame,
    Je ne trouverais pas dans mes yeux enchantés
    Un pleur assez amer et riche d'épouvante
    Pour rançonner hélas, le prix des voluptés.
    Je sais des soirs mauvais, noirs de l'adieu qui
                       [hante ;

45   Je te pardonnerais, dusses-tu me trahir !
    Je t'habite à jamais et je reste ta proie,
    Car tu as mis dans mon sang des rafales de joie
    Dont la mort seulement pourra me démunir !

QUESTIONS

1 Y a-t-il dans ce poème des traces de la femme qui veut « briser la forme étroite de [sa] vie » ?

2 Le titre du poème offre-t-il une piste de lecture ? Laquelle ?

3 a) Comment la narratrice perçoit-elle sa vie avant que l'amour la ravisse ?

b) Quel champ lexical est associé à l'amour ? Quel effet a-t-il sur le poème ?

c) Trouvez les images de souffrance. À quoi sont-elles associées ?

d) Quelles sont les références à la religion ? Quel sens leur donnez-vous ?

e) Quelles sont les allusions au désir physique ? Qu'en comprenez-vous ?

4 Quel est le thème dominant : la révolte, le désarroi ou le désir amoureux ?

5 L'amour est-il vécu de la même façon par la narratrice de ce poème que par le narrateur de *Prochain Épisode* d'Hubert Aquin (p. 202-203) ?

PARTIE 6

LA DIFFICILE CONQUÊTE DE LA VIE

S I LES AUTORITÉS MORALES de la société canadienne-française regimbent devant les femmes qui se mettent à parler de leurs désirs et de leur réalité amoureuse, elles n'acceptent pas plus qu'on s'oppose à leurs diktats. Sous peine d'être censuré, tout auteur doit donc montrer que son œuvre vise d'abord et avant tout à assurer la survie de la nation dans le respect des valeurs de son temps. En refusant ainsi de sanctionner certaines aspirations légitimes comme la liberté de penser et d'exprimer sa sensibilité, les autorités mettent les auteurs dans une situation pour le moins malsaine. Par exemple, on perçoit sans peine dans les poèmes de Saint-Denys Garneau et de Grandbois la quête existentielle qui fut la leur, écartelés qu'ils étaient, à l'intérieur d'eux-mêmes ou dans leur relation avec le reste du monde, entre leur recherche du bonheur absolu et la tentation de la fuite ou le constat de leur impuissance dévastatrice et paralysante. De cette tension résulte un retour vers soi, un sentiment d'inadéquation et de déchirement que même leurs rapports amoureux ne permettent pas d'étouffer. Bien évidemment, cette lutte intérieure qui révèle la complexité des êtres rompt nettement avec les thèmes chers à la littérature dominante de l'époque.

Hector de Saint-Denys Garneau (1912-1943)

Saint-Denys Garneau, l'aîné d'une dame de la grande bourgeoisie canadienne-française et d'un comptable, fils et petit-fils de poètes et d'un historien reconnus, a toujours eu une santé fragile. Dès son jeune âge, cela lui fait manquer plusieurs mois d'école par année. Dans ces moments d'isolement, il s'initie aux arts. À vingt-deux ans, il apprend qu'il a de très graves problèmes de santé, qu'il ne pourra jamais plus mener la vie active d'un jeune homme en pleine possession de ses moyens, mais devra restreindre ses activités et abandonner ses études. Il s'isole alors dans la grande maison que ses parents possèdent au village de Sainte-Catherine-de-la-Jacques-Cartier et se consacre pleinement à deux de ses passions, l'écriture et la peinture. Il entretient une correspondance assidue avec ses amis et collabore à quelques revues par des critiques et des poèmes. Comme peintre, dès 1934, il expose ses toiles dans des galeries reconnues.

HECTOR
DE SAINT-DENYS GARNEAU

Saint-Denys Garneau est un des premiers poètes modernes que l'institution littéraire a retenus, celle-ci oubliant régulièrement les créations de Jean-Aubert Loranger. Dans *Regards et jeux dans l'espace* (1937), il délaisse la métrique traditionnelle pour le vers libre : la structure de ses poèmes ne répond qu'à la seule logique interne de l'univers qu'il y crée. Cependant, chaque poème s'insère dans l'ensemble que forme le recueil, minutieusement organisé par l'auteur, qui fait passer le lecteur du désir d'équilibre à la recherche d'unité et de bonheur impossible à atteindre puisque les « jeux d'équilibre » nécessaires pour y arriver tiennent de l'irréel.

■ REGARDS ET JEUX DANS L'ESPACE (1937)

À première vue, ce long poème peut ressembler à un collage d'éléments disparates et déstabiliser le lecteur. Pourtant, sa position stratégique – il suit le poème liminaire « Je ne suis pas bien du tout » – fait de lui la porte d'entrée dans le recueil. Il donne donc quelques éléments pour pénétrer l'univers du poète. Ici, trompé par la structure du poème, le lecteur croit d'abord avoir affaire à deux personnages : le poète et l'enfant, quand il assiste en fait à la dissociation entre deux facettes du même être qui veut être libre de créer un monde sans aucune barrière. Les situations imaginaires se superposent et s'entrelacent pour révéler la quête intérieure, le besoin de vivre dans une société ouverte et non pas enfermé dans un univers étouffant.

« Le jeu »

Ne me dérangez pas je suis profondément occupé

Un enfant est en train de bâtir un village
C'est une ville, un comté
Et qui sait
5   Tantôt l'univers.

Il joue

Ces cubes de bois sont des maisons qu'il déplace
                et des châteaux
Cette planche fait signe d'un toit qui penche
                ça n'est pas mal à voir
Ce n'est pas peu de savoir où va tourner la route
                de cartes
10   Ce pourrait changer complètement
                le cours de la rivière
À cause du pont qui fait un si beau mirage
                dans l'eau du tapis
C'est facile d'avoir un grand arbre
Et de mettre au-dessous une montagne
                pour qu'il soit en haut.
Joie de jouer ! paradis des libertés !

15   Et surtout n'allez pas mettre un pied dans

                          la chambre

On ne sait jamais ce qui peut être dans ce coin

Et si vous n'allez pas écraser la plus chère

                    des fleurs invisibles

Voilà ma boîte à jouets

Pleine de mots pour faire de merveilleux enlacements

20   Les allier séparer marier,

Déroulements tantôt de danse

Et tout à l'heure le clair éclat du rire

Qu'on croyait perdu

Une tendre chiquenaude

25   Et l'étoile

Qui se balançait sans prendre garde

Au bout d'un fil trop ténu de lumière

Tombe dans l'eau et fait des ronds.

De l'amour de la tendresse qui donc oserait en douter

30   Mais pas deux sous de respect pour l'ordre établi

Et la politesse et cette chère discipline

Une légèreté et des manières à scandaliser

                  les grandes personnes

Il vous arrange les mots comme si c'étaient de

                  simples chansons

Et dans ses yeux on peut lire son espiègle plaisir

35   À voir que sous les mots il déplace toutes choses

Et qu'il en agit avec les montagnes

Comme s'il les possédait en propre.

Il met la chambre à l'envers et vraiment l'on

                  ne s'y reconnaît plus

Comme si c'était un plaisir de berner les gens.

40   Et pourtant dans son œil gauche quand le droit rit

Une gravité de l'autre monde s'attache à la feuille

                  d'un arbre

Comme si cela pouvait avoir une grande importance

Avait autant de poids dans sa balance

Que la guerre d'Éthiopie

45   Dans celle de l'Angleterre.

Nous ne sommes pas des comptables

Tout le monde peut avoir une piastre de papier vert

Mais qui peut voir au travers

                  si ce n'est un enfant

Qui peut comme lui voir au travers en toute liberté

50   Sans que du tout la piastre l'empêche

                  ni ses limites

Ni sa valeur d'une seule piastre

Mais il voit par cette vitrine des milliers de
jouets merveilleux
Et n'a pas envie de choisir parmi ces trésors
Ni désir ni nécessité
55   Lui
Mais ses yeux sont grands pour tout prendre.

QUESTIONS

1 En quoi ce poème est-il moderne ?

2 À première vue, qui parle surtout ? De quel état inté-rieur parle-t-il ?

3 a) Dans les vers 2 à 13, comment interpréter l'imagi-nation de l'enfant ? Quels éléments le narrateur nomme-t-il ? Que représentent-ils ?

b) À quels signes voyez-vous que le narrateur et l'enfant sont un seul et même être ?

c) Qu'est-ce qui caractérise l'enfant ? le poète ? Ont-ils les mêmes jeux ?

d) À qui pouvez-vous associer le « vous » du vers 17 ? et le « nous » du vers 46 ? Que signifie le « lui » du vers 55 ?

e) Qu'est-ce qui indique la fragilité de l'univers créé par le poète ?

4 Que représente le monde imaginaire de ce poète-enfant ?

5 Saint-Denys Garneau, dans ce poème, et Émile Nelli-gan, dans « Un Poète » (p. 106), expriment-ils le même rapport à la société ?

■ REGARDS ET JEUX DANS L'ESPACE (1937)

Dans les poèmes de l'avant-dernière section de Regards et jeux dans l'espace, *Saint-Denys Garneau exprime un constat d'échec. Après avoir été fasciné par la lumière de la vie, puis attiré par sa noirceur, il note que l'équilibre parfait et constant est impossible ; il éprouve une grande mélancolie devant l'existence, intimement convaincu qu'il ne peut lutter pour mordre dans la vie sans s'y perdre en retour. Dans « Accueil », s'il évoque une relation avec une femme, c'est pour montrer aussitôt que la recherche de l'équilibre pur interdit à l'amour de s'incarner, faute de quoi il serait corrompu. Ce sentiment doit donc occuper la sphère spirituelle, où la liberté domine, mais peut-il vraiment s'y réaliser ?*

« Accueil »

Moi ce n'est que pour vous aimer
Pour vous voir
Et pour aimer vous voir

Moi ça n'est pas pour vous parler
5   Ça n'est pas pour des échanges
conversations
Ceci livré, cela retenu
Pour ces compromissions de nos dons

Se démarquant dans la production artistique de Saint-Denys-Garneau, dont les œuvres offrent le plus souvent des représentations stylisées de paysages, le tableau *La Baigneuse* est plutôt apparenté au symbolisme et peut être lu comme une synthèse des thèmes chers au poète: la pureté, les jeux dans l'espace, l'équilibre fragile de toutes choses et la vision idyllique de l'amour. Cette femme qui danse devant un temple apparaît comme la pureté incarnée: nue, sa silhouette est idéalisée et brillante, éclairée par les rayons de la lune. On remarque également qu'elle ne touche pas le sol. Sa danse est captée dans un « équilibre impondérable », forcément éphémère. Par ailleurs, le temple pourrait symboliser « la vallée spacieuse du recueillement » que le poète évoque dans *Accueil*: un espace spirituel, vaste, aux contours imprécis comme les impose l'art du pastel, où le poète accueille le temps d'un bref instant cette femme parfaite, seulement pour l'aimer.

C'est pour savoir que vous êtes,
Pour aimer que vous soyez

10   Moi ce n'est que pour vous aimer
Que je vous accueille
Dans la vallée spacieuse de mon recueillement
Où vous marchez seule et sans moi
Libre complètement

15   Dieu sait que vous serez inattentive
Et de tous côtés au soleil
Et tout entière en votre fleur
Sans une hypocrisie
en votre jeu

20   Vous serez claire et seule
Comme une fleur sous le ciel
Sans un repli
Sans un recul de votre exquise pudeur

Moi je suis seul à mon tour
25   autour de la vallée
Je suis la colline attentive
Autour de la vallée
Où la gazelle de votre grâce évoluera
Dans la confiance et la clarté de l'air

30 Seul à mon tour j'aurai la joie
Devant moi
De vos gestes parfaits
Des attitudes parfaites
De votre solitude

35 Et Dieu sait que vous repartirez
Comme vous êtes venue
Et je ne vous reconnaîtrai plus

Je ne serai peut-être pas plus seul
Mais la vallée sera déserte
40 Et qui me parlera de vous?

QUESTIONS

1 Comment le titre du recueil de Saint-Denys Garneau trouve-t-il un écho dans ce poème?

2 Quelle(s) piste(s) de lecture le titre ouvre-t-il?

3 a) Sur quoi l'auteur a-t-il voulu mettre l'accent en utilisant l'anaphore du «Moi»?

b) Comment la femme apparaît-elle? Est-elle engagée dans cette relation? Comment pouvez-vous déduire cela?

c) Quel type de relation le poète veut-il vivre? Vous semble-t-il capable de vivre une relation quotidienne? Qu'est-ce qui vous incite à répondre ainsi?

d) La fin du poème vous semble-t-elle amère? S'oppose-t-elle au reste du poème?

4 Y a-t-il un rapport amoureux dans ce poème?

5 a) Maria, dans *Maria Chapdelaine* (p. 112-114) et le narrateur de ce poème ont-ils la même conception du rapport amoureux? Expliquez votre réponse.

b) L'hésitation du poète à s'engager dans une relation amoureuse est-elle semblable à celle que beaucoup de jeunes ressentent de nos jours?

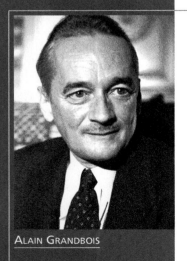

ALAIN GRANDBOIS

Alain Grandbois (1900-1975)

Fils de riches commerçants qui allaient chaque année en Europe, Alain Grandbois est très influencé par son grand-père paternel qui, avant de fonder un commerce de vente de bois, était allé en Australie pour chercher de l'or. Il fait des études en droit avant de se lancer, grâce à un héritage, dans ce qu'il aime par-dessus tout: les voyages. Il visite d'abord le Canada et les États-Unis, puis il part à la découverte du vaste monde en 1925. Il commence par habiter Paris où il fréquente des écrivains connus, puis, pendant plus de dix ans, il parcourt la Russie, des pays d'Afrique, l'Inde et la Chine, jusqu'à ce que la guerre qui commence et le manque d'argent le forcent, en 1939, à rentrer au pays.

La poésie de Grandbois est traversée par une angoisse fondamentale, celle de la finitude de la vie. Le poète ne se contente pas toutefois de s'interroger sur sa seule présence au monde, mais aussi sur l'univers. Grandbois définit cette tension comme « ce qui est intérieur à nous et nous transporte en même temps hors de nous ». Dans sa poésie, l'individu tente de sortir de la noirceur où les abîmes intérieurs et extérieurs le confinent. Mais il n'y parvient que rarement, toujours replongé dans cette angoisse envahissante qui le tire vers l'oubli, vers la mort. Même si la femme et l'amour le sortent de lui-même, même s'il en apprécie les joies, tout le ramène à la destruction, au silence. C'est cet écartèlement perpétuel entre l'appel de la vie et celui de la mort qui crée chez le poète la profonde souffrance dont ses poèmes sont empreints.

■ LES ÎLES DE LA NUIT (1944)

Ce poème termine le recueil Les Îles de la nuit. *Grandbois nous dit : « Fermons l'armoire », comme si c'était une invitation, presque une prière. Quelle est cette armoire ? Peut-être un endroit où l'on accumule les objets, les souvenirs, les sentiments auxquels on tient. Le poète clôt son voyage au cœur des angoisses par un poème qui refuse ce qui a été, qui rejette la lumière. Il s'engouffre avec regrets dans l'absolu de la nuit, dans la solitude qui aboutit à la mort. Mais avant de fermer irrémédiablement ce coffre aux trésors, il veut en faire l'inventaire pour être tout à fait conscient de ce qu'il perd.*

« Fermons l'armoire… »

Fermons l'armoire aux sortilèges
Il est trop tard pour tous les jeux
Mes mains ne sont plus libres
Et ne peuvent plus viser droit au cœur
5   Le monde que j'avais créé
Possédait sa propre clarté
Mais de ce soleil
Mes yeux sont aveuglés
Mon univers sera englouti avec moi
10   Je m'enfoncerai dans les cavernes profondes
La nuit m'habitera et ses pièges tragiques
Les voix d'à côté ne me parviendront plus
Je posséderai la surdité du minéral
Tout sera glacé
15   Et même mon doute

Je sais qu'il est trop tard
Déjà la colline engloutit le jour
Déjà je marque l'heure de mon fantôme
Mais ces crépuscules dorés je les vois encore
       se penchant sur des douceurs de lilas

20   Je vois ces adorables voiles nocturnes
       trouées d'étoiles
Je vois ces rivages aux rives inviolées
J'ai trop aimé le regard extraordinairement
       fixe de l'amour pour ne pas regretter
       l'amour
J'ai trop paré mes femmes d'auréoles sans
       rivales
J'ai trop cultivé de trop miraculeux jardins
25   Mais une fois j'ai vu les trois cyprès parfaits
Devant la blancheur du logis
J'ai vu et je me tais
Et ma détresse est sans égale

Tout cela est trop tard
30   Fermons l'armoire aux poisons
Et ces lampes qui brûlent dans le vide
       comme des fées mortes
Rien ne remuera plus dans l'ombre
Les nuits n'entraîneront plus les cloches
       du matin

Les mains immaculées ne se lèveront plus
	au seuil de la maison

35 Mais toi ô toi je t'ai pourtant vue
	marcher sur la mer avec ta chevelure
	pleine d'étincelles
Tu marchais toute droite avec ton blanc
	visage levé
Tu marchais avec tout l'horizon comme une
	coupole autour de toi
Tu marchais et tu repoussais lentement la
	prodigieuse frontière des vagues

Avec tes deux mains devant toi comme
	les deux colombes de l'arche
40 Et tu nous portais au rendez-vous de
	l'archange
Et tu étais pure et triste et belle avec un
	sourire de cœur désemparé

Et les prophètes couchaient leur grand silence
	sur la jalousie des eaux
Et il ne restait plus que le grand calme
	fraternel des sept mers
Comme le plus mortel tombeau

QUESTIONS

1 Y a-t-il dans ce poème des indices qui précisent le lieu et le moment ? Pourquoi ?

2 Le poète semble-t-il en paix ?

3 a) Comment Grandbois qualifie-t-il l'armoire ? Qu'en déduisez-vous ?

b) À quoi comprenez-vous que le poète vit un sentiment d'échec ?

c) Comment le poète décrit-il le monde qu'il a délaissé ? Et celui dans lequel il s'en va ? Qu'est-ce que cela vous inspire ?

d) Le poète est-il complètement dans le monde de la nuit ? À quoi comprenez-vous qu'il tente de se convaincre de la nécessité de quitter l'univers dans lequel il se trouve ?

e) Comment décrit-il la femme aimée ? S'agit-il d'un amour réalisé ou rêvé, idéal ou tangible ?

4 Que représente le sentiment de déchirure que vit le poète ?

5 Dans ce poème, Grandbois présente-t-il une conception de l'amour et de la vie semblable à la vôtre ? Expliquez votre réponse.

PARTIE 7

LA « CRÉATION » FOLKLORIQUE

EN MATIÈRE de composition de chansons, la première moitié du XXe siècle est une période pauvre. Elle présente peu d'intérêt pour les amateurs de créations originales et à haute teneur poétique. Paradoxalement, c'est l'ère qui a vu naître le gramophone et la radio. C'est aussi l'époque où nos artistes ont commencé à envahir les scènes, tout d'abord celle du Monument National et, plus tard, celles du Faisan Doré et du Saint-Germain-des-Prés. Pourtant, au moment où prenaient place ces moyens de diffusion et les prestations devant public, la création se faisait rare.

Au début du siècle dernier, on a assisté à la fin de la chanson patriotique et, à l'aube des années 1950, à l'éclosion des cabarets. Entre les deux, un changement socio-économique important s'est produit : l'urbanisation du Québec. Les ruraux ont progressivement envahi les villes en apportant avec eux une partie de leurs coutumes et de leurs traditions. Ce phénomène pourrait peut-être expliquer l'éclosion (pour ne pas dire l'explosion) d'un genre musical très particulier : la création folklorique, qui consistait à écrire des textes légers et à les mettre sur des airs aux allures folkloriques. Plusieurs chanteurs se sont livrés à ce genre de pastiches et la plupart se sont produits à partir des années 1920 au Monument National, à Montréal. L'un des pionniers en ce domaine fut Ovila Légaré, qui fut imité, quelques décennies plus tard, par Oscar Thiffault (« Le rapide blanc »), Jean-Paul Filion (« La parenté ») et même Gilles Vigneault dont certaines chansons comme « La danse à Saint-Dilon » et « Tam ti delam » ont des accents folkloriques indéniables. Dans ce cas cependant, les textes témoignent d'un souci poétique qui distingue Vigneault de ses prédécesseurs. De leur côté, le disque, la radio et le cabaret ont été envahis par les chanteurs de charme, qui se limitaient néanmoins à interpréter les chansons d'artistes français (Tino Rossi, Lucienne Boyer, Jean Sablon, Maurice Chevalier) et des versions américaines. Il ne faut pas s'en étonner, la chanson de charme au Québec n'a jamais éveillé la plume de nos créateurs.

Ovila Légaré (1901-1978)

OVILA LÉGARÉ

Bien qu'Ovila Légaré et ses émules aient composé des pastiches fort réussis dans la veine folklorique, un esprit alerte ne s'y laisse pas prendre. Si la musique est fidèle à ce style, la facture du texte trahit une structure qui n'appartient pas à l'oralité : les thèmes sont trop actuels et les tournures trop modernes pour appartenir au patrimoine ancestral. On peut le constater avec cette chanson écrite dans les années 1920.

« Faut pas se faire de bile ! »

Paroles et musique : Ovila Légaré

Depuis un an, j'exerc' le métier d'chômeur,
Et je suis toujours de très bonne humeur.
Plus ça dur'ra longtemps, et plus je s'rai content,
Car je me tiens chaud la moitié du temps !

REFRAIN

5   Faut pas s'fair' de bile, rum badibum, tarari bédibédum !
Faut pas s'fair' de bile, les plus audacieux
Sont les plus chanceux !

Condamné à êtr' pendu l'vendredi matin,
Le prisonnier conserv' un p'tit air serein.
10   Ça sert à rien d'pleurer, faut toujours espérer…
On sait pas, des fois, la cord' peut casser.

Les parents d'un' famill' de dix-sept enfants,
Fur'nt trouvés morts tous deux l'matin du jour de l'An,
Mais le plus vieux des gars dit : « On s'en fait pas :
15   On est ben du mond' pour tout brailler ça ! »

Ayant perdu ma femm' qui s'était enneigée,
J'ai dit aux ouvriers qui voulaient la sauver :
« Non, mes braves gens, ne perdez pas votr' temps,
À la font' des neig's j'la r'trouv'rai c'printemps ! »

20   Comme un pauvre chômeur pouvait pas payer,
L'marchand est v'nu enl'ver tout son mobilier.
L'autr' pour s'encourager se dit : « Au premier d'mai,
Ça m'coût'ra pas cher pour déménager ! »

QUESTIONS

1 Relevez les détails qui montrent qu'il ne s'agit pas d'une chanson appartenant au folklore traditionnel.

2 À première vue, cette chanson fait sourire. Pourquoi ?

3 a) Relevez les tournures canadiennes-françaises. Quelles teintes donnent-elles à la chanson ?

   b) Ce texte est humoristique, cela ne fait aucun doute. De quel genre d'humour s'agit-il ? Appuyez votre réponse sur des exemples.

   c) À l'aide d'exemples, déterminez la nature de ce texte (narratif, descriptif, critique, etc.).

4 Quelle est la fonction sociale d'une telle chanson ?

5 a) Est-ce que cette chanson est toujours d'actualité ? Pourquoi ?

   b) Est-ce que ce genre d'humour passerait la rampe aujourd'hui ? Expliquez votre réponse.

LA BOLDUC

La Bolduc (1894-1941)

Dans la première moitié du XXᵉ siècle, la seule personne qui se démarque vraiment en création « chansonnière » est Mary Travers, communément appelée La Bolduc. Auteure-compositeure-interprète dans toute l'acception du terme, elle n'a toutefois pas elle non plus échappé à l'influence folklorique, qu'on peut aisément reconnaître dans les rythmes, les mélodies et l'emploi d'une langue populaire et des fameuses turlutes qui ont fait sa réputation. Il est à noter cependant que le contenu de ses textes est nettement de son époque. La Bolduc y évoque les difficultés d'adaptation des campagnards devenus citadins, comme dans cette chanson inspirée par les affres de la tourmente économique du début des années 1930.

« Ça va venir, découragez-vous pas »

Paroles et musique : Mme Édouard Bolduc

Les amis je vous l'assure
Que le temps est bien dur.
Il faut pas s'décourager,
On va bien vite commencer :
5   De l'ouvrage, y va en avoir
Pour tout le monde cet hiver.
Il faut bien donner le temps
Au nouveau gouvernement.

REFRAIN

Ça va venir pis ça venir,
10   Mais décourageons-nous pas
Moé j'ai toujours le cœur gai,
Et je continue à turluter.

On se plaint à Montréal,
Après tout, on est pas mal
15   Dans la province de Québec,
On mange jamais not' pain sec.
Y a pas d'ouvrage au Canada,
Y en a ben moins dans les États.
Essayez pas d'aller plus loin,
20   Vous êtes certains de crever de faim.

Ça coûte cher de c'temps-ci
Pour se nourrir à crédit.
Pour pas que ça monte à la grocerie,
Je me tape fort sur les biscuits.
25   Mais je peux pas faire de l'extra,
Mon p'tit mari travaille pas.
À force de me priver de manger,
J'ai l'estomac ratatiné.

Me voilà mal amanchée,
30   J'ai des trous dans mes souliers,
Mes talons sont tout de travers
Et pis, le bout qui r'trousse en l'air.
Le dessus est tout fendu,
La doublure toute décousue,
35   Les orteils passent en travers,
C'est toujours mieux que d'pas en avoir.

Le propriétaire qui m'a loué,
Il est bien mal amanché.
Ma boîte à charbon est brûlée,
40   Et puis j'ai cinq vitres de cassées ;
Ma lumière est décollectée,
Pis mon eau est pas payée.
Y'ont pas besoin de venir m'achaler,
M'as les saprer en bas de l'escalier.

QUESTIONS

1 La Bolduc ne parle pas pour elle seule. Ce texte a une coloration sociale. Quels passages permettent de le démontrer ?

2 Quelle situation met en valeur la première phrase du refrain : « Ça va venir pis ça venir mais décourageons-nous pas » ?

3 a) Relevez les canadianismes lexicaux et syntaxiques. Qu'apportent-ils au texte ?

b) Comment l'ironie se manifeste-t-elle dans cette chanson ?

c) Quelle figure de style prédomine ?

d) Quelles sont les déconvenues dépeintes dans ce texte ? Est-ce suffisant pour qu'il soit question d'une crise ?

e) Montrez que pour atteindre son but cette chanson utilise la technique de la dénégation répétitive.

4 Cette chanson vise-t-elle à réconforter les gens ou à dénoncer une situation socioéconomique désolante ?

5 Cette chanson pourrait-elle servir d'hymne à des clubs optimistes ? Expliquez votre réponse.

Texte écho

■ À LA HAUTEUR DE GRAND CENTRAL STATION JE ME SUIS ASSISE ET J'AI PLEURÉ (1945)

d'Élizabeth Smart

Élizabeth Smart (1913-1986) naît à Ottawa dans une famille aisée et fait des études au Canada et en Angleterre. Dans son premier roman, À la hauteur de Grand Central Station je me suis assise et j'ai pleuré, *écrit en anglais et publié à Londres en 1945, Smart s'inspire de son histoire d'amour avec le poète britannique George Barke pour écrire en prose poétique un récit empreint de sensualité, ce qui semble alors impudique, surtout quand il s'agit de sexualité féminine. Résultat : la mère de Smart trouve le livre de sa fille scandaleux et en fait interdire la distribution au Canada.*

Dans le premier extrait, la narratrice décrit comment l'expérience amoureuse a transformé sa vision du monde. Dans le second, elle montre les amoureux se faire arrêter par des policiers durant un voyage, vraisemblablement à cause d'une loi américaine de l'époque qui interdisait aux couples non mariés de traverser la frontière d'un État dans le but d'avoir des relations sexuelles. Dans cet extrait, Smart met entre parenthèses plusieurs passages du Cantique des cantiques, *un long poème d'amour sensuel tiré de la Bible.*

Pendant si longtemps je fus accablée par les sarcasmes. Le sens flottait toujours au-dessus de ma tête, hors de portée. Maintenant il repose en moi. Il a atteint sa cible de plein fouet.
5 J'aime, j'aime, j'aime – mais il représente aussi toute chose : la nuit, les matins vifs, les hauts poinsettias et les hortensias, les citronniers, les palmiers des quartiers bourgeois, les fruits et les légumes en rangées fastueuses, les oiseaux
10 dans les poivriers et le soleil sur la piscine.

Il n'y a pas de place pour une pitié quelconque. Dans un cœur qui saigne, je ne trouverais que de la joie pour l'éclat du rouge.

Déjà, il m'est arrivé de rôder par des rues obs-
15 cures, remplie d'un vague désir, malade de cet inconnu, en espérant passer inaperçue dans ma robe décolorée et mes souliers usés à talons hauts, espérant encore et encore, sans trop y croire, le trouver enfin. Mais j'avais peur, j'étais
20 timide et je n'y croyais pas, j'espérais. Je croyais

que cela ressemblerait à tenir un oiseau dans la main et non pas à être ballottée par une mer en furie.

Mais je suis devenue l'un des composants de
25 la terre : l'une de ses vagues qui déferle et bondit. Je suis l'égale des arbres, des colibris, du ciel, des fruits et des légumes en rangées. Je suis tout cela, ensemble ou séparément. Je peux me métamorphoser à volonté.

30 Voulez-vous un peu d'amour, un peu de joie ? N'êtes-vous que des feuilles détrempées dans quelque cour oubliée ? Êtes-vous abandonnée, paralysée ou aveugle ? Avez-vous froid ou faim ? Pour vous, en voilà, tant que vous en voudrez,
35 et plus encore !

Faites-en des pantoufles, des couvre-théières ou des coussins contre le froid, car leur électricité est une chaleur perpétuelle capable de se propager dans tout et, par un simple contact, de
40 reconstruire un monde nouveau et adorable.

Voici Aujourd'hui. Voici où toutes les routes s'efforçaient de mener, les pas d'arriver. Quels sont donc les erreurs, les peines et les problèmes du monde? Je suis aussi déroutée, aussi igno-
45 rante et mystifiée que le premier jour où je découvris l'algèbre.

■ ■ ■

Mais à la frontière de l'Arizona, ils nous ont arrê-tés et dit: Faites demi-tour, et je suis restée assise dans une petite pièce aux fenêtres munies de barreaux tandis qu'ils tapaient à la machine.

5 Quels sont vos liens avec cet homme? (Mon bien-aimé est à moi, et moi à lui: il paît son troupeau parmi les lis.)

Depuis combien de temps le connaissez-vous? (Je suis à mon bien-aimé, et mon bien-aimé est
10 à moi: il paît son troupeau parmi les lis.)

Avez-vous dormi dans la même chambre? (Que tu es beau mon bien-aimé, tes yeux sont des colombes.)

Dans le même lit? (Que tu es beau mon bien-
15 aimé, combien délicieux! Notre lit n'est que verdure.)

Avez-vous eu des rapports sexuels? (À son ombre désirée je me suis assise et son fruit était doux à mon palais.)

20 Quand avez-vous eu des rapports sexuels pour la première fois? (Il m'a menée au cellier, et sa bannière, au-dessus de moi, était l'amour.)

Aviez-vous l'intention de forniquer en Arizona? (Mon bien-aimé est un sachet de myrrhe qui
25 repose entre mes seins.)

Que tu es beau mon bien-aimé, tes yeux sont des colombes.

Ôtez-vous de là! cria le gardien tandis que je pleurais dans l'entrebâillement de la porte.

30 (Mon bien-aimé est à moi.)

Il n'y a ni problèmes, ni peines, ni erreurs: ils se confondent tous dans le chant pressant de toute chose. C'est l'état des anges qui ne font
50 rien d'autre que de chanter les louanges de Dieu. Rien que de passer son temps à savourer cela est vivre suffisamment. Est suffisant.

■ ■ ■

Ne faites pas la finaude, cria le gardien, vous ne feriez qu'aggraver votre cas.

(Qu'il me baise des baisers de sa bouche.)

Restez tranquille! cria le gardien en me frappant.

35 Ils m'emmènent dans une auto-patrouille. L'épouse du policier est assise à l'avant, raide comme un piquet. Ils me poursuivent en jus-tice pour cause de silence et d'amour.

La matrone dit: Donnez-moi votre bracelet, les
40 bijoux sont interdits. (Mon bien-aimé...) Tout de suite. Votre bague. (Mon bien-aimé...) Votre sac. Tous ces cosmétiques honteux que vous avez là! Du rouge et du parfum! Pas étonnant que vous en soyez là. (Soutenez-moi avec des gâteaux aux
45 raisins, fortifiez-moi avec des pommes.)

Les yeux du monde jaloux m'observent par le judas de la porte, par les yeux de la gardienne. Mais l'unique torture est son absence.

Le mur est couvert de lettres griffonnées à l'aide
50 d'une épingle: «Si jamais vous sortez d'ici, sui-vez mon conseil: Soyez sage!»

Est-il sous ma fenêtre à m'offrir une sérénade de sanglots?

Lorsqu'ils nous ont séparés, ils m'ont vue me
55 presser contre son genou et ont intercepté nos regards avec tout ce qu'ils contenaient.

Quelle est votre raison de vivre alors?

Je ne m'occupe pas de ces choses-là, dit le policier, j'ai une famille, je suis membre du
60 club Rotary.

QUESTION

Est-il juste de dire que l'amour de la narratrice transcende la réalité? Est-ce le même type d'amour que celui qu'éprouve Maria Chapdelaine (p. 112-114)? Diriez-vous que cet amour témoigne de l'apparition de l'individua-lité dans la littérature? Expliquez votre réponse.

CLÉS POUR COMPRENDRE LES ÉCRITS DE LA PÉRIODE 1900-1945

1 L'élite canadienne-française, le clergé en tête, n'aime pas la libre pensée de certains intellectuels. Elle tient à conserver la primauté de la religion dans les domaines politique et social, à préserver les traditions canadiennes-françaises et la vie sur la ferme comme symboles d'identité. Cette volonté se manifeste dans les écrits du terroir.

2 La difficulté de faire vivre de grandes familles sur la même terre, l'industrialisation massive du Québec et les besoins de main-d'œuvre entraînent une forte migration vers la ville. Les Canadiens français s'y heurtent à de nouveaux modes de vie et façons de penser, à de nouvelles sources d'information et de divertissement, venant notamment des États-Unis.

3 Même si la Confédération reconnaît, en 1867, qu'il y a deux peuples fondateurs au Canada, les Canadiens français se sentent encore lésés par la majorité anglophone et mal protégés devant la pénétration des médias de masse américains. Ils aimeraient avoir plus de pouvoir sur les plans politique, économique et social.

4 Inquiets de la faiblesse économique, sociale et politique des Canadiens français, certains intellectuels tentent de faire vibrer la fibre patriotique.

5 D'autres, fatigués du carcan religieux et de son messianisme politique, expriment leur désir d'individualité et leur volonté de parler de leur monde intérieur, même dans des œuvres associées au terroir.

6 De plus en plus de Canadiens français peuvent parcourir le monde. Ils en reviennent transformés, porteurs d'idées nouvelles qu'ils partagent avec les gens qu'ils côtoient, semant des ferments de changement.

7 Dans cette société assujettie à la religion catholique, les femmes sont avant tout des mères et des éducatrices soumises à leurs maris ; si elles ne se marient pas, l'entrée chez les religieuses est la seule voie acceptable socialement. Plusieurs femmes sont donc en proie aux vives inquiétudes, voire aux profondes angoisses que fait naître le conflit entre leurs désirs profonds et les obligations que la société leur impose.

8 Beaucoup de Canadiens français ne peuvent pas vivre de relations amoureuses ou amicales libres des conventions sociales ; les peurs que cela occasionne se reflètent dans certains écrits littéraires.

BILAN DES AUTEURS ET DES ŒUVRES

FÉLIX-ANTOINE SAVARD

Dès son premier roman, Savard a su allier les diktats de la littérature du terroir à une prose poétique très riche. Si le respect des traditions et la sauvegarde de la terre sont au cœur de *Menaud, maître-draveur*, ce roman en montre aussi les limites, tout en redonnant néanmoins leurs lettres de noblesse à tous ceux qui ont fait le pays, coureurs des bois et agriculteurs.

ALFRED DESROCHERS

Animateur et poète, DesRochers crée, dans *À l'ombre de l'Orford*, une poésie qui s'enracine dans un pays qui s'ouvre à ses composantes blanches et amérindiennes. Les ancêtres évoqués sont des êtres rudes, vrais, qui ont créé de nouvelles façons de vivre ou en ont adapté d'autres pour habiter ce territoire grand comme un continent.

ÉMILE NELLIGAN

Nelligan est le plus connu des poètes québécois à cause de son destin tragique. Sa poésie exprime son mal de vivre, sa nostalgie de l'enfance et sa recherche de l'Idéal, signes avant-coureurs de sa maladie. Ni l'amour ni les arts n'ont pu sortir le poète de son marasme existentiel.

PAUL MORIN

Son recueil *Le Paon d'émail* va à contre-courant de la poésie habituelle du Canada français, puisqu'au lieu de faire l'apologie des traditions et des mœurs canadiennes-françaises, il offre à l'admiration des lecteurs des visions de mondes étrangers.

JEAN-AUBERT LORANGER

Grand oublié de la littérature québécoise, Loranger a posé les jalons de la poésie moderne. La forme libre de ses vers et le thème de l'individualité qu'il aborde ouvrent la porte à Saint-Denys Garneau et à Grandbois, que l'institution littéraire retiendra comme les premiers poètes modernes.

LOUIS HÉMON

Hémon est celui par qui le roman du terroir accède à une notoriété internationale. Même s'il est né en France, il a su saisir les enjeux de la survivance du peuple canadien-français et les a transposés dans *Maria Chapdelaine*.

CLAUDE-HENRI GRIGNON

Pour ce polémiste, la littérature doit germer dans le terreau originel de l'écrivain. Fustigeant l'affirmation que seule la vie bucolique sur une terre doit inspirer la littérature canadienne-française, il crée avec Séraphin Poudrier un être vil, mais réaliste et fort. Portée au petit écran, la passion démesurée que ce personnage nourrit pour l'argent a fait de lui une figure mythique de la culture québécoise.

RODOLPHE GIRARD

En proposant une servante de curé comme personnage principal, Girard pénètre un monde alors délicat à traiter, pour l'époque. Comme il désacralise cet univers intouchable en montrant autant la naïveté exubérante de Marie que le caractère humain des prêtres, la liberté et l'humour dont il fait preuve n'ont pas plu au clergé.

ALBERT LABERGE

Laberge n'a jamais voulu soumettre son œuvre littéraire au goût du public ni à celui des maîtres de la sanction officielle. Aussi a-t-il réservé ses éditions à son cercle d'amis. Pour dépeindre la vie telle qu'il la perçoit, il met l'accent sur les difficultés de vivre des fermiers. Dans *La Scouine*, tout est sombre et amer ; même la sexualité n'apporte aucun réconfort.

ARSÈNE BESSETTE

Avant tout journaliste, Bessette n'aura écrit qu'un seul roman, *Le Débutant*, qui a fait beaucoup de bruit parce qu'il illustre des réalités que son auteur a pu observer en tant que journaliste. Il rend compte non seulement de réalités sociales propres à la ville, comme la prostitution et les bars, mais pire encore, de l'hypocrisie des dirigeants du peuple.

JEAN-CHARLES HARVEY

La parution des *Demi-Civilisés* n'a pas bouleversé que le monde littéraire, mais aussi la vie de son auteur, qui perd son emploi de rédacteur en chef du journal *Le Soleil*. Ce roman fut interdit parce qu'il prêche la liberté de pensée et d'opinion, et montre la collusion de l'Église et de l'État pour maintenir la population dans une certaine ignorance.

RINGUET

Ringuet remporte un franc succès avec son premier roman, *Trente arpents*, qui illustre les tensions familiales et sociales que crée le passage d'une société agraire à une société plus urbaine. Cette saga raconte comment une famille de cultivateurs doit s'adapter, autant aux nouvelles techniques sur la ferme, à leurs effets sur le quotidien qu'au départ des Canadiens français choisissant d'aller vivre aux États-Unis.

GERMAINE GUÈVREMONT

Dans *Le Survenant*, Guèvremont fait de nous les témoins de l'intrusion d'un étranger dans un microcosme refermé sur lui-même. Si certains paysans sont subjugués par le « grand dieu des routes », d'autres se sentent menacés par ce qu'il représente. Chose certaine, tous se trouvent changés par cette apparition dans leur univers clos.

ROGER LEMELIN

Dans son premier roman, *Au pied de la pente douce*, Lemelin a introduit dans la littérature d'ici un véritable tableau grouillant de vie d'un quartier de la ville de Québec dans lequel la ville n'est plus un lieu de perdition, mais un lieu de vie où l'on transpose, parfois avec difficulté, ses manières d'être rurales.

JOVETTE BERNIER

Les œuvres de Bernier ont toutes un rapport avec les conditions de vie qui restreignent la liberté des femmes dans la société canadienne-française. Son roman *La Chair décevante*, dont on a dit qu'il n'est pas « à mettre entre les mains des jeunes filles », traite d'un sujet qu'on ne doit même pas évoquer : la grossesse avant le mariage.

MEDJÉ VÉZINA

Vézina est la femme d'un seul livre, publié à l'approche de la quarantaine. Sa poésie est celle d'une femme qui assume ses désirs sensuels et qui, en plus de les nommer, les fait ressentir dans sa façon d'écrire.

HECTOR DE SAINT-DENYS GARNEAU

Autant par son style dépouillé que par sa recherche d'équilibre dans un monde angoissant, Saint-Denys Garneau propose avec *Regards et jeux dans l'espace*, son unique recueil, une œuvre qui se distingue dans le monde poétique de la fin des années 1930. Le regard qu'il pose sur le monde est ironique et fait ressortir la difficulté de vivre et d'entrer en relation avec les autres.

ALAIN GRANDBOIS

Explorateur de pays fort peu visités, Grandbois laisse transparaître dans ses poèmes une insatisfaction à l'égard de son temps dont rien ne peut le guérir. Tiraillé entre le désir d'aimer, de vivre, le sentiment de la perte de l'être aimé et la peur de la mort qu'il anticipe, il éprouve une angoisse profonde.

CHAPITRE 4

CHANGER LE COURS
DE L'HISTOIRE, 1945-1980

PAUL-ÉMILE BORDUAS (1905-1960).

Composition 44, 1959. (Huile sur toile, 92 × 73 cm. Musée des beaux-arts de Montréal.)

Borduas fait basculer le Québec dans la modernité. Influencé par les surréalistes, il pratique une approche spontanée de la peinture. Il peint sans idée de départ, trace ses formes sans le contrôle de sa conscience. Ainsi, ses œuvres non figuratives sont par nature contestataires et expriment la liberté d'action et l'indépendance de pensée que l'artiste revendiquera pour l'ensemble de la société québécoise dans son *Refus global*. Son œuvre *Composition 44* peut être vue comme un symbole de sa révolte. D'un trait assuré, l'artiste a peint au milieu de sa toile une ligne noire, qu'il a barrée d'une ligne verte, très vive. Cette marque indique la force de sa conviction, non seulement parce qu'il s'en dégage une grande puissance du geste, mais aussi parce que le vert est la couleur de l'espoir.

REFUS GLOBAL

REJETONS de modestes familles canadiennes-françaises, ouvrières ou petites bourgeoises, de l'arrivée au pays à nos jours restées françaises et catholiques par résistance au vainqueur, par attachement arbitraire au passé, par plaisir et orgueil sentimental et autres nécessités.

Colonie précipitée dès 1760 dans les murs lisses de la peur, refuge habituel des vaincus ; là, une première fois abandonnée. L'élite reprend la mer ou se vend au plus fort. Elle ne manquera plus de le faire chaque fois qu'une occasion sera belle.

Un petit peuple serré de près aux soutanes restées les seules dépositaires de la foi, du savoir, de la vérité et de la richesse nationale. Tenu à l'écart de l'évolution universelle de la pensée pleine de risques et de dangers, éduqué sans mauvaise volonté, mais sans contrôle, dans le faux jugement des grands faits de l'histoire quand l'ignorance complète est impraticable.

[...]

Des révolutions, des guerres extérieures brisent cependant l'étanchéité du charme, l'efficacité du blocus spirituel.

Des perles incontrôlables suintent hors les murs.

Les luttes politiques deviennent âprement partisanes. Le clergé contre tout espoir commet des imprudences.

[...]

Des vertiges nous prennent à la tombée des oripeaux d'horizons naguère surchargés.

La honte du servage sans espoir fait place à la fierté d'une liberté possible à conquérir de haute lutte.

Au diable le goupillon et la tuque !

Mille fois ils extorquèrent ce qu'ils donnèrent jadis.

Par-delà le christianisme nous touchons la brûlante fraternité humaine dont il est devenu la porte fermée.

Le règne de la peur multiforme est terminé.

Dans le fol espoir d'en effacer le souvenir je les énumère :

peur des préjugés — de l'opinion publique — des persécutions — de la réprobation générale

peur d'être seul sans Dieu et la société qui isolent très infailliblement

peur de soi — de son frère — de la pauvreté

peur de l'ordre établi — de la ridicule justice

peur des relations neuves

peur du surrationnel

peur des nécessités

peur des écluses grandes ouvertes sur la foi en l'homme — en la société future

peur de toutes les formes susceptibles de déclencher un amour transformant

peur bleue — peur rouge — peur blanche : maillons de notre chaîne.

[...]

Un nouvel espoir collectif naîtra.

Déjà il exige l'ardeur des lucidités exceptionnelles, l'union anonyme dans la foi retrouvée en l'avenir, en la collectivité future.

[...]

D'ici là notre devoir est simple.

Rompre définitivement avec toutes les habitudes de la société, se désolidariser de son esprit utilitaire. [...] Refus de se taire — faites de nous ce qu'il vous plaira mais vous devez nous entendre — refus de la gloire, des honneurs (le premier consenti) : stigmates de la nuisance, de l'inconscience, de la servilité. Refus de servir, d'être utilisable pour de telles fins. Refus de toute INTENTION, arme néfaste de la RAISON. À bas toutes deux, au second rang !

PLACE À LA MAGIE ! PLACE AUX MYSTÈRES OBJECTIFS !

PLACE À L'AMOUR !

PLACE AUX NÉCESSITÉS !

Au refus global nous opposons la responsabilité entière.

Paul-Émile Borduas, 1948

DATES	ÉVÉNEMENTS	
	POLITIQUES	SOCIOCULTURELS
1904		Naissance de l'artiste Lemieux (†1990).
1905		Naissance de l'artiste Borduas (†1960).
1906		Naissance de l'artiste Pellan (†1988).
1909		Naissance de Gratien Gélinas (†1999); de Gabrielle Roy (†1983).
1914		Naissance de Félix Leclerc (†1988); de Claire Martin.
1916		Naissance d'Anne Hébert (†2000); du peintre Leduc.
1920		Naissance de Gilles Hénault (†1996); de Pierre Vadeboncœur.
1921		Naissance de Jacques Ferron (†1985).
1924		Naissance de l'artiste Ferron (†2001).
1925		Naissance de Claude Gauvreau (†1971).
1927		Naissance de l'artiste Ashevak.
1928		Naissance de Pauline Julien (†1998); de Gaston Miron (†1996); de Gilles Vigneault.
1929		Naissance d'Hubert Aquin (†1977); de Roland Giguère (†2003); de Paul-Marie Lapointe; de Louise Maheux-Forcier; de l'artiste Riopelle (†2002); de l'artiste Bruneau.
1930		Naissance de Marcel Dubé.
1931		Naissance de l'artiste Alleyn (†2004).
1932		Naissance de l'artiste Tousignant.
1935		Naissance de Denise Boucher.
1936		Naissance de l'artiste Derouin.
1938		Naissance de Gérald Godin (†1994).
1939		Naissance de Marie-Claire Blais; de Paul Chamberland.
1941		Naissance de Réjean Ducharme; de Jean Marcel.
1942		Naissance de Michel Tremblay.
1943		Naissance de Nicole Brossard.
1945	Fin de la Seconde Guerre mondiale.	Roy, *Bonheur d'occasion*.
1946		Fondation des *Cahiers de la File Indienne* par Gilles Hénault.
1948	Adoption du fleurdelisé comme drapeau officiel du Québec.	Borduas, *Refus global*. — Gélinas, *Tit-Coq*. — Lapointe, *Le Vierge incendié*. — Lemelin, *Les Plouffe*.
1949	Grève de l'amiante à Asbestos. — Loi du Cadenas.	Fondation des Éditions Ertha par Roland Giguère.
1950		Fondation de *Cité libre* par Gérard Pelletier et Pierre Elliott Trudeau. — Hébert, *Le Torrent*.
1951	Première loi sur la protection de la jeunesse.	
1952		Début de la télévision de Radio-Canada.
1953		Fondation des Éditions de l'Hexagone. — Dubé, *Zone*. — Hébert, *Le Tombeau des rois*. — Hénault, *Totems*.
1959	Décès de Maurice Duplessis: fin de la période de la Grande Noirceur.	Fondation de la revue *Liberté*.
1960	Élection du gouvernement libéral de Jean Lesage: début de la Révolution tranquille.	Hébert, *Poèmes*. — Lapointe, *Choix de poèmes. Arbres*.
1961	Claire Kirkland-Casgrain, première femme élue à l'Assemblée nationale et occupant le poste de ministre.	
1962	Travaux d'aménagement du métro de Montréal. — Création d'Hydro-Québec. — Création de la commission d'enquête Laurendeau-Dunton sur le bilinguisme et le biculturalisme.	
1963	Le Front de libération du Québec (FLQ) fait sauter les premières bombes s'attaquant aux symboles du pouvoir anglais au Québec. — Création du Parti rhinocéros par Jacques Ferron.	Vadeboncœur, *La Ligne du risque*. — Maheux-Forcier, *Amadou*. — Fondation de la revue *Parti pris*.

DATES	ÉVÉNEMENTS	
	POLITIQUES	SOCIOCULTURELS
1964	Adoption de la loi mettant fin à l'incapacité juridique de la femme mariée. — Création du ministère de l'Éducation du Québec. — Samedi de la matraque: répression brutale exercée contre une foule sans armes lors de la visite de la reine Élisabeth II.	Chamberland, *Terre Québec* et *L'afficheur hurle*.
1965	Recrutement par le gouvernement libéral fédéral des «trois colombes»: Jean Marchand, Pierre Elliott Trudeau et Gérard Pelletier.	Blais, *Une saison dans la vie d'Emmanuel*. — Aquin, *Prochain Épisode*. — Giguère, *L'Âge de la parole*.
1966	Élection du gouvernement conservateur de Daniel Johnson, père (Union nationale).	Ferron, *Papa Boss*. — Martin, *Dans un gant de fer*.
1967	Expo 67. — Visite officielle de Charles de Gaulle. — Ouverture des cinq premiers cégeps. — Commission royale d'enquête sur la situation de la femme au Canada.	Godin, *Les Cantouques*. — Ducharme, *Le nez qui voque*.
1968	Pierre Elliott Trudeau devient premier ministre du Canada. — René Lévesque fonde le Parti québécois. — Adoption de la Loi sur le divorce au fédéral.	Gauvreau, *Étal mixte*. — Tremblay, *Les Belles-Sœurs*. — Création de Radio-Québec. — «L'Osstidcho», spectacle de Robert Charlebois, Louise Forestier, Mouffe et Yvon Deschamps.
1969	Manifestation McGill français. — Adoption du *bill omnibus* touchant l'avortement, l'attentat à la pudeur (homosexualité), les loteries, la conduite avec facultés affaiblies et les armes à feu. — Adoption de la Loi pour promouvoir l'enseignement de la langue française au Québec.	
1970	Élection du gouvernement libéral de Robert Bourassa. — Crise d'Octobre: le Front de libération du Québec kidnappe le diplomate britannique James Richard Cross et assassine le ministre libéral Pierre Laporte. — Décret de la Loi sur les mesures de Guerre. — Création de l'assurance maladie au Québec.	Nuit de la poésie 1970. — Miron, *L'Homme rapaillé*. — Hébert, *Kamouraska*.
1971	Loi des jurés modifiée pour permettre aux femmes d'agir comme jurée.	Tremblay, *À toi, pour toujours, ta Marie-Lou*.
1973	Création du Conseil du statut de la femme du Québec.	Marcel, *Le Joual de Troie*.
1974	Adoption de la loi qui stipule que la langue du travail et de la fonction publique est le français et qui fait du français la seule langue officielle du Québec tout en reconnaissant deux langues nationales: le français et l'anglais.	
1976	Ouverture de la xxie olympiade à Montréal. — Élection du Parti québécois de René Lévesque.	
1977	Adoption de la Charte de la langue française, aussi appelée «loi 101». Le français devient la seule langue officielle du Québec et la seule permise dans l'affichage commercial.	
1978		Boucher, *Les fées ont soif*. — Tremblay, *La grosse femme d'à côté est enceinte*.
1979	Fondation de l'Université du Québec à Montréal (UQAM). — La Cour suprême déclare anticonstitutionnels trois chapitres de la loi 101.	
1980	Lancement officiel de la campagne référendaire à l'Assemblée nationale par René Lévesque. Le 20 mai, le NON récolte 59,56 % et le OUI 40,44 %.	Fondation du magazine féministe *La Vie en rose*.

JUSQU'AU DÉBUT DU XXe SIÈCLE, plusieurs écrivains québécois font de leurs écrits des outils de propagande de la tradition. Cependant, quand l'industrialisation amène la population à quitter le refuge de la terre, certains créateurs abandonnent aussi leur rôle de défenseurs de l'idéologie. Le pouvoir qu'exerce Maurice Duplessis sur le Québec de 1944 à 1959 les contraint toutefois, même après la Seconde Guerre, à assumer la solitude qu'entraîne toute velléité d'anticonformisme. Ce n'est qu'à la fin de la Grande Noirceur que survient la réconciliation de l'artiste avec ses contemporains. La Révolution tranquille suscite alors des actes concrets visant à l'épanouissement d'une nation francophone soucieuse d'affirmer sa spécificité par rapport au Canada anglais et au continent nord-américain.

FAIRE LE DEUIL DU PASSÉ

Lors de la Seconde Guerre mondiale, le plébiscite sur la conscription obligatoire (1942), à laquelle s'opposent la plupart des Québécois, réveille les tensions au sein du Québec, une province bilingue et biculturelle dont la majorité francophone est traitée en minorité. La prise de conscience que les valeurs inculquées par l'Église et l'État ne s'accordent plus avec la réalité provoque aussi un changement de mentalités. Plusieurs artistes reviennent d'exil en raison du conflit et profitent des échanges avec l'Europe pour sensibiliser leurs contemporains aux mouvements d'avant-garde français. *Refus global* (1948), le manifeste de Paul-Émile Borduas et des automatistes, paraît dans cette mouvance. La nécessité de libérer les puissances de l'imaginaire par l'abstraction, de dénoncer la pauvreté artistique, morale et intellectuelle des Canadiens français n'atteint cependant qu'un public restreint : même si l'instruction obligatoire est décrétée en 1943, la culture reste réservée à quelques privilégiés. Alors que les peintres modernes, à l'instar des poètes, demeurent ignorés, les romanciers et les dramaturges obtiennent du succès auprès du public en traçant un portrait réaliste de la population aux prises avec le pouvoir civil encourageant son exploitation et surtout avec le pouvoir religieux, dont la mainmise s'étend à la santé, à l'éducation et aux services sociaux. Le travail des femmes, leur droit de vote (1940), les grèves ouvrières, le renforcement des syndicats et l'avènement de la télévision (1952), où les débats d'affaires publiques favorisent la liberté de pensée, contribuent irrémédiablement à ébranler ce qui reste des fondations de la société traditionnelle. Ainsi, la mort de Duplessis en 1959, plutôt que d'entraîner une période de deuil, devient l'occasion d'une renaissance.

RÊVER LE QUÉBEC

Les mutations profondes des années 1960, baptisées Révolution tranquille, correspondent à un temps nouveau où l'État, la population et les artistes puisent leur espoir en l'avenir dans une solidarité nouvelle à l'idée d'être Québécois et non plus Canadiens français. Sous la direction de Jean Lesage, le Parti libéral procède aux changements qu'il a promis lors de la campagne électorale de 1960. Les commissions d'enquête et les réformes se multiplient et l'on passe de la providence de Dieu à celle de l'État. Évincée de ses anciennes juridictions, l'Église catholique perd des fidèles, et les Québécois conquièrent leur liberté en se reconnaissant le droit de vivre dans une société juste, de gérer leur économie et de s'éduquer pour bien le faire. La réforme du système d'éducation démocratise l'enseignement et la culture en créant de nouveaux programmes et en instituant les polyvalentes et les cégeps. Fortes de l'indépendance qu'elles ont acquise en travaillant à l'extérieur de la maison, les femmes entrevoient la possibilité de s'émanciper hors du mariage. La loi sur le divorce (1968), l'accès aux études et le recours à des moyens de contraception transforment les mœurs autant qu'ils promeuvent l'égalité des sexes.

La littérature se fait alors révolutionnaire et engagée ; elle analyse la société, la critique et préfigure ses mutations à venir. Les romans et le théâtre témoignent du fait que les revendications sociales s'appuient sur une quête d'identité bien individuelle ; les œuvres plus intériorisées côtoient celles proposant des peintures de mœurs. En poésie, après avoir exploré, durant les années 1950, un univers alors fermé sur lui-même, les poètes passent de l'âge de la parole à celui de l'action. Les Éditions de l'Hexagone, fondées en 1953 par Gaston Miron, s'imposent désormais comme foyer de diffusion et de discussions où l'enthousiasme des jeunes créateurs rejoint la voix des aînés.

RÉALISER L'UTOPIE

À la fin des années 1960, la patrie rêvée, tant décrite et fantasmée par les poètes et les écrivains de la génération de l'Hexagone comme territoire d'appartenance et de création, se dessine dans l'imaginaire du peuple québécois. Encouragé par ses réussites, ce dernier entrevoit la possibilité de l'avènement du « Québec libre » clamé par Charles de Gaulle en 1967. Les membres du Front de libération du Québec (FLQ), animés de l'esprit farouche des Patriotes de 1837-1838 et pressés de libérer les travailleurs québécois du joug capitaliste et colonialiste qui perdure, commettent deux enlèvements, devant quoi le premier ministre québécois de l'époque Robert Bourassa demande au gouvernement fédéral d'envoyer l'armée à Montréal et d'imposer la Loi sur les mesures de guerre. Questionnés, arrêtés, plusieurs intellectuels après cette crise d'Octobre 1970 conviennent de la nécessité de parvenir à l'indépendance par la voie démocratique. L'élection du Parti québécois de René Lévesque en 1976 réconcilie la population francophone avec son gouvernement : comme lui, elle se soucie de l'autonomie du Québec et de la protection de la langue française. Les écrivains, longtemps soucieux de la qualité et de la particularité de cette langue, participent aux débats qui touchent maintenant son statut. Adopté en 1977, le projet de loi 101 réglemente notamment l'affichage et impose le français comme langue d'enseignement à la plupart des immigrants. Cette loi fait ainsi écho aux revendications d'écrivains comme Gaston Miron, qui se disait « dépoétisé dans sa langue », et freine la discrimination linguistique que dénonçait Michèle Lalonde dans son célèbre « Speak White » (1968). Lorsque le Parti québécois, en 1980, invite la population à se prononcer par référendum sur la souveraineté de la province, les écrivains s'engagent avec le même enthousiasme. Mais le 40,4 % obtenu par les partisans de René Lévesque condamne le pays entrevu à demeurer une utopie.

Bien que les Québécois soient plus forts économiquement, socialement et culturellement, les lendemains du référendum font place à l'incertitude. En littérature, les écrits sont orientés vers une nouvelle forme de contestation politique qui va à l'encontre de l'optimisme social et du capitalisme montant. Ce postmodernisme s'épanouira, comme les écrits féminins, dans la décennie suivante. Les œuvres centrées sur le pays à naître disparaissent avec la démobilisation politique généralisée. Il n'en reste pas moins que la littérature d'ici, maintenant reconnue, diffusée et enseignée, en affirmant la spécificité d'une nation, en est devenue l'une des grandes réalisations.

DÉNONCER L'ALIÉNATION

SI JUSQU'À LA Seconde Guerre mondiale la critique du passé n'était le fait que de quelques intellectuels isolés, au tournant des années 1950, la prospérité économique ne parvient plus à masquer la crise profonde des valeurs et le malaise se généralise à toute la population. Que *Tit-Coq* de Gratien Gélinas triomphe alors que l'on fustige *Refus global* prouve que l'on peine autant à respecter qu'à contester le pouvoir conservateur en place. La Grande Noirceur apparaît donc comme une période de lutte entre les forces contraires de la tradition et du renouveau. Vivre le présent devient une entreprise surhumaine à laquelle renoncent les personnages de *Zone* de Marcel Dubé ou ceux de *À toi, pour toujours, ta Marie-Lou* de Michel Tremblay. Même si la mort des héros semble un ultime acte de libération, elle renvoie à la difficulté, voire à l'impossibilité, de mettre fin à l'aliénation, dont la religion catholique, en raison de l'emprise qu'elle exerce sur l'âme et des interdits qu'elle impose au corps, apparaît comme la source première. Ainsi, les étapes vers la libération dont fait état Anne Hébert dans *Poèmes* se franchissent-elles dans la totale dépossession de l'être.

Gratien Gélinas (1909-1999)

Comédien, auteur dramatique, metteur en scène de talent, Gratien Gélinas est considéré comme le père du théâtre québécois. Né dans une société religieuse qui ne conçoit pas la dissolution du mariage, il n'en voit pas moins ses parents se séparer en 1928, ce qui le place dans une situation précaire qui l'oblige à quitter le Collège de Montréal pour aider sa mère. Il cumule de petits emplois et entreprend des études en comptabilité, en plus de jouer dans la troupe de théâtre amateur qu'il a fondée en 1929. L'année 1935 scelle son destin : il décroche un rôle dans *Le Curé de village* de Robert Choquette sur les ondes de CKAC, où il signera deux ans plus tard sa première émission radiophonique, *Le Carrousel de la gaieté*. Lorsqu'il présente sur la scène du Monument National, en 1938, le personnage de Fridolin, cet enfant naïf et sensible créé pour la radio en 1937, il ouvre une voie inexplorée dans la dramaturgie en mêlant la tradition du burlesque à la rigueur du jeu et de la mise en scène du théâtre classique. Ce succès l'amène à se consacrer tout entier à sa passion.

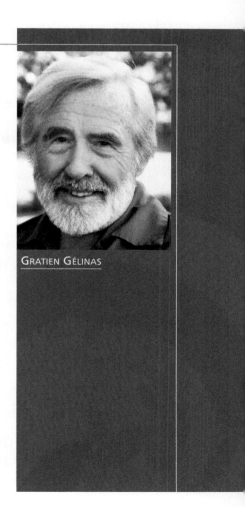

GRATIEN GÉLINAS

Tit-Coq (1948) naît tout naturellement de sa plume, non seulement parce que Gélinas avait lui-même vécu une situation familiale marginale, mais parce que, habile à traduire les petits drames d'un peuple à l'existence difficile, il se devait de lui donner une pièce dans laquelle il se reconnaîtrait enfin. Gélinas contribue, à l'instar de plusieurs artistes de l'époque de la Grande Noirceur, à l'éveil d'une conscience collective en soulignant les incohérences de la société duplessiste. Son regard sévère sur les valeurs traditionnelles des Canadiens français et sa langue colorée sans être vulgaire lui assureront encore une fois le succès avec *Bousille et les justes* en 1959.

■ TIT-COQ (1948)

Saluée dans sa version anglaise (1950) dans le reste du Canada comme aux États-Unis malgré son échec à Broadway, la pièce en trois actes Tit-Coq connaît un grand succès jusqu'en 1953, année où Gratien Gélinas la porte à l'écran. Obligé par le Padre, l'aumônier des soldats, de passer Noël dans la famille de son compagnon d'armes, Arthur Saint-Jean, un bâtard colérique surnommé Tit-Coq, y fait la connaissance de sa sœur, Marie-Ange, dont il devient amoureux. Mais la guerre l'appelle au front et il est séparé de sa fiancée durant deux ans. La veille de son retour, il apprend qu'elle s'est mariée. Dans le dernier acte, il va la rencontrer pour le lui reprocher, mais constatant que leur amour est toujours aussi vivant, il décide de s'enfuir avec elle. Le Padre les rejoint à la gare.

TIT-COQ. (*Sourdement, au Padre.*) Vous, il y a longtemps que je vous vois venir du coin de l'œil. Vous allez me parler de la Sainte Église et de son catéchisme, avec des péchés au bout
5 gros comme le bras : vous pouvez y aller, mais je vous préviens que je vous attends avec une brique et un fanal !

LE PADRE. (*Calme.*) Il ne sera pas question de religion.

10 TIT-COQ. Non. Parce que le péché, voyez-vous, il paraît qu'on a été faits là-dedans, nous autres les bâtards ! C'est notre père, le péché, c'est lui qui nous a mis au monde. Ce qui revient à dire qu'on le connaît, et qu'il nous en
15 impose moins qu'au reste de la chrétienté. Le Tout-Puissant, comme vous l'appelez, je réglerai mes comptes avec lui, en temps et lieu. Et je suis tranquille : il a l'esprit large, *lui*, il comprend le bon sens. S'il nous a introduits sur la
20 terre en cachette par la porte d'en arrière, il trouvera bien le moyen de nous laisser entrer au paradis de la même façon.

MARIE-ANGE. Moi aussi, Padre, je vous préviens : je me fiche pas du bon Dieu, mais vous
25 gagnerez pas grand-chose en me faisant la morale.

LE PADRE. Je le répète : je ne vous parlerai pas de religion.

TIT-COQ. Non ! Vu que la religion et le bon
30 Dieu, ça fait deux ! Quant à lui, le créateur, s'il est infiniment juste, comme vous le chantez, il sera bien forcé d'admettre que tout ce qu'il m'a donné à aimer, c'est cette enfant-là, et que je n'ai rien fait pour la perdre… Et que j'ai droit à mon
35 petit bonheur, autant que n'importe qui… et que je la garde, entendez-vous ? Je la garde !

LE PADRE. (*Après un temps.*) Prends-la.

TIT-COQ. (*Qui croit avoir mal compris.*) Quoi ?

LE PADRE. Prends-la, ta Marie-Ange, et pars
40 avec elle, sans te préoccuper de l'au-delà. Oui, c'est vrai : Dieu est infiniment juste…

TIT-COQ. Certain !

LE PADRE. Quand tu paraîtras devant lui, il ne pourra peut-être même pas t'en vouloir : tu
45 l'auras payée tellement cher, ta vie avec elle, tellement cher que tu en auras déjà expié sur la terre tout ce qu'elle pourrait avoir eu de condamnable.

TIT-COQ. (*Abasourdi.*) Qu'est-ce que c'est
50 que cette histoire-là ?

LE PADRE. Alors, Marie-Ange, tu veux quitter ton mari pour suivre Tit-Coq ?

MARIE-ANGE. (*Butée.*) Oui.

[…]

TIT-COQ. Des ménages qui n'ont pas de jonc
55 au doigt, il y en a des tas, vous saurez ; et ils braillent pas à chaudes larmes chaque fois qu'on les rencontre dans la rue.

LE PADRE. D'autres pourraient peut-être s'accommoder de la vie qu'elle t'offre, mais
60 toi, jamais.

Jean-Paul Riopelle (1929-2002).

Pavane, 1954. (Huile sur toile, 300×550,2 cm. Musée des beaux-arts du Canada.)

Cosignataire de *Refus global*, Jean-Paul Riopelle a fait une longue carrière en arts, tant au Québec qu'en France. Ses tableaux des années 1950 sont des mosaïques où explose la couleur et où la peinture, appliquée à l'aide d'une spatule, trace des lignes comme autant de coups de fouet administrés à la tradition. L'explosion chromatique de *Pavane* peut être assimilée à la colère de Tit-Coq, dans la pièce de Gélinas, car il en émane à la fois une grande intensité et une touchante fragilité. Achevés la plupart du temps d'un seul souffle, dans un genre de transe, les tableaux de Riopelle traduisent tout autant la vigueur, la vitalité et la force du peintre que sa grande sensibilité.

TIT-COQ.   Pourquoi?

MARIE-ANGE. (*Misérable.*)   Oui, pourquoi, Padre? Pourquoi je pourrais pas faire son bonheur, quand je l'aime tellement?

65   LE PADRE.   Parce que lui, Marie-Ange, il est né à la crèche, abandonné par sa mère dès ses premiers jours… Il a passé sa jeunesse dans un orphelinat, sans affection, sans tendresse, avec un cœur pour aimer, bien sûr…

70   TIT-COQ.   Autant que n'importe qui!

LE PADRE.   Peut-être même plus. (*À Marie-Ange.*) Un jour, il t'a rencontrée, et il s'est rendu compte que, dès le moment où tu l'épouserais, il sortirait de son isolement pour devenir un 75   homme aimé, non seulement de toi, mais de toute ta famille. Ta famille qui deviendrait sa parenté, la plus belle au monde. (*Il est allé chercher l'album là où il l'avait déposé plus tôt.*) Celle qu'il me montrait fièrement dans cet album que 80   tu lui avais donné…

TIT-COQ.   Qu'est que vous allez déterrer là, vous?

LE PADRE. (*Ouvrant l'album.*)   Le jour de son départ, Marie-Ange, il a écrit là-dedans une 85   page qui m'a profondément touché. Un beau dimanche soir, il serait l'homme le plus important de la terre, il réaliserait son rêve le plus ambitieux: lui, le sans famille, il s'en irait tout simplement visiter sa parenté, c'est-à-dire la 90   tienne. (*Lisant dans l'album.*) «… avec mon petit dans les bras, et accrochée après moi, ma Toute-Neuve… On s'en va veiller chez mon oncle Alcide. Mon oncle par alliance, mais mon oncle quand même… Le bâtard, tout seul dans la vie, 95   ni vu ni connu: dans le tramway, il y aurait un homme comme tout le monde, en route pour aller voir les siens. Pas plus, pas moins. Pour un autre, ce serait peut-être un bien petit avenir. Mais moi, avec ça, je serai sur le pignon du 100   monde. Grâce à Marie-Ange Desilets, qui me donnera en cadeau toute sa famille. C'est

pourquoi je pourrai jamais assez la remercier. »
(*Il referme l'album.*) (*À Marie-Ange.*) Peux-tu
encore lui apporter ce bonheur-là, irrempla-
105 çable pour lui? Peux-tu toujours lui offrir en
cadeau l'affection, l'amour des tiens?

MARIE-ANGE. (*Elle se cache la figure dans les
mains.*)

LE PADRE.   Tu as vu Jean-Paul, tout à l'heure,
110 prêt à se battre à poings nus avec celui qui avait
été jusque-là son meilleur ami, parce qu'il voulait partir avec toi? Tu as entendu ton père, aussi.
Crois-tu qu'il a parlé à la légère quand il a juré
que la famille Desilets, c'était fini pour Tit-Coq?
115 (*Devant son silence.*) Réponds honnêtement.

MARIE-ANGE. (*La tête dans ses mains, elle fait
signe que non.*)

TIT-COQ.   S'ils nous refusent, on fichera le
camp au diable vert!

120 LE PADRE.   Ça ne réglerait rien : ton idéal était
de te rapprocher, pas de t'éloigner d'eux.

TIT-COQ.   D'accord, je le voulais tout ça. Je le
voulais comme un maudit toqué! Mais c'est fini
maintenant, c'est perdu. Raison de plus pour
125 la garder : elle est tout ce qui me reste.

LE PADRE.   Oui. Mais aussi tout ce que tu auras
jamais. En quittant son mari pour te suivre, elle
peut t'empêcher d'être seul, oui; mais elle te
condamne par le fait même à être toujours seul
130 avec elle, à ne jamais avoir ce que bien d'autres
femmes peuvent encore te donner. Tout ce que
tu voulais est encore possible avec une autre.
Rien n'est perdu sauf elle.

QUESTIONS

1 Quelle représentation de l'Église catholique se dégage des propos du Padre?

2 Marie-Ange peut-elle faire le bonheur de Tit-Coq?

3 a) Analysez les termes employés pour décrire la situation d'orphelin de Tit-Coq. Que révèlent-ils sur la façon dont cet état est perçu par les protagonistes?

b) Relevez les passages où Tit-Coq parle de Dieu. La conception qu'il s'en fait est-elle opposée à celle du Padre?

c) Analysez les didascalies et les types de phrases du dialogue. Qui dirige la discussion? Le Padre est-il l'allié ou l'adversaire de Tit-Coq?

4 Peut-on dire que, dans cet extrait, Tit-Coq est en conflit avec les valeurs sociales et religieuses de son époque plutôt qu'avec Dieu?

5 Le drame de Tit-Coq a-t-il encore un sens dans la société actuelle où l'union libre, le divorce, l'athéisme et le contrôle des naissances sont courants?

MARCEL DUBÉ

Marcel Dubé (1930)

Né à Montréal durant la crise économique, Marcel Dubé appartient à la première génération de Québécois à s'interroger sur le sort des hommes d'ici. Il occupera au théâtre la place vacante de porte-parole de la classe ouvrière, en présentant des figures qu'il veut aussi emblématiques de la solitude urbaine que celles de Gabrielle Roy ou de Roger Lemelin. Celui qui avouait, en 1969, vouloir « émouvoir » à la façon des tragédiens grecs découvre le théâtre et les grands classiques chez les jésuites du collège Sainte-Marie. Il y fonde la troupe La Jeune Scène qui joue ses premières productions. Le succès que remporte *Zone* confirme son talent de dramaturge. Grâce à des bourses, il fait différents stages dans des écoles de théâtre à Paris. Désormais, le milieu populaire montréalais vivra ses drames dans plus d'une trentaine d'œuvres jusqu'en 1960.

Durant cette période, il grandit avec ses personnages, dépeignant d'abord, dans une langue poétique mêlée de pittoresque, des êtres purs, entiers, au tournant de l'enfance, pour faire ensuite, dans des téléthéâtres comme *Un Simple Soldat* et *Florence*, le procès de la famille ouvrière étouffant ses membres. Quand survient la Révolution tranquille, il dépeint l'existence des petits bourgeois qui ont profité de la guerre pour s'enrichir et se hisser dans l'échelle sociale. Par choix linguistique autant qu'idéologique, il pousse ainsi plus loin, dans un français évitant les excès du joual, sa réflexion sur la triste condition de l'homme québécois. Son œuvre est un appel à la révolte, à la liberté, à la nécessité de devenir responsable de sa vie, de ses échecs comme de ses victoires.

■ ZONE (1953)

Comme les « belles-sœurs » de Michel Tremblay, liées par la même quotidienneté affligeante, les personnages de Zone forment un groupe uni par la misère.

> *Mes personnages sont des contrebandiers, mon histoire, un fait divers, un conte triste d'amour et de mort. La pièce a pour titre : Zone. […] [Cette] zone ne tient pas uniquement lieu de décor et de titre, elle n'est pas seulement une « délimitation de terre », mais un « climat » intérieur, le symbole d'un isolement, d'une solitude morale. Solitude de l'adolescent dont la soif le place en dehors des limites de la ville, de la vie. Voilà pourquoi ses gestes en font un hors-la-loi.*

Tarzan, le chef du groupe, incarne cette figure du hors-la-loi, puisqu'il a tué un douanier en traversant illégalement la frontière américaine. Dans le dernier acte de la pièce, il s'enfuit de prison pour revenir voir Ciboulette, seule femme de la bande, à leur lieu de rassemblement.

Acte 5 : La Mort

TARZAN.   Je suis pas venu ici pour trouver de l'argent, je suis venu pour t'embrasser et te dire que je t'aimais.

CIBOULETTE.   Faut que tu partes alors et que
5   tu m'emmènes avec toi si c'est vrai que tu m'aimes. L'argent ce sera pour nous deux.

TARZAN.   Je peux pas faire ça, Ciboulette.

CIBOULETTE.   Pourquoi ?

TARZAN.   Parce que je suis fini. Tu t'imagines
10   pas que je vais leur échapper ?

CIBOULETTE.   Tu peux tout faire quand tu veux.

TARZAN.   Réveille-toi, Ciboulette, c'est passé tout ça… Je m'appelle François Boudreau, j'ai
15   tué un homme, je me suis sauvé de prison et je suis certain qu'on va me descendre.

CIBOULETTE.   Pour moi, t'es toujours Tarzan.

TARZAN.   Non. Tarzan est un homme de la jungle, grand et fort, qui triomphe de tout : des
20   animaux, des cannibales et des bandits. Moi je suis seulement qu'un orphelin du quartier qui voudrait bien qu'on le laisse tranquille un jour dans sa vie, qui en a par-dessus la tête de lutter et de courir et qui aimerait se reposer un peu et
25   être heureux. (*Il la prend dans ses bras.*) Regarde-moi… vois-tu que je suis un peu lâche ?

CIBOULETTE.   Mais non, t'es pas lâche. T'as peur, c'est tout. Moi aussi j'ai eu peur quand ils m'ont interrogée ; j'ai eu peur de parler et de tra-
30   hir, j'avais comme de la neige dans mon sang.

TARZAN.   Je vous avais promis un paradis, j'ai pas pu vous le donner et si j'ai raté mon coup c'est seulement de ma faute.

35 CIBOULETTE. C'est de la faute de Passe-Partout qui t'a trahi.

TARZAN. Si Passe-Partout m'avait pas trahi, ils m'auraient eu autrement, je le sais. C'est pour ça que j'ai pas puni Passe-Partout. C'est pour ça que je veux pas de votre argent. Ce serait pas juste
40 et je serais pas capable d'y toucher. C'est de l'argent qui veut plus rien dire pour moi puisque tout est fini maintenant. J'ai tué. Si je t'avais aimée, j'aurais pas tué. Ça, je l'ai compris en prison. Mais y est trop tard pour revenir en arrière.

45 CIBOULETTE. Veux-tu dire qu'on aurait pu se marier et avoir des enfants?

TARZAN. Peut-être.

CIBOULETTE. Et maintenant, on pourra jamais?

TARZAN. Non.

50 CIBOULETTE. Tarzan! Si on se mariait tout de suite! Viens, on va s'enfermer dans le hangar et on va se marier. Viens dans notre château; il nous reste quelques minutes pour vivre tout notre amour. Viens.

55 TARZAN. Tu serais deux fois plus malheureuse après.

CIBOULETTE. Ça m'est égal. Je suis rien qu'une petite fille, Tarzan, pas raisonnable et pas belle, mais je peux te donner ma vie.

60 TARZAN. Faut que tu vives toi. T'as des yeux pour vivre. Faut que tu continues d'être forte comme tu l'as toujours été même si je dois te quitter... pour toujours.

CIBOULETTE. Quand un garçon et une fille
65 s'aiment pour vrai, faut qu'ils vivent et qu'ils meurent ensemble, sans ça, ils s'aiment pas.

TARZAN. Pauvre Ciboulette. On sera même pas allés au cinéma ensemble, on n'aura jamais marché dans la rue ensemble, on n'aura jamais
70 connu le soleil d'été ensemble, on n'aura jamais été heureux ensemble. C'est bien ce que je te disais un jour: être amoureuse de moi, c'est être malheureuse.

CIBOULETTE. Mais non. On fait un mauvais
75 rêve et il faut se réveiller avant qu'il soit trop tard.

On commence à entendre les sirènes de police en arrière-plan.

TARZAN. Y est trop tard, Ciboulette. Écoute, on entend les sirènes. Moineau, Tit-Noir et
80 Passe-Partout sont partis, je les reverrai jamais. On est tout seuls et perdus dans la même cour où on a rêvé au bonheur, un jour. T'es là dans mes bras et tu trembles de froid comme un oiseau. Mes yeux sont grands ouverts sur les
85 maisons, sur la noirceur et sur toi; je sais que je vais mourir mais j'ai seulement qu'un désir: que tu restes dans mes bras.

CIBOULETTE. Embrasse-moi... une dernière fois... pour que j'entende plus les voix de la mort...
90 (*Il l'embrasse avec l'amour du désespoir. Les sirènes se rapprochent sensiblement.*) Maintenant, tu vas partir, Tarzan, tu vas surmonter ta peur. Tu penseras plus à moi. T'es assez habile pour te sauver.

TARZAN. Et t'auras cru en moi jusqu'à la fin.
95 J'aurais pas dû revenir, Ciboulette; comme ça t'aurais eu moins de chagrin.

CIBOULETTE. Mais non, Tarzan, t'as bien fait, t'as bien fait. L'important maintenant c'est que tu penses à partir.

[...]

100 TARZAN. (*La regarde longuement, prend sa tête dans ses mains et l'effleure comme au premier baiser.*) Bonne nuit, Ciboulette.

CIBOULETTE. Bonne nuit, François... Si tu réussis, écris-moi une lettre.

105 TARZAN. Pauvre Ciboulette... Même si je voulais, je sais pas écrire. (*Il la laisse, escalade le petit toit et disparaît. Un grand sourire illumine le visage de Ciboulette.*)

CIBOULETTE. C'est lui qui va gagner, c'est lui
110 qui va triompher... Tarzan est un homme. Rien peut l'arrêter: pas même les arbres de la jungle, pas même les lions, pas même les tigres. Tarzan est le plus fort. Il mourra jamais.

Coup de feu dans la droite.

115 CIBOULETTE. Tarzan!

Deux autres coups de feu.

CIBOULETTE. Tarzan, reviens!

Tarzan tombe inerte sur le petit toit. Il glisse et choit par terre une main crispée sur son ventre et tendant
120 *l'autre à Ciboulette. Il fait un pas et il s'affaisse. Il veut ramper jusqu'à son trône mais il meurt avant.*

QUESTIONS

1 Décrivez le milieu social dont il est question dans la pièce.

2 Par quels moyens les personnages parviennent-ils à s'évader de ce milieu ?

3 a) Observez la façon dont Ciboulette parle de Tarzan. Comment le voit-elle ?

b) Quels indices montrent que Tarzan a changé depuis son séjour en prison ? Dans quel sens a-t-il évolué ?

c) Relevez les passages qui permettent de comprendre ce qu'est l'amour pour Ciboulette et pour Tarzan ?

d) Montrez que les personnages tentent chacun d'entraîner l'autre dans son univers.

4 D'après vous, Tarzan et Ciboulette vivent-ils dans l'illusion ?

5 Croyez-vous que l'amour est voué à l'échec pour les mêmes raisons dans les extraits de Gratien Gélinas (p. 168-170) et de Marcel Dubé ?

Michel Tremblay (1942)

MICHEL TREMBLAY

Enfant du *baby-boom*, Michel Tremblay est né sur le Plateau Mont-Royal, quartier de Montréal alors habité en majorité par des ouvriers. Il apprend son métier de linotypiste à l'École des arts graphiques, puis fait, en 1964, la rencontre du metteur en scène André Brassard, qui sera déterminante pour lui puisqu'elle conduit, quatre ans plus tard, à la création des *Belles-Sœurs*, pièce moderne dont le titre renvoie pourtant à une institution des plus traditionnelles : la famille. C'est d'ailleurs l'édification d'un théâtre basé sur des caractéristiques en apparence inconciliables qui constitue l'originalité de Tremblay : utilisation de la langue vulgaire d'êtres sans éducation avec des procédés de la tragédie grecque, contestation de valeurs conservatrices locales auxquelles est conférée une portée universelle, recours à une ironie mordante pour traiter de sujets aussi graves que la solitude et la mort. Le théâtre québécois prend avec lui un second envol depuis Gélinas et Dubé, et Tremblay s'impose comme le nouveau porte-parole du milieu populaire.

Enraciné dans la réalité québécoise, son théâtre exhibe sans pudeur l'aliénation profonde de mères frustrées, d'ouvriers écrasés, d'enfants révoltés. De *À toi, pour toujours, ta Marie-Lou* (1971) en passant par *Damnée Manon, sacrée Sandra* (1977), le cycle des « belles-sœurs » prend le contre-pied de l'enthousiasme de la Révolution tranquille et confirme que toutes les couches sociales ne se libèrent pas dans les années 1960. Même les déviants, travestis, homosexuels, prostituées, qui s'exilent sur la Main pour s'épanouir, dans *La Duchesse de Langeais* (1970) ou *Sainte Carmen de la Main* (1976), connaissent une fin tragique. Avec la parution de *La grosse femme d'à côté est enceinte* en 1978, premier roman des Chroniques du Plateau Mont-Royal, Tremblay donne un passé à ses personnages dramatiques et explore le monde de l'enfance où l'espoir est encore permis.

■ À TOI, POUR TOUJOURS, TA MARIE-LOU (1971)

« Pour moi, une pièce de théâtre, c'est une suite de scènes dans lesquelles il n'y a rien qui se passe, mais dans lesquelles on parle de choses qui se sont passées ou qui vont arriver. » En effet, À toi, pour toujours, ta Marie-Lou *est bien une tragédie du langage, puisque le drame principal dont il est question est survenu en 1961, soit dix ans avant l'action présentée. L'auteur, par un jeu d'éclairage et un enchaînement habile des répliques, fait revivre ce passé et donne vie au couple décédé qui prend place sur la scène. Marie-Lou, enceinte d'un quatrième enfant, est assise dans le salon; Léopold, employé dans une usine, est à la taverne. Ni l'un ni l'autre ne bougent ni ne se regardent durant la pièce. Par leurs propos sur leur situation financière et leur vie conjugale, le spectateur apprend pourquoi ils ont trouvé la mort dans un accident de voiture.*

MARIE-LOUISE.   Tu piques des crises quand j'te demande de l'argent, pis t'es trop niaiseux pour demander l'argent que ton boss te doit! Tu s'ras toujours un peureux…

[…]

5   MARIE-LOUISE.   Vous êtes toutes pareils! Vous nous chiez sur la tête parce qu'on est en-dessous de vous autres, pis vous vous laissez chier sur la tête par ceux qui sont au-dessus de vous autres! C'est pas sur nous autres que vous devriez vous 10 venger, pourtant! Pourquoi t'essayerais pas de le débarquer, lui au lieu de nous autres!

LÉOPOLD.   Ça fait vingt-sept ans que j'travaille pour c't'écœurant là… Pis j'ai rien que quarante-cinq ans… C'est quasiment drôle quand tu 15 penses que t'as commencé à travailler pour un gars que t'haïs à l'âge de dix-huit ans, pis que t'es encore là, à le sarvir… Y'en reste encore trop des gars poignés comme moé… Aujourd'hui, les enfants s'instruisent, pis y vont peut-être 20 s'arranger pour pas connaître c'que j'ai connu… Hostie! Toute ta tabarnac de vie à faire la même tabarnac d'affaire en arrière de la même tabarnac de machine! Toute ta vie! T'es spécialisé, mon p'tit gars! Remercie le bon Dieu! T'es pas 25 journalier! T'as une job steadée! Le rêve de tous les hommes: la job steadée! Y'as-tu que-qu'chose de plus écœurant dans'vie qu'une job steadée? Tu viens que t'es tellement spécialisé dans ta job steadée, que tu fais partie de ta 30 tabarnac de machine! C'est elle qui te mène! C'est pus toé qui watches quand a va faire défaut, c'est elle qui watche quand tu vas y tourner le dos pour pouvoir te chier dans le dos, sacrement! Ta machine, tu la connais tel- 35 lement, tu la connais tellement là, que c'est comme si t'étais v'nu au monde avec! C'est comme si ç'avait été ta première bebelle, hostie! Quand j'me sus attelé à c'te ciboire de machine-là, j'étais quasiment encore un enfant! 40 Pis y me reste encore vingt ans à faire! Mais dans vingt ans, j's'rai même pus un homme… J'ai déjà l'air d'une loque… Dans vingt ans, mon p'tit gars, c'est pas toé, c'est ta machine qui va prendre sa retraite! Chus spécialisé! Ben le bon 45 Dieu, j'le r'mercie pas pentoute, pis je l'ai dans le cul le bon Dieu! Pis à part de ça, c'est même pas pour toé que tu travailles, non c'est pour ta famille! Tu prends tout l'argent que t'as gagné en suant pis en sacrant comme un 50 damné, là, pis tu la donnes toute au grand complet à ta famille! Ta famille à toé! Une autre belle invention du bon Dieu! Quatre grandes yeules toutes grandes ouvertes, pis toutes prêtes à mordre quand t'arrives, le jeudi 55 soir! Pis quand t'arrives pas tu-suite le jeudi soir parce que t'as été boire à taverne, ta chienne de famille, a mord pour vrai, okay! Cinq minutes pis y te reste pus une crisse de cenne noire dans tes poches, pis tu brailles 60 comme un veau dans ton lit! Pis ta famille a dit que c'est parce que t'es saoûl! Pis a va conter à tout le monde que t'es t'un sans-cœur! Ben oui, t'es t'un sans-cœur! Y faut pas te le cacher, t'es t'un sans-cœur!

Edmund Alleyn (1931-2004).

Iceberg Blues, 1975. (Huile sur toile, 183 cm de diamètre, personnages sur plexiglass. Musée des beaux-arts de Montréal.)

Dans les années 1970, Edmund Alleyn a entrepris la création d'une série d'installations présentant des personnages urbains, grassouillets, bourgeois, peints sur des plaques de plexiglas et placés devant des paysages clichés de bord de mer. Dans *Iceberg Blues*, les personnages sont peints en bleu, ce qui leur enlève toute leur humanité, et la distance entre eux et l'arrière-fond rend compte d'une communion devenue impossible entre l'homme et l'univers. Comme dans l'œuvre de Tremblay, ces personnages semblent porter en eux des rêves inaccomplis. Coincés dans une société aliénante, ils ne font plus office que de simples figurants.

À son tour, Léopold accuse Marie-Louise qui, elle, se soustrait au devoir conjugal.

65 **LÉOPOLD.** T'es même pas capable d'le dire... en plus de pas être capable d'le faire...

[…]

MARIE-LOUISE. J'arais peut-être été capable d'le faire, Léopold, si...

LÉOPOLD. Si quoi...

[…]

70 **MARIE-LOUISE.** J'arais peut-être été capable de le faire, pis j'arais peut-être, peut-être, aimé ça, si toé t'arais été capable, Léopold ! […] Tu réponds pas ! Là, j't'ai, hein ? Si au moins t'arais le tour ! Penses-tu que c'que tu me fais est

75 agréable, pour une femme ? […] Ma mère, a m'avait dit : « Je le sais pas, si c'est un garçon pour toé, je le sais pas... Y'a des drôles d'yeux ! Chez nous, à'campagne, j'aurais pas laissée le marier, mais, citte, en ville, t'en as rencontré

80 ben, tu dois savoir c'que tu veux... »

(*Silence.*)

« Tu dois savoir c'que tu veux... » Ah ! oui, c'est vrai, j'le savais, au fond, c'que j'voulais : partir au plus sacrant d'la maison... Y'avait assez de monde dans c'te maison-là, pis c'était assez

85 pauvre que... j'avais honte ! J'voulais m'en aller, essayer de respirer, un peu ! C'est vrai que j'en avais rencontré ben, des garçons... Mais lui, y'était plus fin que les autres, pis j'pensais qu'y

90 me ferait juste changer de maison, pis que la nouvelle s'rait juste plus vide... plus propre... pis plus tranquille... J'savais à peine qu'y faudrait que j'me laisse faire par mon mari... Ma mère... Ah ! J'y en voudrai toute ma vie de pas m'en avoir dit plus... Ma mère, a m'avait juste dit :

95 « Quand ton mari va s'approcher de toé, raidistoé pis ferme les yeux ! Y faut que t'endures toute... c'est ton devoir ». Ben je l'ai faite, mon devoir, sacrement ! Pis mon écœurant... tu m'as faite mal ! Tu m'as faite tellement mal !

100 J'arais voulu hurler, mais ma mère m'avait dit de serrer les dents ! Toé, tu t'apercevas de rien... Tu t'étais paqueté aux as parce que t'étais gêné pis t'étais pus capable de te contrôler... Tu t'es dégêné, all right ! « Si c'est ça, le sexe, que j'me

105 disais, pus jamais ! Jamais ! Jamais ! » Toé, quand ton fun a été fini, tu t'es retourné de bord en rotant pis tu t'es endormi comme un bebé ! C'était la première fois qu'un homme dormait à côté de moé : y me tournait le dos, y ronflait,

110 pis y puait ! J'arais voulu mourir là ! Quand tu t'es levé, le matin, t'as parlé de ça comme d'une partie de bingo, en faisant des farces plates... Ciboire d'ignorant ! C'est pas vrai, pas une seule fois t'aura essayé doucement, gentiment.

115 T'es doux avant, tu pleurniches, ah ! oui, mais deux secondes après t'es comme un pan de mur qui se décroche d'après la maison ! Si t'avais su, toé, comment faire, peut-être que... Mais c'est pas à mon âge qu'on peut r'gretter ces affaires-là...

QUESTIONS

1 Quels problèmes accablent Léopold et Marie-Lou? Ces problèmes sont-ils propres à leur condition sociale?

2 À qui Marie-Lou et Léopold attribuent-ils la responsabilité de leur malheur?

3 a) Relevez les nombreuses répétitions dans le discours des personnages. Que traduisent-elles?

b) Quelles sont les caractéristiques du joual dans cet extrait? À quels sentiments associez-vous les excès de langage des personnages?

c) Léopold et Marie-Lou sont-ils capables de bien se comprendre? Quels moyens Tremblay utilise-t-il pour traduire les problèmes qu'ils éprouvent à communiquer?

4 « Brassard cherche à montrer que l'homme n'est pas condamné. [Michel Tremblay est] convaincu du contraire. » Diriez-vous, comme l'auteur, que ces personnages de Marie-Lou et Léopold sont résignés à leur sort?

5 Après avoir lu les extraits de Gratien Gélinas, de Marcel Dubé et de Michel Tremblay, pensez-vous que ces auteurs ont fait évoluer la dramaturgie québécoise vers une certaine libération des personnages du milieu prolétaire? Sinon, comment définiriez-vous la progression du théâtre populaire québécois?

Écriture littéraire

DU THÉÂTRE À LA MICHEL TREMBLAY

Écrivez une scène se déroulant dans un quartier pauvre de Montréal. Si vous n'êtes pas de Montréal ou si vous connaissez peu la métropole, imaginez un quartier pauvre dans le coin que vous habitez. La scène doit impliquer les membres d'une famille (parents, enfants, frères, sœurs, cousins, cousines, oncles, tantes, beaux-frères, belles-sœurs, etc.). Utilisez de deux à cinq personnages. Le sujet doit être un compte à régler, une rancune à expulser. Ce peut être aussi un personnage qui décide de dire ses quatre vérités à un(e) proche. Le tout doit être rédigé dans un joual stylisé.

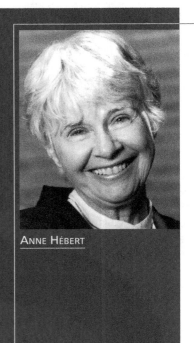

ANNE HÉBERT

Anne Hébert (1916-2000)

Durant toute sa carrière, Anne Hébert est demeurée fort discrète sur sa vie privée. Née près de Québec, elle est liée par sa famille à plusieurs écrivains dont Saint-Denys Garneau, son cousin, qui l'a fortement influencée par ses thèmes et son style. Même si son milieu bourgeois lui ouvre les portes des meilleures écoles privées de la capitale et lui permet d'acquérir une culture purement française, selon ses mots, c'est son père, Maurice Hébert, critique littéraire respecté, qui la guide dans la voie de l'écriture. Elle fréquente le groupe de jeunes intellectuels catholiques à l'origine de la revue *La Relève* et du renouveau littéraire dans les années 1930. Lorsqu'elle publie *Les Songes en équilibre* (1942), on salue d'emblée son talent à traduire l'état second du rêve. Le décès précoce de Saint-Denys Garneau l'amène à approfondir le thème de la mort. Les nouvelles du *Torrent* (1950) et les poèmes du *Tombeau des rois* (1953) témoignent alors de sa révolte contre un milieu étouffant et de son besoin de contester l'aliénation en traversant les frontières entre le songe et la réalité. Comme elle ne trouve au Québec aucun éditeur suffisamment courageux pour distribuer une

production si volontairement étrangère aux goûts conservateurs des Canadiens français, elle quitte le milieu duplessiste réfractaire à l'éclosion de l'avant-garde pour séjourner régulièrement à Paris où elle s'établira de 1965 à 1997. Elle publie ses romans chez Gallimard. Ceux-ci restent pourtant ancrés dans le cadre géographique et historique du Québec. Fidèle à ses origines, Anne Hébert suit un parcours littéraire qui dévie peu de sa voie initiale et qui demeure une aventure solitaire en marge des grands courants québécois. Anne Hébert est l'une des auteures ayant le mieux symbolisé la lente montée du Québec vers la libération, notamment celle des femmes.

■ POÈMES (1960)

Les poèmes du Tombeau des rois *s'enrichissent, dans la réédition de 1960, d'une partie intitulée* Mystère de la parole. *Ils montrent les étapes initiatiques de la lutte que la poésie engage contre le silence et l'état de songe.*

> *Notre pays est à l'âge des premiers jours du monde. La vie ici est à découvrir et à nommer ; ce visage obscur que nous avons, ce cœur silencieux qui est le nôtre, tous ces paysages d'avant l'homme, qui attendent d'être habités et possédés par nous, et cette parole confuse qui s'ébauche dans la nuit, tout cela appelle le jour et la lumière. […] Et moi, je crois à la vertu de la poésie, je crois au salut qui vient de toute parole juste, vécue et exprimée. Je crois à la solitude rompue comme du pain par la poésie.*

Voir, nommer, posséder, se regrouper, s'unir, Anne Hébert emprunte ici ces voies de la liberté que Paul-Émile Borduas avait déclarées nécessaires pour en finir avec des années de glorification du passé et de silence sur les maux de l'être.

■■■ « Nuit »

La nuit
Le silence de la nuit
M'entoure
Comme de grands courants sous-marins.

5 Je repose au fond de l'eau muette et glauque.
J'entends mon cœur
Qui s'illumine et s'éteint
Comme un phare.

Rythme sourd
10 Code secret
Je ne déchiffre aucun mystère.

À chaque éclat de lumière
Je ferme les yeux
Pour la continuité de la nuit
15 La perpétuité du silence
Où je sombre.

QUESTIONS

1 Qu'est-ce qui permet d'associer l'univers de ce poème à celui d'un songe ?

2 Pourquoi la place que la poète occupe dans cet univers renvoie-t-elle au thème de la solitude ?

3 a) Quels aspects du texte expriment un certain malaise lié à la parole et à la communication ?

b) Quelles images du texte sont des appels à la vie ?

c) À quels sentiments contraires les symboles de l'eau et de l'air, de la noirceur et de la lumière sont-ils

associés ? Quelle scission intérieure la poète traduit-elle ainsi ?

4 « Notre pays est à l'âge des premiers jours du monde. La vie ici est à découvrir et à nommer », selon Anne Hébert. Le poème « Nuit » est-il une invitation à préserver cette situation ou à la transformer ?

5 La solitude exprimée dans ce poème est-elle aussi étouffante que celle vécue par Saint-Denys Garneau (p. 150-152) ?

■ KAMOURASKA (1970)

Porté à l'écran en 1973 par Claude Jutra, ce récit complexe s'inspire d'un fait divers et a pour arrière-plan politique la révolte des Patriotes de 1837-1838. Élisabeth d'Aulnières, la narratrice, a été élevée dans un monde catholique, bourgeois et puritain. Au chevet de son second mari, Jérôme Rolland, elle se remémore son mariage, à l'âge de seize ans, avec Antoine Tassy, le seigneur de Kamouraska, un homme violent et infidèle dont elle se libérera plus tard dans les bras du docteur George Nelson, un loyaliste. Elle se souvient aussi du meurtre du mari redouté, dépositaire du pouvoir seigneurial hérité de l'ancien régime français, dont elle est blanchie lors d'un procès qui condamne sa servante Aurélie. Mais pendant cette nuit de neige, pareille à celle au cours de laquelle George Nelson a assassiné Antoine Tassy sur la route entre Sorel et Kamouraska, elle ne peut s'empêcher d'évoquer son amant étranger retourné aux États-Unis après le crime.

Je guette en vain le pas d'un cheval, le passage d'un traîneau. Se peut-il qu'il ne revienne plus rôder sous mes fenêtres? Un instant, il m'attire vers lui, il m'appelle « Élisabeth ». Puis il me 5 rejette aussitôt. Il fuit. Je n'aurais pas dû lui avouer que, la nuit, penchée à ma fenêtre... Comme il m'a regardée. Son œil perçant. Son air traqué.

Il s'enferme dans sa maison. Il se barricade 10 comme un criminel. Je m'approche de sa solitude, aussi près qu'il m'est possible de le faire. Je le dérange, je le tourmente. Comme il me dérange et me tourmente.

— Cet homme est un étranger. Il n'y a qu'à se 15 méfier de lui, comme il se méfie de nous.

— Tais-toi, Aurélie. Va-t'en Aurélie. Je suis profondément occupée.

Je me concentre. Je ferme les yeux. J'ai l'air d'évoquer des esprits et pourtant c'est la vie 20 même que je cherche... Là-bas, tout au bout de Sorel. Un homme seul, les deux coudes sur la table de la cuisine. Un livre ouvert devant lui, les pages immobiles. Lire par-dessus son épaule. M'insinuer au plus creux de sa son-25 gerie.

On ne vous perd pas de vue, élève Nelson. On vous suit à la trace. Tous les protestants sont des... Cette vieille casquette en phoque mal tannée.

30 Celui qui dit « le » table, au lieu de « la table », se trahit. Celui qui dit « la Bible » au lieu des « saints Évangiles », se trahit. Celui qui dit « Élisabeth », au lieu de « Mme Tassy », se compromet et compromet cette femme avec lui.

35 La merveilleuse charité. La médecine choisie comme une vocation. La pitié ouverte comme une blessure. Tout cela devrait vous rassurer. Vous combattez le mal, la maladie et les sorcières, avec une passion égale. D'où vient 40 donc, qu'en dépit de votre bonté, on ne vous aime guère, dans la région? On vous craint, docteur Nelson. Comme si, au fond de votre trop visible charité, se cachait une redoutable identité... Plus loin que le protestantisme, 45 plus loin que la langue anglaise, la faute originelle... Cherchez bien... Ce n'est pas un péché, docteur Nelson, c'est un grand chagrin.

Chassé, votre père vous a chassé de la maison paternelle (ses colonnes blanches et son fron-50 ton colonial), avec votre frère et votre sœur, comme des voleurs. Trois petits enfants innocents, traités comme des voleurs. Votre mère pleure contre la vitre. À Montpellier, Vermont.

L'indépendance américaine est inacceptable 55 pour de vrais loyalistes. N'est-il pas préférable d'expédier les enfants au Canada, avant qu'ils ne soient contaminés par l'esprit nouveau? Qu'ils se convertissent à la religion catholique romaine. Qu'ils apprennent la langue française,

60 s'il le faut. Tout, pourvu qu'ils demeurent fidèles à la couronne britannique.

— Vous ne connaissez pas ma famille, Élisabeth ? Vous avez tort. Vous verrez comme nous nous ressemblons, tous les trois, depuis 65 qu'on nous a convertis au catholicisme, ma sœur, mon frère et moi...

Un jour tu me diras « tu », mon amour. Tu me raconteras que ta sœur Cathy est entrée chez les dames Ursulines, à l'âge de quinze ans. Tu 70 évoqueras son nez aquilin et ses joues enfantines, criblées de son. Tu parleras aussi de ton frère Henry, jésuite, qui prêche des retraites convaincantes.

Tu cherches mon corps dans l'obscurité. Tes 75 paroles sont étranges. Le temps n'existe pas. Personne autre que moi ne doit les entendre. Nous sommes nus, couchés ensemble, durant l'éternité. Tu chuchotes contre mon épaule.

— Et moi, Élisabeth, j'ai juré d'être un saint. Je l'ai juré ! Et je n'ai de ma vie éprouvé une telle 80 rage, je crois.

De nouveau un jeune homme studieux, penché sur ses livres, dans une maison de bois. Une rengaine dérisoire tourne dans sa tête. « Ne pas être 85 pris en faute ! Surtout ne pas être pris en faute. » Tu te lèves précipitamment, ranges tes livres. Tu mets ton manteau, ta casquette, tes mitaines. Une telle précision de gestes, et pourtant une telle précipitation. On pourrait croire que le

85 médecin est appelé aux malades. Il sait bien que, cette fois encore, il va atteler et errer dans les rues de Sorel, au risque de... Passer dix fois peut-être, devant les fenêtres de Mme Tassy... Dans la crainte et l'espoir, inextricablement liés, 90 de voir apparaître le mauvais mari, chassé de la maison de sa femme, surgissant au coin de la rue. Le mettre en joue. L'abattre comme une perdrix. Antoine Tassy est né perdant. « À celui qui n'a rien, il sera encore enlevé quelque chose. » 95 Je lui prendrai sa tour. Je lui prendrai sa reine. Je lui prendrai sa femme, il le faut. Je ne puis supporter l'idée que... Une femme, aussi belle et touchante, torturée et humiliée. Couchée dans le lit d'Antoine, battue par Antoine, cares-100 sée par Antoine, ouverte et refermée par Antoine, violée par Antoine, ravie par Antoine. Je rétablirai la justice initiale du vainqueur et du vaincu. Le temps d'un éclair, entrevoir la réconciliation avec soi-même, vainement cher-105 chée depuis le commencement de ses souvenirs. Se découvrir jusqu'à l'os, sans l'ombre d'une imposture. Avouer enfin son mal profond. La recherche éperdue de la possession du monde.

Posséder cette femme. Posséder la terre.

Je suis celle qui appelle George Nelson, dans la nuit. La voix du désir nous atteint, nous com-110 mande et nous ravage. Une seule chose est nécessaire. Nous perdre à jamais, tous les deux. L'un avec l'autre. L'un par l'autre. Moi-même étrangère et malfaisante.

QUESTIONS

1 Quelles sont les valeurs de la société québécoise traditionnelle décrites dans cet extrait ? George Nelson et sa famille sont-ils intégrés dans cette société ?

2 Élisabeth d'Aulnières éprouve-t-elle pour George Nelson des sentiments semblables à ceux de son entourage ?

3 a) Quels sont les passages où l'on associe Antoine Tassy à une figure de pouvoir ? Quels rapports Élisabeth et George entretiennent-ils avec Antoine ? Que signifient ces rapports sur le plan symbolique ?

b) Quels procédés narratifs évoquent l'idée de transgression de l'ordre dans cet extrait ?

c) Relevez les références au discours biblique et à la religion. De quelle « faute originelle » est-il question ici ? Y en a-t-il plus d'une ?

d) Expliquez le sens des phrases : « Posséder cette femme. Posséder la terre. » (l. 108)

4 Est-ce qu'Élisabeth et George poursuivent la même quête ?

5 Le personnage de l'étranger est-il perçu de la même façon ici que dans l'extrait du *Survenant* de Germaine Guèvremont (p. 133-135) ?

L'ÉTRANGER

Figure singulière de l'art québécois, Jean-Paul Lemieux traduit dans ses œuvres sa préoccupation pour la destinée de l'homme du XXe siècle. Devant un monde en perpétuel mouvement et les profondes mutations de la société québécoise en pleine Révolution tranquille, devant la violence qui semble trop souvent guider les actions des hommes, il montre, à la manière de Giacometti, l'homme vrai, dans sa solitude, son isolement et sa fragilité. Ainsi, *Le Visiteur du soir* laisse-t-il voir la silhouette d'un homme sans visage, isolé au milieu d'une vaste étendue de neige. En le voyant, comme les villageois dans le roman *Kamouraska* d'Anne Hébert, le spectateur s'interroge sur cet étranger qui semble rôder sans but précis : Qui est-il ? D'où arrive-t-il ? Que nous veut-il ?

JEAN-PAUL LEMIEUX (1904-1990).
Le Visiteur du soir, 1956. (Huile sur toile, 80,4 × 110 cm. Musée des beaux-arts du Canada.)

■ À votre avis, pourquoi ce visiteur n'a-t-il pas de visage ?

■ Lemieux possédait un sens aigu de la composition. Selon vous, pourquoi n'a-t-il pas placé son personnage au centre de l'œuvre ?

■ Quels sont les thèmes communs à cette peinture de Lemieux et au roman d'Anne Hébert ?

■ Que manquerait-t-il au tableau de Lemieux pour servir d'illustration au roman d'Anne Hébert ?

PARTIE

PRENDRE LE RISQUE DE SE LIBÉRER

AFFIRMER SA DISSIDENCE dans le Québec de Duplessis représente un acte que les plus courageux payent par la perte de leur emploi, la réprobation publique, l'exil ou l'emprisonnement. Si plusieurs préfèrent taire leur insatisfaction, d'autres osent courir des risques : les ouvriers exploités, les intellectuels et les artistes censurés brisent le silence pour reconquérir le droit de s'exprimer librement.

Pierre Vadeboncœur attribue à Paul-Émile Borduas le mérite d'avoir été le premier à franchir *La Ligne du risque* (1963). À l'instar du peintre, de nombreux personnages de fiction des années 1950 à 1970 sont animés du besoin de s'affranchir. Si Mille Milles, personnage du *Nez qui voque* (1967) de Réjean Ducharme, choisit la démission plutôt que l'action, sa position n'a rien d'un signe de faiblesse. Au contraire, son exclusion sociale est un geste assumé de révolte contre la collectivité qui réprime les valeurs individuelles et impose, comme dans *Papa Boss* de Jacques Ferron, celles du capitaliste américain. Dans ces œuvres, l'amour vrai devient la rançon d'une liberté durement conquise et le moyen même d'y accéder. « Quel amour ? », se demande néanmoins Paul-Marie Lapointe.

Pierre Vadeboncœur (1920)

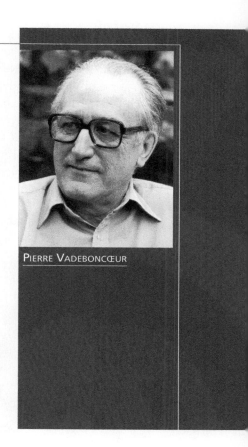

PIERRE VADEBONCŒUR

Celui qui participera aux nombreuses luttes ouvrières des années 1950 grandit dans un milieu bourgeois et fait ses études classiques. Il attribue à ses maîtres jésuites le mérite de lui avoir inculqué une vaste culture, une méthode de pensée critique et l'amour de l'écriture. La crise de la conscription en 1942 lui fait réaliser la situation particulière des francophones au Québec, mais ce seront les propos de Paul-Émile Borduas et, surtout, les revendications des travailleurs de l'amiante, à qui Duplessis s'oppose férocement, qui le marqueront. Durant les années 1950, il publie ses premiers essais dans des revues comme *Cité libre*, *Parti pris*, *Liberté*. Son engagement auprès des ouvriers de l'aluminium en 1960 l'amène à changer sa conception sur l'avenir du Québec. Partageant un temps l'antinationalisme de Trudeau et de Pelletier, il endosse la cause souverainiste dans les années 1960. Selon lui, le peuple québécois doit « gouverner ou disparaître », titre d'un de ses essais. De son premier recueil, *La Ligne du risque*, jusqu'au référendum sur la souveraineté du Québec en 1980, il défend dans ses écrits la liberté de parole et le bonheur de l'homme comme moteurs de changement des consciences. Au début des années 1980, le polémiste adopte un ton moins militant, plus intimiste. Aux préoccupations syndicales succèdent des questionnements sur l'art, la modernité, l'amour. Toujours aussi critique de son époque, Vadeboncœur propose dans *L'Injustice en armes* (2006) une analyse lucide de la politique impérialiste des États-Unis.

■ LA LIGNE DU RISQUE (1963)

Le premier recueil d'essais de Pierre Vadeboncœur comprend six textes dont le premier a été composé en 1945 et le dernier, en 1963. Désormais considéré comme un classique de la littérature d'ici en ce qu'il marque un pas important dans l'histoire intellectuelle du Québec, La Ligne du risque *rassemble des textes qui traitent notamment de la culture, de la foi et du syndicalisme américain. Dans le texte éponyme, Vadeboncœur s'oppose aux propos de l'abbé Lionel Groulx en traçant entre le passé et le présent, le conformisme et la révolte, le renoncement et le courage, « [une] ligne, [qui, il] le souhaite, divisera désormais notre petit monde : ce sera celle de l'affirmation, la ligne du risque, la ligne du parti net, la ligne de la réponse sans ambages ».*

Nous vivons dans une culture qui a détruit le goût et le sens de l'expérimentation et du cheminement. Elle est fondée d'ailleurs sur une expérience aussi contraignante que nulle pour la plupart d'entre nous : l'expérience religieuse nous a liés sans que nous la vivions réellement... Authentique chez quelques-uns, la religion nous a attachés sans que nous l'embrassions. Cette contradiction a refoulé en nous l'esprit, qui a démissionné plutôt que de la dénouer d'une manière ou d'une autre. Nous sommes restés collés à la religion, sans vraiment la pratiquer. Nous avons gardé sa crainte, sans gravir son chemin. Nous avons pris son enseignement jaloux, sans qu'il devienne notre vie. Son exclusivisme nous a fixés, mais ne nous a pas épanouis. Sa vérité, à laquelle on nous avait rivés, a surtout paralysé en nous l'ingénuité et arrêté notre mouvement. Ce qu'on a appelé la mort de notre liberté, c'est cela. Notre liberté est morte d'une allégeance ambiguë donnée à une vérité qu'au fond nous n'acceptions pas et dont nous ne vivions pas. L'esprit est entier et, s'il se donne du bout des lèvres, il

s'anéantit. Au lieu d'avancer, nous sommes restés suspendus à une vérité, fût-ce la Vérité. L'esprit lié et retenu comme dans un mariage répudié intérieurement par l'époux.

Comment se libérait-on ? En ne pensant plus à l'esprit. On gardait de celui-ci le souvenir et l'impression d'une complète impasse. Alors, on s'occupait d'autre chose et l'esprit bourgeois arrivait à point pour que l'on s'en dégage. Quelques générations adonnées à la poursuite de l'argent ont vécu cette évasion ; elles ont été tout simplement indignes, comme tout le monde a pu l'observer.

[...]

Je parle comme si le choix d'une liberté n'avait jamais eu lieu, chez nous. Cela est faux ; du moins, c'est exagéré et fait pour mieux marquer le trait. Cela a lieu en réalité, depuis quelques années, surtout chez les jeunes, qui ont tout à risquer, rien à perdre, pas même une méthode... Chez eux, toutefois, cela m'impressionne un peu moins, parce que la jeunesse est d'une disponibilité totale et facile à mettre en œuvre. La

FERNAND LEDUC (1916).

Sans titre, 1952. (Gouache sur papier, 18,7 × 23,8 cm. Collection Lavalin du Musée d'art contemporain de Montréal.)

Cosignataire de *Refus global*, Fernand Leduc peint à la manière automatiste des œuvres lumineuses où s'affirme un coup de pinceau libre, presque violent. Avec son tableau sans titre de 1952, il participe à la renaissance de l'art au Québec : une renaissance faite de lumière, d'énergie, de teintes ardentes. Répondant au cri du cœur de Vadeboncœur, l'artiste ne fait aucune concession. Il rejette l'art figuratif et les thématiques usées. Il lacère plutôt sa toile de coups de pinceau aux couleurs vives qui vont dans tous les sens, lui donnent du mouvement, du rythme. Assimilable à une tempête de couleurs et de gestes, son œuvre témoigne d'un moment de l'histoire où l'on donne enfin la place à la magie et à la spontanéité d'action.

jeunesse est plus casse-cou, mais son expérience est encore trop mince pour que ses gestes aient tout le sens qu'ils prendraient plus tard. Mais il
50 y a eu un maître, dont tout le mouvement actuel pourrait relever. C'est Paul-Émile Borduas.

Borduas fut le premier à rompre radicalement. Sa rupture fut totale. Il ne rompit pas pour rompre ; il le fit pour être seul et sans témoin
55 devant la vérité. Notre histoire spirituelle recommence à lui. Il a tout donné ce qu'il avait reçu ; donné au bazar, jeté. Plus de subterfuge ; rien plutôt. Il lui fallait jeter le manche après la cognée, tout laisser tomber. Peu importe d'où
60 l'on part ; les artistes savent l'importance d'un point de départ arbitraire. Si nous devons être jugés, nous ne le serons pas sur le point d'où nous partons dans les ténèbres de l'univers ; les hommes d'Église devraient savoir cela. Borduas
65 fut le premier à se reconnaître dans l'obscurité totale et à assumer son vrai dénuement […]. Il fut un être spirituel de ce temps. Il lui fallait tout abandonner, parce que tout était organisé ; il lui fallait tout révoquer en doute, parce que
70 chaque parcelle de la vérité tenait dans un système. Des théologiens, qui sont souvent des moralistes à bon marché, vous diront qu'il y a l'orgueil, mais on peut leur répondre qu'il y a aussi la lâcheté et le mensonge. Rejoindre les
75 ténèbres peut être un acte de vérité. Le point d'arrivée non plus ne sert pas nécessairement à juger un homme. Ces deux choses sont tout à fait relatives.

Mais je n'insisterai pas sur sa démarche du
80 simple point de vue de sa justification morale ou métaphysique, puisque ce n'est pas exactement mon propos. Je poserai plutôt la question : que se trouvait-il à faire historiquement ? C'est à ce point de vue, entre autres, que
85 son acte fut inouï. En fait, il a brisé notre paralysie organisée. Il l'a anéantie d'un seul coup, par son refus global. Il fut le premier, que je sache, à faire cela. Jamais personne avant lui n'avait prouvé le mouvement. Tous, plus ou
90 moins, avaient tergiversé. Personne, ou presque, n'avait été assez spirituel pour tenter enfin une véritable expérience. Borduas s'en est remis complètement à l'esprit. Il a tout joué. Le Canada français moderne commence avec lui.

95 Il nous a donné un enseignement capital qui nous manquait. Il a délié en nous la liberté.

Son rôle est mal connu. L'histoire n'a pas encore adopté Borduas. Il n'en est pas moins sûr qu'il
100 fut l'exacte réponse à notre problème séculaire de la liberté de l'esprit. N'entendez point licence. Entendez liberté, entendez désir, soif, fidélité. Entendez amour, réponse à l'appel, droiture, intransigeance, vocation, flamme. Il
105 s'est mis sur la route. Dans notre culture contrainte, où domine l'empêchement, dans notre petite civilisation apeurée et prise de toutes parts, il a, rompant toutes les amarres, introduit le principe d'une singulière animation.
110 Il a posé l'exemple d'un acte. Il s'est avancé jusqu'au bout de sa pensée. Il a fait l'expérience complète de sa part de vérité. Il nous a totalement légué ce qu'il savait. Il mourut après avoir tout dit. Enfin quelqu'un avait tout livré.

[…]

Mais qu'est-ce qu'il nous dit ? Qu'est-ce qu'il a
115 fait ? Il s'est placé d'une seule coulée dans une position inattaquable. Dès l'instant où il se fut mis dans un état de dégagement total, son éclatante carrière de liberté devint chose certaine. Cette percée du néant à l'être, ce passage des élé-
120 ments au déploiement de l'être, cette poussée de l'informe aux conséquences, cet accomplissement d'une prédestination, ce voyage authentique et réel d'un homme selon la route secrètement inscrite en lui-même, événement si
125 rare chez nous, c'est chez Borduas que nous en trouvons le premier, peut-être, mais sûrement le plus grand exemple. Il passa là où personne, semble-t-il, n'avait passé. Considérez que, jusqu'à lui, tout détournait un homme d'utiliser à
130 fond sa liberté. Tout le détournait de concevoir, de s'attacher à son image ou à sa vérité, de vouloir selon sa lumière, de poursuivre, de se tromper aussi ; nul n'avait le droit d'être de Samarie. Nous nous sauvions par la tiédeur, par l'asep-
135 sie religieuse. Il fut le premier, peut-être, mais sûrement le premier maître à jouer son salut sur le mode majeur des choix de la liberté. Il fut le premier à dire totalement ce qu'il cherchait, à achever ses démarches ; il dégagea son esprit jus-
140 qu'à sa mort. Plus que quiconque, il nous donna l'exemple d'une liberté accomplie.

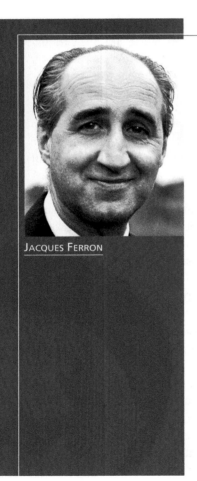

JACQUES FERRON

Jacques Ferron (1921-1985)

Grand polémiste, Jacques Ferron est l'aîné d'une famille aisée du comté de Maskinongé. En 1941, il entreprend des études de médecine à l'Université Laval pour devenir son « propre mécène ». Si les pauvres de la Gaspésie, où il exerce sa profession de 1946 à 1948, attirent sa sympathie, sa relation avec le gouvernement de Duplessis est nettement moins harmonieuse. Le gouvernement lui retire ses subventions pour s'être opposé publiquement à la Loi du Cadenas (1949) visant à chasser de la province les membres du Parti communiste, dont il avait fait partie. En marge des grands courants d'avant-garde, il sympathise néanmoins avec le groupe des automatistes, auquel appartient sa sœur Marcelle et qui subit, comme lui, les foudres de l'Union nationale.

Dans les années 1950, Ferron devient militant, par nécessité : « Le pays m'a paru incertain et mon idée a été la suivante : assurer sa pérennité et ensuite ne plus y penser, écrire en paix, sans souci du pays, comme cela se fait dans les pays normaux. » En 1963, alors qu'éclatent les premières bombes du FLQ, il crée le Parti rhinocéros qui prône la dérision et le pacifisme comme moyens de contestation. Il se présente comme candidat du RIN, puis adhère au Parti québécois en 1969. Pour cet humaniste, la souveraineté est un moyen et non une fin. Parallèlement, sa carrière littéraire prend un nouveau tournant en 1962, avec *Contes du pays incertain* et *Cotnoir*. Désormais, il passe plus de temps à rédiger qu'à pratiquer la médecine. Collaborateur de la revue *Parti pris*, où il se distinguera toujours par l'érudition de sa langue et le pittoresque de ses écrits, il publie plusieurs romans où il redessine le paysage québécois en créant des personnages mythiques, magnifiés par le merveilleux et transcendant les limites de leur territoire poétisé, politisé et rêvé.

■ PAPA BOSS (1972)

Dans ce roman paru en 1966 puis remanié en 1972, le personnage éponyme est un nouveau dieu qui érige le dollar comme valeur suprême de la modernité. Tenant lieu de narrateur, il utilise la deuxième personne pour décrire une ménagère québécoise d'une trentaine d'années au moment où un ange va lui apparaître, alors qu'elle est dans son bain. Papa Boss lui-même ne la visitera qu'à la fin du récit pour lui vanter les mérites de son conjoint, mort d'avoir trop travaillé.

> *C'est beau, la vie, Madame! La vie d'un parfait citoyen parfaitement intégré dans le plus parfait des systèmes économiques! La vie sans trêve et sans répit, les nuits rongées d'électricité, time is money, struggle for life!*

Vous restiez calme, l'ange n'a pas eu à vous dire : « Ne craignez rien, Madame. » Vous n'avez pas bougé, vous avez su simplement que vous alliez être déçue et n'en avez pas été surprise, indigne que vous étiez de la grâce de Dieu. Vous avez su que l'ange n'était pas catholique mais ne saviez pas encore de qui il procédait, ignorant les théologies inférieures, l'enseignement rédemptoriste, Papa Boss et son vaudou québécois, vous aviez quand même rêvé d'une tout autre nouvelle, d'un amour qui dépassât l'amour. Depuis dix ans, de toutes vos lèvres muettes, de toutes vos caroncules ne cessant pas de crêter le coq, vous étiez lasse de la répétition ; de ses ergots il vous faisait mal au ventre ; dans la nef obscure vous aspiriez à un autre clocher qui ne se terminât point par une girouette grinçante. Vos ravissements passés traînaient au loin, vous les aviez dus à votre inexpérience. Vous vouliez passer à une virginité plus haute qui fût le fruit de la fleur et le résultat de la pratique, vous aviez suscité un ange, là devant vous, sur le bord de la baignoire, un ange douteux, fort en ailes et qui ne volait pas, avec la calotte et la main d'un rentier de soixante ans, un ange qui cachait ses ergots, comme honteux de lui-même, dans le genre coq qui ne se crête plus quelle que soit la prière des lèvres, la turgescence des caroncules ; vous étiez nue, vous restiez belle, vous aviez à peine trente ans.

L'ange vous a dit :

— Je vous salue, Madame, je ne vous regarde pas mais je suis sûr que vous avez beaucoup de qualités ; laissez-moi vous apprendre que vous êtes bénie entre toutes les femmes.

— Merci, Monsieur, pour cette salutation. Elle me plaît beaucoup. Seriez-vous assez aimable de la répéter.

L'ange la répéta.

— Merci, Monsieur, je m'en souviendrai et me la réciterai dorénavant.

Il continuait de se cacher le visage.

— Mais pourquoi ne vous découvrez-vous pas ?

— Je vous découvrirais, Madame, et vous l'êtes déjà bien assez. D'ailleurs je ne suis pas venu pour cela : Papa Boss m'envoie vous annoncer qu'il vous couvrira de son ombre.

Il ajouta :

— Vous êtes bénie entre toutes les femmes.

— Qu'est-ce que ça peut m'apporter, Monsieur ?

— Ce qu'apporte le plus beau des compliments.

— Rien du tout.

L'ange eut un frisson. Il releva l'écharpe qui lui masquait le visage. Vous ne lui voyiez plus que le bout du toupet. Cependant il s'était découvert le cou et la pomme d'Adam.

— Ce n'est même pas un compliment, Monsieur : comment ne serais-je pas bénie entre toutes les femmes ? Je n'en connais pas d'autres que moi. Il s'agit là d'une évidence. Et toute femme seule pense ainsi, vous pouvez le lui dire sans risque de vous tromper : elle vous croira et les autres n'entendront pas.

L'ange ne vous répondit pas, la pomme d'Adam lui roulait entre le haut de sa robe et le bas de l'écharpe, il cherchait à avaler sa salive. Il n'était pas décontenancé, il était tout simplement mécontent et se demandait si vous ne lui aviez pas posé un lapin dont vos genoux relevés auraient été les oreilles. Pourquoi vous était-il apparu ? Pour vous surprendre au bain, toute nue, sans plus, et vous faisiez la raisonneuse, lui broutiez les mots dans la gorge, pour l'amusement de vous faire peur et vous n'aviez même pas bronché de la cuisse ; pour vous apporter enfin le message de Papa Boss et vous ne sembliez pas prête à l'accepter, disputant sur une formule pourtant éprouvée par l'usage des siècles. Il ne trouvait rien à vous dire. Vous lui avez demandé :

— Qui est Papa Boss, Monsieur ?

Il a hoché la tête plus ou moins vite, à la fois content et condescendant : tout s'expliquait, vous ne connaissiez pas Papa Boss ! La pomme
85 d'Adam cessa de lui rouler, il se préparait à vous répondre... Soudain, vous vous êtes remontée dans la baignoire, irritée, à bout de patience, puis assise sur vos talons, au milieu du branle-bas de l'eau remuée, vous lui avez crié que vous
90 ne vouliez rien savoir :

— Votre Papa Boss, il n'existe pas

— Et moi, Madame, est-ce que j'existe ?

— Vous existez laborieusement, Monsieur.

— Peu importe la façon, si j'existe, Papa Boss
95 existe puisque je procède de lui.

C'était logique.

— Qui est Papa Boss, Monsieur ?

— Je ne vous dirai pas, Madame, qu'il est le roi du monde et le dieu du pays. Un autre après
100 moi viendra qui vous instruira.

— C'est à voir, Monsieur.

— Vous verrez, Madame : il viendra plus tôt que vous ne le pensez. Pour l'instant sachez que vous avez besoin de Papa Boss et que Papa Boss
105 a besoin de vous.

Vous sembliez en douter. L'ange ajouta :

— Vous le savez d'ailleurs, autrement vous ne m'auriez pas attendu.

— Ce n'est pas vous, Monsieur, que j'attendais.

110 — Vous attendiez un ange indéterminé et je suis venu ; par conséquent c'est moi que vous attendiez.

C'était logique.

— Qui est Papa Boss, Monsieur ?

115 — La plus-value de la vie, un profit clair sur toute existence, la quintessence éternelle d'un capital humain et périssable.

— Vous m'en direz tant, Monsieur !

— Vous n'êtes que déperdition, Madame, et
120 c'est de votre déperdition que Papa Boss se nourrit. Vous ne pouvez que l'enrichir ; en échange, si tel est son bon plaisir, il pourra réinvestir en vous. Il représente la chance. En croyant en lui, vous pouvez gagner.

125 — Gagner quoi, Monsieur ?

— Gagner n'importe quoi, Madame, comme à la loterie, n'importe où, gagner comme n'importe qui. Tout le monde veut gagner. Comprenez-vous maintenant ? Papa Boss est la
130 richesse des pauvres, le Tout-Puissant de l'impuissance. Je vous dirai davantage, Madame, et vous saurez pourquoi vous m'avez attendu : c'est par son truchement, malgré l'âge et l'affaiblissement du sexe, qu'on peut continuer de
135 se parler d'amour.

QUESTIONS

1 Lors de l'Annonciation, l'ange Gabriel apprend à Marie qu'elle a été choisie pour être la mère du fils de Dieu. Quelles sont dans cet extrait les références à ce thème ?

2 Quel message l'ange livre-t-il à la femme ?

3 a) Tracez le portrait de l'envoyé de Papa Boss. Quels traits empêchent le lecteur de le prendre au sérieux ?

b) Dans les tableaux des peintres, la scène de l'Annonciation montre souvent une Marie surprise, voire effrayée par l'arrivée de l'archange ailé. Est-ce l'attitude de la femme ? Pourquoi réagit-elle ainsi ?

c) Qu'est-ce que la femme attend de la venue de l'ange ? Pourquoi ses attentes s'opposent-elles au message spirituel qu'il lui livre ? Quels aspects du texte le confirment ?

d) Quelles valeurs la religion de Papa Boss prône-t-elle ? Quelle signification donneriez-vous au nom que ce nouveau dieu s'attribue ?

e) Relevez les nombreuses allusions à l'Évangile, aux paroles bibliques, aux messages de la religion catholique. Pourquoi sont-elles parodiques ?

4 Le parallèle entre la religion catholique et celle du dollar condamne-t-il uniquement l'importance excessive accordée à l'argent ?

5 a) Comparez la représentation de la religion dans les textes de Borduas, de Gélinas, de Tremblay et de Ferron. Ces auteurs l'associent-ils toujours à l'aliénation de l'individu ?

b) Croyez-vous que la société du XXIe siècle défend toujours ce dieu moderne créé par Ferron ?

Réjean Ducharme (1941)

À une époque où les artistes s'affichent sur la scène publique, Réjean Ducharme choisit l'anonymat. On sait donc peu de choses sur lui. Né à Saint-Félix-de-Valois, il grandit à l'Île Saint-Ignace, près de Sorel. Il entre, en 1962, au Collège militaire de Saint-Jean où il apprend à piloter. Il voyage dans le Grand Nord et veut devenir ingénieur forestier, idée qu'il abandonne après six mois de « souffrances » à l'École Polytechnique de Montréal.

Lecteur gourmand de Rimbaud, de Prévert, de Nelligan notamment, l'adolescent passe ses nuits à écrire des contes et des poèmes. Sa carrière débute lorsque, cessant de déchirer ses manuscrits, il en achemine trois à une prestigieuse maison d'édition française, dont un jugé « illisible » par un éditeur québécois. Publié chez Gallimard comme le seront tous ses romans, *Le nez qui voque* enchante la critique ; l'éditeur québécois n'a plus qu'à ravaler sa gêne d'avoir laissé échapper un génie. Dès lors, Ducharme multiplie les acrobaties pour échapper au milieu culturel et artistique québécois que décrient ses personnages de *L'Hiver de force* (1971). Ses amis, dont Gérald Godin, le seul qui réussira à l'interviewer, et Robert Charlebois, pour qui il écrit plusieurs textes, garderont toujours le secret sur son identité.

Jusqu'à *L'Océantume* (1968), Ducharme construit un univers romanesque peuplé d'enfants refusant de vieillir et s'exprimant dans un langage plein d'ironie et de révolte. Dans les années suivantes, il fait ses débuts comme dramaturge. Il revient au genre romanesque en 1990 avec *Dévadé*. Entre-temps, il signe du nom de Roch Plante ses *Trophoux*, des sculptures et des tableaux qu'il a confectionnés en récupérant divers objets hétéroclites.

RÉJEAN DUCHARME

■ LE NEZ QUI VOQUE (1967)

Ducharme a dix-sept ans à peine lorsqu'il écrit Le nez qui voque *où, comme dans toutes ses œuvres futures, il joue déjà avec l'art du calembour et des jeux de mots. Les personnages de Mille Milles et de sa sœur « élective » Chateaugué sont des adolescents de seize et quatorze ans qui s'en donnent respectivement huit et six. Figure emblématique de la quête d'absolu, Mille Milles tient un journal intime dans lequel il se marginalise par sa lucidité, jusque dans le choix de ses mots souvent inventés. Comme Bérénice dans* L'Avalée des avalés*, il décrit son tiraillement entre des convictions naïves et des valeurs modernes ; il lutte avec autant d'humour tragique que d'ardeur contre les horreurs de la société. Mais lorsqu'il se laisse subjuguer par Questa, une femme d'âge mûr, et prend la décision de se séparer de sa sœur imaginaire, il échoue là où l'héroïne du premier roman réussit : quand Chateaugué se tue par désespoir , il conclut qu'il « s'en fiche » et renie ce faisant l'amour qu'il éprouvait pour elle et les certitudes qui l'avaient incité à choisir la mort au début du roman.*

Si nous avons décidé de nous suicider, ce n'est pas à cause de l'argent ; nous le reconnaissons, à notre grande honte. C'est à cause des hommes que je me suicide, des rapports [5] entre moi et les êtres humains. Chaque être humain m'affecte ; c'est l'affection : l'amitié, l'amour, la haine, l'ambition. Je suis malade d'affection. L'affection m'a rendu l'âme malade.

À l'époque où, pour être moderne, les peintres du Québec se devaient de pratiquer l'automatisme, Pellan invite le monde de l'art d'ici à s'ouvrir à d'autres expériences esthétiques dans un manifeste intitulé *Prisme d'Yeux* (1948). Dans sa pratique, il utilise des couleurs très vives pour rendre une imagerie se situant quelque part entre le surréalisme et l'art naïf. La composition de *Bambin* montre un personnage infecté par ce qui l'entoure, pris dans une mosaïque dont les couleurs et les lignes lui font perdre ses propres contours, un peu comme le narrateur du *Nez qui voque* qui, victime du sexuel, sent qu'il perd de son indépendance de pensée et d'action.

J'ai l'âme constipée d'affection. Plus je vieillis,
10 pire c'est. Je suis parti des Îles, car j'aurais tué tout le monde tellement tout le monde m'affectait. Plus la mère pleure, plus les sœurs et les frères s'aigrissent, plus le père perd possession de lui-même, moins on est bon à
15 l'école, plus on se hortensesturbe ; plus on est affecté. Plus on est affecté, plus la mère pleure, plus le père boit, plus les frères et les sœurs s'aigrissent, moins on est bon à l'école, plus on se hortensesturbe. L'affection ne
20 marche jamais. L'affection m'écœure. Elle mène aux sanglots de haine, aux désespoirs de l'impuissance, aux cruelles espérances et aux râles sexuels. Je me tue parce que je ne pourrais vivre que complètement seul et
25 qu'on ne peut pas vivre complètement seul.

Mes frères les hommes m'affectent à ce point que j'ai peur comme d'un serpent à sonnette d'adresser la parole au moindre d'entre eux. Ce n'est pas à cause de l'argent que nous nous
30 suicidons. Nous ne sommes pas communistes. Nous ne croyons pas à ces choses-là. Les requins de l'argent, dont plusieurs se prétendent scandalisés, nous indiffèrent et continueront de nous indifférer jusqu'à la consom-
35 mation des siècles s'ils restent dans leurs cages, s'ils ne viennent pas sentir dans notre chambre, d'ici à la consommation des siècles. La terre serait pleine de riches malhonnêtes que nous n'y ferions même pas attention. Aux
40 yeux des enfants que nous sommes, les adultes s'amusent à des jeux d'enfants. Je rencontrerais un millionnaire sur le trottoir que

je le prendrais pour un épousseteur de becs-
de-cane et de boutons de sonnette en grève
45 depuis quatre cent quarante-quatre jours. Je
n'aime pas les automobiles, mais cela n'a rien
à voir. D'ailleurs, on ne rencontre pas d'automobiles sur le trottoir. Sauf qu'il y en a qui
sont très agressives. Mais, mon impuissance,
50 mon impuissance à surmonter l'affection et le
sexuel, je ne peux pas la souffrir. Plus jeune,
je n'avais que mon impuissance à surmonter
l'affection à souffrir, que cette sorte de poétique impuissance à souffrir. Cela allait, d'au-
55 tant plus que j'avais des espérances.
Maintenant que le sexuel s'en mêle, cela ne va
plus. La cochonnerie. Depuis que le sexuel est
en moi, je suis écœuré, je suis infect envers
moi-même et pour moi-même. Je ne suis plus
60 pur, voilà pourquoi je me tue, voilà pourquoi
je ne peux plus souffrir mon mal de l'âme,
voilà pourquoi je pense que je ne vaux plus
la peine que j'aie mal. Je ne peux plus tenir
le coup, mais ce n'est pas par manque de cou-
65 rage : c'est parce que le sexuel rend infect, c'est
parce que je n'en vaux plus la peine. Est-ce
clair ? Est-ce assez clair ? Je sais. Je sais. Ce n'est
pas du Voltaire. Mais, il ne manquait que trois
choses à Volta pour être Voltaire : un *i*, un *r*
70 et un *e*. J'ai beau dire et répéter que je suis
encore un enfant de huit ans, cela ne change
rien : ce n'est pas vrai. Il n'y a pas que le sexuel
qu'il y a en moi qui m'a écœuré, mais aussi
celui qu'au premier regard je détecte en
75 toute personne et en toute chose. Voyez les
annonces, les affiches, les façades de cinéma,
les journaux, les femmes enceintes, les robes,
les calendriers ! Depuis ma treizième année,
tout est sexuel, depuis les bottines de ces
80 sœurs qui font serment de ne pas copuler jusqu'à ces fleurs que les hommes offrent aux
femmes pour les incliner à copuler, depuis les
souliers jusqu'aux pissenlits. Est-ce clair ?
Est-ce assez clair ? Quand je regarde
85 Chateaugué, je me dis que je ne veux pas la
toucher, la polluer. Sont-ce là des pensées
d'enfant ? Est-ce sexuel ? N'est-ce pas assez
sexuel ? Tout est sexuel, même la pureté
incarnée, même ma sœur Chateaugué, même
90 la seule vraie sœur du monde entier. Je me
suicide parce que j'ai perdu ma pureté de
corps et ma pureté d'intention. Mes désirs
sexuels sont des entraves fatales, irréductibles,
à mes idéaux de liberté, de dignité et de
95 beauté. On n'est pas en santé quand on a la
tuberculose. On ne peut pas prétendre à la
grandeur quand on est mêlé au sexuel, volontairement ou involontairement. Il est pire d'y
être mêlé involontairement que d'y être mêlé
100 volontairement. On est pris entre la dignité
ridicule et l'indignité fière. C'est le quinze, je
pense, Chateaugué ma sœur. Si c'est lundi,
c'est le quinze ; mais si c'est mardi, c'est le
seize... Chateaugué ma sœur. Le tout est de
105 savoir si c'est lundi, mardi, ou mercredi,
Chateaugué ma sœur. Voilà qui en dit long sur
l'utilité des calendriers.

QUESTIONS

1 Quel portrait de la société moderne se dégage des propos du narrateur ?

2 Pour quelles raisons Mille Milles veut-il continuer à croire qu'il est encore un enfant ?

3 a) Relevez les passages où Mille Milles utilise le « je » et ceux où il utilise le « nous ». En déduisez-vous que Mille Milles et Chateaugué veulent se suicider pour les mêmes raisons ?

   b) Pour Mille Milles, la solitude est-elle une valeur positive ?

   c) Quels procédés d'écriture indiquent que Mille Milles se trouve dans une situation inextricable ?

   d) Observez les jeux de mots et les calembours. Quelle est l'attitude de Mille Milles devant sa situation ?

4 Dans cet extrait, le suicide est-il présenté comme un acte de liberté ou de fuite ?

5 Selon les auteurs de cette partie du chapitre, l'être humain a-t-il vraiment le choix de conquérir ou non sa liberté ?

PAUL-MARIE LAPOINTE

Paul-Marie Lapointe (1929)

Paul-Marie Lapointe naît à Saint-Félicien, au Lac-Saint-Jean. Après ses études classiques, il quitte sa région natale en 1947 et s'inscrit en architecture à l'École des beaux-arts de Montréal, au moment même où le groupe de Borduas se forme. Ses premiers textes sont des expressions du surréalisme avant la lettre. Claude Gauvreau y reconnaît les préoccupations des automatistes. En 1948, il publie *Le Vierge incendié* aux Éditions Mithra-Mythe, comme *Refus global*: «*Le Vierge*, c'est un livre d'adolescent, un livre de pureté et de découverte du monde, dit-il. [...] Ce livre exprime une révolte absolue, une révolte contre tout ce qu'il y avait de paralysant et de sinistre dans le Québec d'alors.» Lapointe n'en conserve pas moins à dix-huit ans une candeur qui s'oppose à l'athéisme et à l'esprit révolutionnaire du temps, ce qui l'éloigne du groupe de Borduas. Durant une longue période, il se consacre surtout à sa carrière journalistique. Entré au service de Radio-Canada en 1968, il y occupera des postes de direction jusqu'à sa retraite, en 1992. Il ne délaisse pas pour autant la poésie et fait paraître, en 1960, *Choix de poèmes. Arbres*. On l'associe alors aux poètes du pays puisqu'il écrit, comme Gaston Miron, Gilles Hénault et d'autres écrivains engagés qu'il fréquente aux Éditions de l'Hexagone, pour transformer l'homme d'ici. Dans le recueil *Pour les âmes* (1964), il s'en prend aux forces et aux trahisons qui empêchent l'individu d'accéder à un *Réel absolu*, titre de la première rétrospective de ses œuvres qui paraît en 1971. Qu'il utilise un ton révolté, humoristique ou philosophique, qu'il interroge les rapports de l'écriture avec les arts (dans les livres où il collabore avec son épouse, la peintre Gisèle Verreault) ou qu'il s'intéresse à la mise en forme de la parole, comme dans le recueil lettriste *ÉcriTures* (1980), Lapointe écrit pour célébrer la vie, la libération de l'homme et celle de la poésie, les trois étant pour lui intimement soudées.

■ CHOIX DE POÈMES. ARBRES (1960)

« Quel amour ? » appartient à la dernière des trois parties de Choix de poèmes. Arbres. *Moins engagées socialement que les poèmes des années 1960, les pièces de ce recueil s'inscrivent tout de même dans une démarche visant la création d'un espace vital et poétique parfois proche de l'utopie. On y reconnaît l'inquiétude fraternelle de Paul-Marie Lapointe pour les hommes du Québec et d'ailleurs. Délaissant les juxtapositions audacieuses de la longue suite poétique qu'est* Arbres, *la courte section « Quel amour ? », plus lyrique, traduit le sentiment d'une catastrophe imminente, dont la portée politique se précise dans* Pour les âmes, *et qui anime toujours l'auteur en ces débuts de XXIᵉ siècle: « La difficulté de vivre dans le monde actuel nous paralyse parfois, ce qu'il faut combattre. [...] Il faut passer par-dessus ces périodes-là, continuer à vivre, sinon c'est la catastrophe. »*

« Quel amour ? »

rien

ni fleuve ni musique ni bête

rien ne me consolera jamais de la misère
du sang versé par les hommes
5   de la tristesse des enfants
de la faiblesse des mères

ni fleur ni mort ni soleil

autour de nous la ville
succombe à l'attrait de la mort
10   une mort à la pointe d'argent
une mort de papier vil agenouillé
une mort dans l'âme

quel arbre quelle fleur
quel amour oh! quel amour
15   nous guérira de ce mal ?

quel enfant ce qu'il sera demain
quel espoir audace des solitudes
nous apprendra la façon de vivre
et que tout en soit changé ?

20   pour que l'oiseau batte dans les cœurs
la musique dans les villes
pour que l'homme naisse de la bête
la bête de la montagne
pour que surgisse de la mort le soleil

25   hommes je vous le prédis
les fleurs seront permises
les arbres paumes innombrables ouvertes à la caresse
les oiseaux nicheront dans les yeux des filles
les chansons

30   et tout sera changé
comme on l'avait espéré
dans la solitude de nos amours

QUESTIONS

1 De quel « mal » le poète parle-t-il dans ce poème, particulièrement au vers 15 ? Ce mal est-il lié à une situation précise ou non ?

2 L'amour peut-il tout transformer, selon Paul-Marie Lapointe ?

3 a) Relevez les anaphores du poème. Quels effets ont-elles sur le rythme ? sur la thématique ?

b) Quels sont les symboles de vie et de souffrance ?

c) Relevez les marques de lyrisme. Lapointe adopte-t-il ici le ton de la plainte ?

d) Pourquoi les vers 20 à 29 peuvent-ils être considérés comme des échos aux vers 1 à 7 ?

4 Le poème « Quel amour ? » est-il plus didactique que lyrique ?

5 a) L'amour a-t-il les mêmes pouvoirs dans le poème de Paul-Marie Lapointe que dans celui de Paul Chamberland (p. 200) ?

b) Croyez-vous que l'amour peut transformer une société ? S'agit-il d'une utopie ?

RECONQUÉRIR LE PAYS, LA TERRE D'AMÉRIQUE, LA FEMME

PORTÉS PAR LES POSITIONS TRANCHÉES des signataires de *Refus Global* et leur ouverture aux idées nouvelles, les écrivains des années 1960 sont partie prenante des changements qui transforment en profondeur la société québécoise durant ce qu'on appellera plus tard la Révolution tranquille. Les poètes prennent alors conscience de l'impasse à laquelle la situation coloniale confine l'individu en le dépossédant de son pays et tentent de se le réapproprier en le nommant. Par son titre évocateur, *L'Homme rapaillé* de Gaston Miron exprime l'impuissance à exister pleinement, sentiment dont *L'Âge de la parole* de Roland Giguère se fait l'écho. En 1970, l'événement festif de la Nuit de la poésie célèbre ce pouvoir évocateur des mots en invitant les poètes à venir se relayer du soir au matin sur la scène du Gesù, dans une atmosphère des plus propices à la création.

La quête d'amour et d'identité, le pays, la femme et le continent deviennent des thèmes majeurs auxquels un traitement nettement polémique confère une portée nationaliste. L'appel au pays à naître et au jeu de la solidarité se double, chez Gilles Hénault, d'un nécessaire retour sur le passé et de la référence aux cultures amérindiennes, trop longtemps écartées. Ancrée dans un processus de désaliénation, l'écriture des années 1960 se présente donc comme un vecteur de changements, une tentative de prendre en main un présent qu'on refuse de voir écarté.

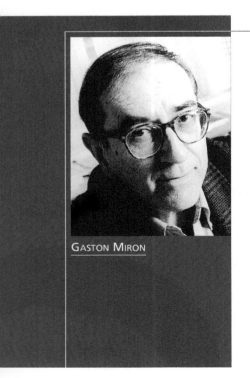

GASTON MIRON

Gaston Miron (1928-1996)

Gaston Miron naît à Sainte-Agathe-des-Monts dans les Laurentides. Le choc qu'il ressent lorsqu'il apprend que son grand-père maternel est analphabète fait comprendre au jeune Miron la portée des inégalités sociales. À dix-neuf ans, il s'établit à Montréal et fait divers métiers reliés à l'édition. Le contact de la ville accentue sa conscience de l'aliénation. Pour lui, exister à part entière implique de s'inscrire dans une culture à naître, de contribuer avec d'autres à l'émergence « d'une nouvelle culture globale au monde et dans le monde ». Ces propos sous-tendent l'engagement politique et littéraire de celui qui fut tout à la fois animateur culturel, poète, éditeur, militant indépendantiste et défenseur de la langue française.

En 1953, Gaston Miron fonde avec des amis les Éditions de l'Hexagone qui marquent un tournant dans le milieu littéraire en donnant aux poètes un lieu où publier. Amant de la langue et de la culture françaises mais surtout chantre de la spécificité québécoise, il lutte contre la résignation collective et milite pour l'indépendance du Québec. En octobre 1970, comme beaucoup d'autres intellectuels et écrivains québécois, il est arrêté sans mandat, en vertu de la Loi sur les mesures de guerre ; il passera treize jours en prison. Gaston Miron meurt en décembre 1996 et le gouvernement du Québec lui organise des obsèques nationales.

■ L'HOMME RAPAILLÉ (1994)

Dès sa première édition en 1970, L'Homme rapaillé s'est présenté comme un recueil de poèmes hétérogène. D'ailleurs, Miron ne souhaitait pas publier cet assemblage qu'il ne jugeait pas définitif. Cette retenue de l'auteur s'explique par une obsession du mot juste qui le pousse à retravailler sans cesse ses poèmes. Aussi n'hésite-t-il pas à choisir des éléments qui relèvent de l'oralité, à recourir aussi bien aux archaïsmes qu'aux néologismes, sans pour autant perdre de vue l'aspect contemporain de sa langue. Miron suggère lui-même un thème majeur à son œuvre. « Là, j'ai compris quelle était ma poésie : le pays. Fonder un pays, une mémoire en poésie. » Le poète exprime ainsi une identité à la fois individuelle et collective où le « je » s'accorde au « nous » en s'inscrivant par le langage dans une quête d'amour et de sens.

« Je t'écris »

I

Je t'écris pour te dire que je t'aime
que mon cœur qui voyage tous les jours
— le cœur parti dans la dernière neige
le cœur parti dans les yeux qui passent
5 le cœur parti dans les ciels d'hypnose —
revient le soir comme une bête atteinte

Qu'es-tu devenue toi comme hier
moi j'ai noir éclaté dans la tête
j'ai froid dans la main
10 j'ai l'ennui comme un disque rengaine
j'ai peur d'aller seul de disparaître demain
sans ta vague à mon corps
sans ta voix de mousse humide
c'est ma vie que j'ai mal et ton absence

15 Le temps saigne
quand donc aurai-je de tes nouvelles
je t'écris pour te dire que je t'aime

que tout finira dans tes bras amarré
que je t'attends dans la saison de nous deux
20 qu'un jour mon cœur s'est perdu dans sa peine
que sans toi il ne reviendra plus

II

Quand nous serons couchés côte à côte
dans la crevasse du temps limoneux
nous reviendrons de nuit parler dans les herbes
25 au moment que grandit le point d'aube
dans les yeux des bêtes découpées dans la brume
tandis que le printemps liseronne aux fenêtres

Pour ce rendez-vous de notre fin du monde
c'est avec toi que je veux chanter
30 sur le seuil des mémoires les morts d'aujourd'hui
eux qui respirent pour nous
les espaces oubliés

QUESTIONS

1 Ce poème d'amour illustre-t-il les valeurs de changement associées à la Révolution tranquille ?

2 Ce « Je t'écris » vous semble-t-il baigné d'espoir ?

3 a) En quoi les deux parties de ce poème s'opposent-elles et se répondent-elles ?

b) À quoi servent les tirets des vers 3 à 5 ? Qu'apportent-ils comme précision ?

c) L'écart syntaxique des vers 8 et 14 est-il justifié ?

d) Les allusions à la nature dans la quatrième strophe sont-elles un gage de bonheur ?

4 La référence au temps est-elle la seule clé de ce poème ?

5 Quels liens pouvez-vous établir entre ce poème et l'extrait de *Refus global* qui ouvre ce chapitre (p. 163) ?

« Compagnon des Amériques »

Compagnons des Amériques
Québec ma terre amère ma terre amande
ma patrie d'haleine dans la touffe des vents
j'ai de toi la difficile et poignante présence
5   avec une large blessure d'espace au front
dans une vivante agonie de roseaux au visage

je parle avec les mots noueux de nos endurances
nous avons soif de toutes les eaux du monde
nous avons faim de toutes les terres du monde
10   dans la liberté criée de débris d'embâcles
nos feux de position s'allument vers le large
l'aïeule prière à nos doigts défaillante
la pauvreté luisant comme des fers à nos chevilles

mais cargue-moi en toi pays, cargue-moi
15   et marche au rompt le cœur de tes écorces tendres
marche à l'arête de tes dures plaies d'érosion
marche à tes pas réveillés des sommeils d'ornières
et marche à ta force épissure des bras à ton sol
mais chante plus haut l'amour en moi, chante
20   je me ferai passion de ta face
je me ferai porteur de ton espérance
veilleur, guetteur, coureur, haleur de ton avènement
un homme de ton réquisitoire
un homme de ta patience raboteuse et varlopeuse
25   un homme de ta commisération infinie
l'homme artériel de tes gigues
dans le poitrail effervescent de tes poudreries
dans la grande artillerie de tes couleurs d'automne
dans tes hanches de montagne

KENOJUAK ASHEVAK (1927).

Le Hibou enchanté, 1960. (Gravure sur pierre, 43/50,
61,1 × 66 cm. Achat, legs Horsley et Annie Townsend.
Musée des beaux-arts de Montréal.)

Si l'appropriation du pays passe pour des poètes comme Miron par une forme de communion avec la nature, il en a toujours été ainsi pour les Inuits. Même si leur manière de vivre s'est modernisée, les artistes inuits exploitent dans leurs œuvres des thèmes traditionnels touchant la question de l'union entre le monde des hommes et celui des animaux. Pour ces héritiers de traditions animistes, tout ne fait qu'un dans le cosmos. Aussi ne représentent-ils jamais la nature seule, mais toujours l'homme en rapport avec elle. Ici, la chouette symbolise la sagesse. Ses serres sont puissantes, ses yeux fixent le spectateur. Elle incarne une grande force, une énergie inspirante pour celui qui la regarde.

30 dans l'accord comète de tes plaines
dans l'artésienne vigueur de tes villes
dans toutes les litanies
de chats-huants qui huent dans la lune
devant toutes les compromissions en peaux de vison
35 devant les héros de la bonne conscience
les émancipés malingres
les insectes des belles manières
devant tous les commandeurs de ton exploitation
de ta chair à pavé
40 de ta sueur à gages
mais donne la main à toutes les rencontres, pays
toi qui apparais
par tous les chemins défoncés de ton histoire
aux hommes debout dans l'horizon de la justice
45 qui te saluent
salut à toi territoire de ma poésie
salut les hommes et les femmes
des pères et mères de l'aventure

QUESTIONS

1 Ce poème reprend-il les thèmes liés au désir de libération, particulièrement marqué à l'époque de la Révolution tranquille ?

2 « Compagnon des Amériques » vous semble-t-il être un appel ?

3 a) Dégagez le champ lexical associé au « je » et au « nous » dans les deux premières strophes.

b) Notez l'utilisation des temps verbaux dans les quatre premières strophes. Que constatez-vous ?

c) Au vers 22, quel est le lien entre la juxtaposition de quatre substantifs, le thème du pays et le rôle du poète ?

d) Comment les trois derniers vers créent-ils une fin ouverte au poème ?

4 Le concept du pays à faire naître se définit-il ici par opposition aux conditions d'asservissement ?

5 Le désir de libération exprimé dans ce poème vient-il atténuer ou renforcer le constat de l'aliénation chez Tremblay et Ferron ?

Roland Giguère (1929-2003)

Né à Montréal, Roland Giguère étudie la gravure et la lithographie à l'École des arts graphiques de Montréal avant de fonder, en 1949, les Éditions Erta. Spécialisée dans les livres d'art et de poésie, cette maison endosse les préceptes du surréalisme, ce mouvement artistique qui rejette la suprématie de la raison pour faire la part belle au hasard, à l'inattendu et au geste spontané. Giguère côtoie très tôt les peintres Jean-Paul Mousseau, Marcelle Ferron et Jean-Paul Riopelle et l'écrivain Claude Gauvreau, tous signataires de *Refus global*. C'est à cette époque qu'il publie de ses poèmes en les accompagnant d'illustrations de sa composition. Il séjourne en France de 1954 à 1963 et rencontre André Breton, chef de file du surréalisme. De retour au Québec, il enseigne à l'Université Laval et y anime un atelier de recherche graphique de 1970 à 1975. Durant cette période, il est aussi vice-président de l'Association des graveurs du Québec.

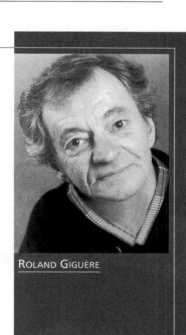

ROLAND GIGUÈRE

Poète, graveur et peintre, Giguère reçoit des prix pour chacune des facettes de son travail de création. En 1973, il refuse, pour des raisons politiques, le prix du Gouverneur général attribué à son recueil de poésie *La Main de feu*. Cofondateur de la revue *Possibles* qui se situe au confluent de la poésie, des arts plastiques et de la sociologie, il semble mu par une curiosité insatiable qui lui interdit de limiter ses activités à une seule et unique sphère.

■ L'ÂGE DE LA PAROLE (1965)

Paru à l'Hexagone en 1965, L'Âge de la parole réunit tous les poèmes de Giguère publiés chez Erta de 1949 à 1960. Avec « La main du bourreau finit toujours par pourrir », le poète rompt avec un passé rétrograde et offre un message porteur d'espoir. C'est d'ailleurs par la lecture de ce poème que Pauline Julien ouvrira en 1970 la fameuse Nuit de la poésie. Giguère y privilégie la métaphore et souligne l'urgence de dire par un débordement de « mots flots ».

Il n'y a, dans la poésie de Giguère, aucune nostalgie du passé, mais plutôt le désir de se projeter dans un avenir ouvert sur le monde. Contrairement à Miron qui retravaillait sans cesse ses poèmes, Giguère considérait que, comme ses gravures, les siens devenaient définitifs au moment de l'impression.

« Les Heures lentes »

On tourne pesamment la tête vers un nouvel horizon
et toute une vie s'appuie sur notre front

la rougeur de l'attente fait place à la douce blancheur
des pierres précieuses dans nos mains calmes

5   les paroles de haine meurent au bord des lèvres
et voici le silence qui couvre les bruits du lit

silence des eaux silence des yeux silence des ans
silence des uns et silence des autres

long et lent cheminement entre les haies d'aubépines
10   les heures se passent à séparer les fleurs des épines
fleurs d'hier épines d'aujourd'hui
épines d'aujourd'hui fleurs de demain

les heures coulent dans les lignes profondes de la main
sans s'arrêter sans rien noyer sans heurt
15   les heures coulent et la main doucement se resserre
sur la gorge d'un long ruisseau
mince filet de voix qu'il ne faut pas briser
gorge chaude
mince filet de vie qu'il ne faut pas broyer
20   à tout prix
au prix de ne plus jamais dormir la nuit
au prix même de la vie.

la fin des cerfs-volants 2/20   *Roland Giguère '70*

Roland Giguère (1929-2003).

ROLAND GIGUÈRE (1929-2003).

La Fin des cerfs-volants, 1971. (Sérigraphie, 51×34 cm. Collection privée.)

Cette œuvre met en scène une sorte de nébuleuse aux tons de bleu, de vert, et parfois de rouge, suspendue à la manière d'une aurore boréale sur un fond sombre. Quelques lozanges représentent des cerfs-volants s'élevant tranquillement vers le ciel, comme disparaissent dans le poème « Les Heures lentes » les paroles de haine, ou la violence rouge de l'expectative, pour laisser place à une attente tranquille. Rien ne semble presser, les heures lentement passent et même si le tableau tout comme le poème traduisent un équilibre précaire, rien ne semble pouvoir le défaire. Un point, au milieu du tableau, semble représenter la lune ; des lignes horizontales à peine esquissées, le sol. En effet, Giguère ancre toujours son message dans sa réalité physique.

QUESTIONS

1 Comment ce poème s'oppose-t-il à un monde de consommation et d'échanges rapides ?

2 Ce poème propose-t-il une réflexion sur la condition humaine ? Laquelle ?

3 a) À qui le poète fait-il référence dès la première strophe ?

b) Relevez les oppositions dans les deuxième et troisième strophes. Quel rôle jouent-elles pour la suite du poème ?

c) L'auteur utilise-t-il des signes de ponctuation dans ses vers ? Quel en est l'effet, particulièrement dans la quatrième strophe ? La dernière strophe fournit-elle des clés ?

d) Relevez dans la dernière strophe les éléments qui créent la métaphore du ruisseau. Quel lien le poète établit-il avec la main ?

4 Peut-on affirmer que le titre suggère à la fois une remise en question et un ressourcement ?

5 Quels liens pouvez-vous établir entre ce poème et les espoirs de changement dans *Refus global* ?

Gilles Hénault (1920-1996)

Gilles Hénault naît à Saint-Majorique, près de Drummondville. Deux ans plus tard, sa famille s'installe à Montréal. À la fois poète et critique d'art, il commence, dès 1939, une carrière de journaliste dans divers journaux dont *Le Devoir* où il est directeur des pages artistiques de 1959 à 1961. En tant que scripteur, il travaille pour le service des nouvelles de Radio-Canada et de CKAC, il rédige des adaptations pour l'Office national du film et collabore à diverses revues aussi bien littéraires, comme *Études françaises*, qu'artistiques, comme *Vie des Arts*.

En 1946, il est cofondateur des *Cahiers de la File Indienne* qui publient des textes illustrés par des artistes d'avant-garde comme Pellan ou Mousseau. Féru

GILLES HÉNAULT

d'histoire de l'art, il est directeur du Musée d'art contemporain de 1966 à 1971. Plus tard, il animera des ateliers d'écriture à l'Université du Québec à Montréal et dirigera pendant deux ans, en 1984 et 1985, le département des Arts plastiques. En 1985 et 1986, à la demande du ministère des Affaires culturelles du Québec, il préside un comité favorisant l'intégration des arts en architecture.

■ TOTEMS (1953)

Appartenant à la génération des signataires de Refus global, *influencé par les écrivains surréalistes, Hénault est particulièrement marqué par un poète français à qui il rend hommage dans son poème intitulé : « À la mémoire de Paul Éluard ». Les derniers vers soulignent une filiation certaine : « Ta main nous tend / La clef des chants ». Hénault n'hésite pas à utiliser cette liberté de création hors des sentiers battus. Associé à la poésie moderne québécoise, il prend le risque de la revendication. Il ose manier l'humour même aux dépens de la religion. Comme en témoigne le titre du recueil* Totems, *il fait appel au métissage, en empruntant aux cultures amérindiennes des éléments de rêve aux pouvoirs transformants : « Temps des tomahawks, des tam-tams et des tambours / assourdissant la source éclatante du silence ».* Sémaphore, *publié en 1962, suggère le rapport de la poésie aux mots et le lien au lecteur par le jeu de signaux qu'il peut ou non capter. En 2006, Les Éditions Sémaphore ont publié* Poèmes 1937-1993, *dans lequel toute la poésie de Gilles Hénault est rassemblée. Tiré de* Totems, *le poème « Je te salue » intègre avec un humour insidieux des éléments des prières « Je vous salue Marie » et « Notre Père ».*

« Je te salue »

1

Peaux-Rouges
Peuplades disparues
dans la conflagration de l'eau-de-feu et des
    tuberculoses
5 Traquées par la pâleur de la mort et des
    Visages-Pâles
Emportant vos rêves de mânes et de manitou
Vos rêves éclatés au feu des arquebuses
Vous nous avez légué vos espoirs totémiques
10 Et notre ciel a maintenant la couleur
des fumées de vos calumets de paix.

2

Nous sommes sans limites
Et l'abondance est notre mère.
Pays ceinturé d'acier
15 Aux grands yeux de lacs
À la bruissante barbe résineuse
Je te salue et je salue ton rire de chutes.
Pays casqué de glaces polaires
Auréolé d'aurores boréales
20 Et tendant aux générations futures

L'étincelante gerbe de tes feux d'uranium.
Nous lançons contre ceux qui te pillent et
    t'épuisent
Contre ceux qui parasitent sur ton grand
25   corps d'humus et de neige
Les imprécations foudroyantes
Qui naissent aux gorges des orages.

3

J'entends déjà le chant de ceux qui chantent :
Je te salue la vie pleine de grâces
30 le semeur est avec toi
tu es bénie par toutes les femmes
et l'enfant fou de sa trouvaille
te tient dans sa main
comme le caillou multicolore de la réalité.

35 Belle vie, mère de nos yeux
vêtue de pluie et de beau temps
que ton règne arrive
sur les routes et sur les champs
Belle vie
40 Vive l'amour et le printemps.

1 Ce poème, paru en 1953, concourt-il à remettre en question les valeurs de la société québécoise d'alors ?

2 Qui le poète salue-t-il par ce « Je te salue » ?

3 a) Dégagez un thème différent pour chacune des parties du poème. Comment ces trois thèmes sont-ils reliés entre eux ?

b) Relevez le champ lexical associé aux Peaux-Rouges dans la partie 1 du poème.

c) Relevez le champ lexical du pays dans la partie 2 du poème.

d) Comparez les sept premiers vers de la partie 3 du poème à ces paroles du « Je vous salue Marie ».

« Je vous salue, Marie, pleine de grâces
Le Seigneur est avec vous
Vous êtes bénie entre toutes les femmes
Et Jésus, le fruit de vos entrailles, est béni. »

Quels mots de la prière ont été retenus ? Quels mots ont été modifiés ? Quel est l'effet de ces modifications ?

4 De quoi le poète se moque-t-il dans la troisième partie du poème, de la religion et du passé, de l'avenir et de la « belle vie » ?

5 L'image des Peaux-Rouges et les valeurs qui leur sont associées rejoignent-elles celles du poème d'Alfred DesRochers « À l'ombre de l'Orford » ?

Paul Chamberland (1939)

Le poète Paul Chamberland obtient, en 1964, une licence en philosophie de l'Université de Montréal avant de poursuivre, à Paris, des études en sociologie littéraire à la Sorbonne. Les grèves étudiantes de mai 1968 qui paralysent la France et provoquent la chute du gouvernement le marquent profondément. De retour au Québec, il s'engage dans la nouvelle culture émergente qui colore sa participation à la Nuit de la poésie en 1970. Il collabore à diverses revues : *Mainmise* et *Hobo-Québec*, caractérisées par leur dimension polémique et iconoclaste, mais aussi *Liberté*, *La Barre du jour* et *Estuaire* à contenu essentiellement littéraire. Cofondateur de la revue *Parti pris*, il s'inscrit dans le combat contre les forces coloniales qui maintiennent les francophones québécois dans un état d'asservissement économique et culturel. Son engagement politique, social et culturel, d'abord suscité par son désir de condamner l'aliénation des Québécois, s'ouvre aux opprimés du monde entier, sur une terre devenue un « chaos de terreur et de sang ». Intellectuel engagé, le poète Chamberland est aussi un essayiste prolifique.

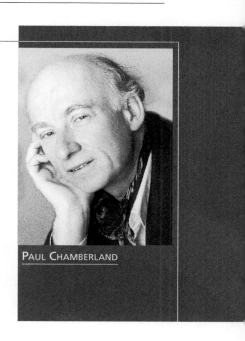

PAUL CHAMBERLAND

■ L'AFFICHEUR HURLE (1964)

La poésie de Chamberland reflète son engagement politique et social tout en s'ouvrant sur un questionnement sur la condition de l'humanité et de la planète. La force de la révolte exprimée, dès 1964, dans Terre Québec *et* L'afficheur hurle *n'altère en rien la lucidité du poète. Connaître, « c'est d'abord être hanté par ce qui se dérobe à notre prise », affirme Chamberland. Sa poésie devient lieu de résistance devant une réalité perçue comme une « vérité sans poésie ». Il revendique haut et fort sa solidarité avec ceux qui luttent et sont habités par cette « dure passion de naître ». Le pays, « cette chair vive et sourde-muette d'un faible et grand oiseau crucifié sur l'Amérique des Yankees », devient un appel. Les questions que le poète se pose sur la situation des francophones en Amérique du Nord s'ouvrent à la grandeur du cosmos sans perdre de leur mordant.*

Sa poésie des années 1960, à saveur polémique et à portée nationaliste, associe moins le pays à la nature, à la manière de Miron, qu'à la ville et au quotidien, et l'individu à l'amour comme prise de conscience du monde. Le privé glisse vers le social, puis le social vers le privé comme si l'émotion et le désir de l'autre étaient indissociables de la réalité extérieure.

2

hors du monde saurions-nous encore nous aimer
hors des visages habituels hors des maisons où le temps
    passe entre les doigts des femmes besogneuses
femme pareille aux bonds du temps sous la tempe des
5   hommes
femme saisie et possédée dans le filet des heures
où je t'aime mal comme un homme pressé comme un
    homme accablé d'un pays de mauvaise vie

la terre n'habite plus nos bras
10 les mauvais rêves nous étrangent

visage brouillé pourtant lisible visage de toi qui es ma
    femme dans la modestie des choses quotidiennes
je t'aime au bord d'un monde où les bras amoureux
    auront pris toute la place
15 je touche en toi le sol élémentaire
il n'y a pas d'éternités
que celle de nos mains jouant nouant l'entente de nos
    corps en l'épaisseur de l'été

parler sans rompre le silence de ton corps
20 parler sans cesser de t'entendre et que mon corps soit
    la criée de ton amour
par toi je me suis reconnu fils de sauvages faims
par toi j'accède à l'abondance de la terre
par toi l'homme tisonne en plein azur le bûcher des
25   désirs et prend le monde dans ses mains comme une
    argile bientôt semblable

hors du monde il ferait bon toi et moi croître selon
les lignes de notre amour fleur endormie dans la grande
    main de la lumière
30 vivre selon notre ordre et vibrer l'un vers l'autre double
    pôle d'un seul luminaire
femme
demeure du temps
mourir dans ton mouvement c'est s'échanger doucement
35   contre l'infini bonheur des matières
et revivre cent fois dans le fleuve intrépide et le métal
    intègre
femme en qui je passe au monde comme un baiser
    d'une rive à l'autre
40 nageur éphémère
balle d'éternité

QUESTIONS

1 Qu'est-ce qui permet d'inscrire ce poème dans le courant d'une poésie nationaliste de revendication ?

2 S'agit-il, ici, d'un poème d'amour ?

3 a) Relevez les vers où le « nous » est utilisé. Que constatez-vous ?

b) Dégagez le champ lexical du temps. Quels rapports y a-t-il entre la femme et le temps ?

c) Que signifient les trois derniers vers ? Dégagez les liens qui les unissent entre eux, puis à l'ensemble du poème.

4 Le bonheur est-il associé à l'amour ou au pays à créer ?

5 Comment ce poème se comparerait-il au poème « Je t'écris » de Miron (p. 193) ?

Hubert Aquin (1929-1977)

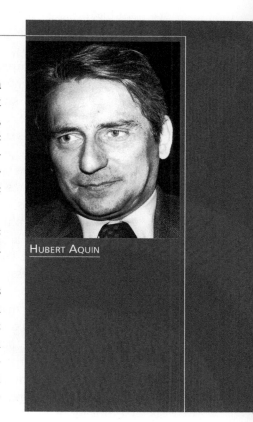

HUBERT AQUIN

Hubert Aquin fait des études en philosophie à l'Université de Montréal puis à l'Institut politique de Paris de 1951 à 1954. Revenu dans la métropole, il est réalisateur et superviseur à la télévision de Radio-Canada et, de 1959 à 1963, réalisateur et producteur à l'Office national du film. Convaincu de la nécessité de l'indépendance du Québec, il adhère au RIN (Rassemblement pour l'indépendance nationale) au début des années 1960 et en devient le directeur national en 1967. Il s'oppose vivement à la disparition du groupe lorsque René Lévesque crée le Parti québécois.

Militant politique, il opte pour l'extrémisme et annonce, en 1964, sa décision de joindre les rangs du FLQ, organisation utilisant des moyens radicaux pour faire du Québec un état indépendant et socialiste.

Devenu directeur des Éditions La Presse en 1975, il démissionne un an plus tard, désireux de conserver intacte sa liberté de penser et d'agir. En 1977, son suicide dans les jardins du Collège Villa Maria est ressenti comme un geste public à connotation politique, surtout quand on sait que Aquin n'avait pas hésité à assimiler la situation du narrateur de *Prochain Épisode* à celle du peuple québécois et avait invoqué des raisons politiques pour refuser, en 1969, le prix du Gouverneur général pour son œuvre *Trou de mémoire* mais accepté, l'année suivante, celui du Gouvernement du Québec.

■ PROCHAIN ÉPISODE (1965)

Prochain Épisode, le premier roman d'Aquin, a été écrit durant une réclusion à l'institut psychiatrique, après son arrestation en 1964 pour possession d'armes à bord d'une voiture volée. S'il met en scène un narrateur lui-même incarcéré, le récit présente deux histoires parallèles : celle d'un individu emprisonné à Montréal pour avoir participé à des activités révolutionnaires dans les années 1960 et celle, inventée par cet homme, d'un révolutionnaire québécois chargé d'abattre, en Suisse, un espion à la solde du gouvernement. Le narrateur affirme ne pas chercher à écrire un vrai roman. Il se méfie d'une mécanique qui privilégie l'action. Aussi renonce-t-il « au découpage prémédité » et lui préfère-t-il l'incohérence.

Ici l'association révolution et écriture tient moins de la lutte que de l'acte d'amour, comme en témoignent les nombreuses références au sentiment liant le prisonnier à celle qui vit hors des murs de la prison, dont le souvenir nourrit à la fois la pensée du narrateur et la fiction qu'il construit.

J'ai beau tracer sur ce papier le fil enchevêtré de ma ligne de vie, cela ne me redonne pas le lit encombré de coussins colorés où nous nous sommes aimés un certain 24 juin, tandis que,
5 quelque part sous notre tumulte, tout un peuple réuni semblait fêter la descente irrésistible du sang dans nos veines. Tu étais belle, mon amour. Comme je suis fier de ta beauté. Comme elle me récompense ! Ce soir-là, je me
10 souviens, quel triomphe en nous ! Quelle violente et douce prémonition de la révolution nationale s'opérait sur cette étroite couche recouverte de couleurs et de nos deux corps nus, flambants, unis dans leur démence rythmée. Ce soir encore, je garde sur mes lèvres le
15 goût humecté de tes baisers éperdus. Sur ton lit de sables calcaires et sur tes muqueuses alpestres, je descends à toute allure, je m'étends comme une nappe phréatique, j'occupe tout ;
20 je pénètre, terroriste absolu, dans tous les pores de ton lac parlé : je l'inonde d'un seul jet, je déborde déjà au-dessus de la ligne des lèvres et je fuis, oh comme je fuis soudain, rapide comme la foudre marine, je fuis à toutes
25 vagues, secoué par l'onde impulsive ! Je te renverse, mon amour, sur ce lit suspendu audessus d'une fête nationale... Dire qu'en ce moment j'écris les minutes du temps vécu hors de ce lit insurrectionnel, loin de notre spasme
30 foudroyant et de l'éblouissante explosion de notre désir ! J'écris pour tromper le temps que je perds ici et qui me perd, laissant sur mon visage les traces ravinées de son interminable alluvion et la preuve indélébile de mon aboli-
35 tion. J'écris pour tromper la tristesse et pour la ressentir. J'écris sans espoir une longue lettre d'amour ; mais quand donc me liras-tu et quand nous reverrons-nous et nous reverronsnous ? Que fais-tu en ce moment, mon amour ?
40 Où circules-tu au-delà des murs ? T'éloignestu de ta maison, de nos souvenirs ? Passes-tu parfois dans l'aire érogène de notre fête natio-

nale ? M'embrasses-tu parfois dans la chambre soulevée où se pressent un million de frères
45 désarmés ? Retrouves-tu le goût de ma bouche comme je retrouve, obsédants, notre baiser et le fracas même de notre étreinte ? Penses-tu à moi ? Sais-tu encore mon nom ? M'entends-tu dans ton ventre quand l'évocation onirique de
50 nos caresses vient secouer ton corps endormi ? Me cherches-tu sous les draps, le long de tes cuisses reluisantes ? Regarde, je suis pleinement couché sur toi et je cours comme le fleuve puissant dans ta grande vallée. Je m'approche de toi
55 infiniment...

Les mots appris, les mots tus, nos deux corps nus sous le solstice national et nos deux corps terrassés au sortir d'une caresse alors que la dernière neige de l'hiver ralentissait notre chute,
60 tout s'ébranle autour de moi dans une crise dévalorisante comme à l'approche d'un conflit mondial. La tempête qui s'abat dans les pages financières me frappe au cœur : l'inflation morbide me gonfle, me fait déborder. J'ai
65 peur, j'ai terriblement peur. Que m'arriverat-il ? Car je suis désemparé, depuis que Bakounine est mort dans la prison commune de Berne, couvert de dettes et oublié. Où estu révolution ? Est-ce toi qui coule enflammée
70 au milieu du lac Léman, soleil bafoué qui n'éclaire pas les profondeurs où j'avance incognito ?... Entre le 26 juillet et ma nuit inflationnaire, je continue d'inventer les bras de la femme que j'aime et de fêter, par l'itération lasse
75 de ma prose, l'anniversaire prophétique de notre révolution. Je reviens sans cesse à cette chambre ardente : sous nos corps entremêlés, un bruit sourd nous parvenait de la ville en fête : un halètement continu, ponctuation
80 insoutenable qui se transmettait jusque dans notre maquis. Et je me souviens du désordre que nous avons infligé à tout ce qui nous entourait ; je me souviens de la clarté du ciel, de l'obscurité de notre cabine volante. Il faisait

85 chaud, très chaud en ce 24 juin. Il nous semblait, mon amour, que quelque chose allait
commencer cette nuit-là, que cette promenade
aux flambeaux allait mettre feu à la nuit coloniale, emplir d'aube la grande vallée de la
90 conquête où nous avons vu le jour et où, ce soir
d'été, nous avons réinventé l'amour et conçu,
dans les secousses et les ruses du plaisir, un événement éclatant qui hésite à se produire. Mais
ce soir, je me dépeuple : mes rues sont vides,
95 désolées. Tout ce monde en fête m'abandonne.

Les personnages que j'ai convoités se dérobent
au futur. L'intrigue se dénoue en même temps
que ma phrase se désarticule sans éclat.

Je n'admets pas que ce qui se préparait un cer-
100 tain 24 juin ne se produise pas. Un sacrement
apocryphe nous lie indissolublement à la
révolution. Ce que nous avons commencé,
nous le finirons. Je serai jusqu'au bout celui que
j'ai commencé d'être avec toi, en toi. Tout
105 arrive. Attends-moi.

QUESTIONS

1 Le sentiment d'échec du narrateur est-il lié à son sentiment que le Québec des années 1960 est une société colonisée ?

2 Ce passage est-il, comme le prétend le narrateur, « une longue lettre d'amour » ?

3 a) Comment la tristesse est-elle exprimée dès le premier paragraphe de l'extrait ? Quel en est l'effet sur le narrateur ?

b) Dans le deuxième paragraphe de l'extrait, comment l'évocation du souvenir amoureux s'oppose-t-elle à la passivité du narrateur submergé de tristesse ?

c) Comment s'exprime le désespoir du narrateur dans le troisième paragraphe ? À quoi est-il lié ?

4 Le rapport amour-pays vous apparaît-il compatible malgré l'échec appréhendé ?

5 Le rapport entre la femme aimée et la réalité extérieure est-il le même chez Paul Chamberland (p. 200) et Hubert Aquin ?

PARTIE 4

SE RÉAPPROPRIER LA LANGUE

L A VOLONTÉ de s'opposer aux valeurs conservatrices implique, pour les écrivains, la nécessité de se réapproprier la langue sous toutes ses formes. Aussi la question de l'utilisation du joual devient-elle un enjeu. Pour les uns, cette langue exprime d'abord et avant tout l'aliénation des Québécois en matière linguistique. C'est la position défendue par l'essayiste Jean Marcel qui considère que le joual demeure essentiellement un phénomène oral et ne saurait prétendre devenir une langue littéraire. Pour d'autres, dont Gérald Godin, le joual se fait arme littéraire dirigée contre les valeurs bourgeoises d'une partie de la population qui exclut les démunis. Au-delà de cette polémique apparaissent d'autres voies d'exploration et de création. Claude Gauvreau s'inspire des peintres automatistes pour inventer une langue poétique spontanée, libérée de toutes contraintes. Enfin, Marie-Claire Blais construit ses œuvres récentes avec des phrases amples à la ponctuation et à la syntaxe bien particulières.

JEAN MARCEL

Jean Marcel (1941)

Essayiste et romancier, Jean-Marcel Paquette est né à Montréal en 1941. Formé en études médiévales, il a été professeur de littérature à l'Université Laval et a publié une vingtaine d'ouvrages sous le pseudonyme de Jean Marcel, dont des essais sur des auteurs québécois du XXe siècle comme Rina Lasnier et Jacques Ferron. Passionné par les grands récits mythiques qui, selon lui, s'adressent directement à notre inconscient, il s'est penché sur les littératures du sud-est de l'Asie, et plus particulièrement sur la littérature thaïe. Il vit depuis quelques années en Thaïlande d'où il a plus récemment écrit *Sous le signe du singe* (2001) et *Lettres de Siam* (2002). Il est aussi traducteur. En abordant la tétralogie du *Ring* de Wagner, il s'est efforcé, dit-il, de rendre le poids dramatique du texte. En 1973, il a pris position dans le débat sur la langue au Québec en publiant l'essai *Le Joual de Troie* qui lui a valu le prix France-Québec.

■ LE JOUAL DE TROIE (1973)

Dans Le Joual de Troie, *Jean Marcel fait écho aux propos de Jean-Paul Desbiens dans* Les Insolences du frère Untel, *selon lesquels certains de ses élèves croyaient qu'utiliser le joual signifiait participer à un mouvement d'affirmation et de création d'une langue qui s'inscrivait dans le contexte nord-américain. Pour Jean Marcel, toute considération sur l'état linguistique du Québec doit tenir compte de divers éléments politiques, sociologiques et économiques. À la thèse d'Henri Bélanger sur la création d'une langue particulière s'inscrivant dans le giron d'un continent, il oppose l'image du cheval de Troie. Il fait ainsi référence à la ruse utilisée par les Grecs pour s'emparer de la ville qu'ils assiégeaient vainement depuis de longues années. Si les Québécois donnent prise à une nouvelle langue, ils s'engagent inexorablement vers l'assimilation. Parler le français avec l'exercice plein et entier de toutes ses possibilités ne signifie pas perdre de son originalité. Jean Marcel affirme même plutôt que, loin de les opposer, les différences entre les groupes de la francophonie devraient les unir en marquant les spécificités de chacun. Dans cette perspective, le joual devient l'expression d'une aliénation et pourrait illustrer, comme dans les pièces de Tremblay, un affrontement tragique avec la réalité, mais ne saurait être porteur d'une culture génératrice. Quant au « symbolisme intégratif » attribué à Bélanger, Jean Marcel raille cette thèse voulant que le vaincu désire s'associer au plus fort et précise que ce fut l'inverse qui se produisit dans l'histoire quand l'autorité britannique tenta d'angliciser les francophones.*

Le joual, en deux mots, voici son histoire sainte : jusqu'à la veille de la Conquête de 1759, les récits des voyageurs ne tarissent pas d'éloges sur le langage de la bonne vieille ville de Québec,
5 de celle non moins vieille des Trois-Rivières, de celle non moins bonne de Montréal où le français, disent les récits, est le même qu'on entend et parle à Paris : et voilà pour la bourde du bon Monsieur Barbeau. (Soit dit en passant : c'est de
10 là que nous vient la très belle forme du mot *marde* que j'ai employé plus haut, qui se disait *marde* en dialecte de l'Île-de-France avant que les provinces de Picardie et de Normandie « n'imposent » à Paris leur prononciation *merde*.)
15 Dans le demi-siècle qui suivit la Conquête, personne n'a été en mesure de venir rendre compte de nous-mêmes, pas même nous, ce qui démontre que nous avons été assez démunis...

Mais enfin, comme nous n'en savons rien, nous n'allons rien supposer. Pas d'écoles pendant ce demi-siècle, une seule grammaire pour tout ce vaste pays, celle des Ursulines de Québec, une relique précieuse qu'on peut encore voir aujourd'hui : je la rééditerai sans doute en *reprint* bientôt, ne serait-ce que pour montrer à tout le monde ce qui est à voir. En 1801, un grand événement : l'école reprend. Pas n'importe quelle école, oh no my dear, des écoles royales et anglaises, please, les seules à être subventionnées par le très kingly government de sa majesty le king d'England. Ce sont ces écoles que fréquenteront nos très français ancêtres, en nombre croissant jusqu'en 1837. Cette belle année-là, à cause des événements que l'on sait, la fréquentation cessera brusquement pour faire tomber de 85 à 5 seulement le nombre des établissements scolaires : ils disparaîtront d'eux-mêmes en 1846 : on venait de comprendre l'astuce (voir Audet, *L'institution royale*, vol. IV, p. 182). Un peu trop tard cependant : le joual était déjà dans nos écuries, et pour cause ! Quand les voyageurs étrangers, britanniques, français ou américains, se remettront à nous revisiter après 1850, ils constateront qu'on ne parlait plus tout à fait comme on parlait quelques années plus tôt, c'est drôle ! Serait-ce donc notre « symbolisme intégratif » qui se mettait enfin à jouer, comme ça, sur le tard ? Toujours est-il que ledit « symbolisme intégratif » se lisait encore comme suit dans le programme de formation des maîtres de seconde année de l'École normale Laval en 1857 : « grammaire anglaise et vocabulaire — 3 heures ; grammaire française — 2 heures » (cf. Labarrère-Paulé, *Les instituteurs laïques au Canada français*, p. 211-212). Pas étonnant que le « symbolisme intégratif » dont parle Bélanger se soit « intégratiné » si vite : ces « maîtres » formés à la grammaire et au vocabulaire anglais bien plus encore qu'à la grammaire française allaient ensuite enseigner à des enfants très français dans des écoles très françaises et sans doute aussi très catholiques. Les voyageurs continueront d'affluer et leurs récits seront de plus en plus pessimistes sur l'état de notre langue. Notre symbolisme intégratif, eh bin, le v'là, le très cher ! Pas besoin d'avoir fait de la neurologie pour comprendre ça. Vigneault dira plus tard dans un de ses monologues —

« c'est pas du français *châtié*, c'est du français *puni* ! » Jacques Ferron dira aussi, faisant allusion aux régions québécoises qui n'avaient pas été touchées par les conditions du fléau du « symbolisme intégratif » : « En Gaspésie, je m'étais nourri d'un peuple. À Ville Jacques-Cartier, en zone frontalière, beaucoup moins ; à cause des mots pourris, je ne baignais plus dans une ambiance naturelle et heureuse. Surtout, je me suis dit qu'il devenait impossible d'œuvrer dans une langue dont les sources populaires se salissaient, faute d'un gouvernement pour pourvoir à l'hygiène publique » (*Jacques Ferron malgré lui*, p. 20). C'est dire que la chevauchée du joual, commencée au petit trot de l'enseignement au 19e siècle, se poursuivait par le grand galop de la prolétarisation massive des populations québécoises. À partir de ce moment, le joual n'est plus seulement un petit animal inoffensif, ce n'est plus seulement une langue, c'est l'ensemble des conditionnements de l'aliénation dont cette langue n'est que le véhicule. Et c'est la découverte de ce phénomène de globalisation lié à l'ensemble de la vie jouale qui a fait que des jeunes écrivains, entre 60 et 65, ont utilisé ce véhicule comme un instrument de provocation : c'était une sorte de cri de détresse visant à attirer l'attention sur la situation qui autorisait une telle langue ; il en est résulté, comme partout en matière d'art, des chefs-d'œuvre comme les nouvelles de la *Chair de poule* d'André Major, mais aussi des navets, que je ne nommerai pas ; preuve qu'une langue, quelle qu'elle soit, n'est pas de soi garante de la création d'un univers artistique complet et qu'il faut au bout du stylo un homme qui ait quelque talent pour l'agencement des lois particulières du monde de l'imaginaire, même si cet imaginaire entend reproduire la réalité. Puis vers 1965, on s'est rendu compte que, comme dit encore Ferron, « le joual ça ne s'écrit pas » (*Le Devoir*, 30 octobre 1965). Ça ne s'écrit pas, en effet, il faut que ça soit parlé car telle est sa situation véritable — il est dès lors passé dans les arts parlés, comme le théâtre et le monologue, où Michel Tremblay et Yvon Deschamps ont excellé mais où bien d'autres ont échoué parce qu'il y faut du talent et que ça suppose qu'on soit précisément sorti du cercle de l'aliénation où, dans la réalité de tous les jours, le joual est encore attaché à son pieu.

1. Sachant que la question du joual soulevait la polémique, diriez-vous que les propos de Jean Marcel relèvent du combat ?

2. Croyez-vous que ce texte est une condamnation du joual ?

3. a) Qu'est-ce que Jean Marcel oppose à la thèse du symbolisme intégratif ?

   b) Relevez, dans la première partie du premier paragraphe (jusqu'à « ils disparaîtront d'eux-mêmes en 1846 »), les traits qui relèvent de l'ironie.

   c) Comment les références à l'écrivain Jacques Ferron s'inscrivent-elles dans l'argumentation de l'essayiste ?

4. Croyez-vous comme Jean Marcel que le joual puisse être associé à l'image du cheval de Troie menant inexorablement à l'assimilation ?

5. Les passages en joual tirés de l'œuvre de Michel Tremblay expriment-ils, comme Jean Marcel le suggère, un univers aliéné ?

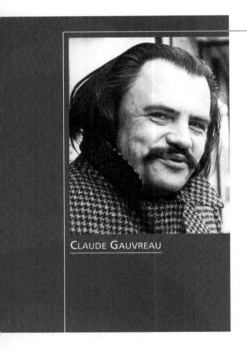

Claude Gauvreau

Claude Gauvreau (1925-1971)

Le poète, dramaturge et polémiste Claude Gauvreau naît à Montréal en 1925. Son frère, le peintre Pierre Gauvreau, l'initie à l'art moderne et lui fait rencontrer Paul-Émile Borduas en 1942. Après avoir fait des études en philosophie à l'Université de Montréal, il se joint, en 1946, au mouvement automatiste qui préconise, en art, la non-figuration, souscrivant ainsi aux impératifs surréalistes qui rejettent la logique référentielle au profit du rêve et de l'imagination. Ardent défenseur de ces idées qui bousculent la conception de l'art solidement ancrée dans les traditions du Québec de cette époque, Gauvreau signe le manifeste *Refus global* en 1948 et y demeurera toujours fidèle dans son écriture en devenant un inconditionnel de l'imagination.

En proie à des moments de dépression profonde, Gauvreau fait l'expérience de l'internement psychiatrique et reçoit des électrochocs. Il meurt de façon abrupte en 1971 en étant demeuré fidèle aux idées des automatistes qu'il a portées au paroxysme tant dans sa création que dans ses prises de position qui ont parfois semé la controverse.

■ ÉTAL MIXTE (1968)

L'écriture « exploréenne » bouscule les mots, en les réduisant aux sons ou en les recréant par des collages verbaux ou des associations sonores qui perturbent le rapport au sens. Gauvreau affirme chercher une poésie pure en marge des normes, comme les toiles des peintres automatistes qui se sont détournés des canons figuratifs. Il croit que sa poésie se fonde essentiellement sur le rythme. Parfois, ses vers se transforment en attaque, faisant appel à un vocabulaire intransigeant, truffé de termes sexuels et scatologiques, exprimant la rage, le mépris et la haine. En 1950, il écrit : « La poésie c'est la syllabe qui tonne, c'est le mot qui chahute, c'est la lettre qui explose. » Au-delà du désir de provoquer s'exprime une liberté refusant toute contrainte dans l'espoir de faire « place à la magie », selon les mots mêmes de Refus global.

« Ode à l'ennemi »

Pas de pitié
les pauvres ouistitis
pourriront dans leur jus
Pas de pitié
5 le dos de la morue
ne sera pas ménagé
Cycle
Un tricycle
à ongle de pasteur
10 va jeter sa gourme
sur les autels de nos présidences
Pas de pitié !
Mourez
vils carnivores
15 Mourez
cochons de crosseurs de fréchets de cochons
d'huile de cochons de caïmans de ronfleurs de
calices de cochons de rhubarbes de ciboires
d'hosties de bordels de putains de saints-
20 sacrements d'hosties de bordels de putains de
folles herbes de tabernacles de calices de
putains de cochons
Le petit doigt
fera merveille
25 dans le fessier
de l'abbesse
Baisse
tes culottes
Nous ne sommes plus
30 des garçons
prévenants
Pas de pitié !
Les aubes ridubonlantes
crèvent
35 et crèvent
et crèvent
l'odeur pâle
des maisons en chaleur
La dame
au doigt de porcelaine
40 se masturbe
sur les aines
de ma cravate
blasphémeuse
L'ouïe

45 Le rot des cochers
Le diame-dame
luit
sur les parchemins de stupre
Les dos cadencés
50 protègent
les prunes puînées
Les prés
Les possédants
La puce de la mère supérieure
55 Le clos
des gens
ardents
La vedette râpe
son sperme
60 de femme
Oulllllll — Hahiya-diad-loup !
La loupe freinée
provoque
la diarrhée des sédentaires
65 Pas de pitié
Mourez chiens de gueux
Mourez baveurs de lanternes
Crossez fumiers de bourgeois !
La lèpre
70 oscille
dans vos cheveux
pourris
Crossez vos banalités
Sucez vos filles !
75 Pas de pitié
Mourez
dans votre gueuse d'insignifiance
Pétez
Roulez
80 Crossez
Chiez
Bandez
Mourez
Puez
85 Vous êtes des incolores
Pas de pitié !

QUESTIONS

1 Ce poème s'inscrit-il dans le mouvement de contestation de la société québécoise des années 1950 ?

2 Qui est l'ennemi visé par le titre du poème ?

3 a) Si l'on sait que l'ode se définit comme un chant d'inspiration élevée traditionnellement associé à une célébration, en quoi l'utilisation de ce mot est-elle, ici, ironique ?

b) Comment Gauvreau met-il en pratique, dans ce poème, sa théorie de « la syllabe qui tonne », du « mot qui chahute » et de « la lettre qui explose » ?

Relevez les éléments qui correspondent à chacun de ces trois aspects.

c) Relevez les répétitions tant dans les mots que dans les sons, ainsi que les accumulations qui poussent le texte vers l'avant.

4 Une poésie aussi violente vous semble-t-elle atteindre son but, au-delà de l'agression initiale ?

5 Cette mise en accusation par la poésie a-t-elle des correspondances dans la société actuelle ?

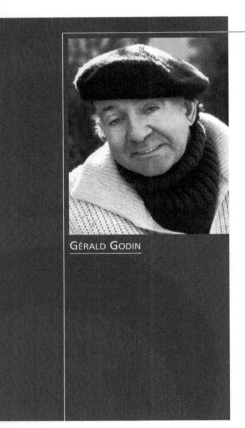

GÉRALD GODIN

Gérald Godin (1938-1994)

Né à Trois-Rivières d'une famille qui valorise la littérature, Gérald Godin se lance très tôt dans le journalisme, qu'il considère comme une « école d'écrivain » puisqu'il l'oblige à tenir la plume quotidiennement. Son expérience l'amène à collaborer avec l'équipe de *Parti pris*, la revue et la maison d'édition qu'il dirige de 1969 à 1977 en encourageant l'analyse critique de la société québécoise et l'affirmation d'une littérature nationale. Reconnaissant une liberté totale et entière aux écrivains, il publie Claude Gauvreau.

La répression qui suit les événements de la crise d'Octobre 1970, marquée par la Loi sur les mesures de guerre qui suspend les droits et libertés individuels, le heurte profondément. Il vit l'expérience de l'arbitraire : lui et sa compagne, la chanteuse Pauline Julien, sont arrêtés à leur résidence, sans mandat, et incarcérés sans possibilité de communiquer avec l'extérieur ni de se défendre. Cette expérience fait naître une poésie de revendication. Cet homme d'écriture amorce, en 1976, une carrière de politicien. Il se présente pour le Parti québécois dans Mercier contre le premier ministre libéral de l'époque, Robert Bourassa, qu'il bat contre toute attente. Celui que l'on désigne alors comme le député-poète devient ministre, statut particulier qui lui permet de « dire les choses différemment. Plus fortement ». Durement frappé par la maladie, une tumeur cancéreuse au cerveau, il ne peut pas se présenter aux élections de 1994 et meurt quelques mois plus tard.

■ ILS NE DEMANDAIENT QU'À BRÛLER (1987)

« Comprendre l'histoire des mots, c'est mieux saisir l'histoire du monde et de l'humanité. » Pour Gérald Godin et les gens de Parti pris, *utiliser le joual, c'est montrer l'aliénation et tenter d'écrire la réalité, c'est explorer les racines du quotidien. Partant de cet outil pour manipuler les billots que les ouvriers appellent « conterhook », Godin invente la complainte des Cantouques qui décrit, dans une*

langue populaire, l'univers des dépossédés. Dès 1964, l'auteur précise que ces mots brisés par l'usage sont le reflet d'une collectivité, qu'une des revanches du colonisé, c'est d'arracher au colonisateur son langage pour lui donner un sens autre. À propos des Cantouques, *Godin affirme avoir créé un environnement musical formé de mots enlignés à la manière de la poésie automatiste de Claude Gauvreau. Aux vers des* Cantouques *qui expriment l'aliénation collective se juxtapose, dans d'autres poèmes, une voix différente où se module une langue du cœur et de la réalité de tous les jours. C'est cette seconde facette de la poésie de Godin qui est célébrée sur un mur écran, à l'entrée du métro Mont-Royal.*

« Cantouque des hypothéqués »

Les crottés les Ti-Cul
les tarlas les Ti-Casse
ceux qui prennent une patate
avec un coke

5   les cibouettes les Ti-Pit
les cassés les timides
les livreurs en bicycle
des épiciers licenciés

les Ti-Noir les cassos
10   les feluettes les gros-gras
ceux qui se cognent sur les doigts
avec le marteau du boss

les Jos Connaissant
les farme-ta-gueule
15   ceux qui laissent leurs poumons
dans les moulins de coton

toutes les vies du jour le jour
tous les coincés
des paiements à rencontrer
20   les hypothéqués
à perpétuité

la gang de christs
qui se plaint jamais
les derniers payés
25   les premiers congédiés

ils n'ont pas de couteau
entre les dents
mais un billet d'autobus
mes frères mes frères
30   sur l'erre d'aller
l'erre de tomber
l'erre de périr
dans les matins clairs du lundi
ils continuent   mais sur l'élan
35   les pelleteux les neuf à cinq
les pères de famille sans enfants
WANTED RECHERCHÉ
pour cause d'agonie
pour drôle de pays

40   Ils sont de l'époque où la patrie
c'était un journal

« La prochaine fois »

D'autres fois, on sautait ensemble dans le lit
des voiliers de rires passaient dans la chambre
et se posaient dans les étangs de ta peau

je tirais dans le tas
5   chevrotine de baisers

avec du plomb dans l'aile
ils repartaient pour un autre pays
le pays de la prochaine fois

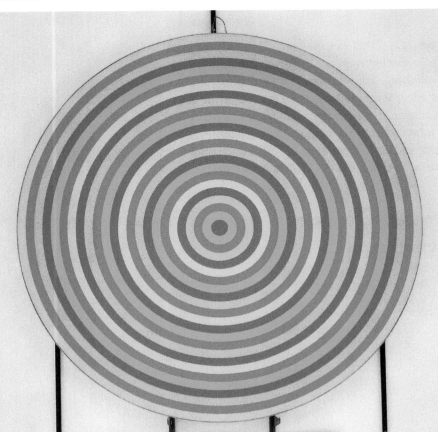

CLAUDE TOUSIGNANT (1932).

Accélérateur chromatique 48, 1967. (Acrylique sur toile, 122,7 cm de diamètre. Musée d'art contemporain de Montréal.)

Claude Tousignant et les plasticiens des années 1960 et 1970 ont dirigé la peinture québécoise vers une troisième voie, ni dans les traces de Borduas ni dans celles de Pellan. Ces formalistes suivent une démarche plus cérébrale. Leurs compositions géométriques traduisent leur intérêt pour le travail de la couleur et l'exploration des possibilités de la surface bidimensionnelle du tableau : adieu la perspective, adieu la référentialité. S'inscrivant dans la lignée de l'op art, donc d'un art d'illusion optique, les œuvres de Tousignant sont une recherche sur la couleur et son effet sur l'œil du spectateur. On pourrait rapprocher cette démarche de celle de Godin, de Miron ou de Chamberland qui, par leur œuvre littéraire, poursuivent des recherches formelles, en travaillant la langue comme un matériau dont on n'aurait pas encore exploré toutes les possibilités pour en retrouver l'essence, la puissance originelle.

QUESTIONS

1 Comment le poème « Cantouque des hypothéqués » participe-t-il au mouvement d'affirmation nationale des Québécois de la Révolution tranquille ?

2 Ces deux poèmes appartiennent-ils, chacun à leur manière, à une poésie du quotidien ?

3 a) Dégagez, dans les quatre premières strophes du premier poème, les mots clés de l'énumération. À quels autres termes sont-ils associés et opposés dans ces mêmes vers ?

b) Relevez, à partir de la cinquième strophe jusqu'à « WANTED RECHERCHÉ », les éléments de l'aliénation. En quoi les deux derniers vers du poème y répondent-ils ?

c) Notez, dans le second poème, les verbes associés au mouvement. Comment la métaphore les transforme-t-elle en l'évocation d'un souvenir heureux ?

4 Peut-on parler d'une poésie de l'aveu pour ces deux poèmes ?

5 a) Selon vous, l'utilisation du joual dans « Cantouque des hypothéqués » confirme-t-elle les propos de Jean Marcel (p. 204-205) ?

b) Godin se comparait à Gauvreau. Diriez-vous que le rythme du « Cantouque des hypothéqués » se construit de la même manière que celui de l'« Ode à l'ennemi » de Gauvreau (p. 207) et aboutit, à la fin de poème, au même résultat ?

Marie-Claire Blais (1939)

Née à Québec, Marie-Claire Blais publie son premier roman, *La Belle Bête*, en 1959. En 1965, *Une saison dans la vie d'Emmanuel* lui vaut le prix Médicis et une reconnaissance hors frontières. Reconnaissance qui sera confirmée des années plus tard par son élection à l'Académie royale de langue et de littérature françaises de Belgique, en 1993, puis sa nomination comme femme de l'année, en 1995, par l'International Biographical Centre de Cambridge, en Angleterre. Marie-Claire Blais partage son temps entre le Québec et les États-Unis, ce qui colore son regard sur le monde. La ville de Key West, en Floride, sert d'ailleurs de toile de fond à la trilogie qu'elle amorce avec *Soifs*, dans laquelle elle dénonce la bêtise d'une idéologie qui, aveuglée par la recherche du profit, dénie la dignité humaine et la liberté des individus.

MARIE-CLAIRE BLAIS

■ UNE SAISON DANS LA VIE D'EMMANUEL (1965)

L'action de ce roman se passe durant les premiers mois de la vie d'un nouveau-né, dans une famille d'agriculteurs dominée par la figure de la grand-mère Antoinette, à une époque où la société ne reconnaît aucune existence à l'individu si ce n'est son appartenance à un clan. Un des enfants, Jean Le Maigre, trouve une voie de sortie dans la création, qui lui permet d'explorer le territoire de tous les interdits touchant les choses de la chair comme celles de la pensée. Après sa mort, les écrits qu'il a laissés viennent ébranler les certitudes imposées par les discours du curé, tant ils montrent son indignation devant ces valeurs ancestrales que le groupe n'a jamais même pensé remettre en cause. Comme dans ses autres romans, Marie-Claire Blais propose ici des personnages qui réagissent fortement devant la misère du monde.

Baignant dans les vomissures de son berceau, ses petits yeux vifs à la paupière ridée, Emmanuel se portait bien depuis la mort de Jean Le Maigre. Pour se consoler de la dis-
5 parition de son fils, découvrant sans doute que Jean Le Maigre, comme plusieurs de ses enfants, lui était plus cher mort que vivant — la mère se tournait vers Emmanuel et le sevrait nerveusement de son sein flé-
10 tri. Grand-Mère Antoinette, elle, traitait Emmanuel du haut de sa mauvaise humeur, lui reprochant déjà tous les défauts qu'elle jugeait sévèrement chez son père. Cela n'empêchait pas Emmanuel de provoquer sa
15 grand-mère avec ses cris perçants de perroquet, et la quotidienne mare qui s'écoulait de son berceau troué, sur le plancher. Quand il n'y avait personne, l'après-midi, le bébé et la vieille femme semblaient dialoguer à leur
20 façon, doucement d'abord, comme font les oiseaux, puis soudain, pleins de menaces et de querelles, se montrant l'un à l'autre avec contentement l'esprit batailleur qu'ils avaient en commun.

25 Mais les jours passaient, et Grand-Mère Antoinette ne permettait à personne de venir s'asseoir près de son fauteuil, comme l'avait fait Jean Le Maigre tant de fois, repliant ses longues jambes, et s'étirant le cou pour
30 voir sa grand-mère, pendant qu'elle tricotait ou brodait. D'autres saisons viendraient,

Emmanuel grandirait, lui aussi, peut-être, qui sait — aurait un jour une place choisie dans le cœur de la vieille femme ? Mais elle ché-
35 rissait trop orgueilleusement sa peine pour vouloir en guérir. Elle se penchait encore sur Jean Le Maigre vivant, puisqu'elle lisait ses œuvres, se permettant encore, comme M. le Curé, mais avec plus d'ignorance encore, de
40 le juger sur les blasphèmes, de s'écrier avec amour à chaque page : *quel scandale, quel scandale, mon Dieu.* M. le Curé a raison, il faut vite déchirer ces cahiers ! Mais elle tardait toujours à le faire, et tournant les pages avec impa-
45 tience, elle remontait encore plus loin, vers la vie de son petit-fils, s'irritait devant un mot trop rigide, un symbole trop secret, au point d'être jalouse de ces pages jaunies auxquelles Jean Le Maigre s'était livré plus qu'à elle-
50 même. Il lui arrivait aussi de se mettre en colère contre ce Jean Le Maigre tour à tour gracieux et impudique qui avait écrit dans ses *Prophéties de famille* que son frère Pomme fini-rait en prison, le Septième à l'échafaud, et sa
55 sœur Héloïse au bordel. (S'arrêtant à la ligne « Une auberge retirée à la campagne » Grand-Mère Antoinette ne comprit pas.) Jean Le Maigre avait écrit également que sa grand-mère mourrait d'immortalité à un âge avancé
60 et que son jeune frère Emmanuel qui *aujour-d'hui pleure les pleurs amers du berceau* finirait au noviciat, succombant à la digne maladie dont Jean Le Maigre lui-même avait été atteint.

65 — Malédiction, oh, malédiction ! s'écriait Grand-Mère Antoinette, mais des confidences de Jean Le Maigre disparu, de cette âme auda-cieuse jusqu'au blasphème, elle fortifiait son amour, nourrissait son orgueil.

70 Ainsi, passaient les silhouettes étranges de Marthe la Petite Bossue (ou encore Marguerite La Longue ou Jocelyne à la tête pleine de poux ou la

Chère Carmen de la rose et des tulipes
75 *Qui m'apportait des bonbons à Pâques...*

du Frère Théodule qui se promenait la nuit dans le dortoir des petits, de M. le Directeur, etc., enfin toutes ces ombres qui avaient hanté *du doux supplice des sens* les nuits plus ou moins
80 chastes de Jean Le Maigre). Mais Grand-Mère Antoinette fermait les yeux avec discrétion et se consolait en pensant que ces créatures (grâce à Dieu) n'étaient que des créatures de l'imagination, et ne pouvaient pas exister vrai-
85 ment. Passant de *la caresse de l'ombre sur mon front,* Jean Le Maigre avait achevé sa vie dans la violence et le crime.

Ils le tueront, mon Dieu, ils le tueront
Je vois dans le ciel blanc
90 *Leur couteau vengeur*
J'entends les cris farouches
Interrompus de mon requiem...

C'est une bien mauvaise fin, pensait Grand-Mère Antoinette. Une bien triste mort en
95 vérité. Mais elle n'en croyait rien. Jamais Jean Le Maigre ne lui avait paru aussi vertueux que depuis l'heure de sa mort, jamais il ne lui avait paru en aussi bonne santé que depuis qu'il était dans sa tombe bien tranquille, là-haut, sur sa
100 colline... Pourtant, il lui semblait aussi que l'hi-ver était plus long que d'habitude, que les jours finissaient trop tard, que la nuit ne lui appor-tait plus le même repos. Sans doute commen-çait-elle à vieillir. Sans doute, avait-elle déjà
105 beaucoup vieilli en quelques jours...

■ SOIFS (1995)

Soifs est le premier roman d'une trilogie qui se présente comme une fresque de cette Amérique sourde aux injustices et aux malheurs dont elle est la source. Le récit s'ouvre sur les problèmes d'un couple venu chercher un peu de repos dans un cadre de vacances paradisiaque. Renata tente de se remettre d'une opération chirurgicale pour éradiquer un cancer au poumon, tandis que Claude s'inquiète de ce qu'elle pense de sa façon d'exercer son métier de juge et des répercussions de ses décisions sur le sort des accusés. Marie-Claire Blais offre ici un style dense, fait de longues phrases qui déferlent en paragraphes dans tout le récit. Le procédé peut déstabiliser le lecteur, placé dans l'obligation de s'accorder à ce rythme ample, marqué par une ponctuation qui multiplie les virgules et les points-virgules et semble se désintéresser du point, comme si l'écriture cherchait à s'adapter au chaos du monde.

[...] il y avait cela, qui était toujours au milieu de leur étreinte ou de leur colère, cela, cet événement qui, en apparence, s'était déroulé loin d'eux, de leur vie, dans une chambre, une cel-
5 lule où régneraient longtemps les vapeurs froides de l'enfer, l'exécution d'un Noir inconnu dans une prison du Texas, la mort par injection létale, une mort voilée, discrète car elle ne faisait aucun bruit, une mort liquide intravei-
10 neuse, d'une efficacité exemplaire puisque le condamné pouvait se l'infliger à lui-même dans les premiers rayons de l'aube, il savait qu'elle avait pensé à cet homme, à son corps chaud, ou à peine refroidi après les chocs impercep-
15 tibles qui l'avaient secoué, d'où émanait encore, quelques heures plus tard, une odeur aigre, pestilentielle, celle de la peur, de la stérile angoisse qu'il avait eu le temps d'éprouver, une seconde, peut-être, avant son effroyable fin,
20 tous les deux, ils avaient pensé la nuit entière au condamné du Texas, ils avaient longuement parlé de lui puis l'avaient oublié en se jetant dans les bras l'un de l'autre dans une frénésie joyeuse qu'ils s'expliquaient mal maintenant,
25 car à peine sortis de leurs tendres liens, ils avaient ressenti la même impuissance, cet homme n'aurait pas dû mourir répétait Renata avec entêtement, cet homme était peut-être innocent, disait-elle, un pli soucieux ombra-
30 geant son front, ce front de penseur chez une femme, se disait le juge en regardant sa femme droit dans les yeux, l'homme en lui qui revêtait cet autre sexe, elle n'était pas seulement opposée à lui, mais farouche, pourquoi ne la
35 retenait-il pas par la main, elle allait lui échapper, sortir, elle s'habillait déjà pour aller au casino, le casino, elle qui n'était pas frivole, une désarmante frivolité semblait la posséder soudain, et voyant qu'elle s'éloignait déjà de lui,
40 sous le pli sévère du front, avec cet air de vigilance inquiète dans le regard qui ne l'enveloppait plus, lui, d'où il était banni pour des préoccupations plus hautes, comme la mort d'un condamné dans une prison du Texas, il
45 avait pensé que ce front têtu de Renata le poussait constamment à l'âpreté de la résistance, car ne voulait-elle pas faire de lui un homme meilleur, différent ou meilleur [...].

QUESTIONS

1 En quoi ces deux œuvres contestent-elles l'ordre social?

2 Dans ces deux extraits, le présent est-il menacé?

3 a) Comment la mort de Jean Le Maigre a-t-elle modifié la perception de la réalité extérieure et le rapport aux autres de Grand-mère Antoinette?

b) Les manuscrits de Jean Le Maigre sont-ils pour la grand-mère un élément de transformation?

c) Dans le passage de *Soifs*, comment l'exécution d'un condamné au Texas interfère-t-elle dans la relation de Renata et de Claude?

d) Quel est l'élément clé qui sous-tend cette longue phrase inachevée? Comment les autres éléments lui sont-ils reliés?

4 Peut-on affirmer que ces deux textes font de la langue un instrument d'exploration des questions contemporaines?

5 Croyez-vous que la perception de l'injustice est un facteur de changement? Pouvez-vous donner des exemples de cela dans la société québécoise?

L'AFFIRMATION DES FEMMES DANS LE MONDE LITTÉRAIRE

DANS LA PREMIÈRE MOITIÉ du XXᵉ siècle, il y a au Québec beaucoup moins de femmes qui écrivent que d'hommes. Il est mal vu qu'une femme ait des projets artistiques. Le temps libre laissé par les rôles d'épouse et de mère doit être consacré aux travaux d'aiguille, au piano ou au chant. Toute ambition intellectuelle est jugée suspecte. Aussi les femmes qui s'engagent dans une carrière d'écrivaine sont-elles peu nombreuses à être reconnues par l'institution littéraire. Il y a toutefois quelques exceptions : quand Gabrielle Roy publie *Bonheur d'occasion* en 1945, elle est consacrée une des plus grandes romancières du Canada français.

Une prise de parole subversive

Au début des années 1960, la Révolution tranquille remet en question la tutelle du clergé et l'ensemble de la structure sociale du Québec. L'essor du mouvement des femmes participe de ce bouleversement social. Les femmes s'organisent et réclament plus de justice et d'égalité. À l'image des avancées sociales, notamment en éducation et en matière d'emploi, le nombre de femmes qui publient connaît une croissance constante. Les écrivaines ne s'intéressent pas toujours aux mêmes sujets que les auteurs masculins contemporains, qui sont préoccupés par la question du pays. En fait, elles poursuivent une autre quête identitaire : celle de l'identité féminine. Elles questionnent donc la famille traditionnelle, les rôles de fille, d'épouse et de mère qui leur sont dévolus, dénoncent la violence conjugale, osent parler d'avortement. Elles se réapproprient le corps féminin pour en révéler les plaisirs et réhabilitent le vocabulaire qui lui est associé.

Elles abordent des sujets parfois jugés sans intérêt par la littérature masculine, comme la vie privée et le quotidien. Mais la littérature des femmes n'est pas sans résonance politique ; au contraire, ces textes remettent en question la structure même de la société en explorant les différentes formes de l'oppression dont elles sont victimes et en encourageant l'émancipation de leurs consœurs. Or, cette différence désavantage les écrivaines, car elles ne sont pas représentatives des courants dominants. Elles sont donc souvent ignorées ou négligées par la critique et l'histoire littéraire, quand elles ne sont pas carrément condamnées par ceux qui voient dans leurs dénonciations une délinquance répréhensible. Par exemple, encore aujourd'hui, peu d'anthologies scolaires présentent des auteures majeures comme Louise Maheux-Forcier et Claire Martin qui, chacune à son époque, ont exploré les thèmes alors tabous des amours lesbiennes et de l'éducation religieuse des filles.

Une littérature engagée

Le milieu des années 1970 est marqué par la radicalisation de la prise de conscience féministe : dans tous les milieux et toutes les classes sociales, des femmes se mobilisent. Maintenant conscientes de la force de leur solidarité, elles entreprennent une multitude d'actions qui visent à établir l'égalité entre les sexes. Elles manifestent, signent des pétitions, organisent des conférences, font des pressions auprès des gouvernements qui entreprennent des études et des consultations sur la condition féminine. On voit l'apparition des premiers périodiques féministes comme *Québécoises debouttes !* et *Les Têtes de pioche*, dont les titres annoncent la prise de position militante. Les enjeux sociaux des luttes féministes sont cruciaux : la légalisation de l'avortement, la contraception, l'accès à une éducation exempte de sexisme, l'équité salariale, le développement d'un réseau de garderies, le droit à un système de justice équitable dans les cas de divorce, de violence conjugale ou de viol.

En littérature, les femmes commencent à prendre leur place dans tous les domaines de l'institution : elles deviennent éditrices, libraires, critiques. On commence alors à parler de « littérature au féminin » et à en faire une lecture attentive et sérieuse qui en révèle l'originalité et la pertinence. Plusieurs auteures s'affichent clairement féministes. Leurs textes dénoncent haut et fort le pouvoir patriarcal et revendiquent le droit à la parole, le droit à la liberté d'être elles-mêmes, d'être différentes. Au fil de leurs œuvres se développe une thématique propre à la condition féminine : la maternité, les relations mère-fille, les relations homme-femme, la sexualité féminine. L'écriture féministe est audacieuse, souvent expérimentale ; elle bouscule la syntaxe, la grammaire, le vocabulaire et mélange les genres et les tonalités pour défiger les modèles littéraires définis par la culture masculine.

Gabrielle Roy (1909-1983)

Gabrielle Roy est née à Saint-Boniface, au Manitoba, de parents originaires du Québec. Elle pratique pendant huit ans le métier d'institutrice. En 1937, elle quitte sa famille et sa province pour aller séjourner en France et en Angleterre, où elle étudie l'art dramatique et prend conscience de son talent et de sa vocation d'écrivaine.

De retour au Canada en 1939, elle s'installe à Montréal avec la ferme intention d'écrire. Elle gagne sa vie comme journaliste. Parallèlement, elle entreprend son premier projet d'écriture ambitieux et c'est en 1945 que paraît *Bonheur d'occasion*. Premier grand roman réaliste et urbain de la littérature québécoise, cette œuvre marque une rupture importante dans la tradition romanesque patriotique et passéiste. *Bonheur d'occasion* connaît un succès retentissant tant au Canada qu'aux États-Unis et en France, et remporte notamment le prix Fémina. On souligne la vérité, l'exactitude, la finesse de ses observations et de ses analyses. Gabrielle Roy est ainsi la première femme admise à la Société royale du Canada, en 1947. Traduit en plusieurs langues, *Bonheur d'occasion* est devenu un grand classique de la littérature d'ici.

De 1947 à 1950, Gabrielle Roy fait un autre séjour en Europe, puis elle s'installe à Québec. Forte du succès de *Bonheur d'occasion*, elle peut désormais se consacrer à l'écriture de romans, contes et nouvelles. Certains ouvrages se situent du côté de la fiction, tandis que d'autres sont davantage inspirés par le matériau autobiographique. C'est le cas par exemple de *La Petite Poule d'eau (1950)* et de *Ces enfants de ma vie (1979)*, fruits de son expérience comme institutrice. Toutefois, sa seule véritable autobiographie est *La Détresse et l'enchantement*, qui paraîtra à titre posthume en 1984.

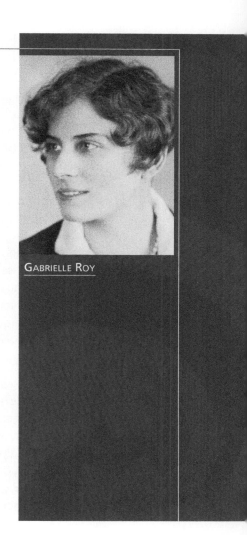

GABRIELLE ROY

■ BONHEUR D'OCCASION (1945)

Ce roman fait un portrait réaliste de la classe ouvrière à Montréal pendant la Seconde Guerre mondiale. Il raconte les misères quotidiennes de la famille Lacasse, une famille pauvre du quartier Saint-Henri : chômage, maladie, grossesses non désirées, départs pour le front. Rompant avec la tradition réaliste où le regard masculin domine, la narration présente surtout le point de vue de la mère, Rose-Anna. Parallèlement, le roman relate l'histoire de la fille aînée, Florentine, qui veut éviter à tout prix de connaître le sort malheureux de sa mère. Elle espère « s'en sortir », s'élever socialement en se mariant avec Jean Lévesque, un jeune homme ambitieux.

Ce n'est que récemment que la critique s'est intéressée à un thème central de l'œuvre de Roy : le rapport mère-fille, toujours complexe et ambivalent. D'ailleurs, ce n'est pas un hasard si Gabrielle Roy dédie Bonheur d'occasion *à sa mère, Mélina Roy, décédée deux ans avant la parution du roman. Dans l'extrait choisi, Rose-Anna fait une visite surprise à Florentine, qui est serveuse dans un « Quinze Cents ». Florentine vient tout juste de rencontrer Jean Lévesque, qui l'a invitée à une fête, et cette invitation la remplit d'espoir.*

Une ou deux fois déjà Rose-Anna, passant par le magasin, s'était arrêtée pour dire un mot à Florentine, mais depuis longtemps, ne sortant à peu près jamais, elle n'avait point ainsi sur-
5 pris sa fille.

Florentine observait sa mère avec étonnement. Ainsi qu'il arrive presque inévitablement aux membres d'une même famille qui se voient quotidiennement, elle n'avait pas remar-
10 qué bien des changements survenus peu à peu dans la physionomie de sa mère. Des petites rides s'étaient creusées aux coins des yeux qu'elle n'avait point vues, une lassitude s'était inscrite dans les traits, qui lui avait échappé. Et,
15 rapidement, d'un seul regard, elle nota la souffrance, le courage écrits sur ce visage, de même qu'après une longue absence ou une violente émotion, il suffit d'un instant pour saisir tout ce qui s'est glissé entre les années et le sou-
20 venir d'une image.

Depuis longtemps, elle ne voyait sa mère qu'à la maison, penchée sur le poêle de cuisine, occupée à ravauder et le plus souvent, dans un jour douteux, le soir, ou tôt le matin. Rose-Anna
25 n'avait peut-être qu'à paraître dans cette lumière abondante du bazar, dans ses vêtements de ville, elle n'avait peut-être qu'à sortir de la pénombre où elle s'était retranchée depuis tant d'années,

pour que Florentine la vît enfin, elle et son
30 pauvre sourire qui avait l'air, dès l'abord, de chercher à égarer l'attention, du moins à la détourner d'elle-même. Florentine en était atterrée. Elle avait aidé sa mère jusque-là par un sentiment de justice, de fierté, mais sans dou-
35 ceur à vrai dire, et parfois même en se croyant lésée. Pour la première fois de sa vie, elle goûta un instant de paix à songer qu'elle ne s'était pas montrée mesquine envers les siens. Mais ce n'était point assez. Le désir lui vint, subit,
40 comme un mouvement de joie, d'être bonne aujourd'hui pour sa mère, plus attentive, plus douce, plus généreuse ; un désir la saisit, impérieux, de marquer ce jour d'une bonté particulière, d'y laisser un acte dont le souvenir res-
45 terait aimable quoi qu'il pût arriver. Et, soudain, elle comprit pourquoi ce désir inaccoutumé, ce désir à vrai dire inconnu lui gonflait le cœur ; c'est qu'elle apercevait la vie de sa mère comme un long voyage gris, terne, que jamais, elle,
50 Florentine, n'accomplirait ; et c'était comme si, aujourd'hui, elles eussent en quelque sorte à se faire des adieux. Peut-être ici même leurs routes étaient-elles en train de se séparer. À certains êtres la menace de l'éloignement est
55 nécessaire pour les rendre attentifs à leurs propres sentiments ; ainsi elle s'aperçut au même moment qu'elle aimait sa mère.

— Maman, dit-elle avec élan, viens t'asseoir.

60 — J'ai pensé arrêter en passant, expliqua-t-elle. Ton père est à la maison comme tu sais. Sans ouvrage, hein !

Ah ! c'était bien là sa mère, songea Florentine, trouvant tout de suite le langage de leurs ennuis ! Hors de la maison, elle avançait avec 65 un sourire gêné. Elle ne voulait pas éteindre la jeunesse, au contraire, voulait s'y réchauffer, s'efforçait à la gaieté, mais malgré elle c'étaient les mots de peine qui venaient à ses lèvres. C'étaient là ses vrais mots de salutation. Et peut-70 être étaient-ce les plus sûrs pour toucher les siens, car sauf les soucis, qu'est-ce donc qui les tenait tous ensemble ? Est-ce que ce n'était pas là ce qui, dans dix ans, dans vingt ans, résumerait encore le mieux la famille ?

[…]

75 Puis elle apporta une assiette bien pleine et, la besogne ne pressant guère plus, elle s'accorda quelques minutes pour voir manger sa mère.

— C'est bon ? Trouves-tu ça bon ? demandait-elle à tout instant.

80 — De première classe, faisait Rose-Anna.

Mais elle ajouta, plusieurs fois, avec cette sourde ténacité qui lui gâtait la moindre extravagance :

— C'est trop cher, par exemple, sais-tu, quarante cennes. Me semble que ça vaut pas ça. 85 Pense donc, Florentine ; c'est cher !

Quand elle eut mangé le poulet, Florentine lui coupa un morceau de tarte.

— Ah ! je peux plus, dit Rose-Anna. C'est déjà ben trop.

90 — C'est tout compris dans le repas, insista Florentine. Ça coûte pas plus cher.

— Ben, je vas y goûter d'abord, dit Rose-Anna. Mais c'est plus la faim.

— Goûte quand même, dit Florentine. Est-y 95 bonne ? Pas comme la tienne, hein ?

— Ben meilleure, dit Rose-Anna.

Alors Florentine, voyant les traits de sa mère détendus, la voyant presque heureuse, éprouva un désir profond, décuplé, d'ajouter à la joie 100 qu'elle lui avait donnée. Elle glissa la main dans son corsage, en sortit deux billets neufs. Elle les avait gardés pour s'acheter des bas. Et au moment où ses doigts froissèrent le papier sec, elle vit de beaux bas, des bas de fine soie, elle 105 ressentit un regret extrême, elle soupira et tendit la main vers sa mère.

— Tiens, dit-elle. Prends ça. Prends ça, sa mère.

— Mais tu m'as déjà donné ta semaine, objecta Rose-Anna, hésitant à comprendre.

110 Florentine souriait. Elle dit :

— Je te donne ça en plusse. Prends-le donc.

Et elle pensait : « Je suis bonne pour maman. Ça me reviendra, ça me sera compté. » Elle ressentait encore de la peine d'avoir renoncé à ses 115 bas de soie, mais une nouvelle assurance aussi qu'elle serait heureuse tout de suite. Elle se représentait la fête du lendemain et, naïve, incroyablement naïve, croyait qu'en raison de ce seul acte généreux, elle y brillerait un peu 120 plus et obtiendrait de Jean un hommage touchant, profond, complet.

Une rougeur était montée aux joues de Rose-Anna.

— Oh ! dit-elle, les doigts occupés à chasser des 125 miettes de pain sur son manteau, je suis pas venue pour rien te demander, Florentine. Je sais qu'il te reste pas grand-chose de ta paye.

Elle prit quand même les billets, les mit dans son petit porte-monnaie qu'elle glissa pour plus 130 de précaution dans la poche intérieure de son sac et, soigneusement pliés, enfouis si loin, ils paraissaient entreprendre une mystérieuse durée, une durée contraire à tant de nécessités.

— Pour te dire vrai, avoua Rose-Anna, j'en 135 avais quasiment drette besoin.

— Oh ! fit Florentine, qui ne trouvait déjà plus la satisfaction qu'elle avait prévue, et tu l'aurais pas dit !

Elle vit le pauvre regard de sa mère, un regard 140 abattu, reconnaissant et qui l'admirait tant, elle, Florentine. Elle la vit se soulever avec effort et s'éloigner en marchant près des comptoirs et s'arrêtant de temps à autre pour palper une étoffe ou un objet.

145 Sa mère !… Elle lui semblait bien vieille. Elle se mouvait avec lenteur et son manteau trop serré lui faisait un ventre saillant. Avec ses deux dollars enfouis dans le sac qu'elle tenait contre elle, elle s'en allait, plus indécise que jamais, elle

150 voyait maintenant la quincaillerie qui brillait à ses yeux et les étoffes souples au toucher, elle s'en allait, attentive à tant de choses qu'elle s'était défendu de regarder, et les désirs croissaient en elle, vastes et multiples, elle s'éloignait 155 avec l'argent bien caché et qui avait fait naître tant de désirs, plus pauvre certainement qu'à son entrée dans le magasin.

Alors, brusquement, toute la joie que Florentine avait éprouvée se changea en fiel. Ce ravisse- 160 ment qu'elle avait ressenti à être généreuse, sans motif d'intérêt, ce ravissement infini laissait place en elle à une espèce de stupeur doulou- reuse. C'était une pure perte, cet acte, il ne ser- vait à rien. C'était une goutte d'eau dans l'ari- 165 dité de leur existence.

QUESTIONS

1 Observez les indices qui permettent de dire de ce texte qu'il est réaliste.

2 À première vue, diriez-vous que Florentine aime sa mère ? Pourquoi ?

3 a) Faites la liste des sentiments que Florentine éprouve successivement à l'endroit de sa mère. Quelles pensées suscitent ces sentiments ?

b) Faites le même exercice pour Rose-Anna : quels sont ses sentiments pour Florentine ?

c) Relevez les expressions qui indiquent les change- ments de focalisation et d'énonciation. Quel point de vue domine dans le texte ?

4 Diriez-vous qu'il s'agit d'une scène d'amour entre la mère et la fille ?

5 Selon vous, ce portrait de la relation mère-fille ne vaut- il que pour l'époque de l'auteure et la situation sociale des personnages ?

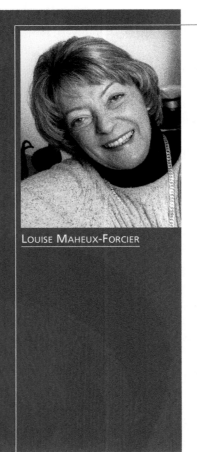

LOUISE MAHEUX-FORCIER

Louise Maheux-Forcier (1929)

C'est vers l'âge de trente ans que Louise Maheux-Forcier décide de se consacrer à la littérature. Son premier roman, *Amadou*, reçoit le prix du Cercle du livre de France. Il s'agit du premier volet d'un triptyque qu'elle poursuit avec l'*Île joyeuse* et *Une forêt pour Zoé*, qui remporte le prix du Gouverneur général. Poétiques et lyriques, ces trois romans mettent en scène des héroïnes qui trouvent leur iden- tité et leur liberté en vivant des amours passionnés pour d'autres femmes.

Avec cette trilogie, Louise Maheux-Forcier transgresse donc un tabou important en proposant une figure toute nouvelle dans la littérature québécoise: la lesbienne. Loin des clichés voulant que la lesbienne soit une femme virile aux caractères masculins, elle incarne ici une féminité assumée, passionnée et sensuelle. L'auteure ne veut pas dénoncer l'oppression politique ou sociale que vivent les homo- sexuelles, mais plutôt montrer que, fait de réciprocité, d'amitié et d'admiration, l'amour saphique est une expérience déterminante qui bouleverse les rapports de domination du couple traditionnel dans lesquels l'homme devient pour la femme source de souffrances physiques et psychologiques. L'amour entre femmes est une façon pour les héroïnes de conquérir leur liberté, par delà les exigences et les conventions sociales, morales, religieuses. Mais cette célébration du les- bianisme choque ou déstabilise plusieurs critiques de l'époque qui souvent dénon- cent ou évitent le sujet, plutôt que d'en reconnaître l'importance et l'originalité.

En 1984, Louise Maheux-Forcier rédige *Le Sablier*. Dans ce journal intime dif- fusé à la radio, elle décrit les difficultés de sa vie d'écrivaine et aussi l'impor- tance pour elle d'être libre de faire des choix.

■ AMADOU (1963)

Le titre du roman signifie « amoureux » en provençal. La narratrice, Nathalie, vit encore avec le souvenir d'Anne, une jeune fille qu'elle a aimée passionnément et qui est morte noyée. Devenue jeune adulte, elle rencontre Julien, avec qui elle vit une relation difficile qui l'étouffe. Mais sa véritable passion est pour leur amie Sylvia, qui lui rappelle l'amour qu'elle avait pour Anne. Même mariée à Julien, elle continue d'entretenir une correspondance secrète avec Sylvia. Julien la découvre, déchire les lettres et bat Nathalie. Elle décide alors de le tuer.

Le récit, qui commence par la confidence du meurtre de Julien, est une longue réminiscence poétique. Dans l'extrait, Nathalie se rappelle le moment où elle a fait la connaissance d'Anne, cette adolescente qui semblait arriver de nulle part. C'est une véritable révélation pour la narratrice qui, envoûtée, a l'impression de naître à elle-même. Tout de suite, l'amour de Nathalie pour Anne, passionné et érotique, prend une dimension métaphorique, presque mythique. Anne incarne « toute la beauté du monde ».

Mais j'ai quinze ans et je suis seule au monde en cet instant où j'ai l'impression de cuire au soleil, au fond d'une grande cuve, arrosée d'insectes. J'ai mal et soudain, comme sous l'effet
5 de la morphine, je m'oublie, tout mon être se détend et tout s'efface autour de moi, de lumière et de vacarme pour faire place en silence… à une cathédrale !… à une petite fille qui débouche au coin de la rue en pleurant, les
10 genoux ensanglantés, couverte de haillons : Anne ! Toute la beauté du monde résumée dans ses cheveux ! Dans ses yeux noirs, mouillés de larmes, toutes les richesses et les poupées et les chevaux et le château de mon enfance ! Sur ses
15 savates, toute la terre qui recouvre depuis des siècles, toutes les statuettes égyptiennes encore enfouies et les vases grecs merveilleux ! Et dans le sang clair de ses genoux, le rouge de mon plongeon vertigineux dans l'amour !

20 Ma mère, ce jour-là, n'est pas allée à son bridge ; elle m'a d'abord fait une scène à cause de ma robe souillée mais elle s'est attendrie sur la petite fille en pleurs qui se collait à moi.

Toute la nuit le vent chaud a joué avec les
25 rideaux de mousseline et je n'ai pas dormi. Anne était nue et blanche, presque bleue sous le pâle éclairage de la lune. J'avais l'impression qu'il y avait au creux de son ventre quelque chose de phosphorescent qui faisait luire tout
30 son corps ; quand elle se retournait, ses deux petits seins roulaient l'un sur l'autre comme ravis d'être ensemble et ses cuisses épousaient la fraîcheur des draps, voluptueusement. J'étais muette, hallucinée. Plusieurs fois j'ai fait
35 le tour de ma chambre en m'arrêtant longuement devant la glace : je reconnaissais, debout, bleue aussi et un peu floue, la forme allongée sur mon lit. Je devinais autour, les fleurs des tentures et le cannage de la berceuse ancienne
40 et tous mes parfums sur la table habillée comme une marquise ; j'allais au placard et j'habillais Anne de toutes mes robes puis je la déshabillais ; à la fenêtre, j'allongeais les allées de notre jardin, à l'infini, j'y plantais Anne au
45 milieu, superbe et nue dans ses cheveux, comme un Botticelli et je m'agenouillais devant elle.

Cette nuit-là, ma vie a commencé. Mon cœur s'est ouvert comme une tulipe. Mon corps s'est
50 éveillé mais je ne voyais pas encore au bout de mon rêve ébloui, la mort, comme une sauterelle absurde.

À l'aube, Anne a ouvert doucement les yeux ; son regard s'est promené calmement autour
55 d'elle, sans surprise mais quand il s'est posé sur moi, c'était le regard affolé d'une bête qui a peur d'être battue… Elle s'est plongée dans mon cou, en tremblant.

J'aurais dû sentir à ce moment même qu'un tel
60 bonheur, j'aurais à le payer toute ma vie.

KITTIE BRUNEAU (1929).

La Montagne, 2005.
(Sérigraphie,
43×36 cm. Galerie La Guilde
graphique.)

Les tableaux de Bruneau sont chargés d'un pouvoir métaphorique et symbolique. Véritable palimpseste, sa toile patiemment travaillée révèle à la fois la vision du monde de l'artiste et la richesse de son imaginaire. L'amour est le thème principal de *La Montagne*, au centre de laquelle figurent deux cœurs rouges emboîtés. Tout autour, des formes d'oiseaux, des parcelles de ciel semblent sortir tout droit d'un rêve d'enfant: comme à la lecture de l'histoire d'amour de la narratrice d'*Amadou*, le spectateur se laisse envoûter par le songe et l'imaginaire qui nourrissent l'amour.

QUESTIONS

1 Qu'est-ce qui pouvait choquer le lecteur de ce texte en 1963 ?

2 Quels sont les différents sentiments que l'arrivée d'Anne suscite chez la narratrice ?

3 a) Dans le premier paragraphe, comment Nathalie décrit-elle les différentes parties du corps d'Anne ? Qu'est-ce que cela révèle de son amour pour la jeune fille ?

   b) Dans le troisième paragraphe, relevez les indices qui laissent croire qu'Anne est davantage un être surnaturel qu'un être humain.

   c) Relevez les expressions qui montrent que Nathalie est métamorphosée par la présence d'Anne.

4 Diriez-vous que l'amour lesbien que vit la narratrice transcende la réalité ?

5 Est-il juste de dire que l'expérience amoureuse de Nathalie est semblable à celle de la narratrice du récit d'Élizabeth Smart (p. 158-159) ?

Claire Martin (1914)

Claire Martin fait ses études chez les Dames de la Congrégation de Notre-Dame et chez les Ursulines. Au début des années 1940, elle devient annonceure à la radio. Elle délaisse alors le nom de son père détesté, Montreuil, et prend celui de sa mère, Martin. Ce n'est qu'à quarante-quatre ans qu'elle publie son premier livre, un recueil de nouvelles intitulé *Avec ou sans amour*. Elle écrit ensuite des romans qui décrivent avec minutie les mouvements amoureux.

Son récit autobiographique *Dans un gant de fer*, constitue, selon Patricia Smart, « le premier ouvrage explicitement féministe dans la littérature québécoise ». Au fil des deux tomes, *La Joue gauche* (1965) et *La Joue droite* (1966), Claire Martin présente ses souvenirs d'enfance et d'adolescence et trace ce faisant, non sans humour ni esprit critique, le portrait de la société obscurantiste et de la situation des femmes au début du siècle. Elle y accuse le système patriarcal qui a fait d'elle et de sa famille les victimes d'un père tyrannique. Elle dénonce aussi l'éducation puritaine qu'elle a reçue dans les pensionnats religieux, véritables fabriques de petites filles ignorantes et dociles. Le livre suscite des éloges, mais aussi des attaques virulentes, surtout de membres du clergé qui reprochent à son auteure sa rancune et son manque de respect pour son père.

Après un quart de siècle de silence, en 1999, à quatre-vingt-cinq ans, Claire Martin revient sur la scène littéraire avec un recueil de nouvelles, puis plusieurs autres publications. Toutes sont accueillies favorablement par la critique, heureuse de retrouver sa délicatesse, son humour et son intelligence.

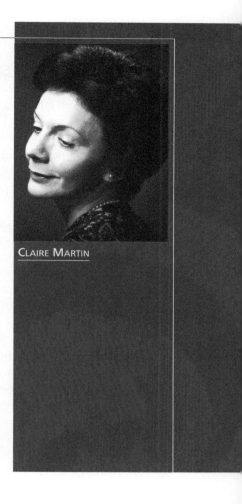

CLAIRE MARTIN

■ DANS UN GANT DE FER. LA JOUE GAUCHE (1965)

Dans ce premier tome, Claire Martin raconte son enfance jusqu'à l'âge de treize ans. La petite Claire, intelligente et sensible, doit constamment affronter la violence et la bêtise d'une société bornée et inculte. Méchant et brutal, son père entretient un climat de terreur dans la maison. Il bat régulièrement et violemment ses enfants et sa femme qui, aimante mais soumise, n'arrive pas à les protéger. Aussi le couvent apparaît-il à la petite Claire comme un refuge appréciable. Seulement, les sœurs chargées de son éducation sont souvent aussi incompétentes que cruelles, et les frustrations continuent de s'accumuler.

Ces mémoires font le récit de souffrances et d'humiliations longtemps retenues. Mais si l'on y trouve de la colère et de l'amertume, l'auteure ne tombe jamais dans la sensibilité larmoyante. La distance bienfaitrice qui s'est installée entre la femme heureuse et amoureuse qu'elle est devenue et l'enfant désespérée lui permet de jeter un regard tendre et amusé, souvent ironique, sur certains épisodes. C'est le cas dans cet extrait, où elle raconte comment les jeunes filles du couvent, que leur éducation a laissées ignorantes des « choses de la vie », découvrent l'existence des menstruations.

J'ai fait allusion, tout à l'heure, aux manifestations de la puberté. Elles préoccupaient tout le monde. Il y avait celles pour qui c'était arrivé et celles qui attendaient encore. Parmi ces dernières, il y avait celles qui savaient et celles qui, selon l'expression employée également dans mes deux pensionnats, ignoraient le mal. Moi, j'ignorais. Ou plutôt, je savais que j'ignorais quelque chose, ce qui me permettait de faire semblant de savoir. Cette attitude porta ses fruits : au bout d'une semaine dans ce nouveau pensionnat, je savais ce qui m'attendait. Malheureusement pour moi, j'avais surtout appris qu'il s'agissait là d'une chose honteuse dont on peut rire entre fillettes, mais qu'il est impossible de discuter avec les adultes. Ma condition femelle se mit à me sembler absurde, car je m'étais informée à propos des garçons pour savoir s'ils subissaient une sorte d'équivalence et j'avais appris qu'ils ne subissaient rien du tout. Encore une histoire bien mignonne ! Voilà ce que me réservait l'avenir, tous ces ennuis avec, en sus, la perspective d'épouser un homme qui, à l'usage, serait probablement pour moi ce qu'était mon père pour ma mère. S'il y eût une époque de ma vie où j'ai ressenti de la haine pour les hommes, ce fut celle-là. Mais tout passe…

Un matin, l'une de nous s'éveilla « avec du nouveau » et, ne sachant que faire, s'en fut se confier à mère Saint-Protais.

— C'est une punition de Dieu, s'exclama celle-ci en brandissant les poings.

Ce que la fillette vint me raconter durant la récréation. Je fus bouleversée : au contraire de ce que j'avais compris, cela n'arrivait donc pas à toutes, puisque c'était une punition. D'autre part, pensai-je immédiatement, comme on est toujours puni par où on a péché, c'était vraiment pas rien quand ça vous arrivait. Je ne trouvai rien là, cependant, d'illogique. Nous étions si habituées à avoir honte de notre corps, à penser que tout ce qui s'y passait était la punition de quelque crime inconnu que même la pousse d'un poil nous bouleversait. Quand je m'aperçus qu'il m'en venait aux aisselles et au pubis, je fus désespérée. Qu'est-ce que j'avais bien pu faire ? J'avais beau m'endormir les mains aussi éloignées du corps que la largeur de mon lit me le permettait, voilà que les punitions me tombaient de partout.

J'essayais de ne pas penser à tout cela, car je savais que les mauvaises pensées sont aussi coupables que les mauvaises actions, et je marchais les fesses serrées, j'évitais de m'asseoir sur les calorifères chauds pour ne donner aucune chance à la PUNITION de s'égarer sur moi. J'avais bien assez de mes trois poils. À la fin, je finis par apprendre que cette flétrissure était inhérente au péché originel et qu'elle frappait toutes les femmes. Il aurait été même assez mauvais de n'en être pas frappée, car cela aurait signifié qu'on n'en avait pas pour longtemps à vivre. C'était la mort ou la souillure. Bon !

Si cela arrivait à toutes les femmes, ça restait quand même une honte. Comment pourrais-je jamais me décider à questionner maman sur un sujet aussi scabreux, maman si scrupuleuse, si timide en ces sortes de choses, si marquée, elle aussi, par les sornettes de bonnes sœurs.

QUESTIONS

1 Relevez les indices de l'influence de la religion catholique dans le récit.

2 Selon la narratrice, qui est coupable de l'ignorance de ces jeunes filles ?

3 a) Relevez les mots qui servent à nommer les menstruations et étudiez leurs différentes connotations. Que pouvez-vous en déduire ?

b) Comment les religieuses expliquent-elles à l'auteure l'existence des menstruations ? Quels sentiments cela crée-t-il chez la jeune fille ?

c) Qu'est-ce que la petite Claire pense des hommes ? La femme qu'elle est devenue a-t-elle encore le même avis ?

d) Relevez les traces d'humour dans le texte. Quelles cibles l'auteure vise-t-elle ainsi ?

4 Selon vous, l'auteure entrevoit-elle une solution à l'ignorance des petites filles ?

5 Croyez-vous que les jeunes filles d'aujourd'hui sont plus libres face aux discours sociaux que celles du temps de Claire Martin ?

Art et littérature

TRANSPARENCE ET ÉNERGIE

Lorsqu'elle a vingt ans, Marcelle Ferron peint à la manière automatiste des toiles très colorées au rythme effréné qui laissent transparaître à la fois sa joie de peindre et l'attention particulière qu'elle accorde aux effets de transparence résultant de l'accumulation de peinture sur fond blanc. C'est à la fin des années 1960 que cette attirance pour la lumière trouve chez Ferron sa plus forte expression. S'intéressant alors à la technique du vitrail, elle revitalisera cet art ancien en l'intégrant harmonieusement à l'architecture contemporaine. Art du feu, de la transparence et de la pureté, le vitrail est l'expression du lyrisme et de la grande créativité de Marcelle Ferron, de l'optimisme et de la volonté de renouveau qui l'habitent. Cette énergie est comparable à celle que les femmes ont déployée durant tout le XXe siècle pour s'affirmer. Si certaines semblent l'avoir fait plus discrètement par leur travail, comme Marcelle Ferron et Gabrielle Roy, d'autres ont été plus radicales dans leurs écrits, comme Nicole Brossard.

MARCELLE FERRON
(1924-2001).

Sans titre, 1972. (Vitrail, 194×863,5×2,5 cm. Don de M. Raymond et Mme Alicia Lévesque au Musée des beaux-arts de Montréal.)

- Trouvez cinq adjectifs pour décrire le vitrail de Ferron. Quelle est l'impression générale qui s'en dégage?

- Croyez-vous qu'il existe un art féminin? Diriez-vous que l'œuvre de Ferron présente des caractéristiques qui laisseraient deviner qu'elle a été faite par une femme? Et que répondriez-vous si la question portait sur le texte de Claire Martin?

- À votre avis, la contestation des valeurs établies et le renouveau doivent-ils obligatoirement passer par la violence, la protestation? Répondez à la question en comparant la démarche de Ferron avec celle de Nicole Brossard dans *L'amèr* (p. 225).

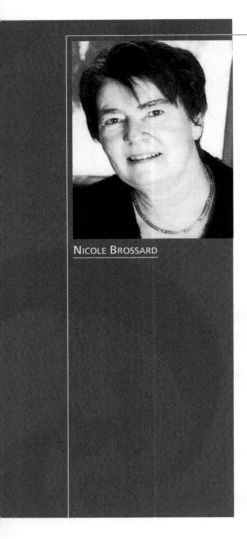

NICOLE BROSSARD

Nicole Brossard (1943)

Très active dans le milieu littéraire depuis les années 1960, Nicole Brossard a fait la promotion des mouvements d'avant-garde et a contribué à l'élaboration d'une pensée féministe pionnière et radicale.

En 1965, elle est une des fondatrices de la revue *La Barre du Jour*, qui joue un rôle important dans le renouvellement de la poésie québécoise. Engagée dans le mouvement féministe, elle participe à l'organisation de la Rencontre internationale des écrivains de 1975 sur le thème « La femme et l'écriture », collabore à la création de la revue féministe *Les têtes de pioche*, réalise un film sur les féministes américaines et écrit, avec Marthe Blackburn, Marie-Claire Blais, Odette Gagnon, Luce Guilbeault, Pol Pelletier et France Théoret, la pièce de théâtre féministe *La Nef des sorcières*. Elle joue aussi un rôle important dans l'édition de textes écrits par des femmes. En 1991, elle publie, avec Lisette Girouard, l'*Anthologie de la poésie des femmes au Québec*, un ouvrage indispensable pour la reconnaissance de l'apport des femmes à la littérature québécoise.

L'œuvre de Nicole Brossard est exigeante et déroutante. L'auteure entend en effet transformer et déconstruire cet outil symbolique du système patriarcal qu'est la langue pour permettre à une véritable identité féminine d'émerger enfin. Procédant par ruptures et ellipses, elle remet tout en question : syntaxe, grammaire et lexique, sans oublier les frontières entre les genres, qu'elle s'emploie à bousculer en mêlant constamment théorie et fiction. Quant à la thématique de l'univers symbolique masculin, elle la subvertit en proposant la figure de la lesbienne audacieuse et rebelle enfin libérée du système patriarcal, grâce à laquelle elle peut réinventer les thèmes du rapport amoureux, de la maternité, du corps et de la jouissance féminine. En somme, Nicole Brossard veut révéler l'imaginaire et la symbolique de la femme pour célébrer sa différence.

■ L'AMÈR OU LE CHAPITRE EFFRITÉ (1977)

L'amèr est un livre atypique dans lequel on n'entre pas sans difficulté. Il s'agit d'une poésie en prose qui tient à la fois de la théorie et de la fiction. Constitué de fragments, ce livre-phare de la culture féministe présente les réflexions d'une femme qui vit avec sa fille et son amante. L'exergue place tout de suite la poésie dans le champ politique : « C'est le combat. Le livre. » La première phrase du recueil, « J'ai tué le ventre », est à entendre au sens métaphorique : la poète veut se débarrasser de la mère patriarcale, c'est-à-dire du rôle symbolique que la culture masculine a attribué à la femme pour l'empêcher de devenir un sujet à part entière. D'ailleurs, le titre même joue avec l'idée du « e » muet occulté L'amèr, (la mèr[e]), du féminin tenu au silence.

Dans l'extrait suivant, la poète dénonce le fait que l'univers symbolique soit dominé par les hommes. Elle compare cet univers à un marché économique où la femme est un objet exploité qui n'a pas droit à sa part de profit. Or, c'est par l'écriture que la femme peut enfin échapper au contrôle des hommes et passer du statut d'objet à celui de sujet.

Le seul produit dont la mère dispose comme mode d'échange demeure son enfant. Sa seule entreprise : cinquante pour cent de la matière première (l'ovule), gestation (l'utérus comme outil, instrument), production (l'accouchement), mise en marché (sa force de travail : bras, jambes, stress). Mais elle ne peut échanger son produit. Entrant dans le circuit économique comme sujet, il lui faudrait aussi passer par le circuit symbolique comme sujet. Collée à la matière et à l'enfant, elle n'y a point accès. Bredouille. Bégayante. Gagâchis.

Prostituée, elle eût trouvé preneur et profit. Produit fini (son corps) qu'elle offre dans un code d'échange très précis. C'est l'usine qu'elle vend tout entière. La boîte. Bien immobilier. On ne peut *la saisir* vraiment. Elle sait *se servir* dans le champ symbolique, voisin, limitrophe. Qui la touche.

En s'appropriant tout le champ symbolique, c'est-à-dire une vision, l'homme s'est assuré par là mainmise sur tous les modes de production énergétique du corps féminin (cerveau, utérus, vagin, bras, jambes, bouche, langue). Dans la mesure où il est fragmenté, le corps de la femme, la femme, ne peut entamer la vision globale de l'homme.

<u>J'ai tué le ventre et je l'écris.</u>

De toutes les femmes, la mère (et idéalement, dans toute société patriarcale, toutes les femmes) est celle qui ne touche aucun profit *de fait*. Toute femme ne peut profiter que dans la mesure où elle devient mère symbolique. C'est alors qu'elle a cessé d'enfanter. Le lait surit. Joconde.

QUESTIONS

1 D'après vous, ce texte tient-il plus de l'essai ou de la poésie ?

2 À partir de cet extrait, expliquez pourquoi, tant dans la forme que dans les thèmes, la poésie féministe de Nicole Brossard est souvent considérée comme « radicale ».

3 a) Relevez les termes qui appartiennent au champ lexical de l'échange économique. Quelle place les femmes occupent-elles dans ce circuit ? Et les hommes ?

b) Dans le premier paragraphe, l'auteure tente de montrer que la mère ne tire jamais profit de son produit, qui est son enfant. Expliquez les phrases suivantes : « Collée à la matière et à l'enfant, elle n'y a point accès. Bredouille. Bégayante. Gagâchis. » (v. 10-12)

c) Dans le deuxième paragraphe, la prostituée semble connaître un meilleur sort que la mère dans le circuit économique. Pourquoi ?

d) Expliquez la phrase suivante : « <u>J'ai tué le ventre et je l'écris.</u> » (v. 27) Pourquoi cette phrase est-elle soulignée ?

4 Pour Nicole Brossard, écrire est une façon de lutter contre l'exploitation de la femme. Discutez.

5 Comparez ce poème féministe avec l'extrait de la pièce de Denise Boucher (p. 226-227) et montrez que leurs dénonciations sont semblables.

Denise Boucher (1935)

Après avoir enseigné aux niveaux primaire et secondaire dans les années 1950, Denise Boucher est devenue journaliste. Elle a aussi écrit des textes pour la radio et la télévision et des paroles de chansons, notamment pour Pauline Julien, Gerry Boulet et Chloé Sainte-Marie. Elle publie ses premiers textes littéraires à la fin des années 1970 et s'impose tout de suite comme une figure majeure de la littérature féministe. Il s'agit d'abord de recueils de poèmes qui jouent avec les codes littéraires traditionnels. Dans *Retailles* (1977), qu'on présente comme un recueil de « complaintes politiques », les voix de Denise Boucher et de Madeleine Gagnon se mêlent pour tenter de faire le point sur la désintégration

DENISE BOUCHER

d'un groupe de conscientisation de femmes. Le mélange des tons et des genres s'accentue encore dans *Cyprine. Essai-collage pour être une femme* (1978), qui rassemble lettres, chansons, poésie, essais, articles, photographies et jeux sur la typographie. La question du féminin est encore au centre de l'œuvre, comme en témoigne le titre : « cyprine » désigne en effet le liquide que produit le sexe de la femme dans l'excitation et la jouissance.

Mais Denise Boucher est surtout connue pour la pièce de théâtre féministe *Les Fées ont soif*, créée en 1978, dans laquelle elle dénonce les stéréotypes féminins véhiculés par la société patriarcale et la religion. *Les Fées ont soif* déclenche une vive controverse. Au printemps 1978, Le Théâtre du Nouveau Monde perd sa subvention du Conseil des arts pour produire la pièce : le président du Conseil qualifie le texte de « merde », de « cochonnerie » et des groupes conservateurs lui reprochent notamment son manque de respect pour les icônes religieuses et son langage vulgaire. S'ensuit un débat sur la liberté d'expression qui durera des semaines dans les médias. Des groupes religieux de droite troublent les représentations théâtrales par des manifestations. La Cour supérieure permet les représentations, mais interdit la publication du livre ; l'injonction sera levée par la Cour suprême, au début de 1979. Depuis, *Les Fées ont soif* a été traduite en plusieurs langues et jouée dans plusieurs pays.

■ LES FÉES ONT SOIF (1978)

La pièce met en scène les trois grands archétypes féminins de la civilisation occidentale, tirés de l'idéologie chrétienne : la Vierge, Marie et Madeleine. La première, présentée comme la Statue de plâtre, symbolise le carcan que crée l'image entretenue de la femme pure, désincarnée, idéalisée ; la deuxième, la mère de famille coupée de ses désirs et soumise à ses enfants et à un mari qui la bat ; et la troisième, la putain, qui ne connaît pas plus le plaisir, puisqu'elle n'est, elle, qu'un corps exploité et méprisé par les hommes. Toutes trois prennent progressivement conscience de leur emprisonnement dans ces symboles figés et irréconciliables et revendiquent leur libération : les fées ont soif d'elles-mêmes.

La structure de la pièce est atypique, il s'agit d'un montage de monologues, de dialogues et de chansons. La mise en scène, très simple, met de l'avant l'aspect symbolique : les trois femmes ont chacune une place attitrée, cellule symbole de leur aliénation, mais peuvent aussi aller dans des « lieux neutres », qui marquent leur progrès dans la prise de conscience. Dans l'extrait qui suit, les personnages semblent se parler à elles-mêmes, mais leurs voix se répondent et se superposent.

MARIE. Maman. Tu m'as enseigné à être propre, féminine et distinguée. Et pure. Jusqu'à la neutralité.

LA STATUE. Moi ? Ils m'avaient inventée pour
5 toucher la part de Dieu qui leur revenait.

MARIE. Je me suis piégée dans tes histoires. Tu as pleuré et tu n'as rien appris de tes larmes.

Pour la vertu, maman. Qu'est-ce que leurs vertus ? Tu m'as dit : « On est toujours la servante
10 de quelqu'un. » Moi, je n'ai pas envie. Je l'aime, le p'tit. Mais toute la journée toute seule avec lui, maman, moi je ne le prends pas. Je m'ennuie. Maman, je dépéris. (*Silence.*) Toi qui avais souffert de la soumission, pourquoi
15 m'as-tu engagée à me soumettre aussi ? Ça n'a

pas de bon sens, maman ! Il y a quelque part, quelque chose que tu ne m'as pas dit. Tu te pre-
20 nais pour la Sainte Vierge. Celle de toutes les douleurs. Tu aimais les curés. Ils t'ont détour-
née de ton corps. De ton homme. Et de moi. Ils t'ont volée à toi-même. Maman, je cherche ma mère. Maman, dis-moi quelle bataille nous avons perdue un jour pour aboutir à être moins qu'un tapis ? La bataille a-t-elle jamais eu lieu,
25 maman ? Tu étais faite pour aimer. Ils ont fait de toi une matrone. Comment se parle, maman, la langue maternelle ? Ils ont dit qu'elle était une langue maternelle. C'était leur langue à eux. Ils l'ont structurée de façon à ce
30 qu'elle ne transmette que leurs volontés à eux, leurs philosophies à eux.

LA STATUE.   C'étaient les eunuques du prophète. Les eunuques de l'esprit et de la chair.

MARIE.   Ils t'ont trompée, maman. Leur langue
35 ne nous appartient pas. Elle ne nomme rien de ce que je cherche. Elle cache mon identité. Je m'ennuie partout en moi de mon lieu secret de moi. De ton lieu secret qui ne me fut jamais livré. Si je ne te trouve pas, maman, comment
40 veux-tu que je me trouve, moi ? Je m'ennuie de la femme qui est en toi. Maman. Maman. (*Silence.*) Maman, je voudrais dormir encore dans tes bras. Je voudrais me rapprocher de toi. Pour trouver la voix réelle de nos vraies
45 entrailles. Maman, je voudrais m'éplucher comme une orange. Je voudrais jeter ta peau de

police. Je voudrais me défaire, de peau en peau comme un oignon. Jusqu'à me baigner dans notre âme. Maman, maman, viens me chercher !

50 MADELEINE.   Maman, viens chercher ta p'tite fille !

LA STATUE.   Mes pauvres petits bébés d'amour ! Tous ceux qui ont voulu être Dieu, des dieux, ont défait mes entrailles et l'amour
55 qui rôdait dans mes bras, dans mes mains, dans mes cuisses, dans mes yeux et dans mes seins.

Elles sont chacune dans leur lieu neutre.

MADELEINE.   Cel-lu-le.

MARIE.   Fa-mil-le.

60 MADELEINE.   Foy-er.

LA STATUE.   Re-li-gion.

MADELEINE.   Cel-lu-le.

LES TROIS.   Nos larmes
               N'usent pas
65   Les bar-reaux de nos prisons
               Les bar-reaux de nos prisons
               Nous som-mes des pris-son-
                         niè-res po-li-ti-ques
               Nous, les mè-res, les pros-ti-
70   tuées et les sain-tes
               Nous som-mes des pri-son-niè-
                         res po-li-ti-ques
               Com-me les femmes qui ont
                         assassiné leur mari

QUESTIONS

1 En 1978, cette pièce a fait scandale. À qui, à quoi l'auteure s'attaque-t-elle ici ? Quels reproches fait-elle ?

2 Le titre de la pièce, *Les Fées ont soif*, décrit bien l'état de désir dans lequel se trouvent les personnages féminins. Quels sont les désirs de Marie ?

3 a) Quels reproches Marie fait-elle à sa mère ? La tient-
elle pour coupable de tout ce qu'elle lui reproche ?

   b) Comment le discours de Marie à sa mère se transforme-t-il à partir de sa troisième réplique ?

   c) Quel mot Marie répète-t-elle durant tout l'extrait ? Pourquoi ?

   d) Comment interprétez-vous la superposition des voix des trois personnages dans la dernière partie de l'extrait ?

   e) Pourquoi l'auteure a-t-elle inséré des tirets à l'intérieur des mots ?

4 Diriez-vous que Marie doit s'éloigner de sa mère pour être heureuse ?

5 Comparez ce texte avec l'extrait de *Bonheur d'occa-
sion*, de Gabrielle Roy (p. 216-218). D'après vous, les sentiments des filles pour leur mère sont-ils semblables dans ces deux textes ?

PARTIE 6

LA CHANSON NATIONALISTE

DANS LES ANNÉES 1960, la chanson nationaliste a repris le flambeau de la chanson patriotique. Mais qu'est-ce qui distingue l'une de l'autre ? La chanson nationaliste est une chanson à texte qui a pour sujet l'identité québécoise. On pourrait, bien sûr, en dire tout autant de la chanson patriotique. Il faudrait cependant prendre soin de remplacer le mot « québécoise » par « canadienne-française », car la différence entre la chanson nationaliste et la chanson patriotique réside dans la perception de notre identité.

Pour la chanson patriotique, l'identité ne posait aucun doute. Nous étions des Canadiens français, de pure souche gauloise, fermement rivés à notre religion, à notre langue et à nos traditions, et vivant dans un milieu clos : la ruralité. La migration des Canadiens français vers les villes a amené une tout autre perception du monde et la Révolution tranquille a donné un coup fatal à l'ancien mode de vie. En laïcisant l'enseignement, elle a retiré au clergé son pouvoir sur les écoles. Pendant ce temps, la société délaissait de plus en plus la pratique religieuse qui avait été jusqu'alors un des liants importants de notre identité. Cet effritement de la religion, sur laquelle reposait en grande partie la survie de notre langue et de nos traditions, a créé un vide. Qui plus est, l'augmentation de l'immigration a rendu désuet le concept de Canadien français ou de Québécois pure laine. Il fallait donc redéfinir notre identité. Et c'est ce que la chanson nationaliste a cherché à faire.

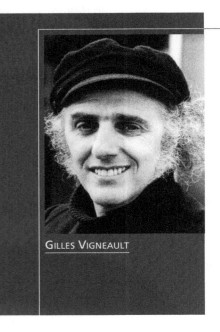

GILLES VIGNEAULT

Gilles Vigneault (1928)

Si l'on se donne la peine de dénombrer les chansons qui comportent le mot « pays » dans leur titre ou leurs vers, le résultat est renversant. Tous les chanteurs y sont allés de leur définition du pays. « Mon pays » de Gilles Vigneault se démarque néanmoins des autres chansons en ce qu'elle fait la synthèse entre le passé et l'avenir. Chant d'accueil, elle exprime l'attachement aux racines tout en ouvrant toute grande la porte à l'étranger. C'est probablement pour cela que certains ont vu en cette chanson l'hymne national d'un éventuel Québec indépendant.

« Mon pays » (1965)

Mon pays ce n'est pas un pays
  c'est l'hiver
Mon jardin ce n'est pas un jardin
  c'est la plaine
5 Mon chemin ce n'est pas un chemin
  c'est la neige
Mon pays ce n'est pas un pays
  c'est l'hiver

Dans la blanche cérémonie
10 Où la neige au vent se marie
Dans ce pays de poudrerie
Mon père a fait bâtir maison
Et je m'en vais être fidèle
À sa manière à son modèle
15 La chambre d'amis sera telle
Qu'on viendra des autres saisons
Pour se bâtir à côté d'elle

RENÉ DEROUIN (1936).

Migrations, 1989-1992. (Installation, 20 000 pièces en céramique sur un territoire de bois reliefs polychromes, bois, céramique, eau, métal, 2,40×50 m.)

L'installation *Migrations* de René Derouin compte 20 000 statuettes de céramique, en marche vers une destination inconnue. Pour cet artiste, le territoire est la clé de l'identité : c'est par le lieu qu'il habite, par l'influence que ce lieu a sur lui que l'homme se construit, évolue, se définit. Son installation, énorme, traverse un espace public, ce qui oblige les spectateurs à dévier de leur chemin, à se déplacer pour la voir, ce qui évoque l'expérience des populations qui ont dû, au fil des siècles, bouger et apprendre à aimer une terre nouvelle. Ainsi, l'artiste suscite la réflexion sur le thème de l'identité liée au pays, au territoire physique, à la manière de Vigneault chez qui l'amour de la terre passe par des éléments concrets de la nature.

Derouin s'attarde à décrire par la gravure les principales caractéristiques du territoire qui lui sont propres, tentant d'en cerner l'énergie, le mouvement et la lumière. Ainsi, ce n'est pas dans une vision stéréotypée des lieux qui nous entourent que nous pouvons discerner notre identité, mais plutôt dans le particulier de l'instant de notre perception individuelle. L'œuvre de Derouin rejoint ici celle de Vigneault, dans la mesure où, dans les deux cas, l'artiste présente sa vision personnelle du territoire qu'il habite.

Mon pays ce n'est pas un pays
c'est l'hiver
20 Mon refrain ce n'est pas un refrain
c'est rafale
Ma maison ce n'est pas ma maison
c'est froidure
Mon pays ce n'est pas un pays
25 c'est l'hiver

De mon grand pays solitaire
Je crie avant que de me taire
À tous les hommes de la terre
Ma maison c'est votre maison
30 Entre mes quatre murs de glace
Je mets mon temps et mon espace
À préparer le feu la place
Pour les humains de l'horizon
Et les humains sont de ma race

35 Mon pays ce n'est pas un pays
c'est l'hiver
Mon jardin ce n'est pas un jardin
c'est la plaine
Mon chemin ce n'est pas un chemin
40 c'est la neige
Mon pays ce n'est pas un pays
c'est l'hiver

Mon pays ce n'est pas un pays
c'est l'envers
45 D'un pays qui n'était ni pays
ni patrie
Ma chanson ce n'est pas ma chanson
c'est ma vie
C'est pour toi que je veux posséder
50 mes hivers…

QUESTIONS

1 Est-ce une chanson sur le climat du Québec ? S'agit-il d'une chanson du terroir ?

2 À qui l'auteur s'adresse-t-il quand il dit : « C'est pour toi que je veux posséder mes hivers » ?

3 a) Les multiples négations que l'on trouve dans les refrains contribuent-elles à créer un texte négatif ?

b) Montrez l'omniprésence de la métonymie dans ce texte.

c) Relevez les passages où l'auteur manifeste sa fidélité à ses racines et ceux où il ouvre la porte à l'étranger.

4 Cette chanson contraste avec celles qui l'ont précédée. Serait-ce parce qu'elle entre de plain-pied dans la modernité ? Discutez.

5 L'accommodement raisonnable est une expression à la mode qui suscite parfois des décisions controversées. Cette chanson de Gilles Vigneault dépasse-t-elle l'accommodement raisonnable ? Expliquez votre réponse.

Félix Leclerc (1914-1988)

Félix Leclerc peut se passer de présentation. Rappelons qu'il a séduit les Français avant de s'imposer au Québec et qu'ensuite, il nous aura tous conquis. Mieux, il est devenu la figure emblématique de la chanson d'auteur au Québec. Félix est le défricheur, le pâtre et le patriarche. Ce chantre de la nature et de la fibre authentique de l'homme s'est engagé politiquement après les années 1970 en faveur d'un Québec souverain. En fait foi ce texte qui a été lu devant dix mille personnes et publié dans un mensuel réputé, en 1979 :

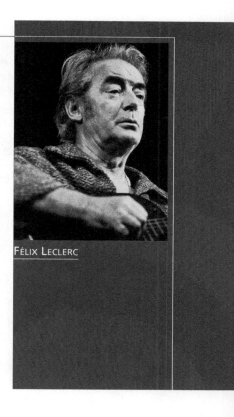

Félix Leclerc

> Le jour du référendum, pas de libéraux, pas d'unionistes, pas de fédéralistes, pas de péquistes, mais six millions de Québécois en bloc comme une muraille, piqués d'une goutte de fierté que n'ont jamais connue nos aïeux, solennellement, aux yeux du monde entier, décideront de se donner le Québec comme pays et d'y être les maîtres, chez eux ! En une nuit, finis les porteurs d'eau ! Humiliations terminées ! Disparus les voleurs ! Finis les gros doigts d'étrangers dans nos papiers de famille ! En une nuit ! [...] Payons-nous cette joie unique (elle arrive une fois dans cent ans) de se donner un pays en une nuit ! À la prochaine chance, nous serons tous morts. D'ailleurs, il n'y aura pas d'autre chance.

La chanson « L'Alouette en colère », composée quelques années plus tôt, participe de cet esprit.

« L'Alouette en colère » (1972)

J'ai un fils enragé
Qui ne croit ni à dieu
Ni à diable, ni à moi
J'ai un fils écrasé
5 Par les temples à finances
Où il ne peut entrer
Et par ceux des paroles
D'où il ne peut sortir

J'ai un fils dépouillé
10 Comme le fût son père
Porteur d'eau, scieur de bois
Locataire et chômeur
Dans son propre pays
Il ne lui reste plus
15 Que la belle vue sur le fleuve
Et sa langue maternelle
Qu'on ne reconnaît pas

J'ai un fils révolté
Un fils humilié
20 J'ai un fils qui demain
Sera un assassin

Alors moi j'ai eu peur
Et j'ai crié à l'aide
Au secours, quelqu'un
25 Le gros voisin d'en face
Est accouru armé
Grossier, étranger
Pour abattre mon fils
Une bonne fois pour toutes
30 Et lui casser les reins
Et le dos et la tête
Et le bec, et les ailes
Alouette, ah !

Mon fils est en prison
35 Et moi je sens en moi
Dans le tréfonds de moi
Malgré moi, malgré moi
Pour la première fois
Malgré moi, malgré moi
40 Entre la chair et l'os
S'installer la colère

1. Quel ton ce texte adopte-t-il ? Celui de la crainte, de la mise en garde, de la colère ? Expliquez votre réponse en donnant des exemples.

2. Cette chanson révèle la position de Félix Leclerc face à son pays. Quelle est-elle ?

3. a) Le père, le fils et l'étranger sont des métonymies. Que représentent-elles ?

   b) Peut-on qualifier ce texte d'allégorie ? Développez votre réponse.

4. L'auteur exprime une vision particulière du Québec. Quelle est-elle ?

5. Dans la chanson « Mon pays », Vigneault accueille l'étranger. Dans « L'Alouette en colère », Félix Leclerc le craint. S'agit-il du même étranger ? Répondez à cette question dans une dissertation comparative, en prenant soin d'en faire ressortir tous les tenants et aboutissants.

PAULINE JULIEN

Pauline Julien (1928-1998)

Redéfinir notre identité n'est pas chose aisée. L'enthousiasme de la redécouverte fait parfois place à la morosité. Dans « L'Étranger », Pauline Julien aborde le thème de l'exclusion. L'absence d'une identité bien définie et de la fierté qui pourrait lui être attachée serait-elle la cause de notre inconfort face à l'étranger ? Aurait-elle fait de nous des étrangers à nous-mêmes ?

« L'Étranger » (1972)

Quand j'étais petite fille
Dans une petite ville
Il y avait la famille, les amis, les voisins
Ceux qui étaient comme nous
5 Puis il y avait les autres
Les étrangers, l'étranger
C'était l'Italien, le Polonais
L'homme de la ville d'à côté
Les pauvres, les quêteux, les moins bien habillés

10 Et ma mère bonne comme du bon pain
Ouvrait sa porte
Rarement son cœur

C'est ainsi que j'apprenais la charité
Mais non pas la bonté
15   La crainte mais non pas le respect

Dépaysée, au bout du monde
Je pense à vous, je pense à vous
Demain ce sera votre tour
Que ferez-vous, que ferez-vous
Dépaysée au bout du monde
20   Je pense à vous, je pense à vous
Demain ce sera votre tour
Que ferez-vous, que ferez-vous

Aujourd'hui l'étranger
C'est moi et quelques autres
25   Comme l'Arabe, le Noir, l'homme d'ailleurs,
L'homme de partout
C'est un peu comme chez nous
On me regarde en souriant
Ou on se méfie
30   On change de trottoir quand on me voit
On éloigne les enfants
Je suis rarement invitée à leur table

Il semble que j'aie des mœurs étranges
L'âme aussi noire que le charbon
35   Je viens sûrement du bout du monde
Je suis l'étrangère
On est toujours l'étranger de quelqu'un

Dépaysée, au bout du monde
Je pense à vous, je pense à vous
40   Demain ce sera votre tour
Que ferez-vous, que ferez-vous
Dépaysée au bout du monde
Je me prends à rêver, à rêver
À la chaleur, à l'amitié,
45   Au pain à partager, à la tendresse

Croyez-vous qu'il soit possible d'inventer un monde
Où les hommes s'aiment entr'eux
Croyez-vous qu'il soit possible d'inventer un monde
Où les hommes soient heureux
50   Croyez-vous qu'il soit possible d'inventer un monde
Un monde amoureux
Croyez-vous qu'il soit possible d'inventer un monde
Où il n'y aurait plus d'ÉTRANGER.

QUESTIONS

1 Selon quelles modalités le précepte « Ne fais pas aux autres ce que tu ne voudrais pas que l'on te fasse » s'applique-t-il au texte de Pauline Julien ? Ce précepte est-il un prélude à l'amour universel ?

2 Dans ce texte, la générosité est-elle associée au devoir ou à l'amour ?

3 a) Relevez les façons de décrire l'étranger et associez-les aux tropes appropriés.

b) Tout ce texte a été conçu comme une seule figure de style. Quelle est-elle ?

c) Les figures ne sont pas que de jolis ornements. Elles sont génératrices de sens. Montrez-le avec les antithèses de la deuxième strophe.

4 En partant des traits dessinés dans cette chanson, quelle définition globale donneriez-vous de l'étranger ?

5 Si on répond par l'affirmative aux questions posées dans la dernière strophe, se rapproche-t-on de la chanson « Mon pays », de Vigneault ?

Texte écho

■ LA SERVANTE ÉCARLATE (1985)

de Margaret Atwood

Née à Ottawa en 1939, Margaret Atwood compte parmi les écrivains les plus prolifiques et les plus importants du Canada anglais et son œuvre est reconnue internationalement. Ses écrits touchent souvent la question de la condition des femmes. Le roman La Servante écarlate, *qu'elle publie en 1985, se passe au début du XXIe siècle. Atwood imagine que des fondamentalistes chrétiens ont tué le président des États-Unis et qu'ils ont fondé la République de Giléad, un régime totalitaire religieux.*

Dans ce monde où la pollution a rendu la plupart des femmes stériles, celles qui peuvent enfanter deviennent des Servantes et c'est là leur seule chance de survie. Elles sont couvertes de la tête aux pieds et les hommes ne doivent voir ni leur corps ni leurs yeux. Leur enfant sera élevé par le Commandant et l'Épouse auxquels elles appartiennent. Dans cet extrait, Defred, une Servante qui a connu le temps d'avant, raconte sa visite chez le médecin.

Hier matin je suis allée chez le médecin. J'y ai été amenée par un Gardien, l'un de ceux à brassard rouge qui ont pour mission ce genre de choses. Nous avons pris une voiture rouge, 5 lui devant, moi derrière. Aucune jumelle ne m'a accompagnée ; ces jours-là, je suis unique.

Je suis conduite chez le médecin une fois par mois, pour des examens : urine, hormones, frottis de dépistage, prise de sang : la même 10 chose qu'avant, sauf qu'à présent c'est obligatoire.

Le cabinet du médecin est dans un immeuble de bureaux moderne. Nous montons dans l'ascenseur, en silence, le Gardien face à moi. Dans 15 la paroi de miroir noir de l'ascenseur je vois le dos de sa tête. Arrivés au cabinet, j'entre ; il attend dehors, dans le couloir, avec les autres Gardiens, sur l'une des chaises placées là à cet usage.

20 Dans la salle d'attente il y a d'autres femmes, trois, en rouge : ce médecin est un spécialiste. À la dérobée, nous nous entre-regardons, jaugeons le ventre les unes des autres : y a-t-il une chanceuse parmi nous ? L'infirmier 25 enregistre les noms et les numéros inscrits sur nos laissez-passer dans le Compudoc pour s'assurer que nous sommes bien celles que nous sommes censées être. Il mesure un mètre quatre-vingts. La quarantaine, une cicatrice en 30 diagonale lui barre la joue, il tape à la machine, assis, ses mains sont trop grandes pour le clavier ; il porte toujours son revolver dans l'étui fixé à son épaule.

Quand je suis appelée, je passe la porte qui 35 donne dans la pièce intérieure. Elle est blanche, sans signes distinctifs, comme la première, à l'exception d'un paravent pliant, un tissu rouge tendu sur un cadre, avec un œil doré peint dessus, et plus bas une épée dres-40 sée entrelacée de serpents, comme une espèce de poignée. Les serpents et l'épée sont des fragments de symbolisme brisé, survivance de l'époque d'avant.

Après avoir rempli le petit flacon préparé à 45 mon intention dans le cabinet de toilette, j'ôte mes vêtements, derrière le paravent, et les laisse pliés sur la chaise. Une fois nue, je m'allonge sur la table d'examen, sur la feuille glaciale et craquante de papier jetable. Je remonte 50 le second drap, celui de tissu, et m'en couvre le corps. Au niveau du cou il y a un autre drap suspendu au plafond. Il me sectionne afin que le médecin ne voie jamais mon visage ; il a affaire uniquement à un torse.

55 Quand je suis installée j'étends la main, tâtonne à la recherche du petit levier placé sur le côté droit de la table, l'abaisse. Ailleurs, quelque part, une sonnette tinte, sans que je l'entende. Au bout d'une minute la porte 60 s'ouvre, des pas s'approchent, il y a une

haleine. Il n'est pas supposé me parler, sauf si c'est absolument nécessaire. Mais ce médecin-ci est bavard.

« Comment allons-nous ? » dit-il, un tic de lan-65 gage de l'autre temps. Le drap est soulevé de ma peau, un courant d'air me donne la chair de poule. Un doigt froid gainé de caoutchouc et enduit de gelée se glisse à l'intérieur de moi. Je suis fouillée et sondée. Le doigt se retire, 70 pénètre autrement, ressort.

« Tout va bien, dit le médecin, comme pour lui-même. Mal quelque part, ma belle ? » Il m'appelle ma belle.

Je dis : « Non. »

75 Mes seins sont manipulés à leur tour, à la recherche de maturité, de pourriture. Le souffle se rapproche. Je sens la vieille fumée, l'après-rasage, la poussière de tabac sur une chevelure. Puis la voix, très douce, près de ma 80 tête : c'est lui, qui fait ballonner le drap :

Il murmure : « Je pourrais vous aider. »

« Comment ? »

« Chut, fait-il. Je pourrais vous aider j'en ai aidé d'autres. »

85 « M'aider ? dis-je, à voix aussi basse que la sienne. Comment ? » Sait-il quelque chose, a-t-il vu Luke, a-t-il trouvé, peut-il faire revenir ?

« À votre avis ? » dit-il, toujours dans un souffle. Est-ce sa main, qui se glisse vers le haut 90 de ma jambe ? Il a ôté le gant. « La porte est verrouillée. Personne ne va entrer. Ils ne sauront jamais que ce n'est pas de lui. »

Il soulève le drap. La partie inférieure de son visage est recouverte du masque de gaze 95 blanc, réglementaire. Deux yeux bruns, un nez, une tête avec des cheveux bruns. Sa main est entre mes jambes. « La plupart de ces vieux types ne peuvent plus machiner, dit-il ; ou ils sont stériles. »

100 Je manque m'étouffer : il a prononcé un mot interdit. *Stérile*. Un homme stérile, cela n'existe

plus, du moins officiellement. Il y a seulement des femmes qui sont fertiles et des femmes improductives, c'est la loi.

105 « Des tas de femmes le font, poursuit-il. Vous désirez un bébé, n'est-ce pas ? »

Je réponds : « Oui. » C'est vrai et je ne demande pas pourquoi, car je sais. *Donne-moi des fils ou je meurs.* Cela a plus d'une signification.

110 Il dit : « Vous êtes humide. C'est le moment. Aujourd'hui ou demain, ça marcherait, pourquoi laisser passer l'occasion ? Ça ne prendrait qu'une minute, ma belle. »

Le nom qu'il donnait à sa femme, jadis, qu'il lui
115 donne peut-être encore, mais en réalité c'est un terme générique. Nous sommes toutes *ma belle*.

J'hésite. Il s'offre à moi, ses services, au prix d'un certain risque pour lui-même.

« Je ne supporte pas de voir ce qu'ils vous font
120 subir », murmure-t-il. C'est sincère, une authentique sympathie ; et pourtant il prend plaisir à la situation, sympathie et le reste. Il a les yeux humides de pitié, sa main se déplace sur moi, nerveuse et impatiente.

125 Je dis : « C'est trop dangereux. Non. Je ne peux pas. » La sanction est la mort. Mais il faut qu'ils vous prennent en flagrant délit, avec deux témoins. Quelles sont les chances, y a-t-il des micros dans la pièce, qui est là, à attendre juste
130 derrière la porte ?

Sa main s'immobilise. « Pensez-y, dit-il. J'ai vu votre feuille de température. Il ne vous reste pas beaucoup de temps. Mais votre vie est à vous. »

135 Je dis : « Merci. » Il faut que je donne l'impression que je ne suis pas offensée, que je suis ouverte aux suggestions. Il retire sa main, presque paresseusement, nonchalamment, le dernier mot n'a pas été dit en ce qui
140 le concerne. Il pourrait falsifier les examens, me dénoncer pour cancer, infertilité, me faire déporter aux Colonies, avec les Antifemmes. Rien de ceci n'a été dit, mais l'assurance de son pouvoir plane dans l'air tan-
145 dis qu'il me tapote la cuisse, se retire derrière le drap qui pend.

« Au mois prochain », dit-il.

Je me rhabille, derrière le paravent. J'ai les mains qui tremblent. Pourquoi ai-je peur ? Je
150 n'ai pas traversé de frontière, je n'ai pas fait confiance, pas pris de risque, tout est sauf. C'est le choix qui me terrifie. Une issue, un salut.

Traduit de l'anglais par Sylviane Rué.

QUESTION

Montrez comment la Servante est soumise au nouvel ordre imposé par Giléad. Peut-on établir des liens entre cet extrait et les textes féministes présentés dans ce chapitre ? Selon vous, la société imaginée par Atwood ressemble-t-elle à la société américaine du début du XXIᵉ siècle ? Peut-on y voir une prémonition de la prise de pouvoir par les Talibans en Afghanistan ?

CLÉS POUR COMPRENDRE LES ÉCRITS DE 1945 À 1980

1 La prise de conscience d'une aliénation issue de la situation coloniale pousse les poètes des années 1950 à faire l'inventaire des maux intérieurs, à nommer leur dépossession et leur solitude.

2 La critique de la mentalité traditionnelle passe du simple constat, dans les années 1950, à la dénonciation virulente. La soumission à une autorité répressive, qu'elle soit sociale, religieuse ou parentale, entraîne des conflits familiaux et conjugaux.

3 La liquidation des institutions et des valeurs rétrogrades prend parfois la forme d'une autocritique non dénuée d'ironie. L'humour, l'autodérision, la caricature permettent de dénoncer les comportements ataviques en donnant à la révolte un côté festif.

4 La situation d'impuissance collective s'illustre dans la langue jouale décriée par les uns comme le reflet d'une aliénation ou utilisée par d'autres comme une arme opposée aux valeurs bourgeoises.

5 Au tournant des années 1960, la nécessité de reprendre possession de soi en s'affirmant collectivement contribue à faire du poète une figure publique. La littérature est voulue comme un vecteur de changement. La prise de la parole devient une fête.

6 L'espoir de voir naître un homme nouveau ne s'envisage qu'en fonction d'un pays qui serait le sien. S'impose alors un sentiment d'urgence étroitement lié à la nécessité de se réapproprier un lieu de vie et de création. Cette union souhaitée de l'homme avec un territoire se double d'une conquête symbolique de la femme.

7 L'amour et la communication apparaissent comme des enjeux majeurs de toute tentative de prise en main de soi-même. La quête qui leur est associée est à la fois une ouverture vers l'autre et une affirmation de l'identité personnelle.

8 À mesure que s'approfondit la quête identitaire des héros, l'étude de mœurs sociales est supplantée par des œuvres introspectives. Cela s'accomplit dans des explorations formelles qui remettent en cause les notions de personnages, de temps et d'espace. La fiction cesse de refléter la réalité pour exhiber le travail même de l'écriture.

CLÉS POUR COMPRENDRE LA LITTÉRATURE FÉMINISTE

1 D'abord rares et ignorés, les textes des femmes sont de plus en plus nombreux à être publiés et reconnus par l'institution qui voit surgir des critiques, des librairies et des maisons d'édition féministes.

2 Les auteures abordent des sujets ignorés par la littérature traditionnelle, par exemple les rôles traditionnels féminins, la maternité, les relations mère-fille, les amitiés entre femmes, l'éducation des filles, la sexualité féminine, le lesbianisme.

3 Dans les années 1970, les mouvements féministes se radicalisent et inspirent des écrits explicitement dénonciateurs et revendicateurs.

4 La littérature féministe expérimentale se caractérise par la remise en question des genres littéraires et de la langue traditionnelle.

BILAN DES AUTEURS ET DES ŒUVRES

GRATIEN GÉLINAS

Gélinas conçoit des héros dont la langue et les préoccupations collent à la réalité des classes populaires récemment urbanisées. *Tit-Coq* emprunte aux formes savantes et burlesques du théâtre pour traduire le drame d'un soldat sans identité familiale, incapable de s'intégrer à une société conservatrice dont les valeurs religieuses le condamnent à l'exclusion.

MARCEL DUBÉ

Dubé s'impose sur la scène et à la télévision québécoises par la représentation de la solitude en milieu urbain. *Zone* dépeint un univers désespérant dont cherchent à s'échapper de jeunes adultes qui ont encore la faculté de rêver, d'aimer et d'espérer, et qui refusent le modèle parental et les valeurs de leur société.

MICHEL TREMBLAY

Dans son œuvre romanesque et théâtrale, Tremblay représente sans fard ni pudeur les couches populaires écrasées par la pauvreté, le travail à la chaîne, les interdits religieux et le désespoir. Avec *À toi, pour toujours, ta Marie-Lou*, il livre une des pièces les plus sombres du répertoire québécois. L'incommunicabilité, la solitude et l'aliénation y transforment l'univers familial en un terrain de luttes dont aucun des membres ne sort vainqueur.

ANNE HÉBERT

Dans une langue épurée riche de symboles, Hébert développe au sein de son œuvre le thème de la dépossession engendrée par l'idéologie cléricale. Dans le poème « Nuit », tiré du *Tombeau des rois*, comme dans son roman *Kamouraska*, on reconnaît l'univers du songe et la réalité difficiles à réconcilier, la quête d'amour, les drames identitaires et passionnels provoqués par une faute originelle symbolisant les valeurs conservatrices du Québec traditionnel.

PIERRE VADEBONCŒUR

Engagé dans l'action syndicale dès les importantes grèves ouvrières des années 1950, Vadeboncœur interroge, dans ses essais, l'état de la culture québécoise et ses rapports avec la politique et l'art. Depuis *La Ligne du risque*, ses écrits, marqués par une pensée socialiste, prônent la nécessité pour l'homme de se défaire de tout asservissement idéologique et de conquérir sa liberté malgré les risques, comme l'a fait Paul-Émile Borduas.

JACQUES FERRON

Ferron puise dans un passé traditionnel mythique des histoires et des personnages fabuleux avec lesquels il réinvente le présent. Nourris aux sources populaires, évoluant aussi bien dans un univers réel que dans un monde merveilleux, les personnages de *Papa Boss* symbolisent la conscience sociale de l'écrivain en désacralisant la religion mécanique et en dénonçant l'avènement de l'argent comme valeur première d'une province en quête d'identité.

RÉJEAN DUCHARME

L'originalité de Ducharme tient à un univers où les repères réalistes sont brouillés, où les mots frappent davantage que les événements, où la révolte de l'enfance s'oppose à l'apathie des adultes. Dans *Le nez qui voque*, l'ironie mordante du narrateur n'amoindrit ni la portée sociale ni le tragique de ce refus d'être happé par un monde avide de gains, de performance, de sexe et non d'amour.

PAUL-MARIE LAPOINTE

Adepte de l'automatisme, Lapointe publie des poèmes en s'inspirant de la construction de tableaux abstraits plutôt que du surréalisme. En 1960, ses écrits acquièrent une dimension sociale en révélant les rapports difficiles au pays et en prônant la nécessité d'exorciser les angoisses du monde moderne. Plusieurs de ses textes présentent alors l'amour comme une force capable de retenir l'homme au bord du chaos, notamment le poème « Quel amour ? ».

GASTON MIRON

Poète engagé, Miron croit que toute culture qui n'a pas d'expression politique ne peut ni s'affirmer ni s'autodéterminer. Le recueil *L'Homme rapaillé*, demeuré du vivant de l'auteur un chantier ouvert, en est l'illustration. Miron affirme avoir voulu donner à la langue humiliée un statut de langue littéraire et rétablir le sens de la tribu, c'est-à-dire le sens des mots de la langue. Sa poésie exprime une identité à la fois personnelle et collective.

ROLAND GIGUÈRE

Influencée par le surréalisme, l'œuvre poétique et picturale de Giguère se projette dans un présent centré sur l'avenir. Son recueil *L'Âge de la parole* manifeste l'urgence de dire et la nécessité de la création. Le poème « Les Heures lentes » souligne la responsabilité de tout être humain et particulièrement celle du poète eu égard au fil ténu de la vie et à la nécessité, pour l'individu, de ne pas briser le lien qui l'y associe.

GILLES HÉNAULT

Tenté par le risque, le poète Hénault bouscule les interdits, osant manier l'humour en poésie et questionner le métissage culturel, puisant aux sources amérindiennes comme l'indique le titre du recueil *Totems*. Le poème « Je te salue » est une sorte de pied de nez aux valeurs religieuses au profit d'un chant d'amour et de confiance en l'avenir.

PAUL CHAMBERLAND

La poésie de Chamberland comporte une connotation polémique qui oppose l'esprit aux forces aliénantes et obscurantistes. *Terre Québec* et *L'afficheur hurle* s'inscrivent dans le contexte d'une lutte coloniale au sein d'un pays en gestation. Dans le « Poème à Thérèse », le rapport de l'homme à l'amour se heurte à une réalité altérée, les bruits du dehors envahissant l'espace privé par une fenêtre ouverte sur le monde.

HUBERT AQUIN

Militant inconditionnel de la cause indépendantiste, Aquin a le goût du risque poussé à ses limites extrêmes. *Prochain épisode* associe révolution et création dans un jeu de vases communicants. Pendant que l'écrivain remet en cause les formes conventionnelles du récit, le révolutionnaire s'efforce de renverser le régime politique.

JEAN MARCEL

Dans *Le Joual de Troie*, Jean Marcel s'oppose à toute reconnaissance du joual comme langue spécifique à l'Amérique du Nord. Comme il le souligne, le joual est le résultat de cette politique britannique d'oppression coloniale qui, dès 1801, avait imposé à la population les écoles anglaises. Pour lui, sa valorisation risque d'entraîner l'anglicisation de la langue française et c'est cette menace qu'il veut souligner en donnant ce titre à son essai.

CLAUDE GAUVREAU

Poète et dramaturge, Gauvreau demeure fidèle aux valeurs de *Refus global*. Croyant fermement que la création n'existe qu'en rupture avec les sentiers battus, l'écrivain explore les facettes d'une langue qui valorise les associations sonores et bouscule les conventions à la recherche du rythme. L'aspect décapant de son écriture est manifeste dans « Ode à l'ennemi » qui prend à partie le bon goût de la culture bourgeoise.

GÉRALD GODIN

Godin, homme politique et poète, est associé à *Parti pris* qui cherchait moins à promouvoir une langue et une culture joales qu'à assumer l'image d'une dégradation. Dans *Les Cantouques*, il rassemble des poèmes faits des mots du désespoir. En parallèle à cette langue des dépossédés carburant à la dénonciation, s'élabore une poésie personnelle centrée sur la réalité quotidienne de celui qui ose se définir comme un être simple, modeste, familier.

MARIE-CLAIRE BLAIS

Celle qui affirme que pour écrire il faut aimer la lutte, la discipline, l'analyse intérieure et la méditation a créé une œuvre originale où l'art et l'amour permettent aux individus de s'ancrer dans la réalité malgré le chaos extérieur. De *Une saison dans la vie d'Emmanuel* à sa trilogie sur le XXᵉ siècle, le récit fait acte de résistance face aux valeurs de la société de consommation et l'écriture libère la phrase des canons de la norme.

GABRIELLE ROY

Bonheur d'occasion a fait de Roy une des plus importantes écrivaines du Québec. Ce grand roman réaliste et urbain raconte la misère quotidienne du quartier pauvre de Saint-Henri pendant la Seconde Guerre mondiale. Le roman privilégie le point de vue des personnages féminins et explore des thèmes originaux comme la relation mère-fille.

LOUISE MAHEUX-FORCIER

Avec *Amadou*, Maheux-Forcier transgresse un tabou important en proposant des personnages qui trouvent dans l'amour lesbien une voie originale vers la passion et la liberté.

CLAIRE MARTIN

Le récit autobiographique de Martin, *Dans un gant de fer*, dénonce avec humour et finesse la société patriarcale du début du siècle et l'éducation religieuse qui produit des petites filles innocentes et dociles.

NICOLE BROSSARD

Chef de file de la littérature féministe, Brossard se distingue par une écriture expérimentale qui mêle politique et littérature et propose une remise en question radicale de la langue. *L'amèr* traite de la place de la femme et de la mère dans l'espace symbolique.

DENISE BOUCHER

En 1978, la présentation de la pièce féministe *Les Fées ont soif* connaît un succès de scandale. Boucher ose s'attaquer aux trois grands archétypes féminins, la Vierge, Marie et Madeleine, pour dénoncer l'emprisonnement de la femme dans les rôles traditionnels de la femme pure, désincarnée, de la mère et de la putain, et revendiquer leur libération.

CHAPITRE 5

L'EXPLORATION DES TERRITOIRES INTÉRIEURS, DE 1980 À AUJOURD'HUI

ROBER RACINE (1956).

1600 Pages-Miroirs (vue partielle), 1995. (Papier, encre, graphite, dorure, miroir, 20 éléments de 245×120,7 cm, chaque élément comporte 80 Pages-Miroirs. Présentées dans le cadre de l'exposition *Les Pages-Miroirs* 1980-1995 au Centre international d'art contemporain de Montréal, du 7 décembre 1995 au 28 janvier 1996.)

C'est en 1979 que Rober Racine a décidé d'intégrer le dictionnaire *Robert* à son œuvre artistique. Féru de langue française, Racine explore la langue comme un territoire géographique et, en ce sens, sa démarche évoque l'écriture de Gaston Miron. Son œuvre *Pages-Miroirs*, construite de pages du dictionnaire découpées et collées sur des miroirs, présente une réflexion sur l'identité qui passe par la langue et sur cette dernière comme espace à explorer et à habiter. Lieu de tous les possibles, de découvertes sur soi et le monde, la langue est, chez Racine comme chez Monique Proulx, le lieu de rencontre d'une communauté, le lieu d'une pause et d'une réflexion. Comme l'œuvre d'un écrivain, celle de Racine témoigne d'une patience de moine dans son exécution minutieuse.

« QUE DIT LA LITTÉRATURE AUJOURD'HUI ? »

ELLE DIT ce qu'elle dit depuis toujours, sous des formes et des couleurs différentes selon les temps, selon les styles. Elle dit que l'humanité n'est pas qu'une masse animale, avide de profits et de distractions. Elle dit qu'il y a une flamme et une ferveur à allumer, à préserver, une grandeur en nous qui nous appartient et qui nous rend libres. La littérature, que j'aime appeler plus simplement l'écriture, s'adresse depuis toujours à ce qu'il y a de meilleur et d'authentique dans l'humanité.

C'est pourquoi l'écrivain, qui se croit solitaire, ne l'est pas du tout. Il appartient à un gigantesque réseau, à une famille formée d'innombrables porteurs de flammes qui se croient solitaires et qui ne le sont pas. C'est parce que d'autres avant lui ont montré le chemin, ont écrit, ont joué avec la douleur et l'ont transformée en lumière, que l'écrivain peut écrire. C'est parce que d'autres maintenant lisent les livres, lisent lentement des livres plutôt que de s'abandonner corps et âme aux divertissements de pitonnage et de vitesse avec lesquels la société sabote joyeusement leur âme, que l'écrivain peut écrire. Tous ceux-là, les *liseurs*, les *écriveurs*, ceux d'avant, ceux d'après-demain, tissent un Web de solidarité et d'intranquillité qui garde l'humanité vibrante.

Écrire a toujours été un geste de sédition. Ce le sera de plus en plus. Écrire est une épée qui sabre dans l'impuissance, les idées étriquées, la dépression, le moutonnement, le bêlement, l'à-plat-ventrisme, les modes, les veaux d'or, la télé réalité, George Bush, l'imbécillité, la haine, la cote des bourses. Écrire ne paie pas. Voilà sa force, car ce qui ne paie pas ne peut pas se corrompre.

Écrire est un privilège. Il n'est pas donné à beaucoup de travailleurs de s'extraire de la frénésie ambiante pour plonger dans la lenteur et le silence. Dans la lenteur et le silence, on peut devenir fou, ou complètement désespéré d'être si seul. Par fugaces moments, on peut voir. Parfois, on oublie ce qu'on voit aussitôt revenu à la surface. Parfois, on ne voit rien pendant des mois, et il faut demeurer là, aveugle et idiot, tapi dans le silence et l'obscurité des abysses jusqu'à ce que ça revienne. Qu'est-ce qu'on voit, quand ça revient ?

On voit ce qu'on a à écrire.

On ne choisit pas ce qu'on écrit. Ce qu'on écrit transpire de notre esprit comme une sueur organique, transpire de nos gènes familiaux, de nos terreurs, de nos fantasmes, de nos relations avec nos pères, nos chums, nos mères, de notre folie ordinaire, et de notre santé fondamentale, qui lutte pour se maintenir. Ce qu'on a à écrire bouillonne déjà là, à l'intérieur, et il faut descendre à l'exacte profondeur et y demeurer longtemps, comme un mineur mal payé. Souvent, comme je disais, c'est noir, étouffant, et totalement solitaire et ingrat et il ne se passe rien. Et parfois, heureusement, on la voit. L'eau. La veine d'eau, la nôtre. Alors, c'est brûlant comme de l'alcool, et aussi enivrant, et c'est pour ça qu'on écrit, sans aucune autre considération, pour ce court moment d'ivresse où on nage dans notre eau à nous, notre distillation essentielle.

Le moment arrive fatalement où on a écrit, où le geste d'écrire est derrière nous, et où il ne subsiste que cette zone d'infinie vulnérabilité où on regarde notre livre s'en aller, sans nous, livré au regard, ou au non-regard.

Monique PROULX, colloque des 31 mai et 1er juin 2004 de l'Association des professionnels de l'enseignement du français au collégial.

DATES	ÉVÉNEMENTS POLITIQUES	ÉVÉNEMENTS SOCIOCULTURELS
1909		Naissance de l'artiste Bacon (†1992).
1923		Naissance de l'artiste Goodwin.
1930		Naissance de Madeleine Ouellette-Michalska.
1934		Naissance de l'artiste Gagnon (†2003).
1935		Naissance de Denise Boucher.
1938		Naissance de Madeleine Gagnon ; de Jean Royer.
1942		Naissance de l'artiste James.
1943		Naissance de Nicole Brossard ; de Gil Courtemanche.
1944		Naissance de Sergio Kokis ; d'André Roy ; de l'artiste Goulet.
1945		Naissance de Victor-Lévy Beaulieu ; de Francine Noël.
1946		Naissance de Jean-Paul Daoust.
1947		Naissance d'Élisabeth Vonarburg.
1948		Naissance de Monique LaRue ; de Claude Beausoleil ; de Richard Desjardins.
1949		Naissance de Louise Dupré.
1952		Naissance de Monique Proulx.
1953		Naissance de Nancy Huston ; de Dany Laferrière.
1955		Naissance des artistes Cadieux et Sterbak.
1956		Naissance de l'artiste Racine.
1957		Naissance d'Élise Turcotte ; des artistes Blain et Carrière.
1958		Naissance de Michel-Marc Bouchard.
1960		Naissance d'Hélène Monette.
1961		Naissance de Martine Audet ; de Ying Chen.
1963		Naissance de Sylvain Trudel.
1967		Naissance de Benoît Bouthillette.
1968		Naissance de Wajdi Mouawad.
1970		Naissance des artistes Jungen et Séguin.
1975		Naissance de Nelly Arcan.
1977		Naissance de Fred Pellerin.
1980	Rejet par référendum du mandat de négocier avec le reste du Canada la souveraineté-association du Québec.	
1981	Loi sur la protection de la jeunesse. — Loi sur l'égalité juridique des conjoints au sein du mariage.	
1982	Rapatriement unilatéral de la Constitution canadienne. — Adoption de la Charte canadienne des droits et libertés.	
1983		Beausoleil, *Une certaine fin de siècle*.
1985		Fondation du Festival international de la poésie de Trois-Rivières.
1986		Trudel, *Le Souffle de l'harmattan*.
1987	Mort de René Lévesque. — Échec de l'Accord du lac Meech.	Création de la pièce *Les Feluettes*, de Michel-Marc Bouchard. — Desjardins, *Les Derniers Humains*.
1988	La Cour suprême déclare inconstitutionnel l'article 251 du Code criminel rendant l'avortement illégal.	
1989	Chute du mur de Berlin. — Tuerie à l'École polytechnique.	
1990	Première guerre du Golfe.	Daoust, *Les Cendres bleues*.
1991	Effondrement de l'Empire soviétique.	Turcotte, *Le Bruit des choses vivantes*.
1992	Échec de l'Accord de Charlottetown.	Chen, *La Mémoire de l'eau*.
1994	Génocide au Rwanda.	Kokis, *Le Pavillon des miroirs*.
1995	Rejet par référendum du projet de souveraineté du Québec.	
1996	Loi sur l'équité salariale.	
1997		Laferrière, *Le charme des après-midi sans fin*.
1998	Ratification du protocole de Kyoto.	Roy, *Vies*.
2000	Marche mondiale des femmes.	Gagnon, *Les Femmes et la Guerre*. — Courtemanche, *Un dimanche à la piscine à Kigali*.
2001	11 septembre : attentat du World Trade Center à New York.	Arcan, *Putain*.
2003	Deuxième guerre du Golfe.	Fondation du Prix littéraire des collégiens.
2005	Entrée en vigueur du protocole de Kyoto.	Pellerin, *Comme une odeur de muscles*.
2006	Guerre entre Israël et le Liban. — Reconnaissance du Québec comme nation par le Parlement canadien.	Brossard, *Baiser vertige*.

À LA FIN DES ANNÉES 1960, les écrivains avaient cru, avec la fondation d'un mouvement politique qui défendait leur projet de société puis son élection en 1976, que le pays rêvé allait s'incarner et devenir réalité. Les deux échecs référendaires de 1980 et de 1995, ajoutés aux trahisons des chefs et à leur difficulté de renouveler leur discours, ont « dépassionné » le projet de pays et favorisé l'esprit critique et un certain désenchantement. Mais cet état d'esprit est aussi celui de la majorité des pays occidentaux voués de plus en plus à l'économie de marché. Les avancées sociales ne sont plus assurées, les reculs sont même nombreux, et surtout chez les gouvernements à tendance socialiste. On est loin de l'avènement de ce nouvel individu libéré de ses peurs et de son sentiment de culpabilité que manipulaient la famille, l'Église, l'usine et l'État. Au début du troisième millénaire, il est de plus en plus soumis aux pressions d'un monde complexe qui exige de lui performance, adaptation et rapidité d'exécution. Au travail comme dans sa vie personnelle, il est devenu un objet jetable après usage et doit s'adapter à un contexte qu'il a du mal à comprendre et sur lequel il semble n'avoir aucun pouvoir. D'ailleurs, livrée qu'elle est à des chefs gestionnaires, à des leaders d'opinion et à des groupes de pression, toute la société se fait de plus en plus frileuse. C'est « l'ère du vide » et de la rectitude politique. Un nouveau moralisme et avec lui de nouveaux intégrismes, laïcs et apparemment inoffensifs, se manifestent et donnent naissance à d'autres « curés » tout aussi manipulateurs des culpabilités que leurs prédécesseurs.

L'EXPLORATION DES TERRITOIRES INTÉRIEURS

Les écrivains des années 1950 et 1960 voulaient fonder le territoire québécois et cherchaient donc à repérer et à nommer les signes de l'identité. Au tournant des années 1980, ce territoire cesse d'être extérieur et collectif pour devenir intérieur. Le « je », et tout ce qu'il éprouve, devient la mesure de toute chose et ne voit pas le monde contemporain comme un monde qui lui donne vraiment à vivre. Le pays cède la place au corps et à toutes ses dimensions avec ce qu'elles portent d'émotions, de fantasmes, de sensations, de pulsions, de sentiments… de contradictions et de savoirs.

En prenant la parole au milieu des années 1970, les femmes et les immigrants ont montré que certaines histoires n'avaient pas été entendues, avaient été plus ou moins occultées par les discours officiels. En les sortant du silence, ils affirment leur existence et montrent surtout qu'il y a des possibilités d'être et de connaître qui n'ont pas été explorées. Les femmes, ces grandes oubliées de l'Histoire patriarcale, redonnent leur place au corps, à la différence et à l'enfant, et montrent à quel point les rôles imposés aux hommes et aux femmes peuvent être aliénants. D'ailleurs, en 1979, avec la refonte du droit de la famille, le Code civil laisse tomber l'autorité paternelle au profit de l'autorité parentale. Il y a maintenant égalité dans le couple et les enfants ont des droits, quelle que soit leur filiation. Sous les impulsions des femmes et des immigrants, d'autres minorités retiendront l'attention ou prendront elles aussi la parole : les homosexuels, les enfants abandonnés, violés, les enfants de Duplessis, les victimes des guerres, les mal-aimés, etc.

UNE CONSCIENCE PLUS VASTE

Les moyens de communication s'étant développés avec le cinéma, la télévision et Internet, les frontières du temps et de l'espace sont abolies.

La chute du mur de Berlin et l'effondrement de l'Empire soviétique, et d'abord l'Expo 67, avaient suscité dans la population québécoise une plus grande curiosité pour les populations, les histoires et les mentalités d'ailleurs qu'on avait refusées et qui s'étaient dérobées à elle. Mais la tuerie de la Polytechnique, le génocide au Rwanda, les guerres interethniques en ex-Yougoslavie, les conflits au Darfour, au Liban, en Tchétchénie et en Palestine, et surtout l'attentat du 11 septembre 2001 ont, quant à eux, redessiné devant elle des rapports tendus entre les sexes, les cultures, les civilisations et les croyances. Le «vivre-ensemble» semble redevenir problématique quand, sous la pression des intégrismes et de la radicalisation de certains rapports interculturels, la peur de l'Autre se réinstalle et avec elle la crainte que l'Autre ait peur, fasse peur, soit trop visible. Les identités ont alors du mal à s'affirmer et à se définir, et la société québécoise, à l'instar des autres sociétés occidentales, peine à se constituer autour d'un projet rassembleur.

Au plus intime, l'individu ne peut plus se replier sur lui-même, se sentir différent de l'humanité conflictuelle qui s'expose ainsi devant lui. Proches ou lointaines, les images qui lui viennent de l'extérieur en arrivent à l'habiter tout entier. Il se sent devenir autre, habité par l'autre et il prend la mesure des forces contradictoires qui l'habitent, qu'il ne peut pas maîtriser et qui l'empêchent, comme on le croyait encore au temps de l'«âge de la parole», de former un tout cohérent, organisé et unifié. L'avènement de «l'homme rapaillé» semble définitivement écarté maintenant qu'éclatent les structures et les valeurs individuelles et sociales.

Traversée par la conscience de l'Autre (d'autres écrivains, l'autre sexe, d'autres époques, d'autres histoires, d'autres territoires), la conscience individuelle dépasse désormais la conscience de soi. Les héritages se font plus nombreux. Une autre logique s'installe, fondée non plus sur la séparation ou la frontière, mais bien sur la rencontre, les intersections. Non plus sur la séparation ou la rupture entre le passé et le présent, entre l'Autre et le Moi, l'Ailleurs et l'Ici, mais sur les mélanges, les collisions, les interférences… En ce sens, l'écrivain a moins le souci d'affirmer une spécificité (individuelle ou collective) que d'assumer les contradictions de l'individu et de reconnaître son appartenance à un monde fracturé, de moins en moins certain.

UN NOUVEL ÂGE DE LA PAROLE

L'écrivain cherche à lutter contre l'oubli et l'indifférence. Oubli de cette part monstrueuse, capable des pires cruautés, qu'il y a dans chaque être. Oubli aussi de la part tragique qu'une société narcissique, amoureuse du spectacle, tend à occulter par ses dogmes qui intiment à chacun l'ordre d'afficher son sourire, sa santé et sa jeunesse. Oubli enfin des possibilités de l'être humain que les différents discours politiques, religieux, anthropologiques ont empêché de s'exprimer. Oubli qu'il y a des oubliés dans l'Histoire.

Les personnages qu'il nous donne à lire se sentent en marge du monde dans lequel ils ont du mal à reconnaître des possibilités de vivre. Un événement traumatisant, qui a complètement bouleversé leur conscience en leur faisant perdre leurs repères, que ce soit un deuil, une rupture amoureuse, une violence inattendue, les oblige à se ressaisir et à redéfinir les forces de vie qui peuvent les aider à continuer. Ils parlent pour eux-mêmes ou pour les autres, dénoncent en tout cas l'inacceptable et proposent les éléments d'une nouvelle prise de conscience, d'un nouveau savoir et d'une nouvelle solidarité.

LE REGARD DE L'AUTRE

DANS LES ANNÉES 1960 et 1970, on avait décrété la mort de Dieu, de la famille et du père. Depuis, des forces multiples sont venues ébranler la forteresse de la conscience, semer le doute, la confusion et la curiosité, susciter la folie ou l'émerveillement. Elles prendront souvent le visage et la voix de l'enfant qui ne croit plus les adultes ou qui ne veut surtout pas du monde qu'ils lui offrent, ou encore les traits et le discours de l'étranger qui, en soi ou hors de soi, par sa qualité même d'étranger, peut observer ce monde à distance, se montrer exigeant et se faire plus critique.

Que ces forces se manifestent dans le refus radical du monde dans lequel on se trouve jeté comme par fatalité et dans le désir de tout quitter ou, de façon plus secrète, dans des voies parallèles, à l'ombre du regard des autres, elles font entendre leurs demandes contradictoires, signalent le désarroi, la perte des repères et définissent surtout le profond besoin de redonner au monde l'ampleur qu'il a perdue.

En ce sens, être étranger, se découvrir autre, accueillir l'autre en soi et chez soi, loin d'être une malédiction comme on l'a cru dans le passé, est une chance. Si cela fait ressortir, même sous le mode tragique, la difficulté à se sentir en accord avec soi-même et avec le monde, cela donne surtout aux personnages mis en scène par les écrivains des vingt-cinq dernières années une possibilité d'ouvrir le dialogue, plus ou moins conflictuel selon le cas, avec cette part secrète qui gît en chacun d'eux, de « jouer » avec le destin et de se construire une conscience nouvelle.

Monique LaRue (1948)

Après des études de philosophie et de lettres à Paris, Monique LaRue fait partie de plusieurs comités de rédaction de revues culturelles de première importance, notamment *Spirale* (1981-1983) et *Possibles* (1989-1990), et tient une chronique remarquée dans les pages littéraires du *Devoir* (1983-1991), avant de devenir membre de l'Académie des lettres du Québec. Elle publie son premier roman, *La Cohorte fictive*, où elle s'interroge sur la condition des femmes marquées par le discours féministe du temps. La naissance de l'œuvre coïncidant avec la naissance de l'enfant, le livre repense aussi la notion de maternité.

S'amorce ainsi une œuvre qui plonge le lecteur au cœur d'une crise existentielle tout en mettant en relief le rapport de plus en plus conflictuel, en Occident, de l'individu avec son milieu. Les personnages sont ainsi poussés à la limite d'eux-mêmes, frôlant le délire, y succombant parfois. Ils affrontent un monde qui repense ses valeurs, les abandonne même et qui, ayant du mal avec la continuité, provoque une crise du sens. Monique LaRue s'intéresse à « tous ces gens anonymes qui contribuent à ce que l'humanité soit ce qu'elle est », à ceux qui vivent dans l'ombre. Elle ne comprend pas pourquoi on n'aime pas davantage l'intelligence, l'« un des grands plaisirs de l'existence ».

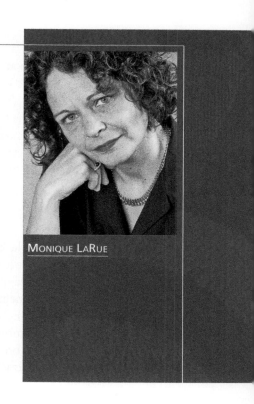

MONIQUE LARUE

■ LES FAUX FUYANTS (1982)

Dans son deuxième roman, Les Faux Fuyants, *Monique LaRue témoigne d'une société qui, dans son grand rêve d'émancipation, a voulu la mort de la famille, du père, des croyances religieuses, pour s'adonner aux seuls plaisirs immédiats de l'individu, mettant par le fait même à mal le sens du devoir, des responsabilités et surtout le rapport à l'autre et l'héritage reçu au cours des âges.*

Jumeaux complémentaires, Klaus et Élodie n'en peuvent plus du vide que créent la fuite de leur père et l'alcoolisme de leur mère. Comme dans les tragédies grecques, ils semblent avoir été jetés au cœur d'une famille, d'une société et d'une existence qui ne leur permettent pas de vivre. Emportés dans un monde maudit qu'ils n'ont pas choisi, ou ils continuent ainsi et courent à leur perte, ou ils fuient de toute urgence et tentent de se donner une existence qui leur permettrait enfin de jouir du réel. Mais, le destin les rattrappe, avec une violence autodestructrice ; la mort et la folie rôdent. Ces « faux fuyants » sont les symptômes d'une société incapable d'offrir mieux que le nowhere *à ceux et celles qui l'habitent.*

C'est fait. On vient d'émerger du fleuve noir du mélo de notre tendre enfance, vague à l'âme. Par un effort longtemps exaspéré on vient de sortir de là, de se hisser sur du terrain sec, nous les
5 jumeaux dépareillés, enfin arrivés après un temps de gestation record, et ça se saura bien un jour tout ça. Il faudra bien que ça sorte sous forme de mots, vu qu'Élodie — ma sœur, mon inverse, mon goulot, mon entonnoir — Élodie n'est pas
10 et n'a jamais été douée de la parole. Et ça, on dira ce qu'on voudra, il y a bien des raisons derrière, et tous les systèmes pour les chercher, évident. Ça ne change rien : Élodie n'a jamais prononcé les mots d'origine, papa, maman et tout ce qu'on
15 apprend à dire. Ça ne lui sort pas de la bouche, elle ne veut pas, elle ne peut pas. Ça grommelle, ça borborygme, ça s'étrangle, ça se mélodie, mais ça n'est jamais sorti en paroles.

C'était minuit moins cinq à l'horloge de la vie-
20 mort, le temps ou jamais, c'est clair, de trancher pour une césarienne puisque l'avortement n'a pas eu lieu, ni la fausse-couche pourtant plausible, et qu'on est définitivement vivants, nous voilà. Qu'est-ce qu'on peut faire à ça ? On
25 ne peut tout de même pas végéter toute une vie dans l'atonalité et l'hébétement mental, on ne peut pas accepter simplement de pourrir. Il faut bien grandir, quand on est vivant. Il était minuit moins cinq, et plus que temps de décider entre

30 la surface et le fond. *Agir. Faire face. Une seule façon de gagner. Toujours moyen d'en sortir. Ne pas jouer perdant. Survivre.* Du temps qu'il était là, Maurice. Façon de parler. Parfois. Il marmonnait, une habitude, ce genre de phrases qui
35 restent utiles, apparemment. Alors on s'est décidés aveuglément, ça aura au moins donné ça, tout ça. Pour le moment.

Finie la désoccupation. Avachis, drogués d'herbes vertes, tous les deux saouls dans
40 l'odeur tiédie des Molson décapsulées, à se ronger les ongles comme des débiles affectifs, des moins que rien, des futurs zéros. *Maman qui a encore bu. Maurice quand il s'était fait couper les cheveux et qu'il avait maigri de cinquante livres*
45 *pour qu'on ne le connaisse plus. Maman avait encore trop bu. Chambranlante, les mains couvertes d'eczéma, est-ce qu'elle pense qu'on ne s'aperçoit pas de son drôle d'air vague ? Nous dans la chambre bleue on regarde les Walt Disney, l'ogre,*
50 *le Petit Poucet, on ne dit rien, on a un peu peur, on joue tranquilles avec nos minibrix, on rit. C'est sûr qu'on a tout ce qu'il faut pour s'amuser pourtant. Ce qui nous inquiète est un secret. On ne sait pas bien pour qui il faut prendre, ce qu'ils nous pré-*
55 *parent encore comme surprise, avec qui on partira le moment venu. Le mieux serait Ultra-Violette l'ultra-douce. Maurice va encore s'en aller pour un mois. Moman va encore oublier notre souper.*

Maurice va partir, Moman va repartir. Qui est-ce
60 *qui va faire notre souper ? Bad trip.*

Fini de passer le temps à nous arracher les
peaux sèches du bout des doigts jusqu'à ce que
ça fasse mal très mal, jusqu'au sang, le désœuvrement, jusqu'à la lymphe qui rosit à l'intérieur.
65 Car ça n'arrête pas de mirer, moirer, miroiter
dans nos têtes, la swamp douce-amère où on
a clapoté cheveux flottants comme des nénu-
phars pendant des années. Voilà pourquoi on
a décidé d'abandonner tout le butin de mari, de
70 hash, sans prendre la peine de le refiler aux faux
cools du parc Laval. On en trouvera bien en
route, des herbes. Le temps presse. Question de
survie. Les pots et la culture vont rester sur leur
tablette dans le solarium. Les freaks et les
75 enfants d'école se passeront bien de nous. On
n'a même pas averti Line et Kouli, nos cousins,
nos copains, au comptoir où on a l'habitude
d'aller niaiser en mangeant des banana splits et
en riant des propriétaires qui chicanent leurs
80 enfants toute la journée devant la télé toujours
ouverte. Décapotage, la vie !

On émerge, amphibies, les nageoires couvertes de boue, de mucus, de bave, du lac de
lait doux où ils nous ont oubliés, tout simple-
85 ment. Faut l'faire. On déchire l'ouate, le cocon
humide qui a quand même réussi à nous toucher c'est sûr, et quand on pourra enfin ouvrir
les yeux pour voir nos doigts fripés, nos
ongles longs de bébés indûment prolongés,
90 quand on pourra pour la première fois emplir
d'air nos poumons qui ont jusqu'ici fonctionné
aux larmes alcoolisées de la famille, peut-être
qu'enfin le cri du nouveau-né pourra jaillir en
rythmes de la gorge d'Élodie, sans briser trop
95 de tympans durcis par la vie-mort.

À lyrer comme une cithare hindoue, ma sœur,
ses cheveux longs frisés sur son dos comme des
serpents d'eau, sa peau de fillette fleurie de boutons mauve punk, sa blouse ancienne tachée
100 d'œuf, Élodie-Mélodie mon oreillette ventrale
me lancine dans la pénombre de la cuisine en
mélodiant les Rolling Stones. Les assiettes
encroûtées, galeuses, pleines de nourriture
étrange qui pue, nous découragent. Mais on ne
105 se découragera jamais.

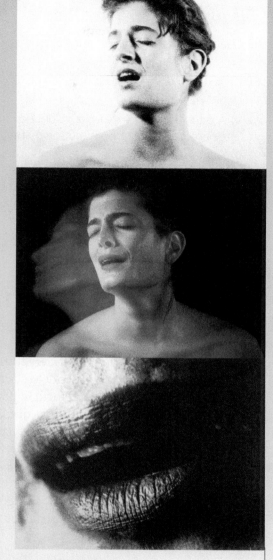

GENEVIÈVE CADIEUX (1955).

Hear Me With Your Eyes, 1989. (Triptyque : 1re photo en noir
et blanc, 2e photo en couleur, 3e photo en noir et blanc.
Musée des beaux-arts de Montréal.)

Dans son œuvre, Geneviève Cadieux utilise le corps
humain comme une mappemonde sur laquelle se donnent
à lire en variations subtiles les expériences plus ou moins
heureuses de chacun. Ainsi, ses photos, vidéos et installations traitent des thèmes de l'impossibilité de communiquer, de l'isolement, de l'identité. Son œuvre est un montage de trois photos présentant une femme en train de
crier sa douleur. Ce cri muet dérange autant que le zoom
sur les lèvres, lequel suggère la prise de parole, bien qu'elle
ne semble pas y être encore tout à fait. On dirait un
moment suspendu, comme dans l'extrait des *Faux Fuyants*.
Un moment où Élodie est muette, un instant où les personnages sentent venir et gronder leur révolte, où ils se
rendent compte qu'ils ne peuvent plus continuer à stag-
ner, mais un moment qui n'est pas encore advenu…

QUESTIONS

1. Quels éléments font que ce texte appartient à un nouvel « âge de la parole » ?

2. Ce texte annonce-t-il une rupture ou un recommencement ?

3. a) À quoi reconnaissez-vous la volonté de rupture ? Quelles conditions de vie veut-on quitter ?

   b) Comment comprendre ici les mots « désœuvrement » (l. 63), « désoccupation » (l. 38), « décapotage, la vie » (l. 81), « faux fuyants » ? Confrontez le sens donné par le dictionnaire avec celui suggéré par le contexte.

   c) Qu'est-ce qui indique que cette volonté de rupture est aussi une volonté de naître ? Que signifie être au monde ? La naissance est-elle facile ?

   d) Dans ce contexte de rupture et de naissance, que représente Élodie pour le narrateur, son frère et son double ?

4. Peut-on dire que l'espoir l'emporte sur le découragement ?

5. Cet espoir entrevu est-il du même ordre que celui des années 1950 et 1960 ?

SYLVAIN TRUDEL

Sylvain Trudel (1963)

Après des études en sciences pures et en cinéma, Sylvain Trudel se consacre pleinement à l'écriture. Dès son premier livre, *Le Souffle de l'harmattan*, paru en 1986 et revu en 2001, il tente de réconcilier, dans une prose teintée de poétique, les voies de la science et de l'imagination en s'intéressant aux défaillances de la raison logique pour faire émerger ce qui reste des croyances, souvenirs et préoccupations que la société occidentale contemporaine tend à occulter par son culte de la performance et son utilitarisme. Trudel veut aussi réunir le rêve et l'action. Comme Rimbaud et Saint-Denys Garneau, il part à l'aventure et joue, convaincu que « nous ne sommes pas au monde », que « la vraie vie est absente ». En fait, pour lui, on n'habite vraiment le monde que dans la mesure où l'on cherche à le reconstruire comme objet de connaissance et d'exploration. Et cette reconstruction est toujours à venir.

■ LE SOUFFLE DE L'HARMATTAN (2001)

L'auteur a déjà confié qu'il avait écrit Le Souffle de l'harmattan *à l'insu de son père qui le croyait en train de poursuivre ses études universitaires. Déjà, il pressentait, comme le narrateur de son roman, qu'il n'arriverait à son monde et à lui-même qu'en marge du monde institué par la famille, microcosme des limitations, préjugés et mensonges inscrits au cœur des mentalités occidentales.*

Hugues Francœur accepte mal de ne pas avoir su plus tôt qu'il était un enfant adopté. Lorsqu'il l'apprend, c'est un véritable choc, et son monde se fissure. L'histoire, qui jusque-là fondait son existence et lui donnait sa vérité, semble d'autant plus injustifiable qu'elle concerne le désir. Comment peut-on sentir qu'on est quelqu'un si l'on n'a pas été l'enfant du désir ? Comment trouver dans le discours des parents un savoir crédible si tout s'est construit sur du mensonge ? Hugues se sent donc étranger, en exil, non encore né. Un petit ami africain, Habéké, orphelin, mais porteur, lui, d'une mémoire, d'une histoire et d'un savoir, l'aidera à se reconstruire et à rebâtir sa propre histoire et sa propre vérité.

À six mois je versais des larmes glacées, oublié dans un panier à provisions de supermarché tout démantibulé. Ma première mère, que j'ai effleurée mais dont j'ignore la présence sur terre, avait fait une croix sur moi pour de vrai, moi son bébé de mauvais augure, nouvellement né pour une raison ou pour une autre. J'ai souvenir de rien vu ma petitesse d'alors, mais je me connais comme si je m'avais tricoté, et je suis sûr que j'aimais mieux être un rejeton qu'un avorton à cause du mince espoir que ça laisse bouillonner au fond de l'être faible. Toujours est-il que le panier baignait comme une cage à écrevisses dans une mare à quenouilles au bord de l'autoroute, et moi, piégé comme un petit animal, je mourais de faim, de soif et de solitude.

C'est alors que pour moi seul est passée une certaine femme nommée Céline qui a aperçu un enfançon fendre l'air à travers les joncs et les quenouilles et qui a décidé d'écraser la pédale de frein pour stopper cette atteinte aux droits universels des enfants fondamentaux. C'est que, sans le lait et les caresses, la chaleur n'existe plus, et, par extension, la vie. Privé de tout, je grelottais au bord du cosmos et je tétais dans le vide un sein jamais vu, ou peut-être la lune que je prenais pour un pis de la Grande Ourse, et tout à coup j'ai été soulevé au firmament : Céline m'a pris dans ses bras pour voir, et, après avoir bien vu de ses yeux vu, elle en a été émue au point de vouloir me faire permanent au milieu de ses affaires, mais je ne sais pas vraiment pourquoi, peut-être que j'avais de la façon. Pour le bébé que j'étais de toute manière, il en fallait, de la permanence, parce qu'il faut prendre racine loin du temporaire pour avoir une vie, vu que le temporaire est de courte haleine. Bien sûr, Céline n'était pas seule et unique en tant que tendre moitié d'un tout uni, mais Claude, l'autre moitié matrimoniale dont il est question, s'est montré favorable à ma cause désespérée, comme sainte Rita, malgré mes yeux en amande qu'il n'avait pas. Céline et Claude venaient tout juste de se passer religieusement les bagues aux doigts jusqu'à ce que mort s'ensuive, et, pour eux, ça devait être une sorte d'aubaine de tomber ainsi sur un poupon tout usiné d'avance, j'imagine. Tout de suite ils pouvaient profiter de la joie indescriptible du moment sans nausées et sans fausse couche, surtout que personne ne me réclamait aux objets perdus. À l'époque j'étais sûrement heureux dans l'inconscience, mais avec mes yeux d'aujourd'hui qui se sont ouverts sur les choses, personnellement je trouve ça salaud. Oui, salaud, j'ai pas peur des mots, parce qu'ils savaient bien qu'un jour ils auraient des enfants de leur cru, des pures laines de la race pure. Ça signifiait que moi, chose, je resterais toujours le petit perdu de la famille, le petit Chinois trouvé par erreur humaine, le petit pitou ramassé dans la gadouille, le petit bâtard d'enfant d'chienne.

[...]

* * *

[...] Mais là, tout d'un coup, une goutte m'a fait déborder, et toute une vie secrète et silencieuse a été détruite en moi (je veux parler de la vie de tous les jours, celle un peu triste qu'on accepte de vivre clopin-clopant au ras de l'herbe à puces, avec nos proches qui font ce qu'ils peuvent avec ce qu'ils ont, parce qu'on sait bien qu'au fond on est comme eux, qu'on est tous comme tout le monde et que tout le monde est comme ça et qu'il n'y a pas d'agneaux sans tache), quand Claude a craché la pire des choses qu'il pouvait pas cracher à ma figure — il m'a traité d'enfant d'chienne. Soudain, il y a eu comme un instant très court d'éternité dans le salon, une peur qui flottait dans l'invisible qui nous liait, comme un silence venu de loin en nous, de là où on ne se connaît pas, et j'ai compris que je vivais un tournant. Céline était encadrée comme une nature morte dans la porte du salon et elle continuait à ne rien dire pour ne pas me défendre et ça m'a rendu sourd de rage, parce que ç'aurait été facile pour elle d'être quelqu'un pour moi en cette seconde-là, en ce moment de mort où j'étais seul comme un chien dans l'univers, sauf le respect à Pipo. Ça a fini que j'ai pleuré en cachette des larmes de sang dans mes oreillers de plumes. Ce soir-là, j'ai compris que l'intérieur des hommes sans racines est tapissé d'exil. À ces pensées nouvelles j'étouffais dans mon lit froid, mais je me disais au fond de mon cœur que toutes les

95 clôtures du silence finiraient bien par tomber puisque tous les mammouths n'étaient pas éteints, qu'il en brûlait encore un et qu'il se cachait en moi comme la volonté de survivre à ce qui tue normalement. Et puis je me suis mis 100 à penser à Habéké, le déraciné des déracinés qui montrait le chemin à tous les perdus de notre monde, et j'ai senti qu'il serait un frère pour moi, sauf le respect à Benjamin.

En Afrique, il y a le vent baptisé l'harmattan qui 105 est sec et brûlant et qui souffle les sables des déserts sur les terres de la culture. Il tue sans regarder les arbres, ni les troupeaux, ni les villages. Les récoltes aussi en prennent pour leur rhume malgré qu'il y ait toujours de plus en 110 plus de bouches qui réclament de l'agriculture, car croquer du sable ça ne correspond à rien. Pourtant, pour vivre, il faut correspondre. Pipo, quand il jappe et qu'il sautille après un biscuit, il correspond à un chien follet. Jasmine et 115 Benjamin, quand ils dansent à la corde et qu'ils demandent un cornet de crème glacée et qu'ils mouillent leur lit la nuit, ils correspondent à des enfants. Mais moi, quand je tape comme un moulin à vent dans les chips et dans le seven-120 up avec mes yeux en amande, je ne corresponds à rien du tout, surtout pas à un fils normal.

Chez nous, je correspondais à tout ce qui donne mauvaise conscience aux gens, et c'était pareil pour Habéké : il correspondait à un 125 Africain tout nu et à gros ventre qui passe la tête par la fenêtre du téléviseur, le soir au téléjournal,

pour lorgner les bons aliments qui fument sur nos tables. C'est pour ça que mes demis tremblaient secrètement devant Habéké qui par sa seule présence semblait accuser tout l'Accident, 130 parce que par Habéké arrivait le péril noir du monde étranger où tout est si menaçant, parce que Habéké qui restait souper chez nous, c'était l'image de la télé qui s'incarnait sur une chaise, au bout de la table, au-dessus d'une assiette 135 pleine, une sorte de fantôme qui lapait une soupe chaude qui brûle les bouches pas trop habituées à la nourriture. À la limite, je correspondais à Habéké qui lui correspondait à l'Afrique, qui elle correspondait au primitif, qui lui correspondait 140 à l'aube de l'humanité, qui elle correspondait à ce matin lointain et peut-être maudit où Céline m'avait trouvé dans un panier à provisions, comme une tranche de surlonge en solde.

Avec le panier noyé c'était le cycle infernal qui 145 recommençait à tourner, comme une terre ordinaire, comme nos jours qui n'ont pas toujours de sens.

Je me sentais tellement correspondre à Habéké que j'ai décidé un bon soir de lui écrire une 150 lettre de détresse, ma première épître qu'on dirait plus tard pour rire, et dans cette lettre je lui demandais sans cérémonie de m'inviter à son chalet pour quelques jours. Ses parents m'aimaient bien, y aurait sûrement pas de problème 155 que je me disais. Et puis j'ai cacheté la lettre, léché le timbre qui goûtait mauvais, et l'enveloppe m'a quitté, oblitérée de mon espoir.

QUESTIONS

1 Quelle image de la famille et de la société l'auteur donne-t-il dans cet extrait ?

2 Qu'est-ce que Hugues reproche à ses parents ? Où se situe l'espoir pour lui ?

3 a) Relevez les expressions qui définissent le narrateur-enfant. Dites ce qu'elles expriment de son identité (ce qu'il est, le type de société dans laquelle il se trouve, ce qu'il représente pour sa famille).

   b) Que représente Habéké dans la vie de Hugues, et pour la conscience occidentale ?

   c) Que signifie « pour vivre, il faut correspondre » (l. 111) ? Comment cela définit-il ce que cherche Hugues ?

   d) À quoi reconnaît-on chez Hugues une volonté d'expliquer et de connaître ?

4 Est-il juste d'affirmer que se reconstruire passe par créer des liens ?

5 Peut-on dire que, par sa façon de se définir, Hugues rejoint les poètes de « l'âge de la parole », comme Gilles Vigneault dans « Mon pays » (p. 229-230) ?

Sergio Kokis (1944)

Écrivain, philosophe, psychologue et peintre, Sergio Kokis naît en 1944 à Rio de Janeiro, au Brésil. Ayant participé à diverses activités politiques clandestines et à des mouvements paramilitaires contre la dictature, il est jugé et condamné par l'État militaire pour « crimes contre la sécurité nationale », et doit quitter son pays. Après quelques années en France, où il étudie la philosophie et la psychologie, il s'installe au Québec en 1969. Il pratique d'abord à Gaspé, complète ensuite un doctorat en psychologie clinique à l'Université de Montréal, enseigne dans ce département et travaille à temps partiel à l'Hôpital Sainte-Justine de Montréal, tout en suivant des cours à l'École du Musée des beaux-arts de Montréal. En 1997, il décide de se consacrer entièrement à la peinture et à l'écriture. Fortement marqué par sa culture d'origine, Sergio Kokis crée une œuvre qui oscille entre le tragique et le comique avec des personnages imprégnés de l'esprit carnavalesque où il devient possible de jouer avec la mort.

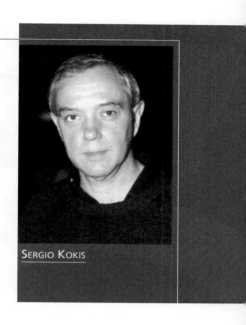

SERGIO KOKIS

◼ LE PAVILLON DES MIROIRS (1994)

Avec ce premier roman à saveur autobiographique, Sergio Kokis tente d'établir des liens entre l'enfant qu'il était là-bas et l'adulte qu'il est devenu ici. Au Brésil, il vivait essentiellement dans un monde de femmes dominé par la mère et les tantes qui ont transformé la maison en bordel. Le père, plus effacé, était porteur du rêve américain, rêve d'aventures, de découvertes et de réussite. Des croyances et des rêves s'opposent déjà en lui et déterminent sa position d'observateur, exilé et étranger, sur qui la menace plane toujours.

S'il a voulu fuir un pays qui semblait le condamner à une vie de misère, lorsqu'il observe sa société d'accueil ou interroge sa propre condition d'homme ou d'étranger, il mesure à quel point le passé le hante et à quel point les sociétés sont semblables. Il montre que nous partageons tous la condition d'étranger, ce qui peut, comme au carnaval, être une chance si l'on sait « jouer » et lire, et ainsi reconnaître, dans les désillusions, ces liens qui nous rendent tous solidaires de la condition humaine.

Dans ce passage, Kokis fait un retour sur lui-même et s'interroge sur les motivations qui l'ont poussé à quitter son pays d'origine. Sa méditation l'amène à se défaire d'un certain sentiment de supériorité et à assumer sa nature d'homme. Elle le pousse aussi à s'interroger sur le rêve québécois et à jeter un regard sévère, mais fraternel, sur cette société d'accueil dans laquelle il avait reconnu son propre rêve d'affranchissement.

Je me verse de la vodka en me souvenant qu'il y a un quart de siècle que j'habite ce pays. Je n'ai pas vu le temps passer. Est-ce que je bois pour fêter ou pour oublier ? Voilà une question 5 que j'évite de me poser. Je ne suis jamais retourné là-bas. Pas même en vacances. Au début ce n'était pas possible, ou bien la situation y était trop instable et mes camarades me conseillaient d'attendre encore un peu. L'envie 10 d'y aller me manquait, et toute excuse était

bonne pour ajourner le retour. Sauf qu'on ne peut pas attendre indéfiniment dans la vie ; on s'adapte malgré soi et on se transforme. Et puis, mon identité d'étranger s'était si bien renfor-
15 cée que je préférais ne pas regarder en arrière, de peur de devenir une statue de sel. Je pouvais entreprendre n'importe quoi sans angoisse, puisque ce n'était à chaque fois que du provisoire, un simple jeu. La solitude enfin retrou-
20 vée, la liberté intégrale, me disais-je. Mais aussi une identité que j'évitais de considérer. J'étais différent des gens d'ici, autre ; et pourquoi pas, me disais-je, meilleur. Tout au moins dans mes illusions. Voilà un état bien propice au rêve.

25 C'est ainsi que j'ai connu ce nouveau pays, comme un terrain de jeux, où mes mensonges n'étaient pas visibles. J'avais tout le loisir d'observer les gens d'ici. Leur différence était frappante au début, et je me laissais aller comme un
30 vacancier qui tente de comprendre les coutumes d'une peuplade inconnue. C'est curieux de parler de la sorte de gens si riches et si pacifiques, qui m'ont accueilli à bras ouverts. Mais c'est un fait. On est toujours l'étranger de quelqu'un
35 d'autre, même si on ne le ressent pas. Au travail, dans la rue, partout je m'amusais à mon jeu, protégé désormais par l'uniforme impersonnel de l'immigration. Peut-être qu'autrefois certains misérables m'avaient étudié de la même façon.

40 Les gens d'ici me questionnaient, certes, et même très souvent, puisqu'ils ont du mal à comprendre comment quelqu'un peut quitter le soleil pour venir se réfugier dans ces immensités glacées. Mais ils n'insistent jamais. Leurs
45 soucis les reprennent aussitôt, et vite ils retournent à ce qui les intéresse le plus. Mes camarades de travail, par exemple, sont hantés par la peur de perdre leur boulot, leur place, ou leur réputation. Ou ils sont jaloux de ceux qui
50 sont plus compétents ou qui se font mieux pistonner. Des boulots idiots, sans aucune importance, puisqu'ici il n'y a pas de gens qui meurent de faim, pas de cadavre dans les rues, pas de police qui torture. Mais comme partout, ils
55 sont consumés par la peur ; il y va de leur identité. Et puis il leur faut être bien vus, avoir du pouvoir, acheter et acheter encore des marchandises dont ils n'ont pas le temps de jouir.

60 La mode, les sorties, les restaurants, les femmes de luxe, les voyages éclair pour bronzer au soleil et faire l'envie des autres, voilà leurs rituels, leurs obligations quotidiennes. Faute d'autre dessein, toute leur richesse y passe, avec l'espoir suprême de paraître un jour à la télé-
65 vision, dans l'un de ces shows débiles ou dans un concours. En attendant, ils font comme mes tantes, et se plaignent du temps qu'il fait, de la conjoncture, des étrangers ou de la chute du dollar. La peur est disséminée partout, surtout
70 la frousse de la mort. Pas de la mort-cadavre, non, celle-là ils ne la connaissent pas. La mort en vie, plutôt, leur mort à eux: le manque d'argent superflu, le manque de popularité et la crainte de vieillir. Ils cherchent à exorciser leurs
75 démons par des régimes de toutes sortes, depuis le régime sans cholestérol jusqu'au régime de retraite, les assurances multiples et les médecines douces. Ils font du jogging, ils bandent en faisant attention, ils s'efforcent de
80 jouir sans sucre et s'associent en partenaires comptabilisés même pour leurs ébats extra-conjugaux. C'est drôle, parfois je pense que les lubies de ma mère n'étaient pas si éloignées des horoscopes, des médecines naturelles ni des
85 psychothérapies dont se gavent les gens d'ici. Comme si la bêtise était la même partout, changeant seulement d'habit en fonction des possibilités du portefeuille. Sauf que leurs infusions n'enivrent pas et que leur eau de lune se vend
90 cent dollars l'heure. D'ailleurs, ici, j'ai acquis la certitude que plus on a, plus la carence est grande. Avec pour conséquence qu'ici les gens se plaignent plus que ceux qui vivent sous les tropiques et, bizarrement, plus on les rassure,
95 plus ils ont besoin d'attention et peur de l'avenir. Ils me rappellent certains enfants de l'internat, si gâtés par leurs mères qu'ils n'arrivaient pas à se défendre une fois tout seuls. Et plus ils avaient, moins ils se sentaient aimés.

100 Ce qui m'attirait ici au début, c'était une tradition de pionniers, d'hommes errants, chasseurs et coureurs de bois, sans attaches, fêtards et insouciants. Du moins, c'est ce que j'avais gardé de mes lectures. Jack London, entre autres, mais
105 aussi des histoires de types formidables comme Bethune ou Tom Thomson, en paix avec ces

étendues immenses et vides, si propices à la solitude et à la rébellion. Mais ce père-là, l'ancêtre, le vagabond, il n'existe plus. Ce n'était peut-être qu'un mythe mensonger, voire une menace, créée dans leurs légendes et leurs chansons pour mieux les garder captifs sous le joug du curé et de la matrone. En vingt-cinq ans, je n'ai pas trouvé trace vive de cet esprit sauvage ; même leurs sauvages vivent passivement des allocations sociales en grognant dans leur graisse. Tout pue l'échec, l'insatisfaction, la déprime, et ce, malgré tout le temps libre dont ils disposent. Ils s'attachent à une langue qu'ils méprisent, à leur passé et à leurs défaites comme moi aux cadavres de mon enfance. Tout le monde est beau, tout le monde est gentil. Pour cela ils sont prêts à féminiser tous les noms, à interdire le tabac et toute velléité virile, en se laissant gaver de légumes par leurs viragos maternelles. Conseillés par les nouveaux curés en civil, ils s'efforcent, pudibonds, de cacher leurs érections et leurs éclats de rire. Leurs tavernes elles-mêmes n'existent plus, ces lieux de beuveries et de libertinage !

[…]

Je m'adaptais au nouveau pays, mais sans passion. Mes compagnons de travail, jeunes et vieux, paraissaient tous décidés à avoir une vie très longue, la moins aventureuse possible, sans sauts qualitatifs autres que ceux qui sont apportés par l'accumulation quantitative. Une vision syndicale du monde, où l'ancienneté et la sécurité d'emploi sont les seules valeurs désirables. J'ai rencontré des exceptions, certes, et de très remarquables, dans divers domaines, soit des artistes ou des intellectuels, mais aussi des inventeurs farfelus comme mon père, des vagabonds et des bons vivants. Chaque fois, nos regards se sont croisés avec plaisir, nous nous sommes reconnus. Puis nous nous sommes quittés en bons solitaires, chacun suivant sa propre quête, car il n'y a pas de quête publique. C'étaient les immigrés de l'intérieur, les exilés dans leur propre maison, ceux qui n'ont pas confondu, comme moi, le départ avec l'espace, la solitude avec le décalage horaire. Ils se terrent chez eux, peut-être plus écœurés par leurs tièdes compatriotes que n'importe quel étranger.

Pendant tout ce temps, j'ai ainsi pris position envers les gens d'ici, en me disant autre et en me pensant meilleur. Mais lorsque la bouteille se vide, comme ce soir, je dois m'avouer qu'encore une fois j'ai triché. Les gens d'ici ne sont pour rien dans mon malaise. Ils ne m'ont jamais rien fait, bien au contraire. Simplement leur pays est aussi bourré de gens mornes, comme partout ; et ça me rappelle trop ce que je cherche à fuir. Les clochards, par exemple, sont tout à fait semblables à ceux de ma cour, leur peur du vide aussi. Rien comme l'alcool pour délier la syntaxe. Ça nous met face à nos propres questions. Certain que j'aurais pu mieux m'adapter ici, m'entourer d'amis, peindre des trucs qu'ils auraient aimés. Ils sont même très généreux ; et puis ils ne tolèrent pas de Milagres. On a beau les trouver ridicules, nous les étrangers, n'empêche que c'est ici qu'on est venus, pour rester.

QUESTIONS

1 Décrivez la position de l'étranger. Qu'est-ce qu'elle permet comme regard ? En quoi est-elle une chance ?

2 En quoi ce texte exprime-t-il un désenchantement ou une désillusion ? Quel était le rêve du début ? Quel est le constat ?

3 a) Comparez la manière dont le narrateur se voit au début et la manière dont il se voit à la fin.

b) Comparez l'image qu'il se faisait du Québec et du Québécois à son arrivée avec celle qu'il a sous les yeux aujourd'hui.

4 Si le temps de la rupture semble impossible tant pour le narrateur que pour le Québécois, comment qualifier le nouveau temps né avec la désillusion ?

5 a) Comment interprétez-vous la conscience nouvelle du narrateur et ce qu'il constate du monde qu'il porte en lui et de celui qu'il a sous les yeux ?

b) Peut-on dire que cette conscience nouvelle est la même que celle de Hugues, l'enfant-narrateur du *Souffle de l'harmattan* (p. 249-250) ?

ENTRE DEUX MONDES

Le travail de Brian Jungen se situe quelque part entre l'art amérindien, le pop-art et la satyre sociale. Si on croit d'abord que les masques sont traditionnels parce qu'ils semblent avoir été faits par des Amérindiens, on constate, lorsqu'on les regarde de près, qu'ils sont en fait fabriqués avec des chaussures de sport Nike, une icône de la culture de masse américaine. Les questions surgissent alors : quelle est la place de la culture dans nos vies, et surtout, entre culture ancestrale et culture populaire, qui sont nos véritables idoles ? Ces questions, le narrateur du *Pavillon des miroirs* de Kokis semble se les poser lorsqu'il s'interroge sur son passé et sur sa condition actuelle. Critique par rapport à la société québécoise, il est aussi conscient d'avoir volontairement laissé derrière lui une partie de son âme en ne retournant jamais dans son pays, pas même pour les vacances. Ce personnage étranger est comme une œuvre de Jungen, composite, mélange singulier de passé et de présent.

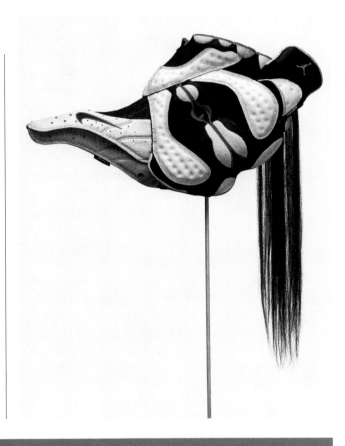

BRIAN JUNGEN (1970).
Prototype for New Understanding #8, 1999. (Chaussures de sport Nike et cheveux humains. Collection de Colin Griffiths, Vancouver, Art Gallery.)

- Quel est le ton du texte de Kokis ? Y trouvez-vous le même humour que dans les œuvres de Brian Jungen ?

- Quelle vision des Premières Nations transparaît dans l'œuvre de Jungen ? Diriez-vous que Kokis et lui sont sur la même longueur d'onde ?

- D'après vous, l'identité est-elle quelque chose de fixe, de déterminé, ou une notion changeante ? Répondez en faisant référence à l'œuvre de Jungen et au texte de Kokis.

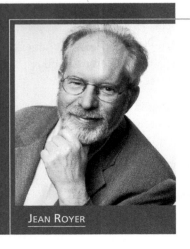

JEAN ROYER

Jean Royer (1938)

Jean Royer a publié une quarantaine d'ouvrages, des récits et des essais, mais aussi, depuis 1966, une vingtaine de recueils de poésie. Ses poèmes ont été traduits en plusieurs langues dont l'anglais, l'espagnol et le chinois.

En 1976, avec des amis de Québec, il fonde la revue de poésie *Estuaire*. Plus tard, il dirigera à Montréal les pages culturelles du *Devoir* où il sera critique littéraire de 1977 à 1991. Il prendra ensuite la direction des Éditions de l'Hexagone jusqu'en 1998. Plus récemment, il a été président de l'Académie des lettres du Québec de 1998 à 2004 et de la Rencontre québécoise internationale des écrivains de 1997 à 2005.

■ LA MAIN CACHÉE (1991)

La Main cachée fait partie d'une trilogie dans laquelle Jean Royer raconte, sur le ton de la confidence, sa vie avec les livres et avec ceux qui les ont écrits, vie nourrie et nourrissante qui s'est construite dans l'intimité de la rencontre et qui a fait de lui l'homme qu'il est : homme de sentiment, homme tourné vers les cultures du monde, homme de langage. Si La Main cachée retrace les apprentissages de l'enfance, ce livre évoque surtout un drame personnel. Dans l'extrait, l'auteur montre comment l'image qu'il s'est construite de lui-même à partir d'une photo de lui enfant devient la clé de ce qui l'incite à aller vers les autres, vers lui-même et vers le monde. Comme dans un véritable mythe d'origine, se disent et s'expliquent ici le souci de l'autre, le prestige de l'intime, le rêve de la totalité et le regard structurant de la mère.

« La photographie »

Je suis un enfant comme les autres. On peut montrer ma photo à tout le monde. J'appartiens désormais à l'univers du sépia : immobile, immuable, impeccable. Je suis devenu l'enfant
5 parfait.

Sagement assis sur le fauteuil de velours, les jambes délassées, je regarde qui me regarde. La main gauche se referme près du cœur, à la manière d'un adulte qui bat déjà sa coulpe. Le
10 petit bras droit descend le long du corps. On ne le voit pas mais la manche du gilet est bourrée de papier afin que l'on soupçonne une main qui s'absenterait derrière la cuisse. Au-dessus de ce joyeux paquet de bonheur à l'air réservé
15 mais ouvert au dialogue s'avance une tête blonde aux oreilles grandes ouvertes et aux yeux éveillés quoiqu'un peu tristes. La bouche sourit au photographe ou peut-être à la mère à côté de l'objectif. L'enfant, en cet instant de
20 gloire photographique, entrouvre les lèvres comme pour prononcer la première syllabe du mot amour.

Au bas de l'image, à droite, on peut lire la signature bien connue du studio de photographie
25 de deux ou trois générations d'enfants sages : « Livernois Limitée Québec ».

Je viens d'être promu visible socialement. Et ce regard satisfait de ma première photo d'enfant
30 marquera mon visage, tant pour ceux qui l'aimeront que pour ceux qui ne pourront pas le blairer. Insupportable ou adoré, dans l'indifférence de l'entourage ou dans une intimité heureuse, je porterai cette image de moi comme le masque qui contient tous mes visages cachés
35 ou ceux que je découvre peu à peu.

Je me donne une contenance afin de me tenir dans les limites de cette photographie de moi qu'on peut montrer à tout le monde. Toutes les autres photos qui suivront ressembleront à des
40 indiscrétions sur ma vie privée.

Pourtant, ce petit bras droit, je saurai bien le cacher à l'occasion de chaque photo. J'adapterai mes stratégies aux circonstances. J'aime bien être photographié, cela me rassure sur ma pré-
45 sence au monde. Cependant, j'ai maintenant horreur qu'on remarque ce qui me manque. Alors je redresse la tête et j'offre mon plus large sourire. J'appartiens à l'œil de l'autre en même temps que je garde pour moi seul l'image de
50 l'imparfait.

« Regarde le petit oiseau. » Clic.

Assis sur la galerie, je cache mon bras droit derrière la rampe. Debout dans la cour, je me colle à l'épaule d'un autre enfant. Grimpé sur un
55 banc de parc, je prends un air grave et mon bras devient l'arbre.

Plus tard, quand j'irai à l'école, je me sentirai plus fanfaron. Je me laisserai photographier en faisant le salut militaire de la main gauche, oubliant
60 mon bras droit suspendu au-dessus du vide. Quand je porterai le costume de gymnaste du patronage, mon sourire sera plus spontané. La collerette qui me recouvre les épaules me protégera des curiosités. Je ressemblerai aux autres
65 petits garçons portant l'uniforme bleu-et-blanc qui défilent dans les rues de Québec au son des tambours et clairons pour la procession de la Fête-Dieu ou la parade de la Saint-Jean-Baptiste. Quelle joie de marcher d'un pas anonyme tout
70 en sachant qu'on peut me regarder et même admirer ma tenue! Les touristes américains pourront me photographier sans gêne!

Tout ce qu'on me demande, c'est de ne pas déroger à la norme. En avant, marche! Gauche,
75 droite. Un pied, une jambe. Un bras, une main. Gauche, droite!

Mais que faire quand on n'a pas la paire?

QUESTIONS

1 En quoi reconnaît-on que Jean Royer est étranger non seulement aux autres mais aussi à lui-même? Comment vit-il cette différence?

2 L'expérience de la différence n'est-elle que douloureuse?

3 a) Quelle image de lui-même Jean Royer s'est-il construite pour échapper au regard des autres qui le renvoyaient continuellement à son manque?

b) Décrivez la représentation que Jean Royer fait de la main cachée. Dites la part secrète qu'elle lui renvoie.

4 Jean Royer demeure-t-il soumis au destin du corps?

5 En quoi ce regard que Jean Royer accueille s'apparente-t-il à celui que Nelligan a reçu de la part de sa mère dans le poème « Devant mon berceau » (p. 105)?

PARTIE **2**

LE CORPS PARLANT

EN ARRIVANT À L'ÉCRITURE, les femmes redonnent au corps une place qu'avaient toujours tenté d'occulter le discours religieux d'abord et le discours social et politique ensuite. Du corps ostracisé qu'on marquera pour souligner et refuser une différence, au corps séducteur, aimé qu'on aura du mal à contrôler et à travers lequel on vivra les divers élans de la sensibilité, le corps est reconnu comme un élément fondamental pour affirmer son identité et dire son rapport au monde.

Le corps, c'est ce que l'éducation construit. En lui se révèlent donc des limites et des demandes que les civilisations ont déposées, qui font en sorte que le scandale arrive quand il donne à entendre ce qu'elles n'osent avouer. Comment donner naissance à « une nouvelle forme de civilisation », à une nouvelle façon d'exister quand le corps expérimente et dévoile ses possibles? Voilà ce que se demandent les écrivains dont il sera question ici. On découvrira les pulsions contradictoires, et forcément conflictuelles, si ce n'est inavouables, qui composent la nature humaine, définissent le désir, articulent le rapport à soi et au monde et laissent entrevoir les possibilités de la différence.

Madeleine Ouellette-Michalska (1930)

Madeleine Ouellette-Michalska naît à Saint-Alexandre-de-Kamouraska dans un milieu modeste qu'elle dira fortement ritualisé. Neuvième d'une famille de treize enfants, elle aurait eu du mal à avoir la parole autour de la table. Aussi, l'écriture lui serait venue de cette incapacité de dire et de vivre pleinement la relation à l'autre, au paysage et à soi, comme pour répondre à la nécessité de se prolonger et de s'affirmer. Elle a compris d'ailleurs dès ses premiers personnages, toujours tentés par la folie, qu'il importait de faire émerger « les choses non dites, non vécues ».

Aussi, Madeleine Ouellette-Michalska cherche-t-elle à traverser les mémoires nombreuses qui habitent sa conscience et la nôtre pour retrouver ce qui, à l'origine, a été bloqué par les choix que la vie, les sociétés et l'Histoire ont imposés, qui font en sorte que certaines possibilités d'être ne peuvent se déployer.

MADELEINE OUELLETTE-MICHALSKA

◼ LE PLAT DE LENTILLES (1979)

Pour la première fois dans ce roman, Madeleine Ouellette-Michalska tente de faire apparaître ce qui traversera son œuvre et sa vie d'écrivaine, tout ce qui se bouscule et se déplace dans les grands moments de vulnérabilité, les différents niveaux de conscience et les divers aspects de l'être qui se manifestent alors simultanément, convaincue que notre long apprentissage sous le signe de la raison a défini, et limité, nos comportements, nos croyances et nos relations.

Dans ce passage qui ouvre le roman, Nadine est étendue au soleil et, même après dix ans de vie commune, elle trouve avec son compagnon la capacité de jouer et de jouir. Par l'acte d'aimer, les amoureux dépassent le temps et l'espace qu'ils habitent. Ils participent à nouveau à la naissance du monde, mais ils revivent aussi cette tentative de maîtrise inscrite dans les grands mythes fondateurs des conduites individuelles et collectives. Comme toujours chez l'auteure, le corps devient un lieu de convergences où s'affrontent et se rencontrent les mondes cosmique, spirituel, familial et psychique.

Il se tourne vers moi. Je me glisse sur la serviette afin de me rapprocher de lui. Il m'observe un instant, l'œil malicieux, puis il émiette sa motte de glaise sur ma gorge dans un grand
5 éclat de rire. Je tends les doigts pour le griffer, lui crie qu'il est une brute. Il tire un mouchoir de sa poche et commence à me nettoyer avec des gestes doux. C'est toujours sa motte de glaise qu'il pétrit, alors il sait s'y prendre.

10 Il promène lentement ses doigts sur ma peau afin de se faire pardonner sa muflerie. Il presse mes seins pour en extraire le lait qui apaisera sa soif. Je rentre mes griffes et redeviens une chatte aimante. Je ronronne. Un glousse-
15 ment de satisfaction passe mes lèvres. Il l'entend et rapproche son visage du mien. Je me love sous son torse afin d'être entièrement couverte par lui, et mon corps retrouve la mesure exacte du sien. Nous nous désirons toujours
20 malgré dix ans de vie commune.

Son souffle couvre mon front. Sa respiration s'élargit. Il m'aime en silence. C'est ainsi qu'il m'a prise la première fois. C'est ainsi qu'il me prenait. Cette brûlure qui ravageait le sexe jusqu'au
25 cœur. Ce désir de me pénétrer jusqu'à la racine qui ouvre la nuit des temps. Comme si nous

voulions recréer la genèse du premier geste. Comme si nous voulions retrouver la trace du premier rut qui fonda les lignées mères.

30 Mes bras se replient sur son tronc secoué de convulsions heureuses. Une forêt de saules pousse en moi ses branches. C'est trop tôt. La terre ne saura pas nous attendre. Je la sens s'entrouvrir sous mon dos et je m'enfonce en elle
35 où il me retrouve, amoureux et brutal, projetant sur moi l'ombre de son corps.

Je me laisse recouvrir par celui en qui je m'anéantis, ne distinguant plus le dedans du dehors, tout ce qui halète et tournoie dans l'ir-
40 radiation solaire. Paul voudrait être le soleil. Il se prend parfois pour Dieu. Il voudrait avoir été le premier à posséder la terre. Le premier à me posséder, à toucher toute chose.

Le sang bat contre les tempes. Je me répands
45 sur l'herbe, croyant ma délivrance assurée parce qu'un mâle presse mes mains contre terre et ouvre mes jambes d'une poussée brusque. Sa langue colle à ma bouche, lèche la glaise attachée à ma gorge. Le tremblement de ses ver-
50 tèbres me fait vibrer, creuse mon corps du dedans. Nous sommes au premier jour de la création du monde. Rien de ce qui tue ne nous a encore atteints.

Des ondes circulaires me parcourent. Mon
55 ventre s'ouvre, cédant ses eaux au fleuve qui nous emporte. J'écarte un peu les cuisses, et Paul se cambre comme un navire en pleine mer. Il m'a bientôt rejointe, nous précipitant dans un tourbillon qui fait basculer le ciel. Les arbres
60 poussent leurs racines vers le haut. C'est vrai. Paul doit être Dieu pour mettre ainsi le monde à l'envers.

Il faudra lui demander de tout remettre en place, car je ne saurais supporter longtemps
65 cette constellation d'étoiles sur mon front. Trop d'éblouissement me rendrait folle. Et folle, je le suis pourtant déjà. Je n'existe que par cette mort lente qui me consume en m'arrachant des

70 râles de plaisir qui attirent les oiseaux. Les mains de Paul naviguent dans un brouillard trempé d'eau. Elles tapissent mes reins d'algues, me préparant à recevoir le jonc dur qui me traverse comme une lame.

Entre mes hanches, un fruit juteux éclate. Un
75 spasme recourbe mes épaules. Tout ce qui est lointain devient proche. Paul me ressaisit. Ses ongles s'incrustent dans ma chair. Il cherche à nouveau sa naissance. Je redeviens mère aimante, membrane laiteuse avide de procréer.
80 Son torse ploie. Un peu de temps passe, et il glisse hors de moi. Un filet d'eau douce me parcourt. Je poursuis seule les rites de l'amour.

Il ferme les yeux. Il évacue le cocon brumeux. Un dernier soubresaut le terrasse, puis il retombe
85 à plat, anéanti. Nous refaisons à rebours le chemin qui nous plongeait dans la turbulence du néant éclaté. Ses jambes, qui me ceinturaient encore, se rabattent l'une contre l'autre. Ses doigts fouillent l'herbe. Absent, détaché de moi, il éva-
90 cue l'étreinte. Je m'accroche à lui, mais sa peau heurte les doigts. Le voilà debout, prêt à repartir comme si rien ne s'était passé.

Sous mon dos, l'herbe s'est rafraîchie. Je tire la serviette humide sur mes épaules et me laisse
95 retomber mollement. L'envoûtement fait encore trembler les genoux, mais l'idée d'abandon me tourmente. Il se tourne vers moi, une main préservant son front de la lumière. Je n'existe que par ses yeux. Il parlera. Il aura parlé pour la
100 deuxième fois depuis le matin.

Il me regarde, laissant simplement tomber : « Je me demande comment tu fais pour rester allongée, comme ça, pendant des heures, au grand soleil. »

105 Il retourne à son potager.

Je le vois arracher des mottes de terre qu'il dépose méthodiquement sur du papier journal où elles pâlissent, brûlées par le soleil. C'est présomptueux. On ne devrait jamais creuser la
110 terre pour voir ce qui s'agite dans ses entrailles.

QUESTIONS

1 Quels sont les divers « niveaux de conscience » manifestés dans le texte ?

2 L'homme et la femme vivent-ils l'acte d'aimer de la même manière ?

3 a) Relevez les éléments qui donnent à l'acte d'aimer un caractère d'exception ?

b) Comment, dans l'acte d'aimer, le monde est-il renversé ? Comment, malgré ce fait, l'organisation du monde tient-elle toujours ?

c) En quoi cette expérience d'aimer devient-elle insupportable, mais de façon différente pour l'homme et pour la femme ?

4 Peut-on dire que Madeleine Ouellette-Michalska fait de l'acte d'aimer un espoir de renouveler les possibilités d'être ?

5 Comment la représentation du maternel est-elle différente de celle que l'on a souvent vue en littérature québécoise, notamment chez Tremblay ?

Nancy Huston (1953)

Après avoir grandi à Calgary (en Alberta), Nancy Huston suit son père aux États-Unis lorsqu'elle a quinze ans et finit ses études à New York. À vingt ans, elle aura l'occasion de poursuivre ses études à Paris sous la supervision de Roland Barthes. Depuis de nombreuses années, c'est par choix et par affection qu'elle vit dans la capitale française.

NANCY HUSTON

Une première « ligne de faille » s'est creusée dans sa vie quand, à l'âge de six ans, elle a perdu sa mère partie refaire sa vie ailleurs. Dans toute son œuvre, Huston tentera de comprendre cet incompréhensible. Aussi aime-t-elle aller à rebours du temps. Elle a le sentiment que la vie ne suit pas un ordre chronologique, sa compréhension encore moins. « Écrire permet de tout voir en face... » Selon elle, observer et analyser les marques du corps, les quelques signes qui signalent sa différence aiderait l'enfant à se comprendre. « Il n'a pas de distance par rapport à son corps, il s'y réfugie, s'y absorbe. C'est le langage qui va l'en faire sortir. Par le langage, il leur donne simplement l'importance qu'elles ont à ses yeux depuis longtemps. » Huston aime ces moments où l'enfant est forcé par les événements à sortir de lui-même, à rencontrer l'autre et à prendre la mesure du monde.

■ LIGNES DE FAILLE (2006)

Dans ce roman aux narrateurs multiples qui remonte le temps de 2004 à 1944, on passe de la côte américaine à l'abri de tout conflit à l'Allemagne nazie, prise dans la tourmente de la Seconde Guerre mondiale. Chaque fois, un enfant de six ans prend la parole. Le premier n'aime pas être étonné, le second l'est constamment. L'un sait tout du conflit en Irak : il voit des images de cadavres et de violence sur Internet. Le second ignorerait tout de sa condition si ce n'était de la conscience lucide d'un autre enfant qui, lui, a tout compris. Dans ce roman, l'auteure a voulu « retrouver la complexité propre à une toute jeune personne. Retrouver ce que c'est que d'être entouré de gens plus savants que soi, en qui l'on voit une protection invincible en même temps qu'une menace d'abandon ».

Pendant la Seconde Guerre mondiale, rappelle Huston, les nazis ont volé en Pologne, en Ukraine et dans les pays baltes pas moins de deux cent mille enfants qu'ils ont d'abord conduits dans des centres « spéciaux » pour leur donner une éducation aryenne, puis confiés à des couples allemands. À la fin du conflit, seulement quarante mille de ces enfants ont pu être remis à leur famille. Dans le passage qui suit, on est en 1944. La petite Krystka vient d'apprendre par Johann qu'elle est une enfant volée. Elle écoute avec intérêt ce compagnon étrange qui, ayant connu le même sort qu'elle, refuse d'ouvrir la bouche devant ceux qui prétendent être membres de sa famille, mais trouve maintenant en sa petite « sœur » une complice dans la résistance et la lucidité.

Pour rien au monde je ne renoncerais à mes conversations secrètes avec Johann, émaillées maintenant de mots en polonais. D'accord c'est dobrze, oui c'est tak et non c'est z'aden. « Je suis
5 votre fille » c'est Jestem waszym còrka… j'ai envie de tout apprendre.

« Les sœurs brunes amènent les enfants choisis, par le train, à un lieu qui s'appelle Kalisz, et là, elles nous donnent à des hommes en
10 blouse blanche, peut-être des médecins, peut-être pas. Ils séparent les garçons et les filles…

— Et ensuite ?

— Ensuite ils nous mesurent.

— La taille ?

15 — Non. Oui. Tout. On doit se mettre nu et ils mesurent toutes les parties de notre corps. La tête, les oreilles, le nez. Les jambes, les bras, les épaules. Les doigts. Les orteils. Le front. Les… choses entre les jambes. L'angle, ici, avec le nez
20 et le front. Et ici, avec le menton et la mâchoire. La distance entre les sourcils. Les enfants qui ont les sourcils trop proches sont renvoyés. Aussi ceux qui ont un grain de beauté… un nez trop grand… des choses trop petites… les pieds
25 tournés comme ci, ou comme ça. Ensuite ils mesurent notre santé, notre savoir, notre intelligence. Un test après l'autre. Ceux qui n'ont pas les bons scores sont renvoyés.

— Renvoyés… ?

30 — Chut, Krystka, laisse-moi te dire… Ils nous donnent des noms nouveaux. Ils nous disent : Il y a longtemps vous étiez allemands, vous avez le sang allemand dans les veines, votre nationalité polonaise est une erreur mais
35 on peut corriger, il n'est pas trop tard. Vos pères sont des traîtres, ils doivent être tués. Vos mères sont des putains, elles ne méritent pas de vous élever. Maintenant on vous donne une éducation allemande. Si vous parlez ensemble en
40 polonais, vous êtes punis. On parle ensemble en polonais. On est puni.

— Oh, mon pauvre…

— Non. Ne dis jamais pauvre, si tu dis pauvre j'arrête de parler.

45 — Pardon, je dis très vite, en polonais. Ja jestem z'a uja ce.

— Ils nous frappent sur la tête au milieu de la nuit, dit Johann en fermant les yeux et en frappant violemment l'air du plat de sa main.
50 *Bang… bang… bang… bang…* On compte les coups, le matin on compare : toi combien, moi combien. Souvent, plus de cent coups sur la tête, *bang… bang… bang… bang…* Au début ça fait mal, mais après un peu de temps, non :
55 on change le rythme en autre chose, on dit que c'est une hache qui frappe un arbre dans la forêt ou un marteau qui frappe un clou, *bang… bang… bang… bang…* On sent le coup, mais pas la douleur, même le vertige est plus
60 comme une lourdeur. Et je continue, je parle polonais. Alors une sœur brune m'amène à la chapelle. Elle me met à genoux avec mes bras tendus comme ça. Elle me surveille toute la journée, chaque fois que je baisse les bras elle
65 me frappe avec le fouet. Elle me fouette comme une folle — sur le dos, sur le cou, sur la tête, elle respire très fort — et chaque fois que le fouet tombe sur mon corps elle fait *Han !* avec l'air contente. À la fin je peux plus sup-
70 porter, je me retourne et je prends le fouet, en une seconde son visage va de plaisir à terreur,

BETTY GOODWIN (1923).

The Color of White, 2000. (Bâtonnet à l'huile, mine de plomb et fusain sur pellicule mylar translucide, bâche et gesso, 179 × 156 cm.)

À travers une démarche de création picturale entamée il y a déjà plusieurs années, Betty Goodwin explore avec une grande sensibilité et une économie de moyens des problématiques contemporaines. Elle aborde entre autres la question de la mémoire et de la disparition, liée à la souffrance profonde de l'être. Dans *The color of White*, elle présente un personnage rompu, en train de disparaître sous une bâche opaque et lourde. Ce dernier pourrait servir de métaphore à ce que les Allemands font vivre à Johann, un des personnages du roman *Lignes de faille* de Nancy Huston, pendant la guerre. Ils l'arrachent à sa famille, tentent de briser en lui son identité, de fermer la bâche sur son passé pour faire de lui une nouvelle personne. Cette cassure, cette ligne de faille qu'on observe traversant le personnage de l'œuvre de Goodwin semble l'anéantir — à moins que, comme Johann, il ne soit en train de se relever ?

maintenant c'est moi le plus fort parce que j'ai le fouet et je commence à la frapper, je crie sur elle en polonais, je dis des insultes, je la salis
75 avec mes mots, elle se met par terre dans un coin en tremblant, les bras sur la tête… Je peux la tuer, Krystka, je te jure. »

Il fait une pause. Je ne dis rien. J'ai les yeux grands ouverts.

80 « Quand ils apprennent, après, ils m'enferment deux jours dans le placard avec les balais, dans le noir, ils me donnent rien à manger ou à boire. Je n'appelle pas à l'aide, je veux prouver ma

volonté plus forte, alors j'entre dans ma tête et j'at-
85 tends. Enfin le médecin-chef vient me chercher et il me dit dans son bureau: "Jeune homme, vous êtes un bon matériel pour l'Allemagne mais il n'y a pas d'autres chances: la prochaine fois que vous désobéissez, on vous renvoie." »

90 Il se tait à nouveau.

« Après ça j'arrête le polonais. Ils arrachent ma langue par les racines.

— Et la mienne aussi.

— Et la tienne aussi. »

QUESTIONS

1 Quels éléments du texte permettent de faire un lien entre un ancien traumatisme de l'auteure et ce que vit Krystka ?

2 En quoi reconnaît-on l'expression d'une curiosité chez l'enfant ?

3 a) Relevez toutes les marques de la dépossession. Comment les interprétez-vous ?

b) L'enfant en reste-t-il à cette dépossession ?

4 Nancy Huston brise-t-elle le mythe romantique de l'enfant ?

5 a) Johann joue-t-il le même rôle pour la narratrice que Habéké pour le jeune narrateur du *Souffle de l'harmattan* (p. 249-250) ?

b) La curiosité de la narratrice est-elle la même que celle de Jean-Paul Daoust enfant (p. 267-268) ?

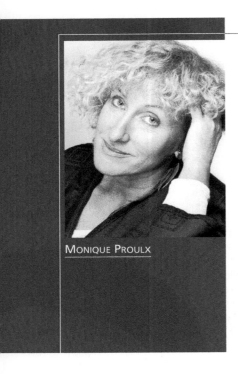

MONIQUE PROULX

Monique Proulx (1952)

Monique Proulx fait des études en littérature et en théâtre à l'Université Laval. Depuis 1984, elle habite Montréal. Son roman *Le Sexe des étoiles* (1987) a été adapté pour le cinéma, comme *Homme invisible à la fenêtre* (1993) qui est devenu *Souvenirs intimes*. Elle a en outre coscénarisé *Le Cœur au poing*.

Monique Proulx aime les « histoires qui passionnent mais dérangent, qui allument un incendie » avec des « personnages suants et pantelants comme des créatures de théâtre » qui, comme « des voyageurs involontaires, et récalcitrants, tentent de s'accrocher à quelque chose de solide, quelque chose de durable ». Pour elle, l'être humain se trouve souvent aux prises avec « des images fuyantes » qu'il a « vainement tenté d'immobiliser », qui créent des malentendus non seulement avec les autres, mais également avec soi-même. D'ailleurs, pour elle, le rôle de l'écrivain est « d'arrêter un peu les gens dans leur course vers le néant, de les forcer à s'immobiliser et à regarder derrière les apparences, mieux, de les amener à effectuer une traversée des apparences ». Si elle aime aborder la différence que l'on sent en soi, c'est pour mieux se pencher sur l'essence de la condition humaine. Comme pour mieux entendre « le cri de la beauté ».

■ HOMME INVISIBLE À LA FENÊTRE (1993)

Pour Monique Proulx, « le roman doit éclater de son cadre réaliste, assez pour laisser entrer la poésie et le mystère ». Et la peinture aussi, comme dans ce roman qui présente la peinture expressionniste comme celle qui représente le mieux la difficile relation de l'être humain avec lui-même et avec son époque. L'époque est folle, lira-t-on. Le peintre narrateur va donc voir et donner à voir, car s'il a affiché dans son appartement des autoportraits de quelques écorchés comme ceux d'Egon Schiele, c'est en fait pour forcer ceux qui viennent se réfugier chez lui à se regarder en face.

Pour tous ceux-là que l'amour a floués, qui courent et s'affolent autour de lui et dans l'époque, Max devient ce centre rassurant, toujours fixe, qui les console de leur mal de vivre. Dans cet extrait, Maggie vient exposer au peintre les contradictions qui animent sa vie, son désir et qui la définissent comme être fracturé.

J'entends surtout Maggie qui geint et rit dans son sommeil, réfugiée sur le côté droit de mon lit qu'elle secoue de ses rêves exaltés. À la tombée de la nuit, elle a surgi chez moi avec une
5 valise qu'elle avait oublié de remplir, bégayant toutes sortes de contradictions délirantes — il veut me tuer il m'a battue c'est horrible Max, il m'aime je l'aime c'est extraordinaire qu'il m'aime —, défaite et victorieuse, saoulée par
10 le cocktail explosif de la douleur et de la jubilation impudiquement entrelacées.

— Regarde-moi, prends-moi dans tes bras, touche comme j'ai mal, Martin qui était si doux et qui m'aimait qu'il disait et qui m'appelait
15 « ma chchatte ma chchouette », complètement déchaîné un animal à coups de pied et de poing quand je lui ai dit doucement, je te

DOMINIQUE BLAIN (1957).

Rug, 2000. (Laine, coton et cuir, 187,6 × 281 × 1 cm, édition de 5.)

Dominique Blain est connue pour son art engagé et pour ses mises en scène qui dérangent parce qu'elles font appel au spectateur, le flouant parfois, le surprenant toujours, l'obligeant à s'interroger sur lui-même et sur son attitude devant les réalités qui l'entourent. Son œuvre *Rug* est un tapis de style persan qui semble inoffensif, mais le spectateur constate rapidement que les motifs tissés représentent différents modèles de mines antipersonnels. Le corps du spectateur réagit alors, il réalise qu'il y a danger là où, pourtant, il ne semblait y avoir que confort, chaleur. Dans l'extrait, le personnage de Maggie, femme battue mais amoureuse, est en proie à ce même déchirement; elle est en train de vivre « le cocktail explosif de la douleur et de la jubilation impudiquement entrelacées » (l. 9-11).

jure très doucement, je ne sais pas d'où c'est venu où il cachait avant toute cette noirceur et
20 ces mots effrayants qui avaient l'air fou dans sa bouche, « truie, je vais te tuer, je le savais que tu étais une truie », moi qui pourtant me sentais pure en dedans, tellement au-dessus de moi-même, rendue haut et meilleure paisible
25 comme une étoile, oh Mortimer Mortimer Gérald Mortimer quand nous nous sommes retrouvés seuls dans la même pièce immédiatement entre lui et moi je n'ai jamais vécu cela une telle chaleur, moi qui prenais l'amour pour
30 un petit chandail doux et confortable alors que c'est plein de vertige et d'hallucinations comme si ton noyau voulait te quitter pour se coller contre le noyau de l'autre, ou comme une terre avec du feu grouillant dans son centre et
35 toute l'écorce qui craque fond et fend, il criait, Martin, « ma truie, attends un peu, ma truie », et je me disais ce n'est pas à moi qu'il parle il

dit des folies il plaisante quelle drôle de façon de plaisanter, puis le premier coup est parti et
40 les autres après tout de suite, je me disais je vais mourir c'est donc comme ça qu'on meurt, au moment même où on commencerait à vivre…

Elle dort quand même, pauvre belle Maggie, si peu truie, si contusionnée et bleuie d'un bout
45 à l'autre, sauf au visage qu'elle est parvenue à soustraire aux déferlements de cette guerre inopinée, et sauf au cœur, qui lui trépigne intact sous les assauts infiniment plus virulents de l'amour fou. Elle rêve de Gérald Mortimer
50 même si ce sont les traces de Martin qui la parafent partout, tant est plus fort que tout le besoin d'être heureux.

Ce n'est pas une première. Les femmes, souvent, se retrouvent comme ça dans mon lit sans
55 que j'aie eu le moindre petit doigt à lever pour les y convier.

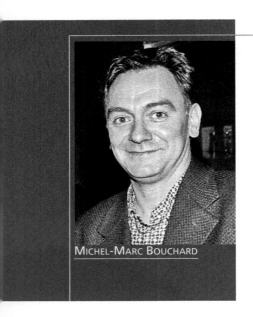

MICHEL-MARC BOUCHARD

Michel-Marc Bouchard (1958)

Michel-Marc Bouchard commence sa carrière théâtrale à Matane, en 1976, avec l'écriture et la mise en scène d'une dizaine de pièces, poursuit des études en théâtre à l'Université d'Ottawa et participe à plusieurs productions franco-ontariennes à titre de comédien et d'animateur, avant de se consacrer entièrement à l'écriture dramatique. En 1983, il monte *La Contre-nature de Chrysippe Tanguay, écologiste*, qui, très bien accueillie par la critique, met en scène un couple homosexuel se butant à la rigidité des traditions quand il tente d'adopter un enfant.

Dans ses œuvres théâtrales, Bouchard a une prédilection pour les situations où des personnages, dont la capacité de vivre semble avoir été étouffée par des scènes traumatisantes, doivent faire face à leur passé. Jamais tout à fait en accord avec la société, toujours stigmatisés par un monde rigide qui accepte mal la différence, ils affrontent de vieux rêves, d'anciennes affections qui ne sont pas sans réveiller des peurs, des violences, des humiliations.

■ LES FELUETTES OU LA RÉPÉTITION D'UN DRAME ROMANTIQUE (1987)

Les Feluettes est une pièce dans une pièce. En 1952, un groupe d'ex-prisonniers dirigé par Simon séquestre l'évêque Jean Bilodeau pour lui rappeler, par un spectacle théâtral, des événements et la représentation du Martyr de saint Sébastien qui ont eu lieu quarante ans plus tôt, quand Simon et Bilodeau étudiaient au collège. Bilodeau s'immisçait toujours dans la relation de Simon avec un jeune comte, Vallier de Tilly, ruiné et exilé avec sa mère qui attendait la fin de la III* République et le rétablissement de la monarchie. Simon aurait été accusé de la mort de Vallier, quand c'est Bilodeau qui aurait mis le feu au collège après l'avoir surpris avec Vallier dans le grenier.

Avant son départ rêvé pour Paris, la comtesse imagine une grande réception dans son « manoir » pour souligner l'anniversaire de son fils. Mais les invités n'existent que dans sa tête et sa maison, minable, « est encombrée de décorations de fortune », témoin cette baignoire au milieu de la place qu'elle prend pour une salle d'eau. Vallier est amoureux de Simon, qui doit, pour son malheur, épouser Lydie-Anne, une jeune fille belle et riche. Dans la scène qui suit, Simon et Bilodeau ne sont pas les seuls à faire face à leur véritable nature en regardant la vérité de l'amour s'exposer devant eux dans ce spectacle qui illustre le martyr de saint Sébastien. Surtout pas monseigneur Bilodeau, qui a sous les yeux ce qu'il ne pouvait supporter, et le vieux Simon, qui mesure ce qu'il a perdu, et qui était chargé de tant de possibles.

VALLIER.   On ne se reverra plus. Tu sais, les aller et retour Roberval-Paris sont rares. À en juger par mon père, ils sont très rares. (*Un temps.*) Quand vas-tu finir par le dire ?

5   SIMON.   J'y arrive pas…

VALLIER.   Essaie !

SIMON.   J'ai un sentiment plus fort pour toé que j'en ai un pour Lydie-Anne.

VALLIER.   Il me semblait qu'elle t'avait appris
10   des nouveaux mots ? Comment ça s'appelle ?

SIMON, *avec toute la difficulté du monde.*   Je t'aime, Vallier.

VALLIER.   Je t'aime, Simon.

Simon s'élance dans la baignoire, habillé.

15   MONSEIGNEUR BILODEAU.   Non !

Ils s'enlacent. Ils se caressent.

LE VIEUX SIMON, *ému mais impulsif.*   Regarde-les s'aimer, Bilodeau. Regarde-les ! Regarde ce qui t'a rendu malade dans le grenier du collège !

20   MONSEIGNEUR BILODEAU.   Je vous en supplie !

VALLIER.   C'est nouveau, tu pleures maintenant.

SIMON.   Tu sens bon ! Tu sens tellement bon ! (*Lui caressant le visage :*) Quand a t'a frappé, c'est
25   comme si a m'avait frappé moé-même. […] Mon bel amour !

Ils s'embrassent passionnément. La comtesse entre. Ils cessent.

LA COMTESSE.   Pas encore ! Allons-nous avoir
30   enfin l'occasion de voir la suite ? À chaque fois que je rentre, à ce moment précis vous arrêtez. Et ce baiser ? (*Citant :*) Amour ! Amour ! Cette fois-ci, Timothée, contrôlez votre enthousiasme. Allez-y !

35   SIMON.   Vous êtes sûre ?

LA COMTESSE.   Nous n'attendons que ça !

Ils s'enlacent.

SIMON.   Je vais revivre Sanaé. J'atteste mon souffle et le ciel que je vais revivre… Je vous
40   montrerai mon visage tourné vers l'Orient. Alors vous serez prêts. Nous trouverons des voiles, des voiles gonflées…

MONSEIGNEUR BILODEAU.   Cette scène n'a pas eu lieu. J'avais vu Simon entrer chez
45   Vallier. J'ai couru prévenir Lydie-Anne.

VALLIER.   … des voiles gonflées par les vents certains, et des proues aiguisées comme le désir de la vie belle ! Nous serons libres avec toi. Libres avec toi sur la mer glorieuse. Ô aimé. Ô aimé.

50   SIMON.   Il faut tuer son amour afin qu'il revive sept fois plus ardent. Il faut que mon destin s'accomplisse. Il faut que des mains d'hommes me tuent.

LYDIE-ANNE, *entrant avec Bilodeau.*   Et si
55   c'était des mains de femmes, cela vous conviendrait-il ?

LA COMTESSE.   Lydie-Anne ! Bilodeau ! C'est gentil. Au rythme où les gens arrivent, on devrait avoir tous les invités avant la fin de la
60   soirée.

BILODEAU.   J'vous avais dit qu'il était là, hen ? (*Chuchotant :*) Sodome ! Sodome !

LYDIE-ANNE.   Vautour, Bilodeau. Vautour !

LA COMTESSE, *chuchotant*.   Venez vous asseoir,
65 le spectacle est en cours.

LYDIE-ANNE.   J'en ai assez vu pour l'instant.
C'est ainsi, Simon, que tu passes tes soirées après
les foins ? Il me semblait que les fermiers avaient
des tenues plus décentes. (*À Vallier :*) Décidément,
70 vous aimez la mascarade, Monsieur !

SIMON.   J'vas t'expliquer.

LYDIE-ANNE.   Il n'y a rien à expliquer. Il te faudrait construire un mensonge parfait et je ne
t'en connais pas le talent. J'ai été sotte et imbé-
75 cile. Je suis amoureuse. Maintenant, je saurai
que l'amour est le pire mensonge qu'on puisse
se faire.

QUESTIONS

1 Qu'est-ce qui indique l'isolement de la comtesse, de Vallier et de Simon, puis de Mgr Bilodeau ?

2 L'amour de Simon est-il franc ou hésitant ?

3 a) Comment expliquer les deux répliques de Mgr Bilodeau ?

b) Pourquoi, selon vous, la comtesse tient-elle à ce que Simon et Vallier s'embrassent ? Qu'est-ce qu'ils lui montrent alors en revivant Sanaé et saint Sébastien ? Analysez la symbolique de leur envolée lyrique.

c) Que signifie, selon Vallier, vivre son amour et accomplir son destin ? Relevez sa réplique et déga-gez le sens qu'il y donne à l'amour.

4 Le spectacle des amours de Simon et Vallier est-il por-teur des mêmes apprentissages pour la comtesse, Lydie-Anne et Mgr Bilodeau ?

5 Le désir d'aimer est-il le même chez Monique Proulx (p. 262-263) et Michel-Marc Bouchard ?

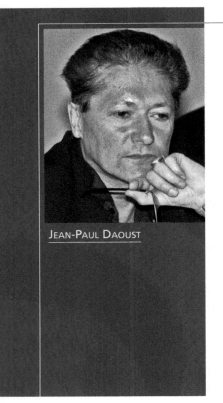

JEAN-PAUL DAOUST

Jean-Paul Daoust (1946)

Orphelin de père à onze ans, Jean-Paul Daoust partage sa vie entre le Québec, où il fait des études classiques, et le Michigan où sa tante Aldora lui fait connaître l'univers des bars, des chansons américaines et du *star-system*. Il sor-tira de cette enfance avec un imaginaire bariolé, nourri des images de diffé-rentes mythologies, y compris celles de la Bible, de la culture des *juke-boxes*, du cinéma et des stars déchues qui traînent leur désespoir dans l'alcool. La figure du dandy amoureux, flamboyant, passionné mais désespéré, traverse son œuvre et désigne chez lui un art de vivre et une certaine façon d'être pré-sent aux autres et à soi.

En 1976, il amorce avec *Oui, cher* une œuvre très personnelle qui affirme sa dif-férence en racontant la traversée poétique et sexuelle d'un jeune homosexuel dans les bars de Montréal. Daoust offre aux lecteurs tantôt des textes dont l'in-tériorité frôle le métaphysique, tantôt des textes plus tournés vers l'extérieur qui veulent faire réagir le public. En fait, comme Baudelaire et Oscar Wilde, Daoust est un dandy mélancolique qui voit avec regret se perdre l'esprit de la fête et ne demande qu'à protéger et à renouveler le feu. Si les grandeurs et misères des dieux sont aussi un peu les siennes, il les réinvente dans des rencontres de hasard, des aventures du corps, de petites et grandes séductions et sur la scène, lors-qu'il fait son show et qu'il lit ses poèmes.

■ LES CENDRES BLEUES (1990)

Épopée de l'intime, véritable « roman des origines », ce long poème raconte ce qui a formé Daoust et donné naissance à son désir et à sa nature d'homme. Il montre comment, à six ans et demi, en marge de l'école et des jeux avec les copains, il a fait des apprentissages qui l'ont rendu « curieux d'un curieux bonheur ».

Seul dans une chambre d'hôtel plusieurs années plus tard, nourri par des sentiments contradictoires, le poète se penche sur son passé pour en noter la violence et la beauté, ne pouvant éviter ni la confusion des temps ni celle des sentiments. Les images pour transcrire ce que lui dit son corps se nourrissent à ce lot de mythes, de souvenirs, de scénarios que l'éducation, les lectures et la vie lui ont fournis. Daoust puise notamment dans l'imaginaire religieux de son enfance qui interdit et exalte ce faisant l'expérience qu'il vivait dans la clandestinité. De cette manière, le poète assume autant que Baudelaire cet imaginaire chrétien sur lequel l'Occident s'est construit et prend plaisir aux « fleurs du mal », non sans éprouver quelques tourments porteurs de lucidité et de liberté.

Il me demandait de l'aimer
J'avais six ans et demi
J'avais la curiosité folle
J'étais le nombril du monde
5 Le vent chantait pendant que d'une main
Il fendait le bois
De l'autre il
Me déshabillait
Puis j'avais les miennes tapies
10 Au fond des siennes
Je venais d'entrer dans l'antre du dragon
Une voisine à la fenêtre incrédule
Laissait tomber le rideau
En signe d'impuissance
15 L'automne suranné jetait ses sequins d'or
Paysage de peaux tropicales
Quel siècle sommes-nous donc
Il avait des bras de géants
De dessins animés
20 Mais moi je n'étais pas si fragile
Plus agile que l'écureuil
Seulement étonné de ce grand corps penché
Sur le mien
Une grande histoire d'amour
25 Le lac témoin impassible
J'ai été un enfant sacrifié
Dans les bras d'un Moloch amoureux
J'ai compris le mal d'amour
Avant les histoires du Jardin de L'Enfance

30 Entre ses bras je découvrais la vie unique
    J'étais Dieu au pays de sa folie
    Que j'aimais oui
    Que j'aimais
    À six ans et demi ce besoin de lui déjà
35 Pour vivre
    Années multipliées
    Le corps a fui
    Comment parler aux souvenirs
    Quand le cerveau perd ces échafaudages
40 De sa mémoire
    Qui semble avoir raison de tout
    Était-ce un ciel de Septembre
    Quand il me forçait à me pencher
    Vers lui
45 Était-ce un ciel de Venise quand il m'enlevait
    À la stupidité d'une pelouse
    Je l'aimais
    Lui aussi
    J'avais six ans et demi
50 Lui
    Beau et fort comme je voulais le devenir
    Entrer dans ce hangar sanctuaire
    Les jambes écartées au-dessus du bois à couper
    Colosse de Rhodes
55 Moi marin fidèle
    Je n'avais que six ans et demi mais
    Je savais ce que je faisais
    Je sais qu'il aimait m'aimer
    Ce soir la fatigue l'alcool
60 Les mots aimeraient s'ajuster pour en finir
    Une fois pour toutes

QUESTIONS

1 a) Quelles sont ici les traces d'une culture populaire et d'une culture savante ?

b) Comment comprendre les trois derniers vers de l'extrait et cette impression qu'« il est déjà trop tard » ? Comment interprétez-vous alors le titre du recueil ?

2 À première vue, l'expérience de la sexualité à un âge précoce s'est-elle révélée traumatisante ?

3 a) Comment le désir vécu à six ans et demi faisait-il de Daoust un enfant-dieu ? Repérez et interprétez les passages qui le suggèrent.

b) Avec quelles images Daoust donne-t-il à cette expérience un caractère mystérieux, protégé, grandiose ? Qu'évoquent-elles ?

4 Que signifie le geste de se pencher ce soir-là pour écrire ? Qu'est-ce que Daoust semble demander à l'écriture ?

5 Le geste de se pencher a-t-il le même sens dans cet extrait que dans le poème « Devant mon berceau » d'Émile Nelligan (p. 105-106) ?

RACONTER POUR EXISTER

DANS *LA MAISON TRESTLER ou Le Huitième Jour d'Amérique*, Madeleine Ouellette-Michalska fait dire à son personnage : « On a découvert l'Amérique en 1492, qu'est-ce qu'on attend pour découvrir les Amériques ? » Elle fait du « huitième jour d'Amérique » la métaphore de tout ce qui pourrait advenir aux individus et aux sociétés si on n'avait pas tenté, de façon impérialiste, de tout contrôler. On n'agit donc pas différemment avec les individus qu'avec les groupes humains, surtout quand ils occupent la marge, qu'ils n'apparaissent dans aucun livre d'histoire et qu'ils vont jusqu'à donner mauvaise conscience à l'Occident. Les écrivains racontent alors leurs histoires pour s'élever contre l'oubli, le mensonge, pour faire connaître et affirmer leur existence. Par pure fantaisie, pour échapper au tragique ou simplement le dire. Ils répondent ainsi au devoir de transmission, d'émerveillement… et de grandeur.

Victor-Lévy Beaulieu (1945)

Victor-Lévy Beaulieu naît à Saint-Paul-de-la-Croix. À Montréal, il vit une première fracture, dans laquelle il en reconnaît de bien plus fondamentales, celle du Québécois, puis celle, plus lointaine, de tout être humain voulant habiter à la fois le monde et le langage. Car, pour l'essayiste, dramaturge, romancier et auteur de téléromans, demeure cet écart entre le rêve et la réalité, l'ailleurs et l'ici, l'œuvre à faire et celle vraiment réalisée, entre Montréal et les régions comme entre les écrivains aimés et lui-même.

Beaulieu partage ce goût pour la démesure des écrivains qu'il aime d'instinct et sur qui il a écrit : Hugo, Melville, Cervantes, Tolstoï, Ferron, Joyce. Pour lui, « il faudrait pouvoir tout dire », se livrer à toutes les outrances, explorer toutes les possibilités du langage pour que la vérité du monde et de soi puisse éclater.

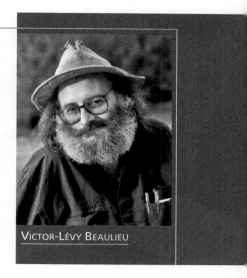

VICTOR-LÉVY BEAULIEU

■ POUR SALUER VICTOR HUGO (1971)

Dans ce premier essai fortement autobiographique, Victor-Lévy Beaulieu cherche à reconnaître et à expliquer ce qui, chez l'auteur de Notre-Dame de Paris, *le fascine et le rejoignait au moment où il cherchait, en marge des lectures que lui proposaient ses professeurs, à découvrir ce qui fait un écrivain. Il note au passage les phrases qui le marquent, les transcrit très méticuleusement, comme il le fera plus tard avec Kerouac, Melville, qu'il évoque déjà et sur qui il écrira des essais importants, pour se donner quelques certitudes sur lesquelles s'appuyer pour se constituer comme écrivain. C'est chez Hugo qu'il commencera à définir ce qu'il entend par « écrivain de la démesure » et ainsi à circonscrire le mythe de lui-même qu'il ne cessera de poursuivre. Il y parle de son enfance, ce « lieu de tous les possibles », espace de tendresse, de violence et de peur, d'humiliation aussi, celle qui aura des résonances dans toute l'œuvre à venir, à laquelle Victor Hugo fournit déjà quelques pistes de lecture.*

Victor-Lévy Beaulieu reconnaît qu'il a emprunté à l'auteur de La légende des siècles *le prénom Victor pour l'ajouter à celui qu'on lui avait donné à la naissance.*

Et lui aussi, ce vieil Hugo que je vénère, il a eu quatorze ans un jour. Dans son cahier d'écolier, à la date du 16 avril 1816, il a écrit cette phrase : — « Je serai Chateaubriand ou rien ». Ce qui,
5 dans son langage, voulait dire : — Je serai le génie de ce siècle ou je ne serai rien. Moi, j'étais plus modeste à cet âge, et moins confiant dans la vie (et voici l'éternel refrain toujours à recommencer : nous n'avions pas d'argent, j'allais
10 devoir abandonner mes études bientôt, traîner ma viande dans une banque pouilleuse du carré Saint-Louis, entre trois ou quatre maniaques qui se payaient gentiment ma gueule parce que je griffonnais de misérables poèmes au verso des
15 bordereaux de tête et que je me demandais naïvement qui j'étais. Aujourd'hui, j'ai lu Jack Kerouac, et cette phrase surtout, si totalement désespérante, si réelle quand je pense à ce que nous étions, perdus dans la grande ville, inca-
20 pables d'oublier le passé, la terre abandonnée, les souvenirs de misère, de maladie et de longs hivers : « Je suis stupide aussi, et même crétin, peut-être seulement Canadien français, qui sait. » Puis j'allais être transporté d'urgence à l'hô-
25 pital où, rongé par les microbes de la polio, je penserais bien mourir. Mais…).

Ce qui m'a tout de suite ébloui chez Hugo, c'est cet éclatement de la parole, c'est ce jaillissement du mot, c'est cette œuvre colossale, ces milliers
30 de phrases qui, une fois lues, m'incitèrent à écrire car, pour la première fois de ma vie, je me rendais compte qu'avec la laideur, la pauvreté, le blasphème et l'ignorance, il était possible de faire de la beauté. Et j'étais au fond de
35 moi si désemparé que j'avais besoin de m'appuyer sur quelque chose de solide et de vaste ; il fallait, pour que je me commence, qu'il y ait une ambition d'être, et d'être beaucoup. Voilà donc le mythe de moi-même que j'ai toujours

40 poursuivi en Hugo : il fallait être démesuré, éclater par tous les possibles, vivre toutes les errances et toutes les folies et tous les bonheurs. Et ne baisser les yeux devant rien, et dire toujours, et dire de plus en plus pour défoncer
45 cette porte étroite derrière laquelle brille le mot retrouvé, le mot vivant, le mot Dieu. (Et puis, je sentis tout de suite qu'il était peu important que Hugo n'oubliât jamais qu'il était Victor Hugo, qu'il jouât à l'ogre en se laissant aller à
50 tous ses démons et à toutes ses outrances. Au contraire, je trouvais cela libérateur, il y avait tout à coup beaucoup de lumière à l'horizon. Il faut que j'ajoute que même aujourd'hui Hugo m'est inépuisable puisque je reviens toujours
55 à lui, que j'y trouve ma vérité, cette vérité qui est mouvante comme ma vie, et qui fuit vers le silence, le silence de l'achevé, le silence froid de la mort. Cette mort qui est aussi la hantise de Hugo. Et la hantise de tous les hommes.
60 C'est pourquoi il faut l'apprivoiser dit Hugo, c'est pourquoi il faut apprendre à vivre en elle :

… à l'heure où va luire pour moi

Ce grand jour de la mort qui se fait sur tout homme.

65 […] Ces vers furent les premiers de lui que je notai dans un calepin, ils furent les seuls que j'appris par cœur. Il faut que je dise aussi que je n'avais pas à cette époque une très bonne santé et que, d'aussi loin que je me souvienne,
70 j'ai toujours eu peur de mourir. Ce sentiment n'avait fait que croître depuis que nous étions déménagés à Rivière-des-Prairies, peut-être parce que j'avais été brutalement coupé de mon passé et qu'en faisant ce long voyage vers
75 Morial, j'avais traversé une mort symbolique. Après cela, il n'y aurait plus jamais d'enfance, le connu deviendrait ce qui ne pourrait plus se

vivre et, à ce moment, j'ignorais que l'écriture pouvait être un pont entre l'enfance et ma nou-
80 velle vie. […]

Mon premier calepin fut bientôt rempli des phrases que j'aimais chez Hugo. L'une d'entre elles m'a longtemps bouleversé parce qu'elle m'ouvrait une voie, me traçait une route à
85 suivre, m'exaltait par ce qui, en elle, était exigence et démesure. Puisque j'avais décidé d'être, je n'allais pas le devenir à moitié. J'abusais donc de cette phrase parce qu'elle m'était une nourriture. Je crois bien que ce qui
90 m'avais frappé en elle, c'était cette impression qu'elle donnait d'être un fleuve charriant les plus grandes promesses de vie. Hugo avait écrit :

« … Il y a des hommes océans. Ces ondes, ce flux et ce reflux, ce va-et-vient terrible, ce bruit
95 de tous les souffles, ces noirceurs et ces transparences, ces végétations propres au gouffre, cette démagogie des nuées en plein ouragan, ces aigles dans l'écume, ces merveilleux levers d'astres répercutés dans on ne sait quel mys-
100 térieux tumulte par des millions de cimes lumineuses, têtes confuses de l'innombrable, ces monstres entrevus, ces nuits de ténèbres coupées de rugissements, ces furies, ces frénésies, ces tourments, ces roches, ces naufrages, ces
105 flottes qui se heurtent, ces tonnerres humains mêlés aux tonnerres divins, ce sang dans l'abîme ; puis ces grâces, ces douceurs, ces fêtes, ces gaies voiles blanches, ces bateaux de pêche, ces chants dans le fracas, ces portes
110 splendides, ces fumées de la terre, ces villes de l'horizon, ce bleu profond de l'eau et du ciel, cette âcreté utile, cette amertume qui fait l'assainissement de l'univers, […] ces enfers et ces paradis de l'immensité éternellement émue, cet
115 insondable, tout cela peut être dans un esprit, et alors cet esprit s'appelle génie, et vous avez Eschyle, vous avez Isaïe, vous avez Juvénal, vous avez Dante, vous avez Michel-Ange, vous avez Shakespeare, et c'est la même chose
120 de regarder ces âmes ou de regarder l'océan. »

QUESTIONS

1 Comment VLB pratique-t-il une critique de la coïncidence ?

2 En quoi reconnaît-on que la création est un dépassement et une transfiguration ?

3 a) Que représente Victor Hugo pour VLB ? Qu'est-ce qui le rend si admirable ?

b) Qu'y a-t-il, selon VLB, dans les mots de Victor Hugo ?

c) Comment comprenez-vous la notion d'« hommes océans » (l. 93) chez Hugo ?

4 a) En quoi VLB est-il l'homme de la question, un être fondamentalement curieux ?

b) Qu'est-ce qu'un écrivain de la démesure pour lui ?

5 Peut-on dire que la création n'est qu'une façon d'être tournée vers soi ?

Fred Pellerin (1977)

Fred Pellerin est né à Saint-Élie-de-Caxton, dont il est sans conteste le meilleur « ambassadeur ». Convaincu, parce qu'il aime les mots, que « l'oralité possède une noblesse, une richesse qu'il faut cueillir parce que c'est très éphémère », il se fait le porte-voix des histoires qu'il a recueillies auprès de sa grand-mère, du dépanneur ou encore d'un des mille deux cents habitants de ce village. Dans sa bouche, ses personnages, proches de ceux de Rabelais, de Ferron ou du Sol de Marc Favreau, et son village d'origine prennent une dimension mythique. « Tous mes contes forment un seul conte, une espèce de surhistoire », dit-il. Avec leurs jeux de mots, ils donnent de la fantaisie au monde, et même, comme le laisserait entendre Ferron, un peu de cohérence.

FRED PELLERIN

■ COMME UNE ODEUR DE MUSCLES (2005)

Pour ces « contes de village », qui ont d'abord fait l'objet d'un spectacle, Fred Pellerin a puisé dans les récits de sa grand-mère, elle-même grande conteuse d'histoires, sorte d'archives vivantes, qui lui a fait comprendre que raconter est une façon de « se réinventer le monde en permanence », de remonter « jusqu'à toutes les origines », de « puiser à toutes les genèses pour se rénover le quotidien ». Et de faire de Saint-Élie-de-Caxton « un village normal », lui « qui n'a toujours pas de point sur la carte du pays. Encore bien moins sur celle du monde. » Village perdu sans doute, mais qui existe pleinement. « Chose sûre, pour se rendre dans notre coin, dit Fred Pellerin, le plus court chemin, ça demeure l'agrandissement. On habite tout près de la légende. »

« Délecture »

Ma grand-mère, elle était contante. Comme le verbe. « Conter » au participe présent. Et elle s'accordait. En genre. Sans l'ombre d'un enfargeage d'auxiliaire ou de manigances
5 grammairiennes. Elle s'accordait avec elle-même.

C'était une femme berceuse. Assidue dans sa vieille chaise de bois. Et elle craquait. Ma grand-mère craquait, mais la chaise surtout.
10 Elle craquait sur l'élan du dos. Vers l'arrière. Et comme elle n'était pas du genre à craquer dans l'aléatoire, elle s'alignait le crac sur le tac de l'horloge. À vitesse de croisière, on perdait une seconde sur deux. Tic et Crac. Ma grand-
15 mère, elle tuait le temps au jeu de la chaise et du pendule.

En grande navigatrice du prélart onduleux, elle tenait gouverne devant la fenêtre de la cuisine. Le meilleur point de vue. Et son regard portait
20 sur tous ces névralgiques de la rue Principale de Saint-Élie-de-Caxton. Elle divoguait de chaise dans de grandes traversées. Et son tableau de bord. À main droite. Une série d'instruments sophistiqués sur le rebord. Pour
25 tenir longtemps dans les cas où.

— Il y avait le Pepsi diet, d'abord. Une petite bouteille revissable. Toujours diet, parce que ma grand-mère se donnait l'ouvrage de mastiquer chacune de ses gorgées. Sans sucre, les
30 bulles sont soupçonnées plus molles.

— À côté, le kleenex. Tout plié. Un mouchoir de papier à usage unique mais répété. Des allures de pétales d'origami. Comme une marguerite dénudée de promesses.

35 — Tout près, son dentier. Au cas où des abordages-surprises. Un sourire d'urgence pour le genre de visite qui n'appelle pas avant d'arriver.

Derrière le dossier, il y avait le meuble de la
40 machine à coudre. Singer. Avec les pattes en fer forgé. Posée dessus, une cage d'oiseau décousue. Et dans la cage, un livre. Un. Ma grand-mère, c'était la femme d'un seul livre. De toute façon, qu'on lui en eût acheté des douzaines, ça n'au-
45 rait fait aucune différence. Parce qu'elle ne savait pas lire. Analphabète, mais pas moins liseuse pour autant. Dans les pages indéchiffrables de son unique, au-delà de la lecture, elle délectait.

— Il était une fois…

50 Une langue à convictions. Et si le début de l'histoire donnait une impression de déjà-vu, on rechignait un peu. Elle faisait oui de la tête aux pieds. Elle refermait le livre. Elle le secouait dans ses vieilles mains. Elle brassait les pages
55 pour en mélanger le contenu. Comme un jeu de cartes. Avec toujours les mêmes figures, mais jamais le même hasard.

— Il était deux fois…

60 Ainsi pour les histoires, ainsi pour toutes les recettes de cuisine, les prévisions météorologiques et numéros de téléphone qu'elle savait trouver lorsque bien agitée. Sans compter les moments magiques où elle posait son livre ouvert sur l'accotoir du piano pour en tirer une 65 mélodie. Elle jouait à l'œil.

— Il était quatre fois…

C'était sa manière personnelle. L'analphabétisme de ma grand-mère. Ce qu'elle compensait par un grand soin d'imaginatisme débridé. Et une 70 manière de nous pendre à ses lèvres. C'était une bouche. À nous rire.

— Il était cent fois…

Tous les érudits ne sauraient faire mieux. Elle se berçait. Le livre sur ses genoux. Les idées 75 déliées. À lire sans regarder comme à croire sans voir. Elle avait la fois. Et pas qu'une.

— Il était mille fois…

De ces fois qui déplaçaient nos montagnes.

• • •

Un jour, j'ai su lire. J'ai su les rouages d'une 80 reliure. Et j'ai vu son livre tomber sur le plancher. Par brassage trop insistant. Ou par manque de tonus dans les mains plissées. Elle a repris le morceau par terre et j'ai remarqué. À l'envers. Et l'histoire a commencé par la fin.

QUESTIONS

1 Comment parler relève-t-il du ludique chez Fred Pellerin ? N'est-ce qu'une façon d'amuser ?

2 Quel héritage le conteur a-t-il reçu de sa grand-mère ?

3 a) Repérez cinq usages particuliers des mots servant à qualifier la grand-mère. Décrivez le mode de fonctionnement de ces jeux de mots et leur portée. Qu'ont-ils de poétique ?

b) Décrivez la représentation de la grand-mère qu'évoquent ces jeux de mots.

4 Que signifie raconter pour Fred Pellerin ? Comment alors interpréter le titre « Délecture » ?

5 a) La parole de la grand-mère de Fred Pellerin a-t-elle le même effet sur l'enfant que celle de Grand-mère Antoinette chez Marie-Claire Blais ?

b) Est-il juste d'affirmer que Fred Pellerin a une façon d'utiliser le langage qui ressemble à celle des enfants chez Sylvain Trudel (p. 249-250) ?

Dany Laferrière (1953)

Né à Port-au-Prince, Dany Laferrière grandit dans le village de Petit-Goâve. Comme sa vie est menacée, il immigre au Québec en 1976. Neuf ans plus tard, il publie un premier roman au titre lancé aux Québécois comme une provocation : *Comment faire l'amour avec un nègre sans se fatiguer*. Grand succès de librairie, traduit en plusieurs langues et adapté au cinéma, ce livre parle de Montréal et de sexualité. Comme s'il lui importait non seulement de montrer l'autre visage d'Haïti avec tout le potentiel qu'il recèle, mais aussi de préserver quelques images qui lui sont chères de ce pays qui l'a vu naître, Dany Laferrière nous fait découvrir, dans près de dix romans, le monde de là-bas, beaucoup plus rieur, sensuel et serein que celui que les médias nous dépeignent. Au bout du compte, l'exil lui aura appris que son pays, c'est cette Amérique aux multiples visages et aux contes quotidiens.

DANY LAFERRIÈRE

■ LE CHARME DES APRÈS-MIDI SANS FIN (1997)

Pour Dany Laferrière, la culture est toujours en mouvement. « Comme la vie quand elle accepte les surprises. » Lui qui vient d'un pays de chaleur et de sensualité, mais aussi d'un pays de mort, héritier de régimes autoritaires et corrompus, il s'adonne avec ce livre aux plaisirs sans fin de la nonchalance et de la mélancolie. Par ces petits récits où dominent les visages d'un enfant et de sa grand-mère, l'écrivain semble puiser dans ses souvenirs pour guérir les blessures anciennes dont il souffre encore. L'écrivain d'aujourd'hui qui avoue se sentir proche de l'homme de la Renaissance est déjà tout entier dans cet enfant inquiet et curieux d'alors : il écoute sa grand-mère et découvre tous les chagrins du monde non sans pressentir la sagesse de la vie simple et les possibilités consolatrices de l'accueil.

Aujourd'hui, c'est un jour nuageux. Ce gros nuage noir au-dessus de nos têtes. Da se sert une nouvelle tasse de café, c'est qu'elle va parler.

5 — Tu vois ça, Vieux Os, dit-elle en montrant l'enveloppe jaune, c'est la dernière chose à laquelle j'aurais pensé qui puisse m'arriver. Ton grand-père a hypothéqué la maison, et maintenant il est mort, me laissant, sans un sou, au

10 milieu de la tempête… Mes enfants sont à Port-au-Prince. Et puis je ne veux pas les embêter avec ça, ils ont déjà assez de soucis. Me voilà, seule, au cœur de la tempête…

— Je suis là, Da.

15 Elle me jette un faible sourire.

— Je sais, mon chéri, je sais… Si je ne t'avais pas, je ne sais pas vers qui je me tournerais. Des fois, je me sens si lasse…

— Pourquoi a-t-il fait ça, grand-père ?

20 Da semble réfléchir. Personne dans la rue depuis un bon moment. Même pas un maigre chien. On n'entend que le brouhaha des débardeurs en train de travailler sur le wharf. *Le Hollandais* vient de jeter l'ancre.

25 — Je parle comme ça, dit Da, mais ma vie n'a pas été si mauvaise avec cet homme. Ton grand-père… C'est vrai qu'il avait des défauts. Il aimait les femmes (Elle se tourne vers moi pour me jeter un regard si aigu que je me

30 demande si elle sait vraiment à qui elle parle. Je dis ça parce qu'elle s'adresse indifféremment aux morts comme aux vivants.), mais c'était quelqu'un de fondamentalement bon.

— Da ?

35 — Oui, Vieux Os ?

— Grand-père et toi…

Elle se met à rire franchement, m'empêchant de terminer ma question.

— Qui aurait cru que cet homme était timide,

40 dit-elle en jetant un bref coup d'œil vers le gros nuage noir qui vient de quitter Jacmel pour foncer droit sur Petit-Goâve. Cela lui a pris deux ans pour m'adresser la parole. Chaque samedi, quand il finissait de travailler avec son père à

45 la balance de Petite-Guinée, il s'empressait de seller son cheval pour venir me voir à Boucan-Bélier. C'est un petit village assez loin d'ici, à peu près deux heures de route. Il arrivait et partait tout de suite à la chasse aux perdrix avec

50 mon jeune frère Iram. Au retour, il sellait rapidement son cheval, et repartait pour Petit-Goâve. Ma mère ne manquait pas de demander à Iram ce qu'il avait dit, s'il avait fait une allusion quelconque à moi ou à des fiançailles,

55 et chaque fois Iram répondait invariablement que ton grand-père lui avait parlé longuement de ses problèmes avec la Maison d'export Bombace du fait que le gouvernement venait de fixer le café à un prix trop bas.

60 Marquis vient de bouger son oreille droite, c'est qu'il sent la présence d'un ennemi. J'essaie de savoir ce qui l'a mis en état d'alerte, tout en continuant d'écouter Da. Rien. Aucun bruit inaccoutumé. Aucun chien à l'horizon. Même
65 pas un canard. Pourtant je ne doute pas un instant du flair de Marquis. J'écoute donc plus attentivement. Un lointain grondement, à peine audible. Quel est cet animal ? Ah oui, c'est le camion de Gros Simon en train de grimper
70 la pente raide du morne Tapion. Depuis que la voiture noire de Devieux a passé sur les reins de Marquis, le laissant pour mort sur le côté de la route (il a gardé de cet accident une démarche de marquise revenant de l'église),
75 celui-ci a développé une haine tenace de l'automobile.

— Mon père était déjà mort, continue Da (on dirait qu'elle s'adresse à d'autres gens à travers moi), et c'était Iram, mon jeune frère, l'homme
80 de la maison maintenant. Le problème c'est qu'Iram était encore plus timide que ton grand-père. C'est ma mère, exaspérée, qui a fini par lui parler, quoique ce n'était pas du tout convenable à l'époque. Ma mère lui a carrément
85 demandé dans quel but il venait ici, et ton grand-père a bredouillé quelque chose à propos des perdrix. Ma mère a éclaté de rire, ce qui a embarrassé encore plus ton grand-père. Et elle lui a lancé, en regardant sa prise du jour (deux
90 perdrix), si c'était pour deux malheureuses perdrix qu'il avait fait toute cette route. Ton grand-père a fini par dire qu'il avait pensé à autre chose, tout en sellant son cheval, cet

CHARLES GAGNON (1934-2003).

Continuum, 1989. (Huile sur toile, 203,4 × 305 cm. Collection de l'artiste.)

Peintre et photographe, Charles Gagnon combine ces deux disciplines dans sa pratique artistique pour créer des œuvres comme *Continuum*, composée de grandes bandes de couleur dont l'agencement évoque une pellicule photo déroulée lentement devant nos yeux. Les teintes bleue, grise et rosée de la toile traduisent le calme, mais cohabitent avec des coups de pinceau affirmés, parfois violents : comme chez Dany Laferrière, seul semble importer le passage du temps — le continuum tranquille et non la rupture, même si les personnages portent toujours les traces de leurs préoccupations anciennes.

après-midi-là. Et pratiquement sans dire au
95 revoir, il a vite fait de lancer son cheval au grand
galop sur le chemin du retour. Ma mère avait
peur de l'avoir trop effarouché et qu'il ne
revienne plus. En effet, la semaine suivante, il
100 n'est pas revenu, mais son frère Edmond est
arrivé avec la lettre de demande en mariage.

— Oh, Da, c'est une belle histoire !

— C'était courant à l'époque. Ton grand-père
venait d'une famille illustre. Ma mère pensait que
105 ma fortune était faite, mais le père de ton grand-
père, Charles, était un homme honnête mais dur,
surtout avec ses enfants. Il en avait plus de
soixante. Il ne voulait rien léguer à ses fils. Sa fortune (plusieurs terres arrosées disséminées un
110 peu partout dans la région, quelques maisons à
Petit-Goâve, et une guildive près de Miragoâne)
allait à ses filles. Les hommes, disait le vieux
Charles, n'avaient qu'à travailler. Il a tenu
parole. Et pour bâtir cette maison, nous avons
115 passé cinq ans avec un morceau de sel blanc sous
la langue pour toute nourriture. Nous l'avons
bâtie avec notre crachat et notre sang. Moi-même
(Da retrousse ses manches pour me montrer fièrement ses bras), j'ai travaillé avec les ouvriers.

120 Da semble fatiguée. La rue toujours déserte.
Une mouche trône sur le museau mouillé de
Marquis. Je profite de cette accalmie pour m'as-
soupir un peu.

La voix reprend plus forte qu'avant.

125 — Et là j'apprends que cette maison n'est plus
à nous depuis longtemps. Et tu sais pourquoi ?

Ton grand-père l'avait hypothéquée pour payer
le voyage de ses filles à Port-au-Prince. Il ne
voulait pas les voir végéter à Petit-Goâve. Il a
130 tout à fait raison sur ce point, mais avec ça, je
n'ai plus un toit sur ma tête. Pourtant c'est moi
la veuve.

— Moi non plus, Da, je n'ai plus un toit, dis-
je sur un ton plutôt excité. On va partir à l'aven-
135 ture. Tu feras la couture et on pourra vendre
tes robes sur notre chemin.

— Et toi, Vieux Os ?

— Moi, je t'amènerai des clientes.

— C'est un travail qui te prendra tout ton
140 temps, Vieux Os.

— Bien sûr, Da. C'est un travail très dur. À nous
deux, Da, on pourra ramasser une petite fortune assez rapidement. Je suis prêt à me
mettre un grain de sel sous la langue, chaque
145 matin, afin de mettre de côté tout l'argent qu'on
aura gagné pour pouvoir payer la maison le
plus vite possible… Mais, toi, Da, ne t'inquiète
pas, tu auras toujours ton café.

— Je ne suis pas inquiète pour ça, dit Da avec
150 un sourire. Comment feras-tu pour aller à
l'école si tu es tout le temps sur la route ?

— Mais, Da, je quitterai l'école.

— Ah, c'était ça, dit Da en éclatant de rire pour
la première fois aujourd'hui depuis qu'elle a
155 reçu cette grande enveloppe jaune.

Moi aussi, je ris.

QUESTIONS

1 À quoi voyez-vous que l'auteur est fasciné par la question des origines et de la transmission ?

2 Vieux Os n'est-il l'héritier que de ce qui lui vient de
sa grand-mère ?

3 a) Qu'est-ce qui indique l'inquiétude de Da ?
b) Pourquoi Da a-t-elle besoin de commencer son récit
en faisant l'éloge de son mari, le grand-père de
Vieux Os ?

4 Selon vous, que signifie prendre la parole pour la
grand-mère ? Est-ce une façon d'avouer sa solitude
en même temps que d'y échapper ?

5 Selon vous, Da souffre-t-elle de la solitude ? Sa
situation s'apparente-t-elle à celle des femmes âgées
de notre société ?

VIOLENCE ET GUERRE

PAR LÂCHETÉ OU AVEUGLEMENT, on a fermé les yeux devant l'horreur nazie ; à la découverte du camp d'Auschwitz, on a juré : Plus jamais ! Or force est de constater, avec l'épuration ethnique en Yougoslavie, puis au Rwanda, et au Darfour, qu'on n'aura pas retenu la leçon. Des peuples nient encore le droit d'exister à d'autres peuples, des individus refusent encore à d'autres individus la possibilité d'être différents, quand ce n'est pas carrément leur humanité. Ces appels à la colère, à la haine et au ressentiment font exploser la violence avec tout ce qu'il y a d'excessif et de moins noble.

L'écrivain québécois se sent concerné par ce qui se passe ailleurs. Sa conscience est plus vaste que celle du milieu qui l'a vu naître. Hélène Monette et Madeleine Gagnon sont touchées par le sort réservé aux femmes pendant les guerres. Wajdi Mouawad revisite son pays d'origine pour ne pas oublier les fractures qui le déchirent et expose la mécanique des représailles par laquelle la haine entraîne la haine. Gil Courtemanche se penche sur le Rwanda et fait voir que, comme dans tous les conflits, c'est la notion même d'humanité qui a été piétinée dans la guerre qui a opposé les Hutus et les Tutsis. Ces écrivains montrent à quel point les paroles ensorceleuses de leaders charismatiques peuvent être dangereuses.

Hélène Monette (1960)

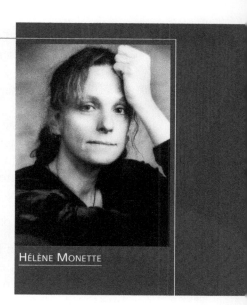

HÉLÈNE MONETTE

Dixième d'une famille de dix, Hélène Monette est née à Saint-Philippe-de-Laprairie. Poète et romancière, elle fait des études en histoire de l'art, en arts plastiques et en littérature à l'Université du Québec à Montréal et à l'Université Concordia. En marge de son métier d'écrivain, elle travaille en organisation communautaire et culturelle et participe à des projets de poésie enregistrée, de radio, de cinéma et de vidéo. Elle est cofondatrice du magazine *Ciel Variable* devenu *CV Photo*. Elle fait partie du Band des poètes.

Comme William Blake, Hélène Monette est convaincue que « le Messie tomba et construisit un ciel avec ce qu'il dérobait à l'abîme ». Pour elle, il n'y a que ce constat, terrible, tragique, du « grand suicide des voluptés ». Persuadée que « les enfants portent des géants », elle se soucie des petits que nous avons été et de ceux qui sont là aujourd'hui, prisonniers d'un « présent sans Histoire ».

■ KYRIE ELEISON (1994)

C'est au cri de la femme cananéenne (Mt 15, 22) et des deux aveugles mendiants de la lumière — « Kyrie eleison, Seigneur ! aie pitié de nous ! » (Mt 20, 30) — qu'Hélène Monette a emprunté son titre. Venant juste après la préparation pénitentielle, le

Kyrie eleison *n'est pas tant une prière de supplication, nous dit-on dans la liturgie catholique, qu'un chant d'acclamation qui nous introduit au Gloria.*

Pourtant, «poésie en prose et tutoiement», Kyrie eleison *contredit cette idée qui veut que la poésie soit un art de tout repos renouant parfois même avec un sacré tourné vers la joie. La poésie, en effet, retrouve ici le terrain de «la révolte contre le sens convenu» et rend compte d'un univers physique et psychique où il est difficile de jouir du réel. Voilà pourquoi elle devient prose, «chant triste», brisé, qui «ne console personne» avec ses rythmes cassés évoquant l'impossible réconciliation avec les autres, avec soi et avec le monde. Dans l'extrait qui suit, l'individu d'aujourd'hui, de cette époque où tout le monde semble si proche, si accessible, n'arrive plus, comme avant l'ère des communications, à faire de sa demeure cet antre secret qui «protège contre le reste du monde».*

Tu as fermé les yeux. Tu fermes toujours les yeux après les actualités. La maison s'écroule. Un cauchemar est en train de prendre forme. Cadavres sur le pas de la porte.

5 Sous les décombres, tu tiens la main d'une femme ; son visage mouillé, tendu contre ton épaule. Les enfants sont morts, son mari, disparu. Un trop lourd baiser sur ses cheveux roussis, et tu fredonnes, caresses nerveuses sur
10 la tête brûlante.

Elle voudrait te tuer.

Tu as fermé les yeux. La chaleur monte, la souffrance traverse le désert, le ciel, l'océan, l'écran du téléviseur noir et blanc. L'isolation des
15 fenêtres n'est pas étanche. L'isolement est un leurre. Les images se propagent dans l'ombre, stroboscopiques, accélérées. Désatellisés, le désert, l'océan, le ciel ; le plafond s'ouvre. Le destin s'écrase à deux mains de ton lit. Puis
20 repart, le feu aux trousses, le vent dans les veines, dans le brouillard chagrin.

Sous une lune trop pâle, l'antre explose.

Une femme hurle en faisant les cent pas dans ta chambre, ses ongles lacérant ses joues. Les
25 yeux rouges dans la noirceur, là, sous tes yeux fermés, elle s'est arrêtée. Ta propre douleur, réfugiée du corps sur le territoire de la nuit, éclate.

La pierre qui t'abritait, un déchet d'étoile, le mur
30 *d'une maison ancestrale, le roc qui te recouvrait, la pierre philosophale, la pierre qui t'abritait, fatale.*

Dessous l'éboulis, la vision. Là se terre l'animal doué de fiction. Accroupi sur la faille.

Cette femme, elle pourrait te tuer pendant que
35 tu fais ce mauvais rêve — mais personne n'a bougé.

Tu as ouvert les yeux. Tu reprends là où l'hiver fait mal. Météore parmi les cristaux. Tout droit sorti d'une explosion, subterfuge, l'hiver
40 est si long. Tu bouges enfin. Tu allumes le récepteur pour la fin de la nuit, deux bougies, trente-six chandelles en tête pour un rêve qui se fait vieux. La voix de la radio, langoureuse, s'évanouit pour des mélodies. Rythmes heu-
45 reux, musiques du monde. Les notes courent au bas des murs comme des souris. Parfum de haschich et douleur docile. Sainte nuit.

Tu ranges. Le Coran. *Le Monde diplomatique,* *Mafalda* et *L'Antarctique.* Les messages et le
50 courrier. Un bout de papier, ratures nerveuses.

Agnostique, transi. Tu te déplaces à peine, roules sur l'avenir, une broussaille du désert. Éprouves la musique, hibernes. Dans les rues
55 noires, la journée s'est défaite ; nuit installée à demeure ; même la neige s'efface. Tu guettes le visage émacié de cette sombre femme. Ce dur visage habite ta peur, de toutes ses forces, de l'intérieur ; c'est à tuer. C'est toi qui voudrais
60 crier. Qui le peux.

Les fantômes disparaissent vers six heures du matin. Procession. Voix basses. Le maestro est crevé.

Madeleine Gagnon (1938)

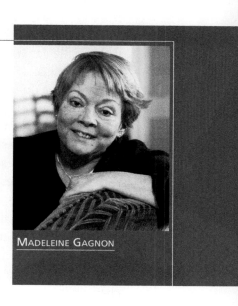

MADELEINE GAGNON

Née à Amqui, Madeleine Gagnon étudie d'abord chez les Ursulines de Rimouski et de Québec, puis complète en 1959 un baccalauréat ès arts à l'Université Saint-Joseph de Moncton et, en 1962, une maîtrise en philosophie à l'Université de Montréal. Elle poursuit sa formation en France, où elle reçoit un doctorat en littérature de l'Université d'Aix-en-Provence. À partir de 1969, elle enseigne dans plusieurs universités, dont Paris-XIII, souvent comme écrivaine en résidence, parfois comme professeure invitée. Au cours des années, elle s'est engagée de différentes façons, notamment en participant aux luttes pour la syndicalisation des professeurs de l'Université du Québec et en s'investissant dans la création de comités de femmes sectoriels et inter-syndicaux. Tout ce militantisme s'est prolongé dans les causes indépendantiste et féministe.

■ LES FEMMES ET LA GUERRE (2000)

Après avoir convenu que les mots femme *et* guerre *étaient ceux qui avaient le plus marqué le XXᵉ siècle, Madeleine Gagnon et son amie la journaliste et réalisatrice de Radio-Canada Monique Durand décident d'aller rencontrer les femmes aujourd'hui victimes de la guerre. De septembre 1999 à mai 2000, leur périple les conduit en Macédoine, au Kosovo, en Bosnie, en Israël-Palestine, au Liban, au Pakistan et au Sri Lanka. Ayant perdu leurs hommes (amis, parents, époux), morts ou mystérieusement disparus, ces femmes ont pour la plupart été violentées et abusées par l'ennemi, elles ont subi le viol, parfois la torture, et vu leurs maisons ou leurs récoltes détruites. Plusieurs d'entre elles supplient Madeleine Gagnon : « Parlez de nous pour nous sauver. » Aussi, l'auteure enregistre-t-elle la mémoire douloureuse de ces femmes qui cherchent à comprendre sans négliger leur part de responsabilité : elles reconnaissent que si tant de haine a pu déferler, ce n'est pas seulement, comme l'a dit une Pakistanaise, que des leaders nationalistes « les ont tenues asservies sous les discours de pureté et de sacrifice pendant qu'ils dilapidaient à leur profit les richesses du pays », mais aussi qu'elles les ont écoutés et n'ont cessé « d'élever des guerriers ».*

Elle est assise sur un tabouret au fond d'une salle commune, dans cette baraque sans bon sens qui sert de refuge psychiatrique, Elle est là, absente, au milieu de tous ces exilés de l'intérieur, femmes et hommes qui en ont trop vu, trop entendu, trop subi et que le Centre des effets de la torture de Sarajevo n'a pu contenir, aider, les soignants nous ont dit qu'Elle n'avait pas besoin de drogues chimiques, Elle ne crie pas, dort et mange bien, ne manifeste aucune violence, ne dérange personne, Elle ne fait que délirer à voix basse dans son coin, entre le lever et le coucher du soleil, je m'approche lentement, entends sa litanie dont la langue m'échappe, ne connais pas le serbo-croate, de toute façon, seuls les Serbes emploient encore ce terme, les Croates disent désormais croato-serbe et les autres, les quelques neutres Yougoslaves ou les musulmans, disent bosniaque, il ne faut jamais se tromper ici, faire attention à l'interlocuteur, Elle délire donc en bosniaque puisqu'Elle porte le foulard qui est bleu comme ses yeux, je vois une mèche de cheveux noirs comme du jais, Elle ressemble d'ailleurs à une vestale de l'ancienne Asie mineure, ainsi imaginée dans les livres d'enfance, sur la pointe du cœur, je m'avance, Elle ne me voit pas, poursuit son monologue face à la fenêtre sale qui donne sur la grisaille, qui donne sur rien du tout, mais Elle semble y déceler ce qui m'échappe à moi, d'un bond Elle se retourne, me fixe droit dans les yeux, ses yeux à Elle sont loin d'être fous, sans transition Elle change de registre, me confie en rafale : « Ne m'appelle jamais par mon nom, ne me donne pas non plus un surnom, si tu écris sur moi, nomme-moi X », Elle parle un excellent français, avait entendu dès l'entrée que j'écrivais des livres, je dis « si je t'appelle Elle, est-ce que ça ira ? » Elle répond oui, tout simplement, et Elle enchaîne, « j'ai été violée et torturée par cinq Tchetniks pendant la guerre, je m'étais réfugiée dans la forêt avec mon frère, une nuit, mon frère était parti chercher de quoi manger et ils m'ont prise, je ne te raconterai pas les détails, c'était la fin du monde dans tout mon corps, je ne veux pas que personne écrive ce qu'ils m'ont fait, ça ferait frémir les pervers, mon frère m'a retrouvée le lendemain matin dans les broussailles, il a passé des jours et des nuits à panser mes plaies, à replacer mes os, tu écriras que tous les musulmans ne répudient pas leurs sœurs ou leurs femmes violées, mon frère m'a aimée comme personne avant, ni ma mère, ni mon père, ni mon fiancé mort au combat ne m'avaient aimée comme lui, je l'ai aimé pendant des mois de tout mon cœur, de tout mon corps, ce n'est pas de l'inceste et si c'en est je m'en fiche, c'était de la pure bonté guérissante, puis mon frère a été tué à son tour, j'ai mis des jours à retrouver son corps, enfin je l'ai découvert, niché dans un trou d'obus, je l'ai lavé de la tête aux pieds avec l'eau du ruisseau qui coulait pas loin, à l'eau du ruisseau, j'ai mêlé mes larmes et mes baisers, puis j'ai creusé pour lui une autre tombe que celle de l'obus, je me suis couchée sur lui, je lui ai chanté toutes les berceuses de notre enfance, je ne sais pas combien de temps je suis restée là, mais un matin des gens de mon village sont arrivés, on a enterré mon frère, mis sur sa tombe une pierre ronde, on est descendus comme des fous vers Sarajevo, c'était l'enfer aussi, après la guerre, des soldats bosniaques sont venus chercher autant de morts qu'ils pouvaient en trouver, mon frère fut amené parmi les autres au grand cimetière tout neuf, là-bas sur la colline, à l'ouest, que je peux apercevoir quand le brouillard se lève », Elle se tait, détourne son regard bleu, retourne à sa rêve-80 rie incantatoire face à la fenêtre sale et grise qui la conduisait tout le jour à son amour mort, son frère perdu.

Les soignants m'ont demandé ce que nous 85 avions bien pu nous dire, je n'ai pas répondu, souri seulement, gardant pour l'écriture ses confidences, c'est ce qu'Elle désirait, voulait que fût imprimée son histoire, sur une page blanche, souhaitait que son corps à Elle et celui 90 de son frère fussent ensemble couchés, qu'une fois encore les liquides se touchent, sel des larmes, du sperme et du sang, sucre du lait et des baisers, par l'encre, ingérés.

Lorsque je l'ai revue, car Elle voulait que je 95 revienne, ce fut d'abord le même scénario, Elle, sur son tabouret dans ce fond de salle sinistre, même fenêtre grise et sale d'où partait son regard bleu vers le lit de terre du frère aimé, sur la colline chauve, Elle se retourna, adres-100 sant à lui seul sa complainte délirante, de but en blanc me dit : « Après ton départ, cette nuit-là, j'ai rêvé pour la première fois, tu l'écriras, il y avait non loin de moi une femme serbe, de ton âge à peu près, enfin, je te donne quarante-105 cinq ans, elle était de noir habillée, comme toutes les femmes serbes, et de son seul

regard voulait m'assassiner, elle était la mère d'un des violeurs qui furent mes bourreaux, pas loin de moi se trouvait un paysan bos-110 niaque portant, en guise d'arme, une énorme fourche à foin qu'il m'a remise en me disant "venge-toi, c'est la seule solution, mais en rêve seulement, il faut en finir avec la guerre", j'ai saisi la fourche, l'ai enfoncée dans le ventre de 115 cette mère de violeur, j'ai vu sortir du sang, les viscères s'écouler, le paysan a dit "c'est la merde de violeur, la mère de violeur que tu te libères en tuant", il parlait comme un professeur que j'avais à l'université avant la guerre — on ne 120 sait plus s'il est mort ou vivant, il a disparu, j'ai toujours été contre la violence et pourtant, vois ce à quoi j'ai rêvé, je ne suis plus coupable, me suis réveillée heureuse ce matin-là, pour-quoi m'être attaquée à la mère et pas au vio-125 leur? C'est ma seule interrogation, si Dieu exis-tait, et si j'y croyais *vraiment*, Il serait un Dieu des rêves, Il nous aiderait à percer nos grandes énigmes de nuit, ne vois pas ce foulard sur la tête comme un signe de foi, c'est mon voile de 130 mariée tout à moi depuis la mort de mon frère, c'est le signe de notre alliance, le jonc dont je me ceins l'esprit pour célébrer nos épousailles d'outre-tombe, d'outre-vie, aucune des reli-gions ne peut me consoler, ni la tienne ni la 135 mienne, j'irais vers celle dont le Dieu serait un homme et une femme faits chair pour s'aimer éternellement. »

QUESTIONS

1 Comment la haine de l'Autre devient-elle un refus de sa nature de « civilisé »? Avez-vous déjà repéré un mépris semblable dans l'histoire et dans la littérature du Québec?

2 Dites ce qui fait de la femme présentée une « exilée de l'intérieur ».

3 a) Comment la femme arrive-t-elle à passer par-dessus la violence qu'elle a subie? Que signifie alors « guérir »?

b) En quoi cette manière de « réparer » modifie-t-elle, dans l'esprit de la femme, l'image du

musulman et signale-t-elle le rêve d'une religion nouvelle?

4 a) Comment le fait de rapporter le témoignage de cette femme redouble-t-il ce geste de réparation et de compensation?

b) En quoi ce geste relève-t-il à la fois de l'exception et de la transgression?

5 Selon vous, la violence subie pendant la guerre n'a-t-elle comme conséquence que le désespoir?

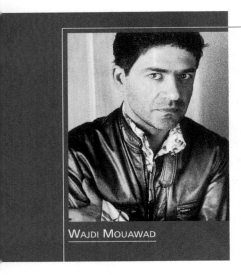

WAJDI MOUAWAD

Wajdi Mouawad (1968)

À l'âge de huit ans, avec sa famille, Wajdi Mouawad quitte le Liban pour Paris, qu'il laissera huit ans plus tard pour venir s'installer au Québec. Diplômé de l'École nationale de théâtre du Canada en 1991, il est à la fois auteur, metteur en scène et comédien. De 2000 à 2004, il dirige le Théâtre de Quat'sous à Montréal.

« L'enfance est un couteau planté dans la gorge », dit Mouawad dont l'œuvre majeure est une tétralogie sur la filiation : *Littoral*, *Incendies* et *Forêts* dans laquelle il explore tant la douleur qu'on se transmet de génération en génération comme un secret de famille que celle d'un pays qui semble, par fatalité, être voué à la guerre. Aussi se met-il à l'écoute de tout ce qu'il a fallu taire pour ne pas avoir trop mal, pour continuer à vivre, aimer encore, essayer d'être heureux.

■ INCENDIES (2003)

Dans cette pièce, Mouawad mêle les époques pour nous présenter ses personnages à divers moments tragiques de leur histoire. Comme celui où Nawal, la mère, se retrouve à quinze ans seule dans une chambre parce qu'elle a accepté, malgré les demandes de sa propre mère, de garder l'enfant qu'elle porte, et que sa grand-mère Nazira lui dit pour l'« armer pour le bonheur » : « Tout ceci nous arrive de la misère, Nawal. Pas de beauté autour de nous. Pas de beauté. Que la colère d'une vie dure et blessante. Les indices de la haine à chaque coin de rue. Personne pour parler doucement aux choses. » Avant de mourir, Nazira demande à Nawal qui a seize ans de « casser le fil » pour ne pas laisser la colère en héritage : « Alors apprends à lire, dit-elle, apprends à écrire, apprends à compter, apprends à parler. Apprends. Puis va-t'en. »

Dans le passage qui suit, Nawal a quarante ans. Avec Sawda, une réfugiée, elle se souvient, non sans en ressentir encore une fois les effets, de la cruauté de la « terrible machine qui [les] broie », elle et tous les siens, et se voit aujourd'hui devant la possibilité d'en reproduire la mécanique.

SAWDA. Je ne veux pas ! Je ne veux pas me consoler, Nawal. Je ne veux pas que tes idées, tes images, tes paroles, tes yeux, ton amitié, toute notre vie côte à côte, je ne veux pas qu'ils
5 me consolent de ce que j'ai vu et entendu ! Ils sont entrés dans les camps comme des fous furieux. Les premiers cris ont réveillé les autres et rapidement on a entendu la fureur des miliciens ! Ils ont commencé par lancer les
10 enfants contre le mur, puis ils ont tué tous les hommes qu'ils ont pu trouver. Les garçons égorgés, les jeunes filles brûlées. Tout brûlait autour, Nawal, tout brûlait, tout cramait ! Il y avait des vagues de sang qui coulaient des
15 ruelles. Les cris montaient des gorges et s'éteignaient et c'était une vie en moins. Un milicien préparait l'exécution de trois frères. Il les a plaqués contre le mur. J'étais à leurs pieds, cachée dans le caniveau. Je voyais le tremble-
20 ment de leurs jambes. Trois frères. Les miliciens ont tiré leur mère par les cheveux, l'ont plantée devant ses fils et l'un d'eux lui a hurlé : « Choisis ! Choisis lequel tu veux sauver. Choisis ! Choisis ou je les tue tous ! Tous les

25 trois ! Je compte jusqu'à trois, à trois je les tire tous les trois ! Choisis ! Choisis ! » Et elle, incapable de parole, incapable de rien, tournait la tête à droite et à gauche et regardait chacun de ses trois fils ! Nawal, écoute-moi, je ne te

30 raconte pas une histoire. Je te raconte une douleur qui est tombée à mes pieds. Je la voyais, entre le tremblement des jambes de ses fils. Avec ses seins trop lourds et son corps vieilli pour les avoir portés, ses trois fils. Et tout son

35 corps hurlait : « Alors à quoi bon les avoir portés si c'est pour les voir ensanglantés contre un mur ! » Et le milicien criait toujours : « Choisis ! Choisis ! » Alors elle l'a regardé et elle lui a dit, comme un dernier espoir : « Comment peux-

40 tu, regarde-moi, je pourrais être ta mère ! » Alors il l'a frappée : « N'insulte pas ma mère ! Choisis » et elle a dit un nom, elle a dit « Nidal. Nidal ! » Et elle est tombée et le milicien a abattu les deux plus jeunes. Il a laissé l'aîné en

45 vie, tremblant ! Il l'a laissé et il est parti. Les deux corps sont tombés. La mère s'est relevée et au cœur de la ville qui brûlait, qui pleurait de toute sa vapeur, elle s'est mise à hurler que c'était elle qui avait tué ses fils. Avec son corps

50 trop lourd, elle disait qu'elle était l'assassin de ses enfants !

NAWAL.   Je comprends, Sawda, mais pour répondre à ça on ne peut pas faire n'importe quoi. Écoute-moi. Écoute ce que je te dis : le

55 sang est sur nous et dans une situation pareille, les souffrances d'une mère comptent moins que la terrible machine qui nous broie. La douleur de cette femme, ta douleur, la mienne, celle de tous ceux qui sont morts cette nuit ne sont plus

60 un scandale, mais une addition, une addition monstrueuse qu'on ne peut pas calculer. Alors, toi, toi Sawda, toi qui récitais l'alphabet avec moi il y a longtemps sur le chemin du soleil, lorsque nous allions côte à côte pour retrou-

65 ver mon fils né d'une histoire d'amour comme celle que l'on ne nous raconte plus, toi, tu ne peux pas participer à cette addition monstrueuse de la douleur. Tu ne peux pas.

SAWDA.   Alors on fait quoi ? On fait quoi ? On

70 reste les bras croisés ! On attend ? On comprend ? On comprend quoi ? On se dit que tout ça, ce sont des histoires entre des abrutis et que ça ne nous concerne pas ! Qu'on reste dans nos

75 livres et notre alphabet à trouver ça « tellement » joli, trouver ça « tellement » beau, trouver ça « tellement » extraordinaire et « tellement » intéressant ! « Joli. Beau. Intéressant. Extraordinaire » sont des crachats au visage des victimes. Des

80 mots ! À quoi ça sert, les mots, dis-moi, si aujourd'hui je ne sais pas ce que je dois faire ! On fait quoi, Nawal ?

NAWAL.   Je ne peux pas te répondre, Sawda, parce qu'on est démunies. Pas de valeurs

85 pour nous retrouver, alors ce sont des petites valeurs de fortune. Ce que l'on sait et ce que l'on sent. Ça c'est bien, ça c'est pas bien. Mais je vais te dire : on n'aime pas la guerre, et on est obligé de la faire. On n'aime pas le malheur

90 et on est en plein dedans. Tu veux aller te venger, brûler des maisons, faire ressentir ce que tu ressens pour qu'ils comprennent, pour qu'ils changent, que les hommes qui ont fait ça se transforment. Tu veux les punir pour qu'ils comprennent. Mais ce jeu d'imbéciles se nour-

95 rit de la bêtise et de la douleur qui t'aveuglent.

SAWDA.   Pas aveugle !

NAWAL.   Si ! Aveugle, Sawda !

SAWDA.   Alors on bouge pas, c'est ça ?

NAWAL.   Mais tu veux convaincre qui ? Tu ne

100 vois pas qu'il y a des hommes que l'on ne peut plus convaincre ? Des hommes que l'on ne peut plus persuader de quoi que ce soit ? Comment tu veux expliquer au type qui hurlait aux oreilles de cette femme « Choisis ! »

105 pour l'obliger à condamner elle-même ses enfants, qu'il s'est trompé ? Qu'est-ce que tu crois ? Qu'il va te dire : « Ah ! Mademoiselle Sawda, votre raisonnement est intéressant, je cours tout de suite changer d'avis, changer de

110 cœur, changer de sang, changer de monde, d'univers et de planète et je vais m'excuser sur-le-champ » ? Qu'est-ce que tu penses ! Qu'en allant faire saigner de tes mains sa femme et son fils tu vas lui apprendre quelque chose !

115 Tu crois qu'il va dire du jour au lendemain, avec les corps de ceux qu'il aime à ses pieds : « Tiens, ça me fait réfléchir et c'est vrai que les réfugiés ont droit à une terre. Je leur donne la

120 mienne et nous vivrons en paix et en harmonie ensemble tous ensemble » ! Sawda, quand on a arraché mon fils de mon ventre puis de mes bras, puis de ma vie, j'ai compris qu'il fallait choisir : ou je défigure le monde ou je fais tout pour le retrouver. Et chaque jour je
125 pense à lui. Il a vingt-cinq ans, l'âge de tuer et l'âge de mourir, l'âge d'aimer et l'âge de souffrir ; alors à quoi je pense, crois-tu, quand je te raconte tout ça ? Je pense à sa mort évidente, à ma quête imbécile, au fait que je serai à
130 jamais incomplète parce qu'il est sorti de ma vie et que jamais je ne verrai son corps là, devant moi. Ne pense pas que la douleur de la femme je ne la ressens pas. Elle est en moi comme un poison. Et je te jure, Sawda, que
135 moi la première, je prendrais les grenades, je prendrais la dynamite, les bombes et tout ce qui peut faire le plus de mal, je les mettrais autour de moi, je les avalerais, et j'irais tout

140 droit au milieu des hommes imbéciles et je me ferais sauter avec une joie que tu ne peux pas même soupçonner. Je le ferais, je te jure, parce que moi je n'ai plus rien à perdre, et ma haine est grande, très grande envers ces hommes ! Tous les jours je vis dans le visage même de
145 ceux qui détruisent nos vies. Je vis dans chacune de leurs rides et je n'ai qu'à faire ça pour laisser tout éclater en moi et me faire éclater tout entière pour les défigurer, les dévisager, les décharner jusqu'à la moelle de leur âme,
150 tu m'entends ? Mais j'ai fait une promesse, une promesse à une vieille femme d'apprendre à lire, à écrire et à parler, pour sortir de la misère, sortir de la haine. Et je vais m'y tenir, à cette promesse. Coûte que coûte. Ne haïr personne,
155 jamais, la tête dans les étoiles, toujours. Promesse à une vieille femme pas belle, pas riche, pas rien de rien, mais qui m'a aidée, s'est occupée de moi et m'a sauvée.

QUESTIONS

1 Quels indices nous font sentir le poids des générations, les liens entre les temps individuel, familial et collectif et la souffrance d'un pays ?

2 Pourquoi Sawda raconte-t-elle son histoire ?

3 a) Quelle est cette douleur insoutenable que portent Sawda et Nawal ?

b) Pourquoi la consolation est-elle difficile, voire impossible ?

c) Qu'est-ce qui est plus scandaleux que cette douleur ? Décrivez.

4 L'auteur veut-il nous faire voir qu'il y a plusieurs façons de répondre à l'insoutenable et que l'une est préférable à l'autre ?

5 Comment les mots en viennent-ils à être disqualifiés face à la violence ? Dès lors, que devient la vie ?

Art et littérature

ŒIL POUR ŒIL

Dans son œuvre, le jeune peintre montréalais, Marc Séguin, traite plusieurs thèmes connexes comme le désarroi, la violence et l'isolement. Dans son dérangeant *Autoportrait*, un homme porte sur ses épaules un personnage masqué affublé d'un drapeau blanc, symbole universel de la paix, et d'un pistolet. Cette arme semble avoir tout juste servi à ce personnage à tuer l'homme qui lui sert pourtant de support. Est-ce là un commentaire sur l'absurdité de chaque guerre, qui veut que chaque geste contre un ennemi inflige à celui qui le fait le même mal en retour ? C'est en tout cas la réflexion que se font les personnages d'*Incendies*, de Wajdi Mouawad.

■ En quoi le titre *Autoportrait* dérange-t-il le spectateur ? Quelles interprétations de ce titre pourriez-vous donner ?

■ À votre avis, quelle est la position de Séguin face à la guerre ?

■ Comparez le discours du peintre avec celui de Nawal. Quels sont leurs points communs ?

Gil Courtemanche (1943)

Gil Courtemanche est d'abord journaliste. Depuis ses débuts en 1962, il s'est particulièrement intéressé à la politique internationale et au tiers-monde. Comme reporter, il a parcouru le monde, s'est rendu au Cambodge, en Éthiopie, au Liban… et au Rwanda. Cent jours d'horreur, de viols, de mutilations, près d'un million de victimes… dans l'indifférence générale. C'est pour en sortir, pour la dénoncer, pour qu'on n'oublie pas que Courtemanche a voulu témoigner sous la forme du roman en publiant *Un dimanche à la piscine à Kigali*. Pour Courtemanche, écrire devient alors un geste politique à visage humain.

Avant d'écrire ce roman, Courtemanche se rend au Rwanda par deux fois pour produire et réaliser d'abord le documentaire *L'Église du sida* (1993), puis *Soleil dans la nuit* (1995), une série de témoignages pour TV5 qui veut ainsi souligner le premier anniversaire du génocide. C'est pour raconter le destin d'une dizaine de Rwandais auxquels il s'est attaché pendant le tournage et qui ont presque tous été emportés qu'il veut parler, pour montrer ce que le devoir d'objectivité du reporter l'a obligé à laisser dans l'ombre, cette qualité d'être qui les rendait humains, hommes et femmes pris dans la tourmente de la haine et de la peur, de la maladie aussi.

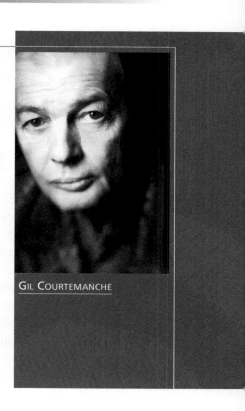

GIL COURTEMANCHE

■ UN DIMANCHE À LA PISCINE À KIGALI (2000)

Traduit en une vingtaine de langues puis porté à l'écran par Robert Favreau,
Un dimanche à la piscine à Kigali *met à nu les pulsions de vie et de mort qui*

s'opposent dans chaque individu et qui ne sont jamais autant agissantes que dans les situations extrêmes. C'est le roman d'un homme qui a vu, et qui est indigné. Indigné devant la machine de guerre du nettoyage ethnique qui a instauré ce massacre retournant les uns contre les autres des amis, des frères ; indigné devant l'impuissance et l'apathie du reste du monde ; indigné devant les diplomates et les gens de l'ONU qui voyaient tout venir, qui savaient et qui ont fermé les yeux. Courtemanche donne chair tant aux bourreaux qu'aux victimes et aux complices, pour tenter de comprendre l'inadmissible. Il s'efforce d'expliquer comment ce génocide a pu se produire, de décrire le climat qui colorait les rapports entre les Hutus et les Tutsis.

À la vue de Cyprien, qui gravissait péniblement la colline, les miliciens se mirent à crier et à gesticuler.

— Viens t'amuser avec nous, Cyprien, viens.
5 Allez !

Cyprien-les-grosses-couilles, il y a ta femme qui t'attend et qui te veut. Comme tu n'étais pas là, on a pensé qu'elle serait mieux avec nous.

Juste derrière les deux troncs d'arbres qui fer-
10 maient la route, sa femme gisait, la jupe remontée sur son ventre. Elle gémissait. Deux jeunes miliciens complètement hilares tenaient ses jambes écartées et un troisième immobilisait sa tête. Un sein pendait en dehors de son
15 tee-shirt déchiré et ensanglanté. Le chef de la barricade pointa un revolver sur la tempe de Cyprien et le mena près de Georgina.

— Nous avons tous essayé, mais nous n'y arrivons pas. Ta femme n'a pas de plaisir. Même
20 moi je suis passé dessus et les femmes m'aiment. Rien, pas un soupir de plaisir. Elle doit être anormale. Nous l'avons prise à deux, l'un par-devant, l'autre par-derrière. Et nous avons forcé. Des grands coups de queue, de grosses
25 queues, puis nous avons utilisé un bâton. Rien seulement des pleurs et des cris horribles, même des insultes, pas un petit plaisir pour nous dire merci de la trouver si belle et appétissante. Toi qui connais tous les secrets des
30 Blancs et des Tutsis que tu fréquentes, tu vas nous montrer, Cyprien, tu vas nous montrer comment il faut faire pour faire jouir ta femme.

Cyprien était soulagé. Il ne mourrait pas de la maladie mais de plaisir.

35 — Je vais vous montrer comment faire, dit-il.

Il se déshabilla complètement. Les miliciens qui retenaient sa femme s'écartèrent, intimidés par la nudité de l'homme qui les regardait dans les yeux et qui se penchait tranquillement vers
40 Georgina. « Femme, mieux vaut mourir de plaisir que de torture », dit Cyprien. Lentement et surtout avec une délicatesse qu'il ne se connaissait pas, il retira sa jupe, puis son tee-shirt aux couleurs du Rwanda. À genoux entre ses
45 cuisses, il la regarda longuement pendant que les miliciens hurlaient leur impatience. Il s'allongea sur elle et commença à l'embrasser, dans le cou, sur les oreilles, sur les yeux, les joues, aux commissures des lèvres, délicatement, seule la
50 pointe de sa langue exprimant le désir, pendant que les miliciens huaient ce morne spectacle. Le petit barbu s'avança et lui donna un grand coup de machette dans le dos. Cyprien entendit son sang couler comme une rivière brûlante qui
55 dévalait entre ses fesses et mouillait ses testicules. Jamais il n'avait eu une telle érection. Il se redressa et, pour la première fois de sa vie, il enfouit sa tête entre les cuisses de sa femme et suça, embrassa, mangea son sexe. Il n'avait
60 presque plus de forces. Il pénétra Georgina et, juste avant qu'il jouisse, le gendarme tira. Le corps de Cyprien eut comme un hoquet et il tomba sur le dos à côté de sa femme. Aspergé de sperme, le gendarme se mit à hurler.

65 Georgina implora. « Tuez-moi, maintenant. Tuez-moi, s'il vous plaît. » Le gendarme furieux baissa son pantalon et se coucha sur elle. Il donna un premier coup de rein, et beaucoup d'autres comme s'il voulait la transpercer.
70 Georgina n'exprima ni douleur ni plaisir. Pas un son, juste des yeux vides et morts. Le gendarme se releva, dégoûté. Ils exécutèrent la

GEOFFREY JAMES (1942).

Road Sign on Highway 905, Two Miles North of the Border, de la série *Running Fence*, 1997-1998. (Épreuve à la gélatine argentique, dimensions indéterminées.)

La problématique de l'immigration illégale de Mexicains aux États-Unis est une question d'ordre public, et c'est dans un esprit documentariste que Geoffrey James a tenté de représenter la barrière énorme, mais par endroits presque invisible, séparant le Mexique des États-Unis. Comme on peut le voir ici, ce sont les panneaux de signalisation, les patrouilles des hélicoptères et l'œil attentif de la police qui constituent ce *running fence*, ce mur mouvant, vivant, organique, toujours en alerte. D'une manière cynique, James présente l'hypocrisie américaine par rapport à ce problème découlant en grande partie des politiques internationales des États-Unis, et causant son lot de violence. Dans le même ordre d'idées, Gil Courtemanche dénonce lui aussi l'action seulement apparente des Occidentaux pour faire cesser les massacres au Rwanda, en montrant toute la violence qu'elle engendre.

femme sans enthousiasme à grands coups de machettes comme pour terminer un travail
75 monotone. Les deux corps ressemblaient à des déchets d'abattoir, à des carcasses mal équarries par des bouchers malhabiles. Pendant que les hommes, repus de plaisir et de violence,
80 quittaient la barrière, après avoir éteint les feux et rangé jusqu'au lendemain les deux troncs d'arbres, des chiens errants et affamés se glissèrent silencieusement et se firent un festin de ces chairs que les humains leur offraient avec tant d'insouciance.

QUESTIONS

1 Comment, dans des situations de violence, l'être humain perd-il de sa qualité d'être humain qu'il soit victime ou bourreau ?

2 Comment l'ironie des miliciens cache-t-elle mal leur mépris ? Relevez les marques du mépris.

3 a) Comment comprendre Cyprien qui se dit « soulagé » (l. 33-34) de mourir de plaisir et non de maladie, et qui essaie de convaincre sa femme de son point de vue ?

b) Comment interpréter l'attitude de la femme ?

4 Comment, dans des moments de haine extrême, toute chose perd-elle son sens et se trouve-t-elle ainsi dénaturée ?

5 « L'amour fou » transforme-t-il l'homme et la femme de la même façon chez Monique Proulx (p. 262-263) et chez Gil Courtemanche ?

PARTIE 5

ENTHOUSIASME ET MÉLANCOLIE

APRÈS LE GRAND ENTHOUSIASME des années 1970, les poètes mesurent à quel point il est difficile de poursuivre leurs différentes expérimentations formelles pour « changer la vie ». Comment continuer à jouer avec les formes et à déconstruire les habitudes de lecture quand les textes perdent de leur sens, deviennent illisibles et éloignent les lecteurs ? Comment continuer à croire qu'une humanité nouvelle puisse advenir quand perdurent les inégalités sociales, les violences sexuelles, les exclusions de toutes sortes ? Comment continuer à imaginer un monde riche de tous ses possibles, quand autour de soi et en soi on sent qu'il se défait comme la vie, qu'il devient de plus en plus étranger, pauvre, opaque ? Traversé par une profonde mélancolie, l'écrivain devient plus méditatif : il prend note des deuils qu'il doit faire, des pertes qui se creusent, des rêves qu'il faut abandonner. Inconsolé et inconsolable, il doit renoncer à l'absolu mais s'y refuse, conscient de la fragilité des êtres et des choses, et de la sienne d'abord et avant tout. Du coup, c'est toute la confiance dans le pouvoir des mots qui se trouve ébranlée et la misère spirituelle d'une époque, mise en jeu.

CLAUDE BEAUSOLEIL

Claude Beausoleil (1948)

Né à Montréal l'année de la parution de *Refus global*, comme il aime à le rappeler, Claude Beausoleil partage sa vie entre Paris, sa ville d'origine et des séjours au Mexique. Il a d'abord écrit une œuvre sous le signe de la rupture et de l'expérimentation. S'il s'éloigne du discours sur « la fondation du territoire » des poètes des années 1950 et 1960, il témoigne d'une autre façon pour le poète de s'engager dans son milieu. Il collabore à de nombreuses revues, en fonde et en anime (*Lèvres urbaines*) et dirige des collections chez différents éditeurs. Beausoleil est dès ses débuts ce poète enthousiaste, fidèle à la poésie et à ses transformations, soucieux d'en enregistrer constamment les variations pour mieux la faire connaître et comprendre, tant au Québec que dans le monde. Aujourd'hui, après avoir tenu aux ruptures et aux transgressions, il croit à l'importance de la mémoire et plus particulièrement à la nécessité d'aller chercher chez des poètes plus anciens de quoi relancer la ferveur pour les différentes façons d'inscrire le rapport au réel selon les époques. En 2004, il rejoignait l'Académie Mallarmé, où Gaston Miron l'avait précédé.

■ UNE CERTAINE FIN DE SIÈCLE (1983)

Dans ce long poème qu'on peut lire comme un hommage aux poètes et à la poésie, Beausoleil rappelle que le geste d'écrire est l'expression d'un souffle vital. Pour lui, l'écriture n'est autre chose que « possibilité et horizon ». C'est « une passion sévère », dira-t-il, mais qui fait de lui un travailleur spécialisé continuellement sollicité par les signes qui lui viennent du réel, conscient cependant comme Borges que chaque écrivain ne fait qu'ajouter une légère variation à ce grand Livre du monde que les écrivains continueraient à écrire.

Avec Une certaine fin de siècle, *il veut proposer « un imaginaire éclatant qui nous élève », imaginaire qui, pour lui, se trouve forcément dans les grandes villes. « Tous ces buildings lancés vers le ciel, c'est l'image de la beauté. » En fait, Beausoleil n'a jamais cessé de revendiquer une poésie urbaine. S'il a d'ailleurs été fasciné par la démesure en poésie, comme Victor-Lévy Beaulieu dans l'écriture romanesque, c'est que, un peu à la façon de Victor Hugo pour le romancier, il y aura eu d'abord, pour Claude Beausoleil comme pour la plupart d'entre nous, Nelligan, ce poète qui, le premier au Québec, a affirmé vouloir une vie entièrement vouée à la poésie.*

« Mémoire de ville »

nous reviendrons comme des Nelligan
dans des paillettes et des espaces urbains
comme des voix brisées de nuit
dans des mots et des jets
5 que transforment les choses
nous reviendrons comme des rocks lents
des musiques traversées d'audace
des rythmes que la ville balance
au-dessus des rêves et des démesures
10 nous reviendrons par les ruelles
nous reviendrons au centre des buildings
nous parlerons comme des livres
nous rirons dans le creux des rêves
nous referons le trajet des ruptures
15 nous reviendrons sur des vaisseaux d'or
comme des sourires sur le highway
comme des phrases inattendues
nous reviendrons comme des images
épris des sons et des corps fous
20 près des formes qui parlent
à même les bars et les alcools
dans des conversations qui s'étirent
dans des livraisons de démiurges
nous reviendrons comme des romances
25 à même le vin des suites et des ellipses
à même le partage et la fuite

à même les vitrines et les amis
à même la douceur des métaux
et le souffle des mots
30 et la craquelure des villes
c'est Montréal décentrée
qui exibe ses néons
c'est la nuit américaine
c'est l'apologie et l'effet
35 de tous ces liens qui partent
d'autant de visages et de lieux
et le silence est agressé
[…]
la ville nous impressionne à volonté
nous reviendrons comme des stars démunies
40 nous reviendrons pour lire vos textes
nous reviendrons par la route des mémoires
dans un fracas
dans une rumeur
aussi dans des gestes
45 dans l'œil traqué
sous l'œil en dérive
dans des assauts
comme dans des abandons
nous reviendrons parler de nous
50 et des failles qui s'ajustent au présent
[…]

QUESTIONS

1 a) Comment comprendre le premier vers du poème « Nous reviendrons comme des Nelligan » ? Pourquoi ce futur ? Pourquoi ce « nous » ?

b) Comment le poème fait-il partie d'un nouvel « âge de la parole » ? Quelles dimensions le poète apporte-t-il ?

2 À quels signes reconnaissez-vous que la ville est une source d'énergie pour le poète ?

3 a) Pourquoi Beausoleil écrit-il « nous reviendrons par la route des mémoires / dans un fracas / dans une rumeur » (v. 41-43) ? Quelle est l'importance de la mémoire pour lui ?

b) En prêtant attention aux expressions qui vous semblent les plus significatives, décrivez la représentation que l'auteur fait de la ville.

4 En quoi la ville est-elle, dans cette représentation, comparable à la poésie et à ses effets ?

5 Diriez-vous que la poésie élargit la conscience du poète qui circule dans les villes ?

LOUISE DUPRÉ

Louise Dupré (1949)

Louise Dupré obtient, en 1987, son doctorat en lettres à l'Université de Montréal pour sa thèse sur la nouvelle poésie au féminin. Elle enseigne au collège de la Région de l'amiante (1974-1987) et donne des cours dans différentes universités, avant de devenir professeure de littérature à l'Université du Québec à Montréal où elle enseigne toujours, la création littéraire principalement.

L'arrivée de Louise Dupré en littérature coïncide avec la venue des femmes à l'écriture au cours des années 1970. Depuis, elle n'a cessé, dans ses œuvres et ses interventions publiques au Québec et dans le monde, de s'interroger sur « le pouvoir, la sexualité, l'identité et les sens multiples que peut prendre la parole des femmes », notant surtout « ce qu'il faut de courage pour accéder à soi ». La poésie de Louise Dupré, comme sa prose romanesque, se fait très personnelle et met en scène un « je » qui cherche à montrer les transformations de l'amour et du désir, le corps en proie au vide et à l'absence, et les chagrins nourris par les disparitions et le deuil.

■ TOUT PRÈS (1998)

Dans son roman La Memoria *(1996) et dans* Tout comme elle, *texte poétique mis en scène en réunissant, en 2006, cinquante actrices de tous âges, Louise Dupré part des différents deuils (séparations, éloignements) pour parler des chagrins qui forcent le sujet féminin à revisiter sa mémoire et à décrypter ses blessures originelles. Cela l'amène à affronter, sur le ton de la confidence, ces événements qui seraient restés « en suspens dans la mémoire », dont ce lien toujours problématique pour une femme avec la mère et avec la souffrance qui se transmet de mère en fille. Mais si elle assume ces événements dans son corps même et jusque dans leur expression sensible, Louise Dupré n'en tente pas moins de vivre une vie libre, légère, qui donne sa chance à l'amour.*

Dans Tout près, *elle semble être revenue de certaines illusions. Elle s'intéresse aux petits événements du monde comme si, en marge des grands espoirs collectifs, ceux des femmes en premier lieu, il s'agissait pour elle de trouver, « tout près », une façon de se conduire dans la vie quand on est dépassé par des réalités dont il est difficile de se consoler. La poète se penche sur quelque chose qui nous touche tous comme êtres humains, ce désir d'infini quelles que soient les certitudes offertes par les religions.*

1er poème

Longtemps tu as refait le monde
en hâte
comme un décor de carton
que les passants s'amusaient à démolir
5 le soir en revenant du travail
Tu te contentes maintenant de poursuivre
ta marche
en t'arrêtant à des détails indestructibles

l'angle de la lumière
10 l'automne déjà imprimé sur les feuillages
ce pieu qui retient une barque
dans le vieux port
Tes pas t'arrêtent
là où commence le combat des eaux
15 Un jour peut-être tu suivras
le fleuve jusqu'à la mer

2e poème

Tu te demandes combien il faut de morts
pour avoir raison d'une vie
Tôt ou tard les humains
se laissent tomber au fond d'un trou
5 où leurs chevelures s'emmêlent
en un seul reste que personne
ne parviendra jamais à décrire
Voilà d'où tu viens
d'une fosse commune
10 dont tu essaies de recueillir

quelques bruits
Tu te fabriques une histoire à peu près
crédible certains jours
en déambulant le long des artères
15 les plus achalandées de ta ville
quand elle se met à battre
la mesure du temps mesurable
Tu essaies d'ignorer
que la terre a toujours
20 le mot de la fin

BERTRAND CARRIÈRE (1957).

Sonia, Lac Montjoie, 1998. (Photographie, dimensions indéterminées.)

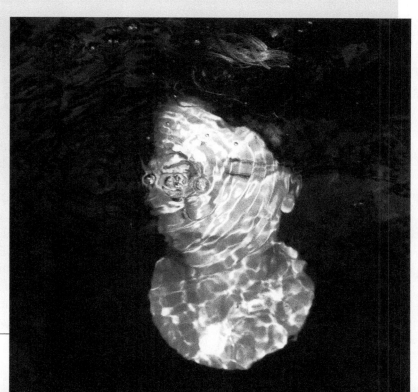

Il se dégage de certaines photographies de Bertrand Carrière une mélancolie, voire une tristesse insondable. *Sonia, Lac Montjoie* est un troublant portrait de femme. En plein centre de l'image, seule sa peau blanche attire le regard. On y discerne le dessin de la lumière et de l'eau, on la devine en pleine nature. Si un côté de son visage est flou, à cause de l'air qui échappe à cette Ophélie moderne et tranquille, sur l'autre, on voit qu'elle a les yeux fermés. On trouve la même douceur mélancolique chez Louise Dupré qui, elle aussi, à sa manière, associe l'eau à la nostalgie ou à un passage, pas toujours facile mais souvent nécessaire.

3ᵉ poème

Tu prends aux fontaines
l'eau qu'il te faut pour t'abreuver
Le pain, tu oses parfois
le mendier sur les places
5   où s'assoient les voyageurs
qui donnent n'importe quel pays
à leur visage
C'est quand tu acceptes de tendre la main
que les étoiles semblent le mieux
10   tirer vers elles

le concret de la nuit
Car l'infini se concentre dans ta paume
qui brusquement s'arrête au pli
du poignet
15   lignes d'amour, de sang
de feu brisées en de multiples ridules
dont tu ne sais que dire
sinon que tu attends du ciel
une carte désormais moins fragmentée

QUESTIONS

1 Qu'est-ce qui fait le caractère intimiste de ces poèmes?

2 En quoi dans sa méditation, la poète nous montre-t-elle un monde « tout près »?

3 a) En observant bien le premier poème, dites « le drame » qui, gisant au cœur de la méditation poétique de Louise Dupré, donne un ton mélancolique à son propos.

    b) Quel est ce « tu » auquel s'adresse la poète?

    c) Dans les autres poèmes, repérez les principaux passages où la conscience de la fragilité des êtres et des choses s'exprime, et dites la nature de cette fragilité. Pour répondre à cette question, prêtez attention aux rêves du « tu » et à leur capacité de s'incarner dans le réel.

    d) Comment le « tu » tente-t-il de contrer cette fragilité?

4 Le mélancolique peut-il, d'après ces poèmes, continuer à rêver d'être un dieu tout-puissant?

5 Le rêve d'être un dieu tout-puissant est-il vécu de la même façon chez Louise Dupré et dans « Le Jeu » de Saint-Denys Garneau (p. 148-150)?

MARTINE AUDET

Martine Audet (1961)

Martine Audet a publié son premier recueil de poésie en 1996. Intitulé *Les Murs clairs*, il ouvrait la voie à une poète qu'on allait très rapidement reconnaître comme une voix significative dans la poésie contemporaine en l'invitant à participer à plusieurs anthologies (dont *Baiser vertige*, de Nicole Brossard) et à de nombreux événements poétiques et littéraires au Québec et dans le monde, entre autres à la Biennale internationale des poètes en Val-de-Marne (France), à la Rencontre québécoise internationale des écrivains, au Festival international de la poésie et aux Marchés de la poésie de Montréal et de Paris. Même si elle constate que « nous vivons dans une époque de divertissement » qui place la poésie « à contre-courant » puisque « les poètes ne sont pas des amuseurs », Martine Audet tient à l'écriture du poème comme à l'espace d'une « révolte intime », selon le mot de Julia Kristeva, où il devient possible de résister en interrogeant le sens du monde.

■ LES MÉLANCOLIES (2003)

« Je pose feuille, ciel, la vie souffrante et mesure le poids de ce que je ne suis plus », a dit Martine Audet. Avec quelques mots fétiches — comme air, vent, corps, main, cœur, os, ciel, nuit —, la poète se serait donné, selon Gabriel Landry, « une langue élémentaire, épurée » pour exprimer une mélancolie certes, mais « à côté, dans les marges de l'ordre du monde et de ses raisons ». Il lui faut en fait revenir à l'origine et assumer ainsi pleinement la vie qui se retire, entraînant avec elle la chaleur, la lumière et le rire. Car pour elle, Dieu est mort, Dieu doit mourir ; le ciel est vide, doit se vider. Alors comment savoir ? Comment serait-il possible de savoir ? Comment habiter le monde, vivre la rencontre quand on fait face à de l'inguérissable, de l'irréparable, de l'irréconciliable ?

« Le jour reste à l'intérieur »

1er poème

la ville souffle un ciel sale halo de chairs d'écorces
crachat des lampes et du festin
le creux de ma main
ta main
5 nos vies délicates

on aime perdre des mots
que personne ne ramasse

on court vers le fleuve
pour qu'il n'en reste rien

2e poème

on ne touche pas
aux murs des saisons

on apprend à compter
en échappant au feu

5 sans cesse tout commence

jamais ne recommence

on touche à l'ignorance

3e poème

au milieu de rien
quelque chose

on ajuste des mots
aux écarts de conduite

5 matière et reflet basculent
dans un coin

4e poème

comment nommer
ce que l'on aime

au début il est vrai
on ne parle de rien

5 on n'a qu'une seule idée
pour l'enfance

on dévalise des yeux

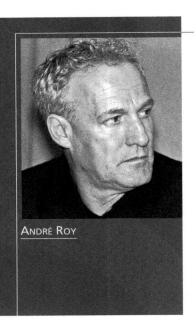

ANDRÉ ROY

André Roy (1944)

Depuis de nombreuses années, André Roy œuvre dans le milieu de l'édition tout en travaillant à la pige comme journaliste et critique en littérature et en cinéma. Il a aussi collaboré à différentes revues et maisons d'édition de poésie.

Comme Nicole Brossard, Roger Des Roches et François Charron, pour ne nommer que ceux-là, André Roy fait éclater le langage pour en éprouver la matérialité et forcer le lecteur à se défaire de ses habitudes de lecture. Dans ses premiers poèmes, il aborde déjà les quelques thèmes qu'il va développer dans toute son œuvre à venir : le corps, le désir, le rêve d'infini, la question de l'autre. En 1979, il publie *Les Passions du samedi*, où il emprunte au cinéma pour décrire l'univers de la drague et ces images multiples qui surviennent au hasard des rencontres et nous habitent ensuite comme une obsession. Avec cette « description métaphorique du mythe d'une certaine Amérique, celle de la jeunesse, de la danse et du new look éternel », c'est en fait un traité sur l'art de vivre, d'aimer et d'écrire qu'il nous offre.

■ VIES (1998)

La poésie, la beauté et la joie sont-elles possibles quand, autour de nous, tant de gens, tous plus fragiles les uns que les autres, vont à leur perte ? En raison de cette solitude même, Roy semble ressentir une joie chagrine à se souvenir et à revenir hanter les chambres, leurs lits et leurs sexes. Tous désertés. À un certain niveau de conscience, le poète prend la place de Dieu, fait un creux de mère et se montre inquiet du sort de l'autre. Comme dans l'amour, comme après l'amour. L'autre devient alors cet espace d'exil, d'étrangeté, de catastrophe, oublié certes par Dieu, mais repensé par le poème et, par là, accueilli, accompagné.

Je veux devenir celui en chagrin de vous
quand je vous accompagnerai dans le souvenir des autres.
(Les prochains disparus continueront de croire en nous

en voyant nos dernières larmes brûler
5   dans les villes obscures.)
Mon cœur ne semble plus servir à grand-chose
en ces temps favorables aux assassins.
(Je rappelle que Dieu a déjà existé,
mais qu'Il a depuis quelque temps disparu
10   s'étant peu préoccupé de nous.)
Je n'acceptais que votre beauté étonnée
dans les flammes de nos vieux étés fous,
quand les images prenaient feu
devant les observatoires de la jeunesse
15   où nous nous postions en guetteurs de l'amour.
Les jeunes morts nourrissent depuis peu la matière de
        mes livres ;
j'écoute en eux la rumeur de l'antique chose bienfaisante
qui décimait mes yeux chaque nuit traversée
20   dans les zones d'intempérance.
Voici mes pensées examinées et corrigées,
ainsi que mes sexes déliés et défeuillés
qui faisaient autrefois de l'acrobatie pour vous.
Le ciel demeure le seul endroit où tout le bleu flambe
25   encore
comme avant la naissance de la Terre ;
il protégera ainsi les milliers d'images de vous
dans la lumière maintenant désunie ;
soirs déchirés, planètes délaissées.

MICHEL GOULET (1944).

Trophée, 1986. (Acier et objets divers, 232,5×249×249,5 cm. Musée d'art contemporain de Montréal.)

Les sculptures de Michel Goulet sont des assemblages d'objets évocateurs, chargés symboliquement. L'œuvre intitulée *Trophée* est composée d'une échelle et d'une ossature de lit surélevée, appuyée d'une patte sur un échelon et des autres sur divers objets lui interdisant le contact avec le sol, ce qui la place dans un équilibre précaire. Les thèmes de l'intimité et du rêve que suggèrent à la fois l'objet lit et la verticale de l'échelle respirent la mélancolie. Sans draps, fragile et abîmé, le lit évoque le souvenir, peut-être la perte de l'être aimé et le refuge dans le rêve.

30   Certains restent, d'autres s'envolent, quelques-uns
                brûleront
        pour un temps indéfini dans les lits de démence.
        Beaucoup de dépenses, beaucoup de souffrances
        le long de la vie de tous
35   déréalisée par tous ;
        et combien les tout-en-vie me paraissent aujourd'hui
                opaques et lointains !
        Je déambulais la nuit parce que je pleurais souvent.
        Et la poésie n'était-elle pas une chose
40   qui grandissait vite devant nos yeux ?
        Beaux vivants, jeunes incarnés,
        vous voulez que je disparaisse en train d'écrire
        afin de pouvoir vous aimer par-delà les nuages
        que l'avenir détruira.

QUESTIONS

1 Comment comprendre la condition du mélancolique revendiquée par le poète dans les deux premiers vers ? Qu'est-ce qui explique le chagrin ?

2 Selon le poète, l'avenir est-il tout à fait bloqué ?

3 a) Quel reproche le poète adresse-t-il à Dieu ? Comment l'interprétez-vous ?

b) Dessinez le portrait de ceux à qui s'adresse le poète.

c) Comment le regard rétrospectif du poète nourrit-il sa tendresse à l'égard des autres ?

4 Est-il juste d'affirmer que le poète mélancolique est un désespéré ?

5 Peut-on dire que la mélancolie d'André Roy est du même ordre que celle de Nelligan dans « Devant mon berceau » (p. 148-150) ou de Jean-Paul Daoust dans *Les Cendres bleues* (p. 267-268) ?

PARTIE 6

UNE LITTÉRATURE AU FÉMININ BIEN ANCRÉE

DANS LES ANNÉES 1980, les mouvements féministes semblent s'essouffler et les manifestations publiques de groupes militants se font moins nombreuses. En littérature, les femmes prennent leurs distances avec l'idéologie féministe des œuvres de la décennie précédente. Grâce aux progrès, réels mais fragiles, que les femmes ont faits dans plusieurs domaines, il est désormais possible de tenir pour acquis des droits, des libertés qui vont de soi : le droit d'étudier et de travailler, le droit de vivre seule ou en couple, le droit de disposer de son corps. Alors, la littérature de ces auteures intègre le féminisme pour l'amener ailleurs.

Les nouvelles héroïnes affichent donc une féminité moderne, tranquille, assumée. Elles peuvent être étudiantes, travailleuses ou mères monoparentales. Les auteures traitent notamment des nouveaux rapports entre les hommes et les femmes, d'amitié entre femmes, de sexualité, de maternité. Elles se permettent même de remettre en question certains aspects de cette nouvelle liberté dont profitent les femmes. Elles délaissent la tonalité combative pour privilégier le doute et la nuance, explorent des textures plus intimes, plus individuelles. Après les expérimentations formelles de la littérature féministe, ces écrivaines reviennent à la narrativité et à l'accessibilité des textes.

Francine Noël (1945)

En 1983, Francine Noël publie son premier roman, *Maryse*. Il s'agit d'une fresque éclatée, drôle et originale qui fait le portrait de la génération qui avait vingt ans à Montréal au tournant des années 1970. Le roman raconte surtout l'histoire de Maryse, une jeune femme qui cherche son identité dans ses relations avec les hommes, ses amitiés avec des filles et l'écriture. Ce roman plaît immédiatement aux critiques aussi bien qu'au public, et devient très vite un succès de librairie. Quatre ans plus tard, Noël écrit *Myriam Première*, dans lequel elle situe les mêmes personnages et leurs enfants dans ces années 1980 marquées par la fin des grandes idéologies. Le dernier volet de la trilogie, *La Conjuration des bâtards*, paraît en 1999. À l'aube du nouveau millénaire, le livre s'ouvre sur le reste du monde et l'histoire de la tribu se passe à la fois au Québec et en Amérique du Sud.

FRANCINE NOËL

L'écriture de Noël est empreinte de l'idéologie féministe, tant dans la quête d'identité et la prise de parole des personnages féminins que dans les thèmes des relations de couple, du partage des tâches, de l'avortement et de la maternité. Les personnages témoignent, certes, des acquis du féminisme : solidaires de leurs amies et des autres femmes, elles sont libres de choisir leur carrière, leurs amours, mais se permettent quand même de remettre en question certains aspects de la libération des femmes, notamment en critiquant avec humour l'épuisement et les ennuis quotidiens des mères qui travaillent à l'extérieur de la maison.

■ MARYSE (1983)

Maryse est une véritable fête du langage ; du joual au discours intellectuel, le style de Noël mêle tous les niveaux de langue et reproduit ainsi fidèlement la façon dont on parle tous les jours. Chez Noël, la langue est un véhicule majeur d'affirmation et de libération. Dans cet extrait, Marie-Lyre Flouée, une amie de Maryse, adresse à son amant français qui refuse qu'elle l'appelle « mon chum » un monologue réjouissant dans lequel elle dénonce à la fois le sentiment de supériorité des Français face à la langue québécoise et l'absence de considération des hommes pour leur amante. Il en résulte une double célébration inédite de la créativité du vocabulaire québécois et de l'affranchissement de la « femme libérée ». Ce n'est pas un hasard si ses initiales, MLF, sont aussi celles du Mouvement de libération des femmes.

— J'ai dit : « Ah bon ! t'es pas mon chum ? Mais qu'est-ce que t'es, alors ? Qu'est-ce que je suis pour toi ? Qu'est-ce qu'on est, pardon, qu'est-ce que nous sommes ? Oui, que sommes-nous, mon chéri ? Rien. On n'est ni concubins, ni accotés, on n'est même pas dans le véritable adultère bourgeois, ça c'était quelque chose au moins ! J'ai souvent l'impression qu'on n'existe même pas, qu'il n'y a jamais rien eu entre nous et que j'ai rêvé nos rencontres. On est innommables... en tout cas, innommés. Merde. Encore une affaire qu'i a pas de mot pour ! Mais veux-tu me dire ce qu'on fout ensemble ? » « T'énerve pas, Marie-Lo ! qu'y m'dit. » Il me disait de ne pas m'énerver, tu te rends compte, Maryse, après ce qu'il venait de me dire ! Y m'énerve ! ! ! Je lui ai répondu : « Vois-tu, mon cher André, étant donné le caractère très spécial de notre liaison, il y a des tas de mots que je ne peux pas utiliser pour te désigner. Il est exclu que je t'appelle mon mari ou mon compagnon. Je peux pas dire mon amant ; on n'est pas dans un roman français, mais sur la rue Marie-Anne, tu l'avais peut-être pas remarqué. Je peux pas non plus te donner le titre de soupirant, c'est plutôt moi qui soupire ! Pas question de t'appeler mon futur, je ne me fais pas d'illusions : t'es à peine présent ! Je peux pas dire mon p'tit ami, vu ton âge et ta taille, ça serait ridicule. Et j'ai pas le droit de t'appeler mon amour ; tu m'aimes pas, t'as pris soin de le préciser : "on baise en toute amitié". Mais mon très cher ami, le mot ami, ici à Montréal, en bas, en très Bas-Canada, ça veut strictement rien dire. Je pourrais toujours t'appeler mon ami-de-gars : c'est là une des trop nombreuses locutions bâtardes de notre dialecte de provinciaux. Moi, j'trouve ça amusant. Tu trouves-tu ? Non, han ? Tu saisis pas ce que ça veut dire et tu penses que c'est syntaxiquement dément. Peut-être. Mais comment voudrais-tu que je t'appelle, moi qui te prenais naïvement pour mon chum ? En fait, t'es une sorte de chum steady intermittent : t'es steady dans ton intermittence. Mais tu refuses d'être désigné par un mot qui manque de vertus poétiques ! En effet, le mot chum est pas paétique. Le mot chum rime avec bum, Dum, Fullum pis gomme !

Que c'est donc laite, le québécois, mon dieu !... Anyway, on s'est peut-être mal enlignés ; cette langue merveilleuse qui nous permet de communiquer, cette grande francité-francitude qui nous englobe comme du mâche-mallow nous perd peut-être, qui sait, dans son giron trop vaste... » Il était devenu tout blanc et moi, je m'enfonçais, je m'enfonçais vers l'irrémédiable, mais j'ai continué, c'était trop tentant : « Ton problème, André Breton, c'est que tu parles bien, toi ! Ce qui t'enlève beaucoup de possibilités sur le plan du vocabulaire et de la syntaxe, ça te limite, et t'oses pas inventer. Pour toi, si un mot est pas écrit dans le dictionnaire des rimes, dans un dictionnaire point, il n'existe pas. Mais qu'est-ce que je fous avec un versificateur, un verriste, un verreux, maudit verrat ! » Je forçais sur le québécois, comme tu peux le voir, mais il m'avait cherchée. Finalement, j'ai admis que le mot était pas un des plus riches. J'ai dit : « Ça coïncide peut-être pas parfaitement avec ce que tu es, ce que tu représentes pour moi, mon chéri, mais qu'est-ce que tu veux, on n'a pas tellement de choix au Québec, dans ce domaine pourtant si important de la nomination, du nommage, de l'appelage, du câllage des mâles avec lesquels on s'accouple. Tu viens de mettre le doigt sur une carence hideuse de notre beau dialecte. On n'a rien que le mot chum pour vous nommer, toi et tous les autres. C'est un mot fourre-tout, si je puis dire. C'est à prendre ou à laisser : t'es mon chum ou t'es rien. » « Ça suffit, Marie-Laine ! »... Il aurait jamais dû dire ça ; je commençais à me calmer et ça m'a comme fouettée : « Si t'es allergique à mon vocabulaire, ça prouve dans le fond qu'on matche pas pantoute, André Breton. On est des amants qui matchent mal, on est désassortis, on est une erreur. On n'est rien. Je suis rien ! Avec mes trois chums, je suis toujours seule, c'est vrai, ça, merde. Qu'est-ce que vous êtes pour moi, finalement ? » « S'il te plaît, Marie, ne me mêle pas aux deux autres ! Si tu veux que je m'excuse, je vais le faire, mais cesse de crier ! » Alors j'ai repris très doucement : « Oké d'abord, je vais te dire exactement ce que t'es pour moi. Fais attention, c'est

un néologisme barbare. Tu es un néologisme barbare, Dédé Breton. Je dirais que tu es mon amicule, c'est-à-dire mon petit ami de cul.
100 Voilà. J'ai trois amicules dans ma réserve mais il y en a un, l'animal, qui corrige mon français ! Tu vas m'arrêter ça, André Breton ! Prends-toi pas trop au sérieux, t'es rien que le tiers de ma vie amoureuse et puis, à bien
105 y penser, tu mérites pas le titre ronflant de chum. T'es plus mon chum ! Out, dehors, fuera ! Exit, tabarnak ! »... Eh bien ma chère, il est parti en laissant sa tarte Tatin tout écharognée sur le coin de la table. Ça prend une
110 heure, faire une tarte comme ça... pis on n'avait même pas baisé. Et c'est fini.

Marie-Lyre se mit à pleurer pendant que Maryse allait lui chercher un autre verre au bar, le waiteur étant trop occupé pour les servir.

115 — Braille pas comme ça, dit-elle en revenant, il te reste deux autres chums.

— Je les ai pas vus de l'été, avec leurs maudits chalets pis leurs vacances en Europe ! L'été, c'est pour les épouses, pas pour les maîtresses. Tiens,
120 je ne lui ai pas parlé du mot maîtresse. Encore une expression stupide. Maîtresse de quoi ? Je ne contrôle rien, je suis celle qui cède, celle qu'on cache, je suis la doublure, l'ombre. Des fois, je me demande si c'est bien moi qui joue
125 un pareil rôle...

QUESTIONS

1 Qu'est-ce qui, dans le discours, l'attitude et le mode de vie de Marie-Lyre, fait d'elle une jeune femme des années 1970, période charnière du mouvement féministe et de la libération des femmes ?

2 Comment Marie-Lyre oppose-t-elle le français de France au français québécois ? Lequel des deux a une connotation positive dans le texte ?

3 a) Marie-Lyre reprend, sur le mode ironique, les reproches que son amant fait au français québécois. Quels sont-ils ?

b) L'amant de Marie-Lyre porte le nom du poète français André Breton. Pourquoi Francine Noël l'a-t-elle baptisé ainsi ?

c) Quelles caractéristiques du français québécois sont mises en valeur dans la forme même du discours de Marie-Lyre ? Quel rapport cela a-t-il avec le personnage ?

d) La liberté sexuelle dont jouit Marie-Lyre est-elle présentée comme avantageuse pour la jeune femme ?

4 Peut-on dire que le personnage de Marie-Lyre propose un portrait positif de la femme québécoise des années 1970 ?

5 Le joual joue-t-il le même rôle dans l'extrait de *Maryse* que dans l'extrait de *À toi, pour toujours, ta Marie-Lou* (p. 174-175) ?

Élise Turcotte (1957)

Élise Turcotte propose, depuis 1980, une œuvre riche et unique qui la range parmi les jeunes écrivains les plus respectés par la critique. Elle s'inspire du quotidien pour transformer tout ce qui se passe autour d'elle en mots, en écriture. Elle explore d'abord la poésie, avec ses six premiers recueils, écrits dans les années 1980, qui remportent plusieurs prix importants, puis le roman en publiant, en 1991, sa thèse de doctorat en création littéraire. *Le Bruit des choses vivantes* est tout de suite reconnu comme une œuvre majeure et lui vaut le prix Louis-Hémon. La narratrice de ce roman est une jeune mère qui place au centre de son récit sa relation passionnelle avec sa petite fille de trois ans. L'originalité de ce roman tient justement à ce qu'il est un des très rares à confier la narration à la mère, à en faire ainsi un sujet à part entière, et à permettre ce faisant au lecteur d'accéder pour une des premières fois au récit d'une expérience de la maternité

ÉLISE TURCOTTE

intime, nuancée et actuelle. Plus inédit encore, la voix de la petite fille a elle aussi sa place et se mêle à celle de la mère.

Élise Turcotte, qui se considère comme féministe, avoue ne pas se poser consciemment la question de l'identité féminine, même si la grande majorité de ses personnages sont des femmes. Selon elle, cette question ne peut venir que naturellement, mais il s'agit d'abord d'accéder par l'écriture à sa propre compréhension du monde.

■ LE BRUIT DES CHOSES VIVANTES (1991)

Albanie vit seule avec sa petite fille de trois ans, Maria. La mère et la fille se créent ensemble un univers presque symbiotique dans lequel elles partagent des baisers, des objets, des amis. Mais cette bulle de tendresse est aussi ouverte sur le reste du monde. Il y a, très loin, les images de la violence que subissent d'autres enfants et qu'elles regardent, impuissantes, à la télévision. Il y a le travail nécessaire, la garderie et le drame familial du voisin, le petit Félix, qu'elles voudraient protéger. Et il y a le temps qui passe qui, inévitablement, amènera la fille à se détacher de sa mère. Dès la naissance de son enfant, Albanie est consciente que cette fusion entre elles est éphémère. Pour conserver une trace de cet amour, elles prennent des photos, filment, consignent dans un « cahier de rêves » des images et des mots qui témoignent de leur vie et de leurs désirs. Albanie note aussi les mots de Maria, dont le regard est un véritable révélateur qui fait jaillir l'imagination et la poésie du quotidien.

Elle a dit qu'elle voulait venir travailler avec moi aujourd'hui. Elle fait semblant de lire, elle dit, regarde, je sais lire. Ce qui veut dire, je sais être tranquille. Elle dit qu'elle va rester là pour tou-
5   jours, que je ne viendrai pas la chercher. Elle veut dire, à la garderie. Sa petite bouche commence à trembler. Non, Maria, mais non, c'est une journée de grand-maman aujourd'hui.

J'ai encore rêvé à elle : on me l'enlevait. Il y avait
10 une forme dans son lit, mais ce n'était pas elle. J'entendais la clochette du chat noir, puis, c'était trop tard, elle n'était plus là.

Ce rêve fait tellement de bruit : elle n'était plus là, elle ne dormait plus tranquillement dans son
15 lit. Elle était partie, c'était un rêve mais dans la réalité, à cause de ce rêve, elle était quand même un peu partie. Voilà comment la peur peut faire un trou dans le présent.

Nous sommes là, toutes les deux, une voix me
20 dit que nous sommes là toutes les deux,

regarde bien, remplis-toi de ce présent, nous déposons sur une tôle, avec deux petites cuillères, la pâte à biscuits que nous allons faire cuire et décorer tout à l'heure. Maria, si appli-
25 quée. La voix me dit d'être là, d'y être encore plus, de ne rien perdre, d'imprimer cette image en moi pour toujours. Vite, imprime, car les jours passent, car il y aura un autre jour, puis l'école, des cheveux courts, des cheveux
30 longs, des collants rouges qui ravalent, des costumes de sorcière et de pirate, des chandails, des manteaux empruntés, trop grands, détachés, des coups de téléphone, des cartes postales. Les jours passent et rien n'est plus
35 jamais pareil. Il faudrait que notre tête soit un immense album photographique. Ce n'est pas ça et il est toujours trop tard pour une chose ou une autre.

Maria a compté les baisers aujourd'hui : elle dit,
40 trois mille, une pluie, une montagne de baisers. Elle a dit, je suis un peu à grand-maman, mais

beaucoup à toi. Elle a dit ça. Elle a ajouté en mettant ses bras autour de mon cou, je t'aime trop toi. Elle renverse la tête, elle mime quelqu'un qui
45 aime trop. Puis, elle change de jeu, elle dit, je m'en vas faire un beau camion d'Amérique.

Je ne sais pas ce que c'est. Ce n'est pas comme la marmelishe qu'elle étend sur son pain à hot dog. Ce n'est pas non plus comme quand elle
50 dit qu'il y a beaucoup de bonbons au bord du Nil.

Elle dessine un camion, je ne sais pas comment les choses arrivent, mais c'est un camion d'Amérique.

QUESTIONS

1 Quels éléments du texte révèlent l'originalité du point de vue adopté dans la présentation de la relation mère-fille ?

2 La mère et la fille ont le même désir et la même peur. Lesquels ?

3 a) Relevez les mots appartenant aux champs lexicaux de la présence et de l'absence. Selon vous, lequel de ces thèmes est le plus important dans l'extrait ? Pourquoi ?

b) Est-ce que la relation entre la mère et la fille sera toujours la même ? Pourquoi ?

c) Le quatrième paragraphe (l. 19-38) contient trois énumérations. Montrez que chacune d'elles exprime une idée différente et expliquez l'effet de ce procédé.

d) Albanie consigne les mots d'enfant de Maria. Quels mots répétés soulignent l'importance des paroles de la petite fille ? Qu'est-ce que les mots de Maria ont de particulier ? Pourquoi sont-ils si précieux ?

4 Peut-on dire que la relation passionnelle entre Albanie et Maria les rend heureuses ?

5 Cette relation est-elle comparable à celle qui existe entre mère et fille dans l'extrait de *Les fées ont soif* de Denise Boucher (p. 226-227) ?

Ying Chen (1961)

Née à Shanghai, en Chine, Ying Chen a vingt-huit ans quand elle décide de partir seule s'installer à Montréal, où elle obtiendra une maîtrise en création littéraire. Si elle fait le pari d'écrire en français, une langue qu'elle trouve difficile et ne maîtrise pas encore très bien, ses premiers livres sont très marqués par sa culture d'origine. Dans *La Mémoire de l'eau* (1992), qui paraît trois ans seulement après son arrivée au Québec, elle raconte la petite histoire des femmes chinoises, qui se mêle parfois à la grande Histoire du pays. Dans *Les Lettres chinoises* (1993), correspondance entre deux amoureux chinois dont un vient de s'établir à Montréal, elle se penche sur les thèmes de l'exil et du déracinement et aborde les différences entre les cultures chinoise et occidentale. La qualité de son écriture et l'exotisme de ses sujets confèrent aussitôt à Ying Chen une place unique dans le champ littéraire québécois, place qui se confirme avec la publication en 1995 de *L'Ingratitude*, qui remporte un vif succès critique et public. Ce roman se passe en Chine et fait le récit du suicide planifié d'une fille qui croit trouver là le meilleur moyen de se venger de sa mère étouffante.

YING CHEN

À partir d'*Immobile* (1998), son œuvre romanesque prend une direction différente : le thème de l'exil apparaît dorénavant sous une forme métaphorique.

Décidée à donner à ses récits une portée universelle, Ying Chen choisit d'évacuer les repères de temps et d'espace, et va même jusqu'à effacer les noms des personnages. Dans un style à la fois épuré, neutre et ambigu qui évoque plus qu'il ne décrit, elle explore les remous de la mémoire et de l'oubli, voyage entre le passé et le présent, et brouille les frontières entre le rêve et le réel.

■ LA MÉMOIRE DE L'EAU (1992)

La Mémoire de l'eau fait le récit d'une famille chinoise, de 1912 au début des années 1970. Le personnage central est la grand-mère, née sous le régime féodal, juste avant la chute du dernier empereur. À cette époque, féminité rime avec délicatesse et petitesse. Aussi, comme plusieurs autres petites filles de cinq ans, la grand-mère a eu les pieds emprisonnés dans des bandelettes pour les empêcher de grandir. Mais l'opération n'a pas été complétée et la petite fille est restée avec des pieds étranges, ni rapetissés ni normaux. Or, ces pieds insolites, qui suscitent des réactions différentes au fil du temps, servent de prétexte à l'auteure pour illustrer les transformations politiques que subit la Chine.

Dans le chapitre « La nouvelle mode », la petite fille de cette grand-mère est attirée par la mode occidentale des talons hauts. Dans un style subtil et ironique truffé de sous-entendus, Ying Chen adresse une critique discrète aux diktats de la mode imposés aux femmes. Loin de n'être qu'une histoire de chaussures, ce récit révèle que toutes les femmes, peu importe leur âge ou leur culture, subissent, résignées, les mêmes violences.

« La nouvelle mode »

Je dus attendre pendant de longues années avant de pouvoir me procurer des souliers à talons hauts, qui, selon ma mère, étaient réservés aux grandes personnes. Il semblait
5   qu'en tant qu'êtres humains, les grandes personnes différaient énormément des petites. Je ne voyais pourtant pas la frontière qui séparait les unes des autres. Je n'étais sûrement pas une grande personne à l'âge de seize ans, puisqu'il
10 me fallait demander la permission de sortir. Avoir dix-huit ans ne changeait rien, sauf qu'on m'accordait le droit de voter pour quelqu'un dont, comme tous mes amis et parents, j'ignorais jusqu'au nom et qui serait élu mal-
15 gré tout. Ayant obtenu mon diplôme à vingt-trois ans, je commençai à gagner mon riz. Je devais pourtant remettre une grande partie de mon salaire à ma mère et demander la permission de sortir le soir, ce que mes frères
20 n'étaient pas obligés de faire. « Tu es toujours

ma petite fille, dit ma mère, et tu ne deviendras adulte qu'après ton mariage. »

Ce qui ne serait peut-être pas vrai, car j'entendais souvent mon père lui dire doucement :
25 « Tu agis comme une enfant... Tu aurais dû me demander conseil... » Et voilà que mon fiancé Gao-Long m'appelait « mon petit bijou ». Il aimait tout ce qui était petit chez moi : les yeux, le nez, la bouche, les mains... Je lui demandai
30 une fois ce qu'il pensait des pieds opérés d'autrefois, et j'avais eu droit à un long discours qui, selon moi, était d'une grande justesse :

« Le fait, dit-il en secouant sa tête, qu'on se faisait bander les pieds autrefois n'est pas si mau-
35 vais qu'on l'imagine aujourd'hui. Les modes changent avec le temps, alors que les hommes (et les femmes) demeurent les mêmes, comme ces lotus qui par nécessité s'installent éternellement dans la boue en dépit de l'eau qui coule

40 sans cesse. Comment pourrions-nous comprendre les mœurs d'autrefois dont le sens nous échappe ? Nous avons nos mœurs à nous et, dans cinquante ans ou moins, elles seront l'objet de critiques de la part de ceux qui en auront
45 d'autres tout aussi éphémères et impérieuses. Qu'importe. Ce qui me concerne le plus aujourd'hui, ce ne sont pas les pieds du passé, bandés ou non, ni les pieds de l'avenir, agrandis ou non, mais bien les pieds chaussés de
50 souliers à talons hauts ou à talons plats. »

Gao-Long était plus grand que moi de vingt centimètres. Il préférait que je porte des souliers à talons hauts pour sortir avec lui. D'ailleurs, les chaussures en coton l'ennuyaient.
55 Il les trouvait banales, sans aucun goût et d'une allure trop campagnarde. « Ce sont des produits moins civilisés », dit-il. En revanche, il me montra les journaux de mode publiés à l'étranger et qu'il avait trouvés on ne savait où. Il n'y avait
60 pas beaucoup de choix quant aux souliers pour la marche. Et Gao-Long avait raison : il y avait des miracles dans les pays développés. On n'avait pas besoin de se bander les pieds. On fabriquait simplement des souliers aux pointes
65 serrées pour faire paraître les pieds moins grands et plus mignons. Ce qui permettait d'entrevoir la magie des hautes technologies, c'était que les souliers à talons hauts de là-bas étaient particulièrement beaux, plus beaux que ceux
70 qui se vendaient en abondance dans les magasins de notre pays arriéré. Gao-Long avait eu l'excellente idée d'importer ces beaux souliers à talons hauts. Et pour l'instant, il se contentait de me faire cadeau des meilleurs souliers
75 fabriqués au pays.

En effet, avoir des souliers à talons hauts, c'était un de mes rêves d'adolescente. Ma mère chaussait la même pointure que moi. À son insu, j'avais essayé ses souliers je ne sais plus combien de fois. Je les avais trouvés jolis, très féminins surtout. J'avais senti un certain malaise aux chevilles et une douleur aiguë sur la pointe des pieds. C'était normal, puisqu'un proverbe disait qu'il n'y avait pas de beaux souliers
85 confortables. J'aimais les souliers à talons hauts qui, étant réservés aux grandes personnes, symbolisaient en quelque sorte la maturité. Je

commençai à en acheter régulièrement dès que je le pus. Et grâce aux cadeaux de Gao-Long,
90 j'avais une véritable collection de souliers à talons hauts. Ma mère n'en était pas contente. Elle ne put pas m'en empêcher quand je lui laissai entendre que c'était surtout pour faire plaisir à mon fiancé et qu'il s'agissait non seulement
95 d'un goût personnel mais du bonheur de deux personnes. Elle prit toutefois la peine de m'avertir du danger que je courais d'avoir les nerfs coincés et de me déformer les pieds. « Le grand amour ne devrait pas nécessiter un tel
100 sacrifice », commenta-t-elle avec la sagesse des gens qui ne sont pas amoureux.

Ma mère avait sans doute oublié l'époque où, ayant choisi d'aller rejoindre mon père dans un camp de rééducation, elle avait perdu la santé.
105 Elle avait elle-même beaucoup de souliers à talons hauts. Et depuis que son manque croissant d'énergie l'obligeait à abandonner ses beaux souliers inconfortables, elle devenait incapable de s'intéresser aux grandes amours dont elle riait
110 comme des enfantillages sans importance.

Ainsi, malgré tout, je sortais toujours avec Gao-Long dans des souliers à talons hauts qui me donnaient l'impression de me hausser un peu et de l'égaler presque. Nous nous promenions
115 partout : dans les rues, à la campagne, et même dans les montagnes de la banlieue. Un jour, nous allâmes sur une pente pour avoir une vue de la ville. Lui qui connaissait bien les « sociétés de là-bas » me racontait des histoires
120 de femmes battues, de familles monoparentales, etc. Nous nous félicitions, sans le dire, d'avoir le bonheur de vivre selon les mœurs qui nous encourageaient à nous aimer toute la vie, bien que je fusse trop petite pour lui et qu'il ne
125 pût me voir sans mes souliers à talons hauts. Je lui demandai ce que nous ferions si un jour les souliers à talons hauts se démodaient. « Tant pis, dit-il, mes affaires iront mal. »

Je n'eus pas le temps de reprendre la parole.
130 Mon talon gauche se coinça dans un petit trou. J'éprouvai un violent mal à la cheville gauche et ne pus plus marcher. Nous n'étions plus loin du sommet. Gao-Long y arriva en me portant dans ses bras, et en descendit de la même façon.

135 Il appela ensuite un taxi pour me ramener chez moi. J'étais rouge de bonheur. Ce fut la première fois que nous eûmes un contact aussi intime, et je me sentais dans ses bras comme une petite enfant. Je n'étais pas certaine qu'il m'ait embras-
140 sée. Tout s'était passé comme dans un rêve. Arrivé chez moi, il me déposa dans mon lit, puis retourna au taxi pour y prendre mes souliers. Il était trop tard : le taxi était parti, emportant les beaux souliers qu'il venait de m'acheter
145 comme cadeau d'anniversaire.

Je ne pus me rendre à mon bureau la semaine suivante. Je m'étais fait une véritable entorse. Grand-mère sortit un tas de pansements adhésifs dont de fréquentes utilisations démon-
150 traient l'efficacité. « De nos jours, tu ne trouveras de pansements plus efficaces », affirmat-elle non sans quelque fierté.

Puis elle remplit une cuvette d'eau chaude, l'apporta devant moi et y mit mon pied gauche à
155 tremper. Il me fallut rester ainsi pendant une heure pour activer la circulation du sang dans les pieds.

Le traitement n'était pas nouveau pour moi, car j'avais vu dans mon enfance ma grand-mère se

160 tremper régulièrement les pieds dans de l'eau chaude. Les après-midi d'hiver, surtout quand le ciel était sombre, grand-mère s'asseyait près de la fenêtre, les pieds clapotant timidement dans une cuvette pleine d'eau fumante, le
165 regard tourné vers le dehors et le visage assombri par les rideaux de soie. J'avais l'impression que c'était dans ces moments que les cheveux de grand-mère changeaient de couleur et perdaient leur éclat. Et ce jour-là je me trou-
170 vais à mon tour assise à la fenêtre, les pieds dans la cuvette. Je ne voyais pas clairement dehors. Les rideaux soulevés de temps en temps par le vent gênaient ma vue. J'avais envie de pleurer.

175 Au bout d'une heure, grand-mère sortit mon pied de l'eau, le sécha, y appliqua son pansement magique et enfila mes pieds dans les chaussures en coton qu'elle avait faites à la main. Elle fit tout cela avec une grande adresse
180 et application. C'est pourquoi ma mère croyait que sa belle-mère qui, de toute sa vie, avait eu des problèmes avec ses pieds, valait mieux qu'un médecin. Grand-mère me donna le reste de ses pansements.

QUESTIONS

1 Quelles caractéristiques du mode de vie des femmes chinoises ce texte révèle-t-il ?

2 Quel rapport la narratrice, la mère et la grand-mère entretiennent-elles avec les chaussures ?

3 a) Relevez les caractéristiques associées aux femmes et celles associées aux hommes. Comment interprétez-vous leurs différences ?

b) La narratrice raconte sa propre histoire. Qui parle ? Qui agit dans son récit ? Que peut-on en conclure ?

c) Expliquez pourquoi cette phrase est ironique : « Nous nous félicitions, sans le dire, d'avoir le bonheur de vivre selon les mœurs qui nous encourageaient à nous aimer toute la vie, bien que je fusse trop petite pour lui et qu'il ne pût me voir sans mes souliers à talons hauts. » (l. 121-125) Relevez d'autres traces d'ironie de la narratrice quand elle parle de son petit ami.

d) La narratrice raconte que, plus jeune, elle essayait les chaussures de sa mère (l. 76-87), puis comment sa mère a rencontré son père (l. 102-110). Qu'est-ce que ces deux épisodes révèlent sur la mère ?

e) En quoi le geste de la grand-mère donnant ses pansements à la narratrice prend-il une valeur symbolique à la fin de ce texte ?

f) Étudiez le schéma narratif et montrez que, si la narratrice ne dénonce jamais directement l'oppression des femmes, l'auteure le fait par la structure qu'elle donne à l'intrigue.

4 Diriez-vous que l'expérience de la condition féminine est la même pour la narratrice, pour sa mère et pour sa grand-mère ?

5 Comparez ce texte avec celui des écrivaines féministes comme Nicole Brossard (p. 225) et Denise Boucher (p. 226-227). Diriez-vous que ce texte de Ying Chen est lui aussi féministe ?

Nelly Arcan (1975)

En 2001, une Québécoise inconnue de vingt-six ans fait une entrée fracassante dans le milieu littéraire en publiant son premier roman directement au Seuil, une prestigieuse maison d'édition parisienne. Dans *Putain*, rédigé à la première personne, Nelly Arcan présente la confession d'une étudiante en littérature devenue prostituée. Le titre est cru et provocant, et les éditeurs laissent planer le doute sur la véritable identité de l'auteure qui se cache derrière le pseudonyme. A-t-elle ou n'a-t-elle pas été prostituée comme la narratrice? La question pique la curiosité. Le roman se fait remarquer et suscite l'intérêt des critiques tant en France qu'au Québec. Le phénomène médiatique prend encore plus d'ampleur quand l'auteure, une jeune blonde *sexy* aux allures de mannequin, fait le tour des médias et joue avec eux le jeu de la séduction.

On associe le livre d'Arcan à l'autofiction et à la littérature érotique féminine en vogue : des auteures comme Catherine Millet ou Catherine Breillat ont déjà connu des succès de scandale avec le récit impudique de leurs expériences sexuelles. Pourtant, l'image médiatique de Nelly Arcan et de son roman est un trompe-l'œil. En fait, si le récit parle de sexualité, ce n'est que pour en montrer les côtés sombres, la soumission, la perversion, le dégoût qu'elle finit par inspirer à la prostituée. De plus, la forme littéraire est exigeante. Mais le succès de Nelly Arcan ne tient pas qu'à la provocation : la critique littéraire apprécie la qualité du style et l'originalité du point de vue.

Putain a été traduit en une douzaine de langues et vendu à des dizaines de milliers d'exemplaires. En 2005, Arcan publie son deuxième roman, *Folle*, dont la narratrice s'appelle Nelly Arcan et est l'auteure de *Putain*, un roman à succès. Dans une lettre à l'amant qui l'a quittée, elle aborde des thèmes semblables à ceux de *Putain* : l'aliénation des femmes par l'image, les diktats de la séduction, le besoin d'être aimée à tout prix.

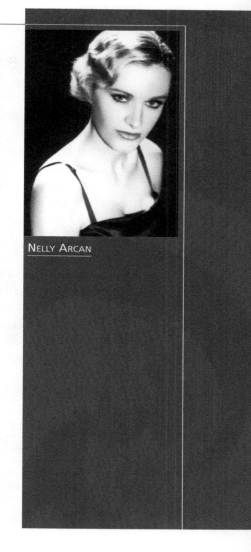

NELLY ARCAN

■ PUTAIN (2001)

Dans de très longues phrases qui jouent avec les répétitions, les hésitations et les associations libres, la narratrice raconte son enfance dans un village de campagne, son éducation religieuse, sa haine pour son père bigot et sa mère faible et vieille, qu'elle compare à une larve. Loin de faire l'apologie de la prostitution, elle en révèle les aspects noirs et pathétiques. Au fil des clients méprisables qui défilent dans son lit, elle dénonce l'obligation pour les femmes d'être jeunes et belles pour être aimées, la peur de vieillir et d'être abandonnée. Dans l'extrait suivant, elle décrit sa relation d'amour-haine avec les autres femmes, qui ne sont jamais que des rivales dans cette course pour être la plus séduisante et la plus aimée.

Quand j'étais petite, j'étais la plus belle, je l'étais sans doute comme toutes les petites filles le sont, chacune à faire voler sa robe sous l'action de la corde à danser, j'étais parfaite dans

5 l'ignorance de ce qui m'attendait, oui, c'est à l'adolescence que ça s'est gâté, enfin il me semble, et à l'école secondaire mes copines étaient plus jolies que moi, les unes comme les

autres, elles n'ont jamais rien su de ma haine
10 de les voir ainsi plus jolies car je me suis toujours révoltée en silence, dans le confort de mes
fantasmes, dans un recoin de l'esprit où il est
possible d'être morte et vivante à la fois, d'assassiner mille fois ceux qu'on aime et de se sui-
15 cider en se représentant la consternation de la
famille, mais pourquoi s'est-elle donné la
mort, n'avons-nous pas fait tout ce que nous
avons pu, ne lui avons-nous pas tout donné et
même plus, et j'ai imaginé mille fois mes amies
20 défigurées, je les ai vues grandes brûlées,
leurs cheveux gris qui tombaient par plaques
et leurs seins dont il fallait faire l'ablation parce
qu'ils étaient rongés par le cancer, des seins
pourris, des moignons de seins qu'elles
25 devaient ensuite cacher sous leurs bras croisés,
ma haine venait à bout de ce qui tentait de
s'épanouir autour de moi, j'étais d'ailleurs
l'anorexique de l'école car il fallait bien que je
me démarque, regardez-moi disparaître et

30 voyez de quelle façon j'aime la vie, et déjà je
paradais dans mon refus de n'être plus une
enfant, de me répandre ainsi en rondeurs alors
que ma mère s'amenuisait toujours plus, alors
qu'elle ne voulait plus sortir de son lit, et si mes
35 copines m'avaient été fidèles je n'aurais jamais
souhaité leur perte, si elles m'avaient adorée au
point de laisser tomber tout le reste, si elles
m'avaient suivie comme les apôtres ont suivi
Jésus-Christ, les filets de pêche à la dérive, le
40 cœur plein de reconnaissance d'avoir été
choisies, j'aurais peut-être fait un effort pour
devenir comme elles, charnelles et bouclées,
je me serais rangée de leur côté, mais ma mai-
greur les aidait à sourire, à pencher la tête vers
45 l'arrière pour mettre leur poitrine en valeur, et
si la plupart d'entre elles n'avaient rien à faire
de ma beauté de déportée, d'autres auront tout
de même subi mon influence, elles auront
voulu perdre du poids car les petites fesses ne
50 sont-elles pas plus jolies, plus féminines, ne

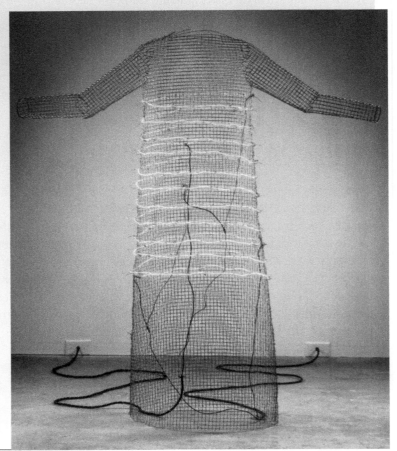

JANA STERBAK (1955).

Je veux que tu éprouves ce que je ressens... (la robe),
1984-1985. (Fil de nichrome sous tension et non isolé
monté sur grillage métallique, avec texte projeté d'une
diapositive, 144,8×121,9×45,7 cm (installation de
dimensions variables). Musée des beaux-arts du Canada.)

Jana Sterbak a créé une série de robes dont la plus
célèbre est certainement *Flesh Dress* (1987), faite de
morceaux de viande rouge cousus ensemble. Dans
ce cas comme dans celui de l'œuvre présentée ici, le
choc vient du contraste entre le matériau utilisé et le
produit fini. Objet de torture et de fascination, la robe
de grillage métallique tissée d'éléments chauffants
à une température très élevée force le spectateur à
rester loin d'elle. Cette œuvre reflète la difficile relation que la femme contemporaine entretient avec son
corps, que Nelly Arcan décrit crûment, dans *Putain*,
comme une relation malsaine, autodestructrice et
douloureuse. En s'imaginant coincé dans cette robe
brûlante, le spectateur peut faire sienne cette torture
et percevoir directement sur sa chair les contraintes
sociales qui mettent les femmes dans un tel état.

pouvaient-elles pas se priver de chocolat pendant plus de deux jours, et lorsque ces quelques-unes ont commencé à maigrir, j'ai su que j'étais perdue, qu'elles allaient me perdre,
55 j'ai su que je devais partir pour la ville car elles allaient me rejoindre là où je voulais rester seule, il ne faut pas oublier que j'ai eu faim pendant tout ce temps et voilà que j'apprenais que ça n'avait servi à rien, qu'à avoir faim, et pour-
60 quoi avoir faim alors que tout le monde peut s'affamer jusqu'à être gavé de force à l'hôpital, jusqu'à ce que le cœur s'arrête, et à ce moment-là je les ai quittées, j'ai quitté ma campagne pour m'installer en ville, j'ai voulu travailler et
65 je suis devenue putain, quelle bêtise, quelle belle suite logique d'événements, de l'anorexie à la putasserie, il n'y a qu'un pas à faire, et il fallait bien que ce soit ma bouche qui travaille encore, prendre dans ma bouche tout ce que
70 je pouvais prendre, rattraper le temps perdu, m'entourer de kilos et de queues, et n'allez pas croire qu'aujourd'hui je suis guérie, non, j'ai toujours faim, tous les jours je soupèse ce que je mange, est-ce que ceci va bien avec cela,
75 est-ce que je ne pourrais pas laisser un tiers de cette bouillie dans mon assiette, ne pas manger ce dernier tiers pour habiter mon corps d'adolescente le plus longtemps possible, ma petitesse de schtroumpfette qui aime faire
80 gonfler ses lèvres avec du silicone, les lèvres et les seins, avoir ce que ma mère n'a jamais eu,

des lèvres et des seins, et le tiers d'une assiette multiplié par trois cent soixante-cinq jours font cent vingt assiettes en moins à digérer, et ce
85 n'est pas tout car il y a l'exercice physique, il y a la gym, le centre d'entraînement où on trouve des appareils spécialement conçus pour raffermir le ventre, les fesses et les cuisses, là où se concentre plus de quatre-vingts pour cent
90 de la masse graisseuse, et je dois y aller trois fois par semaine, le lundi, le mercredi et le vendredi, un jour pour le ventre, l'autre pour les fesses et le dernier pour les cuisses, et quand je me surmène je vomis parfois dans le vestiaire,
95 ça me fait plaisir d'être malade devant les autres, je ne sais pas pourquoi, parce que la pitié est souvent préférable à l'envie, parce que devant les femmes je ne peux que rapetisser, me courber à leurs pieds pour me faire pardonner, par-
100 don, pardonnez mes offenses, pardon d'avoir été aimée, d'avoir tué, menti, mangé, et si je peux défier mes clients et mon psychanalyste de mes silences, si je peux être audacieuse et insolente avec les hommes, je suis une larve
105 devant les femmes, voilà pourquoi je n'ai pas d'amies, enfin pas vraiment, voilà pourquoi il vaut mieux les tenir à l'écart, m'entourer d'hommes et me barricader, oui, je déteste les femmes, je les déteste avec les moyens dont je
110 dispose, avec la force de ce recoin de mon esprit où je les assassine, avec mon corps qui s'incline et ma bouche qui leur demande pardon.

QUESTIONS

1 D'après ce que vous savez de la personnalité médiatique de Nelly Arcan, diriez-vous que l'auteure et la narratrice présentent davantage de ressemblances ou de différences dans l'image qu'elles projettent d'elles-mêmes ?

2 La narratrice dit qu'elle « déteste les femmes » (l. 108-109). Pourquoi ? Que leur reproche-t-elle ?

3 a) Pour la narratrice, la beauté exige son lot de sacrifices. Quels sont-ils ?

b) À propos de son passage de l'anorexie à la prostitution, elle dit : « quelle belle suite logique d'événements » (l. 65-66). Pourquoi ? Qu'y a-t-il de commun entre les deux ?

c) Pourquoi la narratrice se compare-t-elle à une schtroumpfette ?

d) Décrivez les choix stylistiques de l'auteure (la tonalité, la progression du texte, la structure des phrases, le type de vocabulaire) et expliquez l'effet créé par chacun d'eux.

4 « La narratrice est seule responsable de son malheur. » Discutez.

5 Comparez ce texte de Nelly Arcan avec celui de Ying Chen (p. 302-304). Peut-on dire que les autres femmes empêchent les narratrices d'être heureuses ?

LA LITTÉRATURE DE GENRE AU QUÉBEC

CONSIDÉRÉE (souvent à tort) comme un simple produit culturel de consommation, sans réelle valeur littéraire, la littérature dite de genre, aussi appelée littérature de masse, paralittérature ou littérature populaire, est apparue en Europe et aux États-Unis au cours du XIXᵉ siècle, à la faveur de l'industrialisation massive des pays occidentaux, pour se développer de manière fulgurante au siècle suivant et créer les genres populaires diffusés à des millions d'exemplaires que sont le roman policier, la science-fiction, le fantastique, le roman western, le roman historique et le roman sentimental. De tout temps, on a opposé les œuvres dites mineures de la littérature populaire aux œuvres classiques de la littérature dite noble. C'est ainsi que des auteurs réputés comme Stephen King, Anne Rice, Agatha Christie ou Élisabeth Vonarburg ont pendant longtemps été snobés par l'institution littéraire et la critique, laquelle ne privilégie et ne considère que les œuvres « sérieuses ».

Les fascicules et la diffusion de masse

En 1920, Jules Laroche, le premier détective de la littérature québécoise, fait son apparition dans *Le Trésor de Bigot* d'Alexandre Huot, publié par l'éditeur-libraire Édouard Garand. Il est le premier d'une longue série de limiers et d'espions célèbres dont Guy Verchères, IXE 13, Arsène Lupin créés par Paul Verchères (alias Alexandre Huot), Pierre Saurel (alias Pierre Daignault), Yves Thériault, Félix Métivier et quelques autres. Leurs exploits fictifs vont défrayer la manchette dans de petits romans en fascicules de trente-deux pages vendus à des milliers d'exemplaires pendant la Seconde Guerre mondiale et jusqu'à la fin des années 1960. Plusieurs facteurs favorisent l'éclosion de cette production de masse : l'industrialisation rapide et l'urbanisation massive, l'ouverture du Québec à la culture populaire américaine (magazines populaires, *comic books*), la rareté soudaine du livre européen et francophone.

Dans ces fascicules hebdomadaires, imprimés sur du papier bon marché, on trouve des émules et des imitateurs d'Arsène Lupin ou de Sherlock Holmes, des aventuriers, des justiciers, de grands criminels et des cerveaux diaboliques, des espions en tous genres, des policiers et des détectives privés, des demoiselles en détresse, des amours passionnées et tous ces thèmes essentiels de la littérature populaire que sont l'amour, la haine, la vengeance, le danger et une fin heureuse ! Cette forme de publication va cependant disparaître au début des années 1970 avec l'apparition du livre de poche qui rend accessibles les traductions de polars anglo-saxons de grands auteurs comme Agatha Christie, Raymond Chandler, Rex Stout et d'autres, ainsi que les œuvres majeures de la science-fiction américaine.

Les temps modernes

Après la disparition des fascicules, le roman policier stagne et ce sont plutôt les genres dits de l'imaginaire (science-fiction et fantastique) qui vont s'imposer. Jusqu'au début des années 1970, le fantastique et la science-fiction sont pratiqués par des écrivains non spécialisés comme Yves Thériault (*Si la bombe m'était contée*, 1962 ; *Le Haut-Pays*, 1973), Maurice Gagnon (*Les Tours de Babylone*, 1972), Jacques Benoit (*Les Princes*, 1973) ou Jacques Brossard (*Les Métamorfaux*, 1974). Les premières œuvres du dramaturge Michel Tremblay sont des contes et un roman fantastiques : *Contes pour buveurs attardés* (1966) et *La Cité dans l'œuf* (1969). En septembre 1974 paraît le premier numéro de *Requiem* qui deviendra *Solaris* en 1979. À ce jour, cette revue aura permis à de nombreux auteurs de faire leurs débuts. Lancée en 2001, *Alibis* publie de la littérature policière. Ces revues sont essentielles pour la promotion et la diffusion de ces genres littéraires.

Au début de ce siècle, la littérature dite de genre s'est imposée au Québec grâce à des maisons d'édition qui se sont donné pour vocation de publier la littérature populaire d'ici. Même si leur thématique est universelle (le crime, le futur, l'histoire, l'utopie, le surnaturel, etc.), la plupart de ces œuvres ont la particularité de proposer dans une écriture et un style particuliers des intrigues dont l'action se passe au Québec. Fondées en 1996, les éditions Alire ont publié en format de poche les *best-sellers* d'espionnage de Jean-Jacques Pelletier, les thrillers d'horreur de Patrick Senécal, des romans policiers et des récits de science-fiction. Les éditions La Veuve noire leur ont emboîté le pas, tandis que les romans historiques de Chrystine Brouillet, publiés à la Courte Échelle ou ailleurs, apparaissent régulièrement dans le palmarès des meilleures ventes. Même le cinéma s'intéresse à ces œuvres populaires. *Sur le seuil*, de Patrick Senécal et *La Peau blanche*, un roman fantastique de Joël Champetier, ont été adaptés pour le grand écran avec un certain succès.

Élisabeth Vonarburg (1947)

Née à Paris, Élisabeth Vonarburg fait des études littéraires en France et consacre son mémoire de maîtrise au fantastique et à la science-fiction (1969). Agrégée de Lettres modernes en 1972, elle émigre au Canada en 1973. À partir de ce moment, elle amorce une brillante carrière d'écrivain spécialisé dans la science-fiction, le fantastique et la *fantasy* (donjons, dragons et magiciens). Les débuts étant difficiles, elle enseigne la littérature et la création littéraire dans plusieurs universités du Québec et travaille tour à tour comme recherchiste, animatrice, traductrice et critique littéraire. En 1974, elle collabore à la revue *Requiem*. En 1979, elle organise à Chicoutimi le premier congrès annuel de science-fiction et de fantastique Boréal et prend la direction littéraire de la revue *Solaris*. L'année suivante, elle publie *L'Œil de la nuit*, un recueil de nouvelles, puis, en 1981, un premier roman *Le Silence de la cité*. Élisabeth Vonarburg a vu son travail reconnu par une vingtaine de récompenses, dont le prix Femmes et littérature décerné par le Conseil du statut de la femme, en 1998.

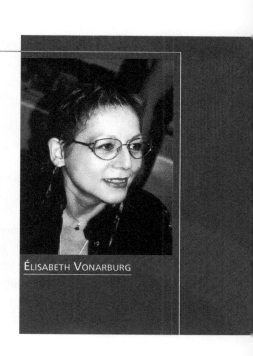

ÉLISABETH VONARBURG

■ REINE DE MÉMOIRE –
2. LE DRAGON DE FEU (2005)

Reine de mémoire est une vaste saga de fantasy historique en cinq volumes à l'intrigue complexe. Dans un univers parallèle où la magie (appelée le talent) est efficace, Jésus a eu une sœur jumelle, Sophia, qui a fondé l'église géminite. Adversaires acharnés des géminites, les Christiens refusent l'existence de Sophia et haïssent la magie. Le deuxième volet de la saga raconte les aventures mouvementées de Gilles, Le Dragon de Feu. Disgracié, celui-ci rencontre le capitaine Jakob Ehmory, un grand explorateur d'origine christienne, et son compagnon, le puissant mage Nathan Archer, lui aussi d'origine non géminite. Ils travaillent en secret pour la Royauté française et cherchent à découvrir un pays que certains disent magique, car il a disparu depuis des siècles de toutes les cartes. Dans l'extrait retenu ici, Gilles et le groupe de hardis explorateurs qui naviguent vers une destination inconnue rencontrent d'étranges créatures...

Le Dragon de Feu

Rasséréné, il aspire les odeurs de cire et de goudron qu'exhale le bateau, et les senteurs amères des embruns. La ligne verte se rapproche à l'horizon, les mâts craquent, les
5 vagues giflent la coque, les voiles vibrent, gonflées par le vent. Mais... non? Elles semblent moins tendues. Au-dessus de lui, soudain, un claquement mou, qui se répercute de mât en mât : le foc faseye, les autres voiles aussi. Le vent
10 a faibli, n'est plus qu'un souffle, s'arrête.

Au même instant, la voix d'Ehmory le retourne vers ses deux compagnons : « Qu'y a-t-il, Nathan ?

— Je ne sais », murmure le mage. Il jette un
15 rapide regard autour de lui, se perd de nouveau, revient.

« Magie ? » demande Gilles aussitôt, soudain inquiet, mais c'est stupide. Les légendes ne sont que des légendes. La magie est une, semblable
20 dans le monde entier, quelles qu'en soient les « descriptions » et les « constructions » chères à Nathan. Si puissantes et étranges soient les pratiques de ce pays interdit, sa magie devra s'Harmoniser avec la leur avant d'avoir prise sur
25 eux, et sera impuissante jusque-là. Comme la leur du reste, mais il préfère n'importe quel indigène hostile à des magiciens en furie.

« Le vent est tombé sur une zone assez étendue tout autour de nous, dit Nathan, étonné et
30 inquiet.

— Cela arrive parfois », grommelle Ghalid à la barre, d'un ton qui se veut ferme.

Pendant la période des moussons ?

« Gardez le cap, dit le capitaine. Gilles, faites
35 ferler les voiles et mettre les canots à la mer. On ramera pour retrouver le vent. Nous n'allons pas rester encalmés si près du but ! »

Gilles se penche vers le pont où le premier-maître Nodström attend au pied de la dunette,
40 la tête levée vers eux. Plusieurs matelots ont anticipé l'ordre, une main déjà agrippée dans les haubans, prêts à grimper.

« Une accalmie ordinaire, Monsieur Nodström. Faites ferler les voiles et mettre les deux longs
45 canots à la mer. Deux équipages de vingt hommes. »

Le pont se met à grouiller de soudaine activité, tandis que le bateau continue de filer sur son erre. Bientôt les voiles sont bien roulées sur
50 leurs vergues, et les deux grands canots s'éloignent à la cadence de leurs rameurs, traînant derrière eux les cordages qu'on a solidement noués aux anneaux disposés sur la coque. Une

fois les canots à environ cent cinquante pieds
du navire, les zébrures des filins redeviennent
des cordes en se soulevant hors de l'eau, puis
se tendent enfin dans une éclaboussure étincelante. Les rames continuent de s'élever et de
s'abaisser au cri régulier du maître de nage.
Gilles se rend compte, légèrement amusé,
que tous ses muscles se crispent par sympathie
au même rythme. Le navire n'a pas eu le temps
de s'immobiliser, ce qui facilite la tâche de le
garder en mouvement. Avec lenteur, mais de
façon perceptible, il continue d'avancer sur
l'océan aux longs reflets huileux.

Ils se rendent sur la dunette avant, laissant
Gonsalvès veiller à la barre.

« Quelle direction, Monsieur ? » demande
Nodström qui les a précédés, prêt à diriger les
canots au porte-voix.

Ehmory se tourne vers Archer : « Où, le vent,
Nathan ? »

Le mage a soudain l'air médusé. « Faites revenir les canots », murmure-t-il. Puis, comme
Ehmory ne réagit pas, d'une voix plus urgente :
« Faites revenir les canots ! L'accalmie se déplace
avec nous ! »

Ehmory se tourne aussitôt vers Gilles qui, sans
attendre, saisit le porte-voix du maître d'équipage et va pour donner lui-même l'ordre aux
canots de revenir au bateau.

Mais accroché dans un hauban, un matelot
pousse un cri, bientôt repris par d'autres sur le
pont : « Regardez ! Les canots, regardez ! »

La mer s'agite. Des remous s'y creusent comme
si une énorme bête marine montée des profondeurs nageait autour des embarcations en
cercles toujours plus étrécis. Aucune ombre
immense sous la surface, pourtant — mais il
est difficile de voir à travers l'eau dans les reflets
aveuglants du soleil. Les rameurs, tout à leur
effort, ne semblent s'être rendu compte de rien.

« Revenez au bateau », crie Gilles dans le
porte-voix, en essayant de garder un ton
calme, « demi-tour, revenez au bateau !

— Nathan ? dit Ehmory dans son dos.

— Je ne vois rien, répond la voix consternée
du mage, il n'y a que de l'eau ! »

Le cercle se creuse en tourbillon, à une vitesse
stupéfiante. Les rameurs ont vu leur danger,
mais la discipline a réduit au minimum le
désordre du changement de direction. Ils
rament de toutes leurs forces en marche arrière
vers *L'Hirondelle* — sans réussir à gagner sur le
vortex qui les suit, de plus en plus profond, de
plus en plus rapide. Les canots commencent à
piquer du nez par l'avant. Un matelot pousse
un cri lorsque sa rame lui est arrachée des
mains. Et un autre. Un autre encore. Les
hommes lâchent leurs rames, refluent vers l'arrière des canots. Mais, à la fois entraînées à
l'oblique du navire dans une giration à la vitesse
croissante et retenues par les cordages, les
embarcations prennent de plus en plus de gîte.
Un matelot bascule, disparaît avec un cri bref.

« Nathan ! » fait Ehmory, implorant.

Le visage convulsé, le mage a tendu les deux
mains vers les canots, mais il s'affaisse contre
la balustrade et tomberait à genoux si Gilles ne
le retenait pas.

« Je n'ai pas... de prise », dit-il d'une voix entre-
coupée, incrédule, consternée.

Les rameurs prennent leur élan et sautent à présent, dans l'espoir vain de s'accrocher aux cordages, de remonter vers le navire, d'échapper
au cercle mortel. Ils sont entraînés l'un après
l'autre dans les parois verdâtres du tourbillon,
avec des cris désespérés ou en silence. Les
autres s'agrippent en vain à des rames flottantes,
sont attirés avec elles dans le vortex. La fin
arrive très vite : presque à la verticale, les canots
disparaissent, aspirés par les profondeurs.

« Coupez les filins ! crie quelqu'un sur le pont.
Coupez les filins ! »

Le tourbillon s'élargit pour encercler le navire.

Le ciel est bleu, sans un nuage. Pas un souffle
de vent. Pas un bruit, sinon les craquements
du bateau qui continue de filer sur son erre. Les
matelots sont muets, à présent. Comme Gilles,
ils doivent contempler, les yeux exorbités, la
mer qui tourne en rond autour d'eux.

« Nathan… », murmure Ehmory d'une voix brisée.

145 Et le mage qui les a protégés depuis leur départ, des maladies, des pirates, des patrouilles, des typhons, le mage secoue la tête, livide. « Je ne sais pas ce que c'est. Jakob, *je ne sais pas ce qui se passe* ! Ce n'est rien que j'aie jamais rencon-
150 tré. Il n'y a… personne là. Mais c'est vivant ! »

Et il dit vrai, ils peuvent le voir de la dunette, la mer se transforme, la mer prend forme. Dans les replis glauques du tourbillon se matériali-
155 sent des silhouettes fugaces, dos, crêtes filamenteuses, nageoires immenses, ou des ailes, ce sont des dragons, des dragons d'eau, transparents et vitreux, mais leurs pattes d'eau griffue et leurs gueules d'eau acérée agrippent le navire dans de grands cris de bois violenté, et
160 le secouent, comme un chat une souris. Un matelot dégringole d'une vergue avec un hurlement, s'écrase sur le pont ; un autre passe par-dessus bord.

QUESTIONS

1 Quels éléments témoignent que cette histoire se passe dans un univers parallèle, un monde de *fantasy* ?

2 Quel effet (ou quelle impression) la lecture du texte provoque-t-elle au début et à la fin de l'extrait ?

3 a) Dans la première partie de l'extrait, relevez les mots ou expressions qui traduisent l'inquiétude des protagonistes.

b) Analysez la progression dramatique.

c) Relevez les mots ou expressions qui appartiennent au monde de la mer et de la navigation. Cherchez leur sens dans le dictionnaire. En quoi contribuent-ils à « l'étrangeté » du texte ?

4 Peut-on dire que cet extrait appartient à une œuvre littéraire de qualité ? Selon quels critères ?

5 Aimez-vous ce type d'œuvre littéraire ? Pourquoi ?

BENOÎT BOUTHILLETTE

Benoît Bouthillette (1967)

Benoît Bouthillette passe une enfance heureuse auprès de sa mère. Excellent élève, doué pour les sports, il étudie d'abord en sciences de la santé, puis change d'orientation et s'inscrit en lettres. Son naturel curieux et son grand amour pour la littérature et la musique transparaissent dans son premier roman truffé de références littéraires, musicales et artistiques : son tueur en série s'inspire des œuvres du peintre Francis Bacon pour accomplir des crimes horriblement cruels mais néanmoins esthétiques. De 1998 à 2000, Bouthillette est chroniqueur de disques au magazine *7 jours*. Après quoi il est embauché par un théâtre montréalais, un cadre idéal pour se consacrer à l'écriture. En 2005, il fait une entrée remarquée dans le monde du polar québécois avec son premier roman, *La Trace de l'escargot*, qui se distingue par un style singulier et percutant. C'est le premier récit d'une série mettant en scène l'inspecteur amérindien Benjamin Sioui, un flic anticonformiste, fan de Kurt Cobain. Fait plutôt rare pour une première œuvre, *La Trace de l'escargot* a valu à son auteur des critiques dithyrambiques. Il a remporté le prix Saint-Pacôme du roman policier 2006 et a été finaliste pour l'Arthur Ellis Award 2006 (catégorie « œuvre francophone »), la plus haute distinction pour un roman policier canadien. En 2006, Benoît Bouthillette a aussi remporté le prix Alibis de la nouvelle policière, pour un texte intitulé « Le Capuchon du moine ».

■ LA TRACE DE L'ESCARGOT (2005)

L'inspecteur Benjamin Sioui travaille à la section des crimes reliés à l'art. Il se voit un jour forcé de résoudre une série de meurtres horribles inspirés des tableaux du peintre britannique Francis Bacon. Véritable incarnation de l'éternel outsider, cet Amérindien d'origine, transplanté dans un Montréal hostile, livré à une tâche qu'il n'a pas choisie, acceptera l'enquête à la condition expresse de pouvoir la mener à sa façon. Écrit dans la langue du Québec d'aujourd'hui, ce roman complexe, essoufflant et étonnamment drôle nous invite à suivre le fil de la pensée du justicier dans les nombreux méandres d'une intrigue palpitante et surprenante ponctuée de nombreuses références culturelles. Dans ce polar hors normes, l'enquête policière semble être une métaphore de la quête de sens qui sous-tend l'écriture — la seule chance de déjouer la mort résidant dans l'absolue nécessité de s'y consacrer entièrement et souvent malgré soi.

Dans le chapitre intitulé « Le premier cercle de l'Enfer », Benjamin Sioui arrive sur les lieux d'un crime commis selon un rituel atroce. Dans cet extrait très représentatif du style de ce récit noir, l'auteur décrit avec réalisme la scène du meurtre, l'état de la victime et la mise en scène macabre d'un tueur fou.

« Le premier cercle de l'Enfer »

À mon bureau, fin du jour. Je prends toujours l'escalier de secours, ça m'évite les ascenseurs. J'adore le sentiment d'apesanteur en ascenseur, mais je déteste y croiser les indésirables. La soli-
5 tude me convient à merveille. Sauf quand je pense à Laetitia. Ils me font rire avec leur politically correct, je suis un Sauvage. La nature est sauvage. La civilisation est barbare. Sullivan a laissé sous ma porte les résultats de l'enquête
10 préliminaire, qu'est-ce que cela révélera, j'insère le tout dans le lecteur, avouons que la disquette possédait quand même un aspect érotique. Bon, rien d'inusité, un rituel parfaitement mené. Je prends mes messages, Alex n'a découvert
15 aucun rapport entre les lieux des crimes précédents, une église à l'abandon appartenant toujours à la communauté religieuse, un bureau sur le parquet de la Bourse appartenant à une firme de courtage sans lien décelable avec le gou-
20 vernement. Retour sur le disque dur. Je consulte les fichiers Bacon. J'avais espéré n'avoir jamais à replonger dans cette horreur. Il y a une décennie que cela dure. Le deuxième meurtre remonte à quatre ans déjà. Puis hier. Je reprends

25 tout. Puisqu'il le faut. Percer l'esprit du tueur. Si c'est toi, Pierre, je vais te débusquer à quelque part. Premier dossier, Jean-Marc Sylvain, un prêtre. Un nom prédestiné, faut croire. Prénom d'évangélistes en partant, S'il-
30 vînt, on fait pas mieux côté prophète.

Le meurtre de l'innocence. Ç'avait été un appel, du même type que la nuit dernière, laissé sur la boîte vocale de mon prédécesseur. En pleine nuit, toutes les boîtes vocales sont
35 reliées au standard qui centralise les appels. Ces simples mots, « le meurtre de l'innocence », puis une adresse. Rendus sur place, les policiers municipaux lancent un appel d'urgence, situation extraordinaire, demandons experts légistes,
40 enquêteurs. Mon prédécesseur se pointe, instantanément décontenancé. On est en présence d'une manifestation du Mal encore jamais rencontrée dans la petite histoire de la police de Montréal. La mise en scène d'un meurtre.
45 Les consignes sont claires, avant de précipiter quoi que ce soit, avant de commettre une bévue, on prévient DdF, fuck l'heure. Quand De Fontenoy se pointe, l'évidence lui saute aux

yeux. Oh putain, on dirait du Francis Bacon.
50 Autour de lui, regards ébahis, personne ne sait
de quoi il parle. Bon, têtes de miches, vous me
trouvez un type des crimes reliés à l'art, tiens,
je veux celui qui a coffré le chum de la chanteuse, là. Y'était baveux avec les journalistes,
55 j'aime ça. Ça sonne chez moi. J'étais en pleine
nuit de coke, je peignais, j'approchais la fin du
troisième quart. Le répondeur va embarquer.
Sioui, tu réponds, y a un meurtre commis dans
une ancienne église, ç'a l'air que ça fait référence
60 à du Francis Bacon, quelque chose comme ça,
j'te rappelle dans deux minutes pis t'es mieux
de t'en venir, c'est un boss qui veut t'avoir. La
délicatesse des dispatcheurs. Je me tape une
puis deux vodkas, ça va calmer le manque.

65 Absolument. Coin Sherbrooke et De Lorimier,
c'est pas un peu tard pour aller se confesser?
L'humour des chauffeurs de taxi.

Vous avez de jolies prunelles. Les premiers mots
de DdF, à qui rien n'échappe. Oui, je lui
70 réponds, c'est la dilatation de l'espace-temps.
Poignée de main franche, Dieu le Père n'effleure
pas, au contraire de ce qu'affirme le plafond de
la chapelle Sixtine. Je sens qu'on va bien s'entendre, suivez-moi. On se tasse sur son chemin,
75 j'attire tous les regards. C'était devant l'autel.
Une cage, une boîte, cubique, un cadre pour
mieux dire, deux mètres de haut, une char-
pente donc, faite de poteaux d'échafaudage,
en métal. Au centre un homme, assis sur un

FRANCIS BACON (1909-1992).
Étude d'après le portrait d'Innocent X de Velázquez, 1953. (Huile sur toile, 153×118 cm. Collection privée, Paris.)

Le peintre britannique Francis Bacon a peint dans les années 1950 une série de portraits de papes emprisonnés, dont le plus célèbre lui a été inspiré par celui que Velázquez avait fait au XVIIe siècle d'Innocent X, qui était alors l'homme le plus important du monde. Drapé dans un costume symbolisant l'autorité, assis sur un trône, ce pape incarnait une force tranquille et incontestable. Fasciné par cette « mascarade du menteur à qui son déguisement procure l'immunité », Bacon en a fait un portrait très expressif, laissant voir le côté obscur de sa puissance. Assis dans une cage en or, les mains agrippées aux accoudoirs de sa chaise, « son » pape est en train de hurler, victime d'une torture dont il est difficile d'identifier précisément la source. Cette peinture a inspiré à Benoît Bouthillette la mise en scène, dans *La Trace de l'escargot*, d'un crime qui entraînera une enquête troublante.

80 fauteuil pontifical, en chasuble, le teint livide, les mains crispées sur les bras de la chaise, les jambes arrachées, le haut de la tête explosé, la bouche maintenue ouverte par des crochets reliés au cadre par des chaînes tendues, un

85 immense cri silencieux. Sur sa tête pleut du sang. Une pompe aménagée à même la structure recueille le sang au sol et le déverse sur le mutilé. De minuscules projecteurs disposés ingénieusement illuminent en jaune les seuls

90 barreaux transversaux de la cage, placés au niveau des hanches, façon cordon policier, ou animal de zoo. Des frenelles accrochées à la chaire, en surplomb, baignent la scène d'une lumière bleutée totalement irréelle. Les couleurs

95 primaires, si on tient compte du sang.

Qu'est-ce que vous en pensez? Je suis sans mots. Ça ressemble bien à du Bacon? Oui, oui, je bafouille. C'est tout à fait conforme à l'esprit de Francis Bacon, peintre britannique mort

100 encore récemment, les célèbres études d'après le portrait du pape Innocent X. Bon, vous pouvez mettre ça en perspective? DdF insiste. Allez, jeune homme, donnez-moi du contenu. J'y vais. Une installation, manifestement, très

105 réussie, qui tient compte des lieux, éphémère. Saisissante. On ferait le même truc avec un mannequin hyperréaliste, à la Duane Hanson, ça serait limite géniale. Un véritable questionnement sur le pouvoir de l'image, sur son rap-

110 port avec le réel. La coke me rend volubile. Si l'on s'extasie devant le travail de Bacon, saisit-on la portée réelle de ses affirmations? Y a-t-il de la complaisance à supporter la représentation graphique de l'horreur? Est-ce normal de

115 se sentir apaisé devant des images qui font appel à une volonté sanguinaire de destruction? À rapprocher aussi du body art, qui utilise le corps humain comme médium, en tenant compte de ses limites, en le transformant, en

120 le déformant, avec des implants, des chirurgies, souvent à la limite du monstrueux. Je reviens sur le caractère éphémère. Sans captation filmique, cette œuvre n'aura existé que pour nous. En ce sens elle questionne l'inutilité de

125 la démarche artistique. On pourrait la retranscrire en cherchant les mots les plus justes, les plus appropriés, et tout cela deviendrait alors conceptuel, on évacue la mise en forme esthétisante. Ça se rapproche d'une démarche que

130 vous connaissez? Ça me rappelle le travail des frères Chapman, des Londoniens, ils utilisent des mannequins en résine de synthèse pour les disloquer, les fondre, ils créent des entités à la limite de l'inhumanité, truffées d'anomalies.

135 Mais je pense surtout à leurs mises en scène de décapitations, de démembrements, où là ils se font faussement réalistes, faux sang, expressions de souffrance. Voilà. Chapman, vous dites? Sullivan, vous avez tout noté? C'était la pre-

140 mière fois que je croisais le regard sombre de Sullivan. DdF me prit par l'épaule. Maintenant vous allez me dire ce que vous en pensez.

QUESTIONS

1 Quels éléments nous indiquent que le texte est rédigé comme un monologue intérieur?

2 Quel est l'effet sur le lecteur de cette narration à la première personne?

3 a) Benjamin Sioui est un enquêteur peu conformiste. Dressez un portrait du personnage, d'après ce qu'il nous révèle de lui dans son monologue intérieur.

b) La culture est omniprésente dans le roman. Comment apparaît-elle dans cet extrait? Qui sont Francis Bacon, Duane Hanson?

c) Comparez la description de la scène du crime avec la toile de Francis Bacon. Quels éléments se retrouvent dans les deux scènes?

4 La description de la scène du crime nous permet-elle de considérer ce meurtre comme une œuvre d'art?

5 Benoît Bouthillette prétend que les pensées de l'enquêteur nous font suivre en parallèle les réflexions de l'écrivain sur son propre métier: êtes-vous d'accord avec cette affirmation? Quel parallèle peut-on établir entre le travail d'un enquêteur criminel et la démarche d'un romancier?

LA CHANSON DES ANNÉES 1990

ON NE PEUT PASSER SOUS SILENCE le foisonnement de chanteurs et de groupes, tels Michel Faubert, La Bottine souriante, Les Charbonniers de l'Enfer, La Volée de Castors, qui, en ce début de XXIᵉ siècle, rivalisent d'imagination pour nous faire entendre, dans des arrangements novateurs, les chansons du folklore québécois. Le groupe Mes Aïeux, formé en 1996, s'inscrit dans cette flamboyance. En puisant dans la littérature orale des thèmes légendaires qu'ils nous servent dans un enrobage des plus contemporains, ces musiciens renouent avec les Ovila Légaré, Mary Travers, Oscar Thiffault, Jean-Paul Filion et Gilles Vigneault, ce qui témoigne à n'en pas douter de l'indubitable besoin de retourner aux sources.

Or plus le temps avance, plus la définition de l'identité québécoise se fait complexe. Le modèle économique nord-américain tend à uniformiser les sociétés, à standardiser les modèles. La population du Québec se diversifie ; elle compte aujourd'hui une bonne proportion d'habitants d'origine étrangère. Même si la « loi 101 » les amène à parler français, leur importance démographique contribue à faire de la définition traditionnelle du « Québécois pure laine » quelque chose de périmé, pour ne pas dire caricatural. La notion de Québécois est plus que jamais à redéfinir ; lorsqu'on la cherche, on bute sur des traits culturels qui se révèlent bien vite plus continentaux que nationaux. Le chansonnier Pierre Calvé n'écrivait-il pas déjà en 1973 : « Vivre en ce pays / C'est comme vivre / Aux États-Unis / La pollution / Les mêmes autos / Les mêmes patrons / Les mêmes impôts. » Était-il visionnaire ? À part la langue, y a-t-il une si grande différence entre Québec et Boston, New York et Montréal, entre la campagne du Vermont et celle de l'Estrie ? Soucieux de se distancer des standards américains, certains auteurs souhaiteraient une réponse affirmative.

RICHARD DESJARDINS

Richard Desjardins (1948)

Richard Desjardins affirme son identité québécoise dans la langue qu'il utilise : parfois dans sa manière de l'écrire et, de façon constante, dans son expression orale. Autrement dit, Desjardins sonne très québécois. Son engagement, toutefois, touche plutôt une forme de nationalisme environnemental. Dans son documentaire *L'Erreur boréale*, il plaide pour la préservation de nos ressources forestières. Dans ses textes, il accorde aussi beaucoup d'importance à la condition des autochtones. On sent constamment chez lui la recherche des valeurs fondamentales et l'aversion pour les modes factices. Dans « Le Bon Gars », il rejette le modèle américain de la réussite incarné par l'employé ambitieux qui court les cinq à sept, qui porte des vêtements griffés et qui est branché sur tout ce qui est *in*. Exaspéré par ce mode de vie qui ne lui correspond pas, le narrateur n'en peut plus et retourne s'oxygéner dans ses valeurs d'origine.

« Le Bon Gars » (1990)

Quand j'vas être un bon gars
Pas d'alcool pas d'tabac
M'as rester tranquille
M'as payer mes bills
5 J'm'en vas apprendre l'anglais
M'as l'apprendre pour le vrai

Quand m'as être un bon gars
Pas d'alcool pas d'tabac
M'as mettre des bobettes
10 M'as lire la Gazette
M'as checker les sports
M'as compter les morts

J'vas passer mon check-up
J'm'en vas faire mon ketchup
15 On va voir c'qu'on va voir
J'vas me forcer en ciboire

Quand j'vas être un bon gars
Pas d'alcool pas d'tabac
J'vas avoir l'esprit d'équipe
20 Impliqué, toute le kit
M'as cramper en masse
M'as m'tailler une place

Quand j'vas être un bon gars
Pas d'alcool pas d'tabac
25 J'vas gravir les échelons
M'as comprendre mon patron
J'vas faire semblant
Qu'y est intéressant

L'argent va rentrer
30 Pas trop trop mais steady
Ma photo laminée :
« L'employé de l'année »

Quand j'vas être un bon gars
M'en vas les inviter
35 M'en vas faire un party
Des sushis des trempettes
Amène-z-en, m'as n'en mettre
M'as m'en déboucher une
Une fois n'est pas coutume

40 Là tout l'monde vas s'mettre
Tout l'monde va s'mettre à parler

BMW CLSC TP4 IBM
TPS PME PDG IGA
OCQ OLP
45 Pis moi sur mon bord
M'as tomber dans l'fort

À onze heures et quart
J'vas les crisser dehors
M'as sauter dans mon char
50 M'as descendre à Val-d'Or

Bon ben là ça va faire
J'vas descendre en enfer
M'as flauber ma paie
M'as aller vendre des bouteilles

55 M'as rouler mon journal
M'as câler l'orignal
M'as virer su'l top
Pas d'cadran pas d'capote
M'as trouver mon nom
60 Tatoué sur son front
A va dire : Aaaaaaahhhhhhh !
Enfin un bon gars !

Après ça j'vas être un bon gars
Pas d'alcool pas d'tabac
65 M'as rester tranquille
M'as payer mes bills
J'vas apprendre l'anglais
J'vas l'apprendre pour le vrai
Sport smat and blood
70 Y vont m'aimer en Hérode
Excellent citoyen
Pas parfait, mais pas loin
M'as faire du ski d'fond
M'as manger du poisson
75 M'as m'acheter des records
De Michel Rivard
M'as faire semblant
Qu'c'est intéressant

Quand j'vas être un bon gars
80 Pas d'alcool pas d'tabac.

QUESTIONS

1 Comment Desjardins définit-il ici le « bon gars » ?

2 Quel mode de vie rejette-t-il dans ce texte ?

3 a) Quel sens donne-t-il à la réussite en décrivant les attitudes et les comportements que le bon gars consent à adopter ?

b) Relevez les termes et expressions qui appartiennent au joual. Apportent-ils de la force au texte ? Précisez comment.

4 Comment l'auteur exprime-t-il le retour à ses racines ?

5 Selon vous, le recours au joual est-il nécessaire à l'expression de l'identité québécoise ? Exposez votre position et défendez-la en vous servant de chansons que vous connaissez.

Les Colocs

C'est le Festival d'été de Québec de 1992 qui a lancé Les Colocs, qui ont fortement marqué les années 1990. Sur un fond de *rock'n roll*, de *jazz swing*, de *country* et de *blues*, ce groupe chantait des complaintes amoureuses et des textes à préoccupations socioéconomiques et planétaires. L'âme dirigeante en était le regretté André « Dédé » Fortin, qui a mis fin à ses jours en l'an 2000. Pendant leur trop brève existence, Les Colocs ont connu une popularité constante, l'attachement du public ne leur a jamais fait défaut, en dépit des nombreux départs et arrivées qui ont secoué le groupe. Les grands succès des Colocs, comme « Julie », « Juste une p'tite nuitte », « Passe-moué la puck » et « La Rue principale », sont tous signés Dédé Fortin. Dans « La Rue principale », il exprime son exaspération face au modèle américain. Aux grandes surfaces commerciales symbolisant l'américanité, il oppose le besoin de préserver le patrimoine.

ANDRÉ FORTIN

« La Rue principale » (1993)

Dans ma p'tite ville on était juste quatre mille
Pis la rue principale a s'appelait St-Cyrille
La coop, le gaz bar, la caisse pop, le croque-mort
Et le magasin général
5   Quand j'y retourne ça m'fait assez mal
Y'é tombé une bombe su'a rue principale
Depuis qu'y ont construit le centre d'achat

L'aut' jour j'ai amené ma bien-aimée
Pour y montrer où c'est que j'étais né
10   Aussitôt arrivé me v'la en beau joualvert
Ça avait l'air de Val-Jalbert
Quand j'y r'tourne ça m'fait assez mal
Y'é tombé une bombe su'a rue principale
Depuis qu'y ont construit le centre d'achat

15   Une bonne journée j'vas y retourner
Avec mon bulldozer
Pis l'centre d'achat y va passer
Un mauvais quart d'heure

Avant la v'nue du centre d'achat
20 Sur la grande rue c'était plus vivant qu'ça
Des ti-culs en bicycle, des cousines en visite
C'tait noir de monde comme en Afrique
Quand j'y r'tourne c'est pathétique
Ça va donc bien mal su'a rue principale
25 Depuis qu'y ont construit le McDonald

Une bonne journée j'vas y retourner
Avec mon bulldozer
Pis l'centre d'achat y va passer
Un mauvais quart d'heure

30 Voici Patrick Esposito

Dans ma p'tite ville y sont pu rien qu'trois mille
Pis la rue principale est devenue ben tranquille
L'épicerie est partie, le cinéma aussi
Et le motel est démoli
35 Quand j'y r'tourne ça m'fait assez mal
Y'é tombé une bombe su'a rue principale
Depuis qu'y ont construit le centre d'achat

Une bonne journée j'vas y retourner
Avec mon bulldozer
40 Pis l'centre d'achat y va passer
Un mauvais quart d'heure

Dans ma p'tite ville on était juste quatre mille
Pis la rue principale a s'appelait St-Cyrille
La coop, le gaz bar, la caisse-pop, le croque-mort
45 Et le magasin général
Quand j'y retourne ça m'fait assez mal
Y'é tombé une bombe su'a rue principale
Depuis qu'y ont construit le centre d'achat
Le centre d'achat, le centre d'achat,
50 Le centre d'achat...

QUESTIONS

1 « Ça m'fait assez mal » (l. 5, 12, 35, 46), affirme l'auteur. Relevez les passages qui font mal.

2 Définissez en quelques mots l'attitude du narrateur à l'égard des changements dans sa ville.

3 a) Quels sont les éléments que le centre d'achat a éliminés ? Que signifie leur perte ?

  b) Peut-on dire que c'est une chanson en joual ? Justifiez votre réponse par des exemples.

  c) Relevez les énumérations et expliquez leur effet.

4 À quoi pourrait ressembler le bonheur sur la rue principale sans le centre d'achat ?

5 Ce texte apparaît sans aucun doute comme une dénonciation de l'américanisation de la société. Êtes-vous d'accord avec ce constat ? Expliquez votre réponse.

Art et littérature

BOMBE À RETARDEMENT

Les photos de Edward Burtynsky présentent les faces cachées de la planète, celles dont on ignore l'existence ou que l'on ne veut pas voir. Dans une série intitulée *Manufactured Landscapes (Paysages transformés)*, il s'est intéressé à d'immenses chantiers, à des mines, à tous ces nouveaux paysages que l'homme a transformés pour répondre à ses besoins d'énergie, de production, de consommation, en un mot, à des impératifs industriels. Le gigantisme de ces paysages est d'autant plus poignant que l'homme y figure, petit, perdu, pauvre dans un environnement hostile que d'autres hommes ont créé. Il est photographié avec un sens du détail et de l'esthétique qui dérange : le spectateur, mal à l'aise, se voit en train de contempler avec émerveillement un environnement remodelé par des catastrophes écologiques ou sociales. La série de Burtynsky sur la Chine présente la réalité du travail des ouvriers qui contribuent à la croissance phénoménale de l'économie de leur pays en travaillant dans des usines aux dimensions inhumaines.

E‌DWARD B‌URTYNSKY (1955).

Manufacturing n° 17, Deda chicken processing plant, Chine, 2005. (Photographie, Studio Burtynsky.)

- ■ Trouvez la cause première des changements qui surviennent sur la rue principale dont parlent les Colocs. Quel lien faites-vous entre cette cause et la photo de Burtynsky ?
- ■ Dans ces deux œuvres, quel impact le développement économique a-t-il sur l'individu ?
- ■ D'après vous, comment le simple citoyen peut-il avoir de l'influence sur le développement industriel de la planète ?

LOCO LOCASS

Loco Locass

Si le Québec n'a pas réussi à s'affirmer comme société distincte avec Meech, il l'a fait dans les années 1990 avec la chanson, où le goût du retour aux sources s'est manifesté avec force. On n'a qu'à penser à des chansons comme « Le Bruit des origines » d'Okoumé, « La Grande Bataille » du groupe La Chicane, « Les Clefs de mon pays » de la Vesse de loup, « Mon Pays » des Cowboys Fringants, « Je me souviens » de Vilain Pingouin et « L'Odyssée du lys assoiffé d'indépendance » de Loco Locass. Véritable discours apologétique sur la langue et la culture d'ici, *Manifestif*, de ce même groupe, présente des textes dont la richesse est telle que certains analystes les ont comparés aux plus belles pages de l'Hexagone. Hommage aux artistes du Québec, cet album est aussi et surtout un plaidoyer coloré pour l'indépendance, comme on peut le constater dans la chanson « Vulgus vs Sanctus ».

« Vulgus vs Sanctus »

Calcule, spécule sur le pécule culturel Le PQ
pogne le cul de la culture qui jouit au bon
moment Oui moman, je me souviens mais
je pense à demain Car quand la contrainte
5 m'éreinte, j'l'étreins C'est qu'j'sais qu'la fin
sanctifie les moyens

Depuis 1760 la guigne nous hante, nous
suit Nous swingne sa suie Mais j'essuierai
ces cendres de glace de la face de ma race à
10 n'importe quel prix parce que comme dit le
doyen : « La fin sanctifie les moyens »

Heille Réveille ! On t'offre de faire sortir le
bateau d'la bouteille Mais quand on largue les
amarres tu restes au port Mort à l'instar d'un
15 vieux Lazarre Malgré l'histoire, j'ose croire en la
croisée des chemins Car je sais que la fin
sanctifie les moyens

J'fais des appels, des appels à la pelle Pêle-mêle
j'hèle, j'bêle à ma tribu tributaire du naguère Qui
20 s'est trop laissé taire De discuter, de pas s'buter
pis d'excuser ses aïeux Pour le peu d'efficience
dans la longue marche vers l'indépendance
Sincèrement j'pense que la fin sanctifie les moyens

T'avales de travers quand sur un reel
25 de Mary Travers Tu m'dis que l'démagogue
gigue de guingois sur son gigot d'bois
J'appelle ça les travers du *real politik* Oui

Montréal, j'subordonne mon salut
bonhomme À l'autonomi-figue mi-raisin
30   J'dirais même à mon autochtoni-plus ni
moins Car la fin sanctifie les moyens

PQ parti véhicule qui me mène à la
Mecque, mec J'oppose le vulgaire, versus
une utopie deux fois séculaire C'est tu
35   clair ? Les deux pieds dans 'matière
stercoraire J'sniffe l'éther et éternue ce
chant révolutionnaire « Aux urnes
citoyens ! » Car la fin sanctifie les moyens

Poète, pas prophète, à genoux, je nous
40   projette un projet pro-progrès Proposé
comme un prologue prometteur En dépit
de la peur, de la torpeur et des pleurs
malsains Je regarde plus loin que ma main
Car la fin sanctifie les moyens

45   C'est en chat échaudé d'avoir vu chums
choker Que j'vous chante de continuer, ti-culs
Et situez si vous êtes pour l'affranchissement,
le défrichage et le changement Ou le
marchandage achalant, le léchage, la lâcheté
50   achetée J'sais qu't'ai jeté des choix un brin
béotiens Mais la fin sanctifie les moyens

J'touche pas Dubois le déseR. D. D.érives
dérelictives Des désillusions politico-affectives
C'trop pas pour moi : ici y s'agit pas d'Algérie
55   Quand vient le jour J, j'agis Je r'mets pas à
demain parce que la fin sanctifie les moyens

Laisse faire le fric, le vote ethnique C'est toi que je
nique au mic, mec Je rappelle à ta mémoire un
certain soir Où seul dans le noir de l'isoloir Je te
60   soupçonne mon homme d'avoir eu peur du
bonhomme Référendum Rome ne s'est pas construite
en un jour j'en conviens Mais tout vient à point à qui
se souvient que la fin sanctifie les moyens

Lulu ch'us pas un fana du profane Affine ta flamme,
65   ton fanal analeptique Ton plan sceptiquement
économique Ments-nous pas, si y'a maldonne on
pardonne parce que la fin sanctifie les moyens

QUESTIONS

1 Qu'est-ce qui indique que cette chanson vise surtout un public cultivé et politisé ?

2 Avec une puissance peu commune, ce texte plaide une cause bien précise. Quelle est-elle ? N'hésitez pas à nuancer votre réponse si vous en sentez le besoin.

3 a) Ce texte compte beaucoup d'allusions. Donnez-en quelques exemples.

b) Débusquez les autres figures de style (métaphore, métonymie, périphrase, paronomase, calembour, etc.) et tentez une classification.

c) Relevez les passages qui incitent à l'engagement. Quels éléments ont un effet dynamisant sur l'auditeur ?

d) La chanson est truffée d'effets prosodiques : les assonances et allitérations fusent de toutes parts. Dépistez-en quelques-unes et montrez leur efficacité à faire passer le message.

4 Cette chanson incite-t-elle ses auditeurs à s'engager dans l'action politique ou au contraire à s'écraser ?

5 Ce texte est-il tourné vers le passé ou vers l'avenir ?

Écriture littéraire

ESSAI

Dans un texte de deux pages, à double interligne, définissez la québécitude. Que signifie être un Québécois aujourd'hui ? Pour vous aider, commencez par vous comparer au Français, à l'Anglais et à l'Américain, en notant ce que vous avez en commun avec chacun d'eux. Vous verrez ainsi si vous êtes plus près du Français, de l'Anglais ou de l'Américain. Il vous restera ensuite à trouver ce qui vous distingue, ce qui fait que vous n'êtes ni Français, ni Anglais, ni Américain. Vous découvrirez alors l'essence de votre spécificité. Appliquez-la à la culture, à l'économie, à la politique et à votre mode de vie. Vous pouvez accompagner cette démarche plutôt rationnelle d'un aspect émotif, par exemple en terminant votre court essai par un vibrant plaidoyer.

Texte écho

■ LES HEURES (1998)

de Michael Cunningham

Michael Cunningham est né en 1952 à Cincinnati, aux États-Unis. Il se fait connaître par ses romans La maison du bout du monde *(1990) et* De chair et de sang *(1995). Traduit en français en 1999,* Les Heures *a été porté à l'écran en 2003.*

Trois femmes, trois destins, trois moments qui se répondent. L'une, la romancière Virginia Woolf, peine à écrire Mrs Dalloway. L'autre, l'éditrice, Clarissa, prépare une fête pour son ami poète qui la surnomme Mrs Dalloway. La troisième, enfin, une mère de famille qui a tout pour être heureuse, mais n'y arrive pas, lit le roman de Virginia Woolf. Michael Cunningham a choisi de suivre ces femmes dans une journée de leur vie. Chacune est poussée à la limite d'elle-même : elles frôlent la folie, la crise de nerfs ou encore le suicide. Dans les divers états de conscience qu'il décrit, l'auteur tente de saisir les instants fugaces qui composent une journée et forment une vie.

Cet été-là, l'été de ses dix-huit ans, elle avait l'impression que tout pouvait arriver, absolument tout. Elle pouvait embrasser son formidable et solennel grand ami près de l'étang, ils
5 pouvaient faire l'amour avec un curieux mélange de luxure et d'innocence, et ne pas se préoccuper des implications, s'il y en avait. C'était à cause de la maison, bien sûr, pense-t-elle. Sans elle, ils seraient restés trois étudiants
10 fumant des joints et discutant des heures durant dans la résidence de Columbia. C'était à cause de la maison. De la chaîne d'événements provoqués par la rencontre fatale de la vieille tante et de l'oncle avec un camion de
15 légumes dans la banlieue de Plymouth, et l'offre des parents de Louis d'utiliser, pendant l'été, la maison soudain déserte, où la salade était encore fraîche dans le réfrigérateur, et où un chat à moitié sauvage venait réclamer, avec une
20 impatience grandissante, les restes qu'il avait toujours trouvés à la porte de la cuisine. Ce fut la maison et le temps — l'irréalité extatique de l'ensemble — qui peu ou prou transformèrent l'amitié de Richard en une forme d'amour dévor-
25 rant, et ces mêmes éléments, à dire vrai, qui amenèrent Clarissa ici, dans cette cuisine new-yorkaise, où elle marche sur de l'ardoise italienne (une erreur, elle est froide et se tache facilement), coupe des fleurs et s'efforce, avec
30 un succès relatif, de se désintéresser du fait qu'Olivier St. Ives, militant et star de cinéma déchue, ne l'ait pas invitée à déjeuner.

Ce n'était pas une trahison, avait-elle insisté ; rien qu'une extension du possible. Elle n'exi-
35 geait aucune fidélité de la part de Richard — Dieu l'en garde ! — et elle ne s'emparait en aucune façon de ce qui appartenait à Louis. Louis

ne le pensait pas non plus (ou s'il y pensait, du moins refusait-il de le reconnaître, car, en vérité,
40 était-ce un simple hasard s'il s'était si souvent blessé cet été-là, avec divers outils et couteaux de cuisine, et qu'il ait fallu deux visites successives chez le médecin du coin pour des points de suture ?). C'était en 1965 ; l'amour
45 consumé en engendrerait simplement davantage. Cela semblait possible, en tout cas. Pourquoi ne pas faire l'amour avec tout le monde, pourvu que vous en ayez envie et qu'ils aient envie de vous ? Richard continua donc
50 avec Louis, puis se tourna vers elle, et tout se passa bien, vraiment bien. Non que le sexe et l'amour fussent sans complication. Les tentatives de Clarissa avec Louis, par exemple, furent des échecs complets. Il n'était pas attiré par elle,
55 ni elle par lui, en dépit de sa fameuse beauté. Ils aimaient tous les deux Richard, ils désiraient tous les deux Richard, et cela devait leur tenir lieu de lien. Tout le monde n'était pas censé coucher avec tout le monde, après tout, et ils
60 n'étaient pas assez naïfs pour tenter d'aller au-delà d'un échec un jour de défonce dans le lit que Louis partagerait, pour le restant de l'été, avec Richard, les nuits où Richard n'était pas avec Clarissa.

65 Combien de fois depuis s'était-elle demandé ce qui serait arrivé si elle avait essayé de rester avec lui ; si elle avait rendu à Richard son baiser au coin de Bleeker et de MacDougal, si elle était partie quelque part (où ?) avec lui, n'avait jamais
70 acheté le sachet d'encens ou le manteau d'alpaga aux boutons en forme de rose. Auraient-ils pu découvrir quelque chose... de plus grand et de plus étrange que ce qu'ils avaient ? Cet autre futur, ce futur rejeté, on ne peut l'imaginer

75 qu'en Italie ou en France, dans de grandes chambres ensoleillées et au milieu de jardins ; peuplé d'infidélités et de durs affrontements ; une vaste et longue histoire d'amour reposant sur une amitié si brûlante et profonde qu'elle

80 les accompagnerait jusqu'à la tombe et au-delà. Elle aurait pu, pense-t-elle, entrer dans un autre univers. Elle aurait pu avoir une vie aussi riche et dangereuse que la littérature.

Ou peut-être pas, songe Clarissa. C'est ce que

85 j'étais alors. C'est ce que je suis — une femme comme il faut dans un bel appartement, qui a une union stable et aimante, et donne une soirée. Aventurez-vous trop loin à la recherche de l'amour, se dit-elle, et vous renoncez à la

90 citoyenneté que vous vous êtes donnée. Vous finissez par aller d'un port à l'autre.

Demeure pourtant ce sentiment d'avoir laissé passer une occasion. Peut-être n'y a-t-il rien, jamais, qui puisse égaler le souvenir d'avoir été

95 jeunes ensemble. Peut-être est-ce aussi simple que cela. Richard était l'être que Clarissa aima dans sa période la plus optimiste. Richard s'était tenu près d'elle au bord d'un étang au crépuscule, en jean coupé aux genoux et san-

100 dales de caoutchouc. Richard l'avait appelée Mrs Dalloway et ils s'étaient embrassés. Sa bouche s'était ouverte à la sienne ; sa langue (excitante et terriblement familière, elle ne l'oublierait jamais) s'était introduite, timide, jusqu'à

105 ce qu'elle rencontrât la sienne. Ils s'étaient embrassés et avaient fait le tour de l'étang. Une heure après ils dîneraient, et boiraient des quantités considérables de vin. L'exemplaire du *Carnet d'or* de Clarissa reposait sur la table de

110 chevet blanche et écaillée de la chambre du grenier où elle dormait encore seule ; où Richard ne passait pas encore une nuit sur deux.

Cela ressemblait aux prémices du bonheur, et il arrive parfois à Clarissa, trente ans plus tard,

115 de ressentir un choc en pensant que *c'était* le bonheur ; que toute cette expérience tenait dans un baiser et une promenade, l'attente d'un dîner et un livre. Le dîner est aujourd'hui oublié ; Doris Lessing a depuis longtemps été

120 éclipsée par d'autres auteurs ; et même la relation sexuelle, une fois que Richard et elle en furent parvenus à ce stade, avait été fougueuse mais malhabile, insatisfaisante, plus affectueuse que passionnée. Ce qui demeure intact dans la

125 mémoire de Clarissa plus de trente ans après, c'est un baiser au crépuscule sur un carré d'herbe jaunie, et une promenade autour d'un étang à l'heure où les moustiques bourdonnent dans la lumière faiblissante. Cette perfection-là

130 subsiste, et elle est parfaite parce qu'elle semblait, à cette époque, promettre encore davantage. Dorénavant, elle sait : ce fut le moment, là, précisément. Il n'y en eut pas d'autre.

Traduit de l'américain par Anne Damour.

QUESTION

En racontant de façon mélancolique ce que Clarissa a vécu cet été-là, Michael Cunningham fait-il davantage que rapporter des faits ? Ouvre-t-il le champ des possibles comme d'autres œuvres de ce chapitre ? L'amour qui unit Clarissa et Richard rejoint-il celui dépeint par Madeleine Ouellette-Michalska et Monique Proulx ?

CLÉS POUR COMPRENDRE LES ÉCRITS DE 1980 À AUJOURD'HUI

1 Dans cette période de désaffection idéologique et politique, la désillusion est trop grande pour qu'on puisse encore nourrir les espoirs que la période précédente avait fait naître. Tout comme la population, les auteurs se détournent du social et du politique pour se tourner vers l'intériorité.

2 L'interrogation sur l'identité n'est plus politique et centrée sur l'identité des Québécois, mais personnelle. On remet en cause les grands modèles hérités de l'Histoire et de l'éducation sur lesquels on s'était appuyé jusque-là pour définir son identité : Dieu, les ancêtres, le père.

3 Dorénavant, on se demande qui on est comme homme, comme femme, comme amoureux, comme fils ou comme fille… La réflexion sur l'identité englobe les questions de la sexualité, des rapports au monde, à l'autre, à soi. On cherche à découvrir les possibilités d'être enfouies au fond de soi.

4 Les femmes attirent l'attention sur tous les oubliés de l'Histoire : les marginaux, les enfants, les étrangers, les homosexuels, les pauvres, les sans-abri, les victimes des dictatures et des guerres… Elles s'interrogent sur la distribution des rôles à l'intérieur de la famille, les relations mère-fille, père-fils, père-fille, le rapport au corps…

5 Les étrangers arrivent dans notre monde avec une autre mémoire, une autre histoire, un autre regard. Par leur qualité même d'étrangers, ils occupent un espace particulier qui les met à distance à la fois de leur terre d'origine et de leur terre d'accueil. Ils proposent une nouvelle interprétation des notions de patrie, d'exil, d'étranger et d'identité.

6 Avec le développement des moyens de communication, l'individu n'arrive plus à se replier sur lui-même. Il est envahi par les images qui lui viennent du monde et se sent interpellé, au plus intime, par les conflits interethniques, la violence qui éclate un peu partout, le sort de la planète. Le monde apparaît de plus en plus incertain, l'individu se sait fragile.

7 La littérature vit un nouvel « âge de la parole ». Ce sont les plus faibles, les oubliés, les mal-aimés que l'écrivain écoute ou qui prennent la parole. Comment être reconnu comme un être porteur de sens quand le sens autour de soi se retire ? L'écrivain se met à l'écoute de sa propre mélancolie ou de celle des autres et mesure les pertes.

BILAN DES AUTEURS ET DES ŒUVRES

MONIQUE LARUE

Avec *Les Faux Fuyants*, Monique LaRue plonge le lecteur au cœur d'une crise existentielle, non sans mettre en relief le rapport de plus en plus conflictuel, en Occident, de l'individu avec son milieu. Des enfants, jetés dans un monde qui ne leur donne pas à vivre, se sauvent de toute urgence pour échapper au vide qu'on leur laisse en héritage.

SYLVAIN TRUDEL

Avec *Le Souffle de l'harmattan*, Sylvain Trudel place le désir au cœur de la question identitaire. Comment sentir qu'on est quelqu'un quand on n'a pas été aimé ni reconnu par quelqu'un de significatif ? En donnant la parole à un enfant abandonné, il montre comment l'amitié peut nous permettre de nous remettre au monde et de nous engager pleinement dans la vie.

SERGIO KOKIS

Dans ses peintures comme dans ses écrits, Sergio Kokis sait, en fin observateur du monde, rendre compte des fractures qui marquent sa conscience et la nôtre. Avec *Le Pavillon des miroirs*, à saveur très autobiographique, il expose les contradictions de l'exilé et sa solidarité avec le peuple qui l'a accueilli et avec la condition humaine.

JEAN ROYER

Le poète n'est jamais très loin chez Jean Royer. Fidèle aux figures d'origine, à celles de la mère notamment, il privilégie l'intime à la rumeur. En homme de sentiment tourné vers les cultures du monde et le langage, il exprime dans *La Main cachée* à la fois un drame très personnel et son souci de l'autre.

MADELEINE OUELLETTE-MICHALSKA

Dans *Le Plat de lentilles*, Madeleine Ouellette-Michalska met à jour les mémoires nombreuses qui nous habitent et qui ressortent dans les moments de vulnérabilité. Elle tente de libérer les « capacités d'accueil, de création, d'ouverture » en faisant en sorte que son personnage vive l'acte d'aimer comme un retour à l'origine.

NANCY HUSTON

Nancy Huston s'intéresse beaucoup à la question des origines, d'autant plus que sa mère est partie refaire sa vie ailleurs alors qu'elle n'avait que six ans. Écrire devient donc une façon de faire face à l'incompréhensible. Dans *Lignes de faille*, elle donne la parole à des enfants de six ans que les événements forcent à sortir d'eux-mêmes, à rencontrer l'autre et à prendre la mesure du monde.

MONIQUE PROULX

Monique Proulx veut arrêter ses personnages dans leur course pour qu'ils prennent conscience en même temps que le lecteur de ce qui se trouve derrière les apparences. Dans *Homme invisible à la fenêtre*, des écorchés de l'amour font ainsi face à leurs propres contradictions tout en découvrant la fragilité des convictions sur lesquelles leur vie reposait.

MICHEL-MARC BOUCHARD

Dans *Les Feluettes*, de Bouchard, les personnages vont au devant de leurs vérités amoureuses transgressives, qui ne sont pas faciles à accepter ni pour eux-mêmes ni pour les autres.

JEAN-PAUL DAOUST

L'œuvre de Jean-Paul Daoust est celle d'un dandy amoureux qui va de par le monde à la recherche d'un feu qui toujours se donne et se dérobe. Comme Baudelaire ou Oscar Wilde, il a choisi de faire de sa vie une œuvre d'art, sur la scène ou dans ses écrits. Son livre le plus déterminant, *Les Cendres bleues*, raconte un drame très personnel qui a fait de lui l'homme qu'il est.

VICTOR-LÉVY BEAULIEU

VLB trouve dans les histoires de famille tous les éléments d'une mythologie proprement québécoise. Par ses personnages, il ne cesse de tenter de réconcilier le réel et l'imaginaire, l'absolu et les contingences.

FRED PELLERIN

Le conteur Fred Pellerin déplore qu'en s'urbanisant, la société ait mis de côté tout ce qui lui venait des villages. Aussi recueille-t-il des histoires, dont celles que sa grand-mère lui racontait, pour donner à Saint-Élie-de-Caxton une existence qui tient de la légende. Dans *Comme une odeur de muscles*, il fait de la transmission un devoir d'émerveillement.

DANY LAFERRIÈRE

En se tournant vers Haïti, son pays d'origine, Dany Laferrière dit son attachement à son enfance, d'où il tire tous les contes quotidiens qui composent ses livres. Dans *Le charme des après-midi sans fin*, il rend hommage à sa grand-mère dont il a tant reçu et par-desssus tout cette conscience de ce que le geste même de raconter peut avoir de consolateur.

HÉLÈNE MONETTE

Avec une conscience aiguë de ce qui menace les enfants, l'humanité et la planète, Hélène Monette livre, dans *Kyrie eleison*, des poèmes dans lesquels il lui est impossible de s'abandonner au lyrisme des emportements. Son poème se fait plutôt prose, « chant triste », brisé, qui « ne console personne ».

MADELEINE GAGNON

Madeleine Gagnon est poète, romancière et essayiste. Fortement engagée dans les luttes qu'ont menées les femmes et les intellectuels, elle a axé son œuvre sur les questions touchant les rapports de l'individu avec lui-même, avec les autres et avec son milieu. Dans son essai *Les Femmes et la Guerre*, elle s'est mise à l'écoute des femmes aux prises avec les discours de haine des leaders charismatiques qui les incitaient à « élever des guerriers ».

WAJDI MOUAWAD

Dans sa trilogie sur la filiation qui comprend *Incendies*, le Libanais d'origine Wajdi Mouawad explore la tragédie « des générations poursuivies par le poids du temps individuel, familial et collectif, ainsi que celle de la douleur d'un pays écorché par la guerre ». Il place ses personnages devant la tentation de reproduire la cruauté de cette « terrible machine qui les broie ».

GIL COURTEMANCHE

D'abord journaliste, Gil Courtemanche a été profondément touché par ce qu'il a vu au Rwanda. Indigné, il a voulu dénoncer, dans le roman *Un dimanche à la piscine* à *Kigali*, l'indifférence de la communauté internationale devant le génocide qui se préparait. Il a montré comment aussi bien les bourreaux que les victimes s'inscrivaient dans cette mécanique de la haine qui a accompli son œuvre de destruction.

CLAUDE BEAUSOLEIL

Claude Beausoleil est fondamentalement un poète urbain qui croit au pouvoir transformateur de la poésie. Pour lui, le poème est une façon de dire comment les villes et les livres qui en sont des métaphores le stimulent. En accordant son destin, et celui de tous les poètes, à celui de Nelligan, il fait de la poésie un acte nécessaire et contagieux.

LOUISE DUPRÉ

La venue de Louise Dupré à l'écriture coïncide avec celle des femmes au milieu des années 1970. Elle s'intéresse à la relation, toujours problématique, que la fille entretient avec sa mère, à la difficulté d'avoir accès à soi-même, aux deuils petits et grands qui parsèment une existence, ce qui ne l'empêche pas de donner leur chance aux possibilités de l'amour.

MARTINE AUDET

En se donnant un langage tourné vers l'« originaire », Martine Audet assume pleinement dans *Les Mélancolies* les différentes pertes qui jalonnent l'aventure humaine, et plus particulièrement celles relatives à l'idée de Dieu dispensateur de certitudes et de savoirs.

ANDRÉ ROY

Après s'être fait le chantre de la jeunesse, de la drague et du *new look* éternel, André Roy mesure tous les ravages de « la grande maladie ». Solidaire de tous ceux qui, autour de lui, vont un peu plus vers leur perte, ce grand solitaire amoureux visite tous les lieux de désertion, les lieux de l'amour d'abord, et accueille dans le poème leur chagrin qui est aussi le nôtre.

FRANCINE NOËL

Avec *Maryse*, Francine Noël explore avec humour le Québec des années 1970. Ses personnages féminins posent des questions cruciales : comment être femme et comment être québécoise dans notre société moderne ?

ÉLISE TURCOTTE

Dans *Le Bruit des choses vivantes*, Turcotte présente un personnage de mère moderne qui pose un regard nuancé et réaliste sur sa relation passionnelle avec sa fille. L'auteure rompt ainsi avec la tradition littéraire où la mère est soit une présence étouffante, soit une victime impuissante.

YING CHEN

Originaire de la Chine, Ying Chen offre un point de vue original sur la condition féminine. *La Mémoire de l'eau* montre à quel point les difficultés des femmes sont souvent les mêmes dans toutes les cultures et dans toutes les générations.

NELLY ARCAN

Le succès de Nelly Arcan tient autant à son pouvoir de séduction et au parfum de scandale qui flotte autour d'elle qu'à son réel talent d'écrivaine. Son roman *Putain* est le récit violent et audacieux d'une prostituée qui dénonce l'obligation pour les femmes de séduire à tout prix.

ÉLISABETH VONARBURG

Dans ses récits de science-fiction et de *fantasy*, Élisabeth Vonarburg entraîne ses lecteurs dans des mondes imaginaires, des voyages extraordinaires riches en aventures exotiques. Mais ces histoires sont autant de prétextes à réfléchir sur des thèmes modernes comme le clonage, l'eugénisme, le féminisme, l'utopie, les religions, les différences, notre attitude envers « l'autre » qu'il soit humain, extraterrestre ou mutant.

BENOÎT BOUTHILLETTE

Le premier roman de Benoît Bouthillette est un récit policier qui se démarque par l'originalité de son style et des thèmes audacieux. Bourré de références culturelles, ce récit singulier propose une réflexion sur l'art, le crime et l'écriture.

DE L'ANALYSE DE TEXTE
À LA DISSERTATION CRITIQUE

Armand Vaillancourt (1929).

Québec libre !, 1971. (Fontaine en béton, 61 × 43 × 11 m. San Francisco.)

Intègre, les pieds sur terre, Armand Vaillancourt est connu pour son engagement social et les sculptures monumentales qui servent de support à ses idées politiques. Lorsqu'il installa, en 1971, son énorme fontaine en béton à San Francisco, il y inscrivit : *Québec libre !* en grosses lettres rouges. Les blocs de béton agencés dans un semblant de désordre traduisent une prise de possession de la nature par l'homme, en pleine réorganisation de son monde. Cette façon libre, spontanée, en apparence chaotique d'organiser les matériaux de ses sculptures est en fait la manière qu'a choisie l'artiste de prendre très clairement position par rapport à une question du monde.

COMME TOUT ÉLÈVE INSCRIT au cours *Littérature québécoise*, vous avez préalablement suivi les cours *Écriture et littérature* et *Littérature et imaginaire*. Vous avez donc appris à rédiger une analyse littéraire et une dissertation explicative. On vous demande maintenant de produire une dissertation critique. Bien évidemment, les habiletés acquises précédemment vous seront d'une grande utilité. En effet, il faut d'abord être capable de noter les éléments importants d'un texte (habileté inhérente à l'analyse de texte) et de démontrer l'exactitude du point de vue imposé (ce qui relève de la dissertation explicative) avant de pouvoir porter un jugement sur une affirmation proposée (tâche demandée dans une dissertation critique).

La dissertation critique consiste à évaluer l'exactitude de l'énoncé d'un sujet de rédaction. Pour ce faire, vous devez prendre position et décider du point de vue que vous souhaitez adopter. Vous pouvez approuver, nier ou nuancer l'affirmation. Peu importe le point de vue retenu, il est primordial de convaincre le lecteur de la justesse de son choix en s'appuyant sur un système argumentatif solide et cohérent. Toute l'argumentation doit reposer sur le ou les textes à l'étude. Il n'y a donc aucune place pour les impressions personnelles ni pour les jugements de valeur.

1re ÉTAPE

COMPRENDRE L'ÉNONCÉ DE DISSERTATION ET ÉTABLIR UN TABLEAU SYNTHÈSE

La dissertation critique s'élabore à partir d'un énoncé. Quatre types d'énoncé sont possibles.

■ Énoncé d'un sujet à un seul texte.

> **Exemple** Dans son poème « L'Eau », Anne Hébert présente une image inquiétante de l'eau. Discutez.

■ Énoncé d'un sujet à deux textes sans comparaison.

> **Exemple** Peut-on dire que Louis Hémon, dans l'extrait de *Maria Chapdelaine*, et Germaine Guèvremont, dans celui du *Survenant*, valorisent l'attachement à la terre ?

■ Énoncé d'un sujet à deux textes avec comparaison.

> **Exemple** Est-il juste d'affirmer que la déception amoureuse est vécue de la même façon dans l'extrait de la pièce de théâtre *Tit-Coq* de Gratien Gélinas que dans la chanson « Gros-Pierre » de Gilles Vigneault ?

■ Énoncé posant une problématique sans référence à des œuvres précises.

> **Exemple** Diriez-vous que chez les écrivains des années 1960-1970 le bonheur se définit par la quête de l'amour ou par la recherche d'un pays à créer ?

Pour interpréter correctement l'énoncé, il faut d'abord chercher la définition des mots de l'énoncé dont on ignore ou méconnaît le sens. Ensuite, afin d'éviter la rédaction d'une dissertation qui s'éloigne du sujet ou qui ne le traite qu'en partie, on définit ses trois éléments essentiels :

■ La **consigne** vous indique la tâche que vous devez accomplir. Dans la dissertation critique, elle est parfois contenue dans un seul verbe comme *argumenter, considérer, critiquer, discuter*, etc. Parfois, il s'agit d'une question : *Peut-on dire que… ? Est-il juste d'affirmer que… ? A-t-on raison de dire que… ? Diriez-vous que… ?* Dans les deux cas, la tâche à effectuer est la même.

■ La **problématique** est le sujet qui prête à discussion. Elle suggère toujours un **point de vue**, un **jugement** sur une situation, un thème, une façon de présenter un ou des personnages, etc. Pour faire une dissertation complète, vous devez toujours vérifier si le point de vue que la problématique suggère s'applique ou non au(x) texte(s) à l'étude.

■ Les **textes** sont les œuvres ou les extraits à l'étude. En général, ils appartiennent à l'un des quatre grands genres littéraires suivants : la poésie, la narration, le théâtre ou l'essai. Parfois, le professeur peut choisir de faire lire aussi des textes de référence. Dans tous les cas, les textes sont la référence première, celle à laquelle vous devez constamment revenir pour démontrer la justesse de votre point de vue.

Lorsque les éléments essentiels de l'énoncé sont définis, vous pouvez les regrouper à l'intérieur d'un tableau qui présente de façon claire et ordonnée ce que vous devez chercher dans les textes lors de la lecture.

Exemple 1

Dans son poème « L'Eau », Anne Hébert présente une image inquiétante de l'eau. Discutez.

Consigne : Discutez.
Problématique : Anne Hébert **présente** une image inquiétante de l'eau./Anne Hébert **ne présente pas** une image inquiétante de l'eau.
Texte : « L'Eau » d'Anne Hébert.
Tableau synthèse :

Consigne	Problématique	« L'Eau »
Discutez.	Anne Hébert **présente** une image inquiétante de l'eau.	
	Anne Hébert **ne présente pas** une image inquiétante de l'eau.	

Exemple 2

Est-il juste d'affirmer que la déception amoureuse est vécue de la même façon dans l'extrait de la pièce de théâtre *Tit-Coq* de Gratien Gélinas que dans la chanson « Gros-Pierre » de Gilles Vigneault ?

Consigne : Est-il juste d'affirmer que… ?

Problématique : La déception amoureuse **est vécue** de la même façon. / La déception amoureuse **n'est pas vécue** de la même façon.

Textes : Un extrait de *Tit-Coq* de Gratien Gélinas et la chanson « Gros-Pierre » de Gilles Vigneault.

N. B. : Lorsque le sujet de dissertation implique la comparaison de deux textes, il faut d'abord analyser les textes séparément.

Tableau synthèse :

Consigne	Problématique	*Tit-Coq*	« Gros-Pierre »
Est-il juste d'affirmer que… ?	La déception amoureuse **est vécue** de la même façon.		
	La déception amoureuse **n'est pas vécue** de la même façon.		

Exemple 3

Peut-on dire que Louis Hémon, dans l'extrait de *Maria Chapdelaine*, et Germaine Guèvremont, dans celui du *Survenant*, valorisent l'attachement à la terre ?

Consigne : Peut-on dire que… ?

Problématique : Les auteurs **valorisent** l'attachement à la terre. / Les auteurs **ne valorisent pas** l'attachement à la terre.

Textes : Un extrait de *Maria Chapdelaine* de Louis Hémon et un extrait du *Survenant* de Germaine Guèvremont.

Tableau synthèse :

Consigne	Problématique	*Maria Chapdelaine*	*Le Survenant*
Peut-on dire que… ?	Les auteurs **valorisent** l'attachement à la terre.		
	Les auteurs **ne valorisent pas** l'attachement à la terre.		

Exemple 4

Diriez-vous que chez les écrivains des années 1960-1970 le bonheur se définit par la quête de l'amour ou par la recherche d'un pays à créer ?

Consigne : Diriez-vous que… ?

Problématique : Le bonheur se définit par la quête de l'amour. / Le bonheur se définit par la recherche d'un pays à créer.

Textes : Textes de référence ou textes littéraires tirés du corpus des années 1960 et 1970.

Tableau synthèse :

Consigne	Problématique	Texte A	Texte B	Texte C	Texte D
Croyez-vous que… ?	Le bonheur se définit par la quête de l'amour.				
	Le bonheur se définit par la recherche d'un pays à créer.				

ANNOTER LES TEXTES À L'ÉTUDE (REPÉRAGE) ET REMPLIR LE TABLEAU SYNTHÈSE

Lorsque l'énoncé de dissertation critique est compris et schématisé, vous devez trouver la matière qui vous permettra de développer un point de vue critique. La deuxième étape consiste donc à lire les textes à l'étude et à repérer les passages concernant les différents aspects de la problématique.

Ainsi, lors de la première lecture du texte ou des textes, on doit :

- Consulter le dictionnaire pour vérifier la signification des mots dont on ne connaît pas la définition ou des mots employés dans un sens connoté.

- Surligner, à l'aide de marqueurs de différentes couleurs, les mots et les passages qui se rapportent aux différents aspects de la problématique. On sera attentif aux éléments relatifs au contenu et à la forme des textes.

- Indiquer dans la marge si ces mots ou passages confirment (+) ou nient (–) le point de vue suggéré par la problématique. Les passages ambivalents (±) doivent également être indiqués, même si leur utilité reste à déterminer[1]. Dans la marge, écrire en un mot l'idée suggérée.

- Formuler, de façon schématique, des idées générales dans le tableau en s'inspirant des mots et des passages surlignés. Cela permet déjà d'organiser les idées et d'établir une structure du développement.

À partir de la question *Peut-on dire que Louis Hémon, dans l'extrait de* Maria Chapdelaine, *et Germaine Guèvremont, dans celui du* Survenant, *valorisent l'attachement à la terre ?*, vous pouvez faire l'exercice de repérage dans les textes puis remplir le tableau synthèse. Par la suite, vous pourrez comparer vos réponses avec le tableau qui se trouve à la suite des extraits annotés de Hémon et Guèvremont (p. 338-341). Bien évidemment, il n'est pas nécessaire d'avoir tous les éléments contenus dans le tableau qui sert d'exemple pour faire une bonne dissertation. Ce qui est important, c'est d'avoir suffisamment d'éléments pour élaborer une réponse complète et pour convaincre le lecteur de la pertinence du point de vue retenu.

« De la visite chez les Chapdelaine »

Louis Hémon (1880-1913)   **Maria Chapdelaine (1916)**

Un soir, François Paradis est de passage chez les Chapdelaine. La mère Chapdelaine discute avec lui.

La mère Chapdelaine reprit ses questions.

— Alors tu as vendu la terre quand ton père est mort, François ?

---

1. Cette façon d'annoter les textes est présentée par André Laferrière en collaboration avec André G. Turcotte dans *Vers l'épreuve uniforme de français. Comme une visite guidée*, Montréal, Modulo Éditeur, 2001.

— Oui. J'ai tout vendu. Je n'ai jamais été bien bon de la
5   terre, vous savez. Travailler dans les chantiers, faire la
chasse, gagner un peu d'argent de temps en temps à servir de guide ou à commercer avec les sauvages, ça, c'est
mon plaisir, mais gratter toujours le même morceau de
terre, d'année en année, et rester là, je n'aurais jamais pu
10 faire ça tout mon règne : il m'aurait semblé être attaché
comme un animal à un pieu.

— C'est vrai. Il y a des hommes comme cela. Samuel, par
exemple, et toi, et encore bien d'autres. On dirait que le
bois connaît des magies pour vous faire venir…

15 Elle secouait la tête en le regardant avec une curiosité
étonnée.

— Vous faire geler les membres l'hiver ; vous faire manger par les mouches tout l'été ; vivre dans une tente sur
la neige ou dans un camp plein de trous par où le vent
20 passe — vous aimez mieux cela que faire tout votre règne
tranquillement sur une belle terre, là où il y a des magasins et des maisons. Voyons, un beau morceau de terrain
planche, dans une vieille paroisse, du terrain sans une
souche ni un creux, une bonne maison chaude toute
25 tapissée en dedans, des animaux gras dans le clos ou à
l'étable — pour des gens bien gréés d'instruments et qui
ont de la santé y a-t-il rien de plus plaisant et de plus
aimable ?

François Paradis regardait le plancher sans répondre, un
30 peu honteux peut-être de ses goûts déraisonnables.

— C'est une belle vie pour ceux qui aiment la terre, dit-
il enfin, mais moi je n'aurais pas été heureux.

C'était l'éternel malentendu des deux races : les pionniers
et les sédentaires ; les paysans venus de France qui avaient
35 continué sur le sol nouveau leur idéal d'ordre et de paix
immobile, et ces autres paysans en qui le vaste pays sauvage avait réveillé un atavisme lointain de vagabondage
et d'aventure.

D'avoir entendu quinze ans durant sa mère vanter le bon-
40 heur idyllique des cultivateurs des vieilles paroisses, Maria
en était venue tout naturellement à s'imaginer qu'elle partageait ses goûts ; voici qu'elle n'en était plus aussi sûre.
Mais elle savait en tout cas qu'aucun des jeunes gens
riches de Saint-Prime, qui portaient le dimanche des
45 pelisses de drap fin à col de fourrure, n'était l'égal de
François Paradis avec ses bottes carapacées de boue et
son gilet de laine usé.

En réponse à d'autres questions il parla de ses voyages
sur la côte nord du Golfe ou bien dans le haut des

50 rivières ; il en parla simplement et avec un peu d'hésitation, ne sachant trop ce qu'il fallait dire et ce qu'il fallait taire, parce qu'il s'adressait à des gens qui vivaient
en des lieux presque pareils à ceux-là, et d'une vie
presque pareille.

« Le Grand-dieu-des-routes »

Germaine Guèvremont (1893-1968)   **Le Survenant (1945)**

De la visite arrive chez les Beauchemin et rapidement on questionne le
Survenant sur l'Acayenne, blonde présumée du père Didace Beauchemin.
Mais la conversation dérive…

Venant s'indigna :

— Des maldisances, tout ça, rien que des maldisances !
Comme de raison une étrangère, c'est une méchante : elle
est pas du pays.

5 Soudainement il sentit le besoin de détacher sa chaise du
rond familier. Pendant un an il avait pu partager leur vie,
mais il n'était pas des leurs ; il ne le serait jamais. Même
sa voix changea, plus grave, comme plus distante,
quand il commença :

10 — Vous autres…

Dans un remuement de pieds, les chaises se détassèrent.
De soi par la force des choses, l'anneau se déjoignait.

— Vous autres, vous savez pas ce que c'est d'aimer à voir
du pays, de se lever avec le jour, un beau matin, pour
15 filer fin seul, le pas léger, le cœur allège, tout son avoir
sur le dos. Non ! vous aimez mieux piétonner toujours
à la même place, pliés en deux sur vos terres de petite
grandeur, plates et cordées comme des mouchoirs de
poche. Sainte bénite, vous aurez donc jamais rien vu, de
20 votre vivant ! Si un oiseau un peu dépareillé vient à passer, vous restez en extase devant, des années de temps.
Vous parlez encore du bucéphale, oui, le plongeux à
grosse tête, là, que le père Didace a tué il y a autour de
deux ans. Quoi c'est que ça serait si vous voyiez s'avan-
25 cer devers vous, par troupeaux de milliers, les oies sauvages, blanches et frivolantes comme une neige de bourrasque ? Quand elles voyagent sur neuf milles de
longueur formant une belle anse sur le bleu du firmament, et qu'une d'elles, de dix, onze livres, épaisse de
30 flanc, s'en détache et tombe comme une roche ? Ça c'est
un vrai coup de fusil ! Si vous saviez ce que c'est de voir
du pays…

Les mots titubaient sur ses lèvres. Il était ivre, ivre de distances, ivre de départ. Une fois de plus, l'inlassable pèlerin voyait rutiler dans la coupe d'or le vin illusoire de la route, des grands espaces, des horizons, des lointains inconnus.

Comme son regard, tout le temps qu'il parlait, tendait uniquement vers la porte, chacun, à son exemple, porta la vue dessus : une porte grise, massive et basse, qui donnait sur les champs, si basse que les plus grands devaient baisser la tête pour ne pas heurter le haut de l'embrasure. Son seuil, ils l'avaient passé tant de fois et tant d'autres l'avaient passé avant eux, qu'il s'était creusé, au centre, de tous leurs pas pesants. Et la clenche centenaire, recourbée et pointue, n'en pouvait plus à force de cliqueter sous toutes sortes de mains, une humble porte de tous les jours, se parant de vertus à la parole d'un passant.

— Tout ce qu'on avait à voir, Survenant, on l'a vu, reprit dignement Pierre-Côme Provençal, mortifié dans sa personne, dans sa famille, dans sa paroisse.

Dégrisé, Venant regarda un à un, comme s'il les voyait pour la première fois, Pierre-Côme Provençal, ses quatre garçons, sa femme et ses filles, la famille Salvail, Alphonsine et Amable, puis les autres, même Angélina. Ceux du Chenal ne comprennent donc point qu'il porte à la maison un véritable respect, un respect qui va jusqu'à la crainte ? Qu'il s'est affranchi de la maison parce qu'il est incapable de supporter aucun joug, aucune contrainte ? De jour en jour, pour chacun d'eux, il devient davantage le Venant à Beauchemin. [...] Pour tout le monde il fait partie de la maison. Mais un jour, la route le reprendra ...

Pendant un bout de temps personne ne parla. On avait trop présente à l'esprit la vigueur des poings du Survenant pour oser l'affronter en un moment semblable. Mais lui lisait leurs pensées comme dans un livre ouvert. Il croyait les entendre se dire :

— Chante, beau merle, chante toujours tes chansons.

— Tu seras content seulement quand t'auras bu ton chien-de-soûl et qu'ils te ramasseront dans le fosset.

— Assommé par quelque trimpe et le visage plein de vase.

— On fera une complainte sur toi, le fou à Venant.

— Tu crèveras, comme un chien, fend-le-vent.

— Sans avoir le prêtre, sans un bout de prière ...

— Grand-dieu-des-routes !

Le Survenant, la tête haute, les domina de sa forte sta-
80 ture et dit :

— Je plains le gars qui lèverait tant soit peu le petit doigt
pour m'attaquer. Il irait revoler assez loin qu'il verrait
jamais le soleil se coucher. Personne ne peut dire qui
mourra de sa belle mort ou non. Mais quand je serai
85 arrivé sur la fin de mon règne, vous me trouverez pas au
fond des fossets, dans la vase. Cherchez plutôt en travers
de la route, au grand soleil : je serai là, les yeux au ciel,
fier comme un roi de repartir voir un dernier pays.

« De la visite chez les Chapdelaine »

Louis Hémon (1880-1913)   **Maria Chapdelaine (1916)**

*Un soir, François Paradis est de passage chez les Chapdelaine. La mère
Chapdelaine discute avec lui.*

La mère Chapdelaine reprit ses questions.

— Alors tu as vendu la terre quand ton père est mort,
François ?

— Oui. J'ai tout vendu. Je n'ai jamais été bien bon de la
5 terre, vous savez. Travailler dans les chantiers, faire la
chasse, gagner un peu d'argent de temps en temps à servir de guide ou à commercer avec les sauvages, ça, c'est
mon plaisir, mais gratter toujours le même morceau de   — vie nomade = plaisir (François)
terre, d'année en année, et rester là, je n'aurais jamais pu
10 faire ça tout mon règne : il m'aurait semblé être attaché   — terre = ennui, esclavage (François)
comme un animal à un pieu.

— C'est vrai. Il y a des hommes comme cela. Samuel,
par exemple, et toi, et encore bien d'autres. On dirait que
le bois connaît des magies pour vous faire venir...

15 Elle secouait la tête en le regardant avec une curiosité
étonnée.

— Vous faire geler les membres l'hiver ; vous faire man-
ger par les mouches tout l'été ; vivre dans une tente sur   + incompréhension de la vie nomade
la neige ou dans un camp plein de trous par où le vent   (mère)
20 passe — vous aimez mieux cela que faire tout votre règne
tranquillement sur une belle terre, là où il y a des maga-   + terre = réseau social (mère)
sins et des maisons. Voyons, un beau morceau de terrain
planche, dans une vieille paroisse, du terrain sans une
souche ni un creux, une bonne maison chaude toute   + terre = sécurité (mère)
25 tapissée en dedans, des animaux gras dans le clos ou à

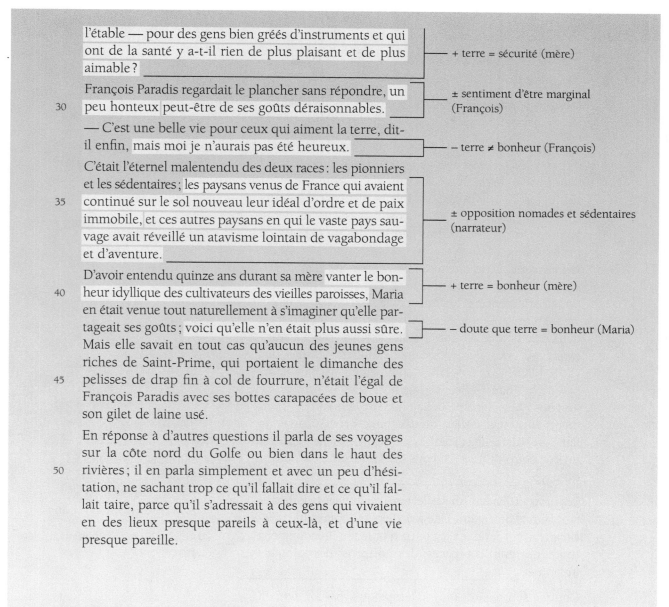

l'étable — pour des gens bien gréés d'instruments et qui ont de la santé y a-t-il rien de plus plaisant et de plus aimable ?

> + terre = sécurité (mère)

30 François Paradis regardait le plancher sans répondre, un peu honteux peut-être de ses goûts déraisonnables.

> ± sentiment d'être marginal (François)

— C'est une belle vie pour ceux qui aiment la terre, dit-il enfin, mais moi je n'aurais pas été heureux.

> – terre ≠ bonheur (François)

C'était l'éternel malentendu des deux races : les pionniers et les sédentaires ; les paysans venus de France qui avaient
35 continué sur le sol nouveau leur idéal d'ordre et de paix immobile, et ces autres paysans en qui le vaste pays sauvage avait réveillé un atavisme lointain de vagabondage et d'aventure.

> ± opposition nomades et sédentaires (narrateur)

D'avoir entendu quinze ans durant sa mère vanter le bonheur idyllique des cultivateurs des vieilles paroisses, Maria
40 en était venue tout naturellement à s'imaginer qu'elle partageait ses goûts ; voici qu'elle n'en était plus aussi sûre.

> + terre = bonheur (mère)
>
> – doute que terre = bonheur (Maria)

Mais elle savait en tout cas qu'aucun des jeunes gens riches de Saint-Prime, qui portaient le dimanche des
45 pelisses de drap fin à col de fourrure, n'était l'égal de François Paradis avec ses bottes carapacées de boue et son gilet de laine usé.

En réponse à d'autres questions il parla de ses voyages sur la côte nord du Golfe ou bien dans le haut des
50 rivières ; il en parla simplement et avec un peu d'hésitation, ne sachant trop ce qu'il fallait dire et ce qu'il fallait taire, parce qu'il s'adressait à des gens qui vivaient en des lieux presque pareils à ceux-là, et d'une vie presque pareille.

« Le Grand-dieu-des-routes »

Germaine Guèvremont (1893-1968) **Le Survenant (1945)**

De la visite arrive chez les Beauchemin et rapidement on questionne le Survenant sur l'Acayenne, blonde présumée du père Didace Beauchemin. Mais la conversation dérive…

Venant s'indigna :

— Des maldisances, tout ça, rien que des maldisances ! Comme de raison une étrangère, c'est une méchante : elle est pas du pays.

5 Soudainement il sentit le besoin de détacher sa chaise du rond familier. Pendant un an il avait pu partager leur vie, mais il n'était pas des leurs ; il ne le serait jamais. Même

sa voix changea, plus grave, comme plus distante, quand il commença :

10 — Vous autres…

Dans un remuement de pieds, les chaises se détassèrent. De soi par la force des choses, l'anneau se déjoignait.

— Vous autres, vous savez pas ce que c'est d'aimer à voir du pays, de se lever avec le jour, un beau matin, pour
15 filer fin seul, le pas léger, le cœur allège, tout son avoir sur le dos. Non ! vous aimez mieux piétonner toujours à la même place, pliés en deux sur vos terres de petite grandeur, plates et cordées comme des mouchoirs de poche. Sainte bénite, vous aurez donc jamais rien vu, de
20 votre vivant ! Si un oiseau un peu dépareillé vient à passer, vous restez en extase devant, des années de temps. Vous parlez encore du bucéphale, oui, le plongeux à grosse tête, là, que le père Didace a tué il y a autour de deux ans. Quoi c'est que ça serait si vous voyiez s'avan-
25 cer devers vous, par troupeaux de milliers, les oies sauvages, blanches et frivolantes comme une neige de bourrasque ? Quand elles voyagent sur neuf milles de longueur formant une belle anse sur le bleu du firmament, et qu'une d'elles, de dix, onze livres, épaisse de
30 flanc, s'en détache et tombe comme une roche ? Ça c'est un vrai coup de fusil ! Si vous saviez ce que c'est de voir du pays…

Les mots titubaient sur ses lèvres. Il était ivre, ivre de distances, ivre de départ. Une fois de plus, l'inlassable pèle-
35 rin voyait rutiler dans la coupe d'or le vin illusoire de la route, des grands espaces, des horizons, des lointains inconnus.

Comme son regard, tout le temps qu'il parlait, tendait uniquement vers la porte, chacun, à son exemple,
40 porta la vue dessus : une porte grise, massive et basse, qui donnait sur les champs, si basse que les plus grands devaient baisser la tête pour ne pas heurter le haut de l'embrasure. Son seuil, ils l'avaient passé tant de fois et tant d'autres l'avaient passé avant eux, qu'il s'était
45 creusé, au centre, de tous leurs pas pesants. Et la clenche centenaire, recourbée et pointue, n'en pouvait plus à force de cliqueter sous toutes sortes de mains, une humble porte de tous les jours, se parant de vertus à la parole d'un passant.

50 — Tout ce qu'on avait à voir, Survenant, on l'a vu, reprit dignement Pierre-Côme Provençal, mortifié dans sa personne, dans sa famille, dans sa paroisse.

Annotations en marge :

– terre ≠ liberté (Survenant)

– terre = routine (Survenant)

– ignorance des paysans (Survenant)

– connaissance des nomades (Survenant)

± attrait, illusion liés au nomadisme (narrateur)

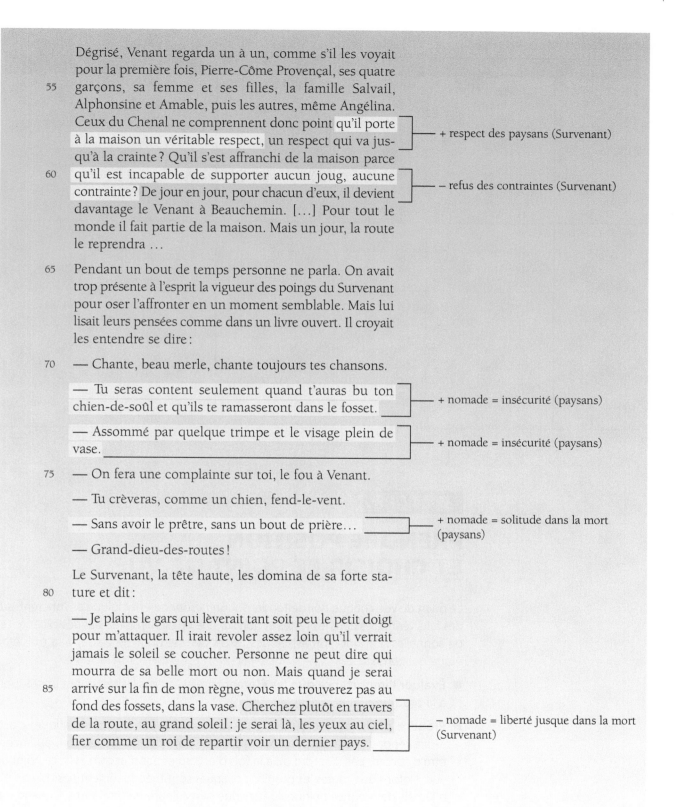

Dégrisé, Venant regarda un à un, comme s'il les voyait pour la première fois, Pierre-Côme Provençal, ses quatre
55 garçons, sa femme et ses filles, la famille Salvail, Alphonsine et Amable, puis les autres, même Angélina. Ceux du Chenal ne comprennent donc point qu'il porte à la maison un véritable respect, un respect qui va jusqu'à la crainte ? Qu'il s'est affranchi de la maison parce
60 qu'il est incapable de supporter aucun joug, aucune contrainte ? De jour en jour, pour chacun d'eux, il devient davantage le Venant à Beauchemin. […] Pour tout le monde il fait partie de la maison. Mais un jour, la route le reprendra …

— + respect des paysans (Survenant)

— – refus des contraintes (Survenant)

65 Pendant un bout de temps personne ne parla. On avait trop présente à l'esprit la vigueur des poings du Survenant pour oser l'affronter en un moment semblable. Mais lui lisait leurs pensées comme dans un livre ouvert. Il croyait les entendre se dire :

70 — Chante, beau merle, chante toujours tes chansons.

— Tu seras content seulement quand t'auras bu ton chien-de-soûl et qu'ils te ramasseront dans le fosset.

— + nomade = insécurité (paysans)

— Assommé par quelque trimpe et le visage plein de vase.

— + nomade = insécurité (paysans)

75 — On fera une complainte sur toi, le fou à Venant.

— Tu crèveras, comme un chien, fend-le-vent.

— Sans avoir le prêtre, sans un bout de prière…

— + nomade = solitude dans la mort (paysans)

— Grand-dieu-des-routes !

Le Survenant, la tête haute, les domina de sa forte sta-
80 ture et dit :

— Je plains le gars qui lèverait tant soit peu le petit doigt pour m'attaquer. Il irait revoler assez loin qu'il verrait jamais le soleil se coucher. Personne ne peut dire qui mourra de sa belle mort ou non. Mais quand je serai
85 arrivé sur la fin de mon règne, vous me trouverez pas au fond des fossets, dans la vase. Cherchez plutôt en travers de la route, au grand soleil : je serai là, les yeux au ciel, fier comme un roi de repartir voir un dernier pays.

— – nomade = liberté jusque dans la mort (Survenant)

Exemple de tableau synthèse :

Consigne	Problématique	« Maria Chapdelaine »	« Le Survenant »
Peut-on dire que	Les auteurs **valorisent** l'attachement à la terre.	Pour la mère, la terre procure : • un sentiment d'appartenance (l. 17 et suivantes, opposition « nous/vous ») • un réseau social (l. 20-22) • la sécurité et le confort (l. 22 et suivantes) • le bonheur (l. 39-40)	Pour tous les personnages sauf Venant, il n'y a point de salut hors de la terre. Cela ne peut qu'apporter : • l'insécurité (l. 71-74) • la solitude jusque dans la mort (l. 77) Le Survenant respecte les paysans (l. 57-58).
Peut-on dire que	Les auteurs **ne valorisent pas** l'attachement à la terre.	Pour François, la terre représente : • la routine et l'ennui (l. 8) • l'ennui (l. 10-11) • l'emprisonnement et l'esclavage (l. 10-11) • l'absence de bonheur (l. 32) François valorise la liberté d'une vie sans contraintes (l. 5-8). Maria doute de son attachement aux valeurs liées à la terre (l. 42-45).	Pour Venant, la terre représente : • la routine et l'aliénation (l. 16-19) (opposition « vous/je »). • l'absence d'ouverture au monde, l'ignorance des paysans (l. 13-15, 20-32) (opposition « vous/je ») Il valorise la liberté jusque dans la mort (l. 84-89).

3e ÉTAPE

PRENDRE POSITION ET CHOISIR LE POINT DE VUE

Le point de vue critique doit se fonder sur un raisonnement logique et cohérent, sur des faits vérifiables dans les textes et non sur une opinion inspirée par des expériences personnelles. L'annotation avisée des textes permet donc de passer à la troisième étape qui consiste à :

■ **Évaluer l'importance que les éléments** relevés dans les textes ont par rapport à la problématique.

■ **Prendre position** face au point de vue suggéré par la problématique, c'est-à-dire répondre à la question posée par oui, par non, par oui et non, ou encore être d'accord, pas d'accord ou à la fois d'accord et pas d'accord avec ce point de vue. Notons que toutes les positions critiques sont théoriquement possibles. Il n'y a jamais de réponse unique ni attendue ni meilleure qu'une autre. Cependant, il peut toujours y avoir un bon ou un mauvais raisonnement.

■ **Énoncer un point de vue personnel** qui résout la problématique et qui justifie le choix de la position adoptée. Toute la dissertation doit converger vers le point de vue à défendre : arguments, preuves, explications, connaissances formelles et générales. Il ne faut jamais contredire le point de vue adopté.

Ainsi, en se basant sur le tableau synthèse, on peut :

■ Approuver l'affirmation.

■ Nier l'affirmation.

■ Nuancer l'affirmation.

Exemples

Approbation de l'affirmation   Il est tout à fait juste d'affirmer que, dans les textes à l'étude, les auteurs valorisent l'attachement à la terre, car pour certains personnages il s'agit du seul mode de vie possible.

Négation de l'affirmation   Il est faux de prétendre que les auteurs valorisent l'attachement à la terre, puisque tant dans l'extrait de *Maria Chapdelaine* que dans celui du *Survenant* les principaux personnages refusent ce mode de vie.

Point de vue nuancé   Il y a ici plusieurs possibilités :

• Même si, dans les extraits de *Maria Chapdelaine* et du *Survenant*, certains personnages considèrent le travail sur la terre comme le seul mode de vie possible, les protagonistes ne valorisent pas l'attachement à la terre parce qu'ils ont fait un choix différent et en sont heureux. (Prédominance d'arguments qui nient l'affirmation.)

• Même si, dans les extraits de *Maria Chapdelaine* et du *Survenant*, les protagonistes ne valorisent pas l'attachement à la terre parce qu'ils ont fait un choix différent et en sont heureux, la société qui les entoure considère le travail sur la terre comme le seul mode de vie possible. (Prédominance d'arguments qui approuvent l'affirmation.)

• Dans les extraits de *Maria Chapdelaine* et du *Survenant*, certains personnages valorisent l'attachement à la terre, alors que les protagonistes ont fait un choix différent et en sont heureux. (Même nombre d'arguments qui approuvent et qui nient l'affirmation.)

4ᵉ ÉTAPE

FAIRE LE PLAN

Le plan offre plusieurs avantages :

■ Il rend compte de la cohérence de la stratégie argumentative.

■ Il réduit le temps de rédaction en précisant où l'on va.

■ Il permet de vérifier rapidement si l'on respecte le sujet et si le raisonnement est cohérent.

Plusieurs plans sont possibles. Nous avons choisi de ne présenter que le plan démonstratif, parce qu'il s'adapte à tous les types de question. Aussi, la dissertation rédigée à partir d'un plan démonstratif présente l'avantage d'être assez concise puisque ce plan permet de ne développer qu'un seul point de vue. En classe ou à l'Épreuve, l'élève qui éprouve des difficultés avec la langue tirera profit de ce plan, car en passant moins de temps à planifier et à rédiger son texte, il pourra en consacrer davantage à une révision linguistique attentive.

Pour construire ce plan, il faut faire progresser les grandes idées qui soutiennent le point de vue adopté et répondent à la question de départ. Chaque idée devient alors un argument qu'il faudra ensuite expliquer et prouver.

À l'aide d'un surligneur, on indique dans le tableau synthèse les arguments qui serviront à appuyer le point de vue choisi.

Dans le plan démonstratif, il est possible d'adopter un point de vue unique. Par exemple, à la question sur les extraits de *Maria Chapdelaine* et du *Survenant*, à savoir si les auteurs valorisent l'attachement à la terre, l'élève peut très bien répondre oui et baser tout le développement de sa dissertation sur ce point de vue. Ainsi, le plan de son développement pourrait se lire ainsi :

Exemple

Il est vrai que Hémon et Guèvremont valorisent l'attachement à la terre parce que :

Argument 1 :   1.1   Preuve et explication
                   1.2   Preuve et explication (si nécessaire)

Argument 2 :   2.1   Preuve et explication
                   2.2   Preuve et explication (si nécessaire)

Argument 3 :   3.1   Preuve et explication
                   3.2   Preuve et explication (si nécessaire)

On peut aussi nuancer son point de vue. Par exemple, on peut démontrer que les auteurs ne valorisent pas l'attachement à la terre, même si certains personnages y sont très attachés. Dans ce cas, le plan pourrait se lire ainsi :

Exemple

Dans *Maria Chapdelaine* et *Le Survenant*, les auteurs ne valorisent généralement pas l'attachement à la terre parce que :

Argument 1 :   1.1   Preuve et explication
                   1.2   Preuve et explication (si nécessaire)

Argument 2 :   2.1   Preuve et explication
                   2.2   Preuve et explication (si nécessaire)

Cependant, ils présentent certains personnages qui sont d'accord avec le mode de vie sédentaire, à la campagne.

Argument 3 :   3.1   Preuve et explication
                   3.2   Preuve et explication (si nécessaire)

Évidemment, peu importe le point de vue privilégié, on prendra soin de choisir les arguments les plus pertinents pour convaincre le lecteur du bien-fondé de son choix. On pourra les organiser en ordre croissant (du plus fort au moins fort) ou en ordre décroissant (du moins fort au plus fort).

5e ÉTAPE

RÉDIGER

RÉDIGER LE DÉVELOPPEMENT

Le développement de la dissertation doit évidemment être structuré en paragraphes. Afin d'assurer l'unité de sens de chacun de ces derniers, le développement comportera autant de paragraphes qu'il y a d'arguments. Pour chaque paragraphe, il est préférable de présenter d'abord son argument pour ensuite le prouver et l'expliquer. Ces deux dernières parties peuvent toutefois être interverties. Il n'est pas obligatoire, mais conseillé, de clore le paragraphe par une brève phrase rappelant l'argument. Enfin, les paragraphes doivent être liés les uns aux autres par des transitions qui établissent des liens logiques entre les différents arguments.

Les arguments

Un argument est une affirmation qui justifie le point de vue, qui l'appuie. Très souvent, l'argument est introduit par un marqueur de relation (*puisque*, *parce que*, *car*, etc.) placé après le point de vue.

L'argument doit toujours être :

- **pertinent** (il doit toujours être lié à la problématique);

- **juste** (il repose sur des éléments vérifiables dans les textes à l'étude);

- **convaincant** (il sert à persuader le lecteur du bien-fondé du point de vue choisi);

- **cohérent** (il ne doit pas contredire un autre argument).

Exemple

À partir du tableau synthèse précédemment établi, on peut choisir d'adopter le point de vue suivant :

Hémon et Guèvremont ne valorisent pas l'attachement à la terre puisque :

- dans *Maria Chapdelaine*, François Paradis n'aime pas le travail de la terre parce qu'il a conscience qu'il n'est pas fait pour cette vie;

- dans *Le Survenant*, le personnage éponyme refuse les contraintes que la terre pourrait lui imposer. Il leur préfère sa liberté.

Les preuves

Une preuve est un exemple concret qu'on tire des textes à l'étude pour soutenir un argument. Elle peut être directe (une citation) ou indirecte (lorsqu'on résume, dans ses propres mots, un passage du texte).

Une bonne preuve doit être :

- **pertinente** (elle appuie l'argument, en souligne un aspect important);

- **cohérente** (elle ne contredit pas les autres preuves auxquelles elle est liée);

- **complète** (elle est compréhensible et comporte le moins possible d'éléments modifiés);

- **assez brève** (une citation trop longue dilue la preuve).

> ### Exemple
>
> Si nous poursuivons la rédaction du paragraphe de développement affirmant que Hémon et Guèvremont ne valorisent pas l'attachement à la terre, les preuves pourraient se lire ainsi :
>
> - Dans *Maria Chapdelaine*, il est clair que Hémon ne valorise pas l'attachement à la terre. D'abord, François Paradis n'aime pas le travail de la terre parce qu'il a conscience qu'il n'est pas fait pour cette vie. **Il affirme d'ailleurs à la mère Chapdelaine qu'il n'a « jamais été bien bon de la terre » (l. 4-5) et que ce travail ne l'aurait certainement pas rendu heureux** (l. 32).
>
> - Dans *Le Survenant*, Guèvremont ne valorise pas l'attachement à la terre puisque le personnage éponyme refuse les contraintes que la terre pourrait lui imposer. **Il leur préfère sa liberté. Il affirme aimer s'en aller « le pas léger, le cœur allège, tout son avoir sur le dos »** (l. 15-16).

Les explications

Il ne suffit pas de nommer l'argument ni de lui trouver des preuves dans le texte, il faut aussi l'expliquer. L'explication témoigne du raisonnement logique de l'élève.

Une bonne explication doit toujours être :

- **utile** (elle éclaire l'apport du texte cité sans paraphraser la preuve) ;
- **pertinente** (elle établit un lien logique entre l'argument et le point de vue, l'argument et les preuves, les preuves et le point de vue) ;
- **cohérente** (elle ne contredit pas les autres explications) ;
- **convaincante** (elle démontre la valeur persuasive de la preuve sans s'appuyer sur une opinion personnelle).

> ### Exemple
>
> Dans la dissertation portant sur la valorisation de l'attachement à la terre, l'explication jointe à l'argument et aux preuves reliés à chaque extrait pourrait se lire ainsi :
>
> - Dans *Maria Chapdelaine*, il est clair que Hémon ne valorise pas l'attachement à la terre. D'abord, François Paradis n'aime pas le travail de la terre parce qu'il a conscience qu'il n'est pas fait pour cette vie. Il affirme d'ailleurs à la mère Chapdelaine qu'il n'a « jamais été bien bon de la terre » (l. 4-5) et que ce travail ne l'aurait certainement pas rendu heureux (l. 32). **Il est tout de même conscient qu'il va à l'encontre des valeurs de l'époque puisqu'il n'ose pas affronter le regard de la mère de Maria qui lui vante les mérites de la campagne et qu'il se sent même « honteux » (l. 30) d'être si en marge de la société. Cependant, son besoin de liberté est trop grand pour qu'il se résigne à vivre comme ses ancêtres.**
>
> - Dans *Le Survenant*, Guèvremont ne valorise pas l'attachement à la terre puisque le personnage éponyme refuse les contraintes que la terre pourrait lui imposer. Il leur préfère sa liberté. Il affirme aimer s'en aller « le pas léger, le cœur allège, tout son avoir sur le dos » (l. 15-16). **On constate que, tant physiquement que moralement et matériellement, il ne veut s'attacher à rien ni personne. C'est pour cette raison qu'il quittera la maison des Beauchemin, malgré tout le respect qu'il a pour cette famille qui l'a accueilli.**

Les connaissances littéraires formelles et générales

Dans une dissertation critique, on doit non seulement démontrer la véracité de son point de vue par des arguments, des preuves et des explications, mais aussi témoigner de sa culture littéraire en mettant au service de sa démonstration des signes de ses connaissances littéraires formelles et générales.

Les connaissances littéraires formelles

Vous devez montrer que vous êtes capable d'établir des liens entre ce qui est dit dans le texte ou l'extrait à l'étude et la manière dont cela est dit, entre le contenu du texte et sa forme.

Les connaissances littéraires formelles dont vous vous servez doivent apporter des précisions ou des nuances utiles à l'analyse des textes et à la démonstration du point de vue. Il faut donc toujours lier les connaissances au sujet de dissertation et éviter à tout prix la « liste d'épicerie » ou l'étalage de connaissances sans lien évident avec le sujet. Une connaissance est jugée pertinente si elle contribue à faire avancer votre démonstration.

Voici quelques éléments formels auxquels vous pourrez être attentif.

- **Les procédés lexicaux :** les champs lexicaux, les connotations, les registres de langue, le vocabulaire appréciatif ou dépréciatif, etc.
- **Les procédés syntaxiques :** les types de phrase (déclarative, interrogative, négative, exclamative, impérative).
- **Les procédés de ponctuation :** l'utilisation plus ou moins grande du point d'exclamation, du point d'interrogation, des points de suspension, des virgules, etc.
- **Les procédés stylistiques :** les figures de style qui expriment l'opposition (l'antithèse, l'oxymoron), l'insistance (la répétition, le pléonasme, l'énumération), l'amplification (l'hyperbole, la gradation), l'analogie (la comparaison, la métaphore, la personnification).
- **Les tonalités :** tragique, comique, réaliste, fantastique, lyrique, ironique, etc.

Les connaissances littéraires générales

Les connaissances littéraires générales éclairent la discussion de l'extérieur. Vous devez donc préciser, autant que faire se peut, le cadre historique et social dans lequel le texte a été écrit, l'époque culturelle à laquelle il appartient, le projet de l'auteur qui l'a écrit, etc. Cependant, vous pouvez aussi établir des liens avec des champs de connaissances et de création différents, comme la psychologie, la philosophie, la peinture, la musique, le cinéma, etc.

On peut certes introduire des connaissances littéraires générales dans le développement, mais il est plus indiqué de les présenter dans l'introduction ou la conclusion. Enfin, comme les connaissances littéraires formelles, les connaissances littéraires générales doivent être utilisées pour enrichir votre texte. Elles ne doivent donc pas être plaquées, mais bien servir à la démonstration.

RÉDIGER L'INTRODUCTION ET LA CONCLUSION

L'introduction

L'introduction sert à indiquer au lecteur le sujet de la dissertation. Elle est donc là pour annoncer de quoi on va parler, ce qu'on a l'intention de dire et comment on va en parler. Elle se compose de trois parties **unies entre elles par des liens logiques** :

- **Sujet amené :** Il faut, d'entrée de jeu, solliciter l'intérêt du lecteur. Par exemple, on peut présenter brièvement les auteurs en insistant sur leurs points communs ou leurs différences ; situer le contexte historique des œuvres, etc. Il ne faut surtout pas amener le sujet en partant de trop loin ni en s'appuyant sur des considérations trop générales. C'est un des endroits privilégiés pour introduire des connaissances générales.

- **Sujet posé :** On rédige une ou deux phrases qui répondent à la question posée. Ainsi, le lecteur saura, dès le début, quel est le point de vue retenu.

- **Sujet divisé :** On rédige une ou deux phrases qui précisent quelles seront les parties du développement. Il faut éviter les formules scolaires du genre « nous verrons tous les arguments qui prouvent que mon point de vue est juste ».

Au terme de l'introduction, le lecteur devra savoir :

- quel sujet a été choisi (auteurs, œuvres, dates de publication) ;
- à quelle question précise répondra la dissertation ;
- quel est le point de vue retenu ;
- quelles seront les parties du développement.

N. B. : On rédige l'introduction à la toute fin de la rédaction de la dissertation. On sait alors avec exactitude ce dont on a parlé et ce qu'on en a dit.

La conclusion

La conclusion rappelle au lecteur les grandes lignes de la dissertation en lui précisant quelle idée d'ensemble il doit retenir. Elle expose donc les raisons qui ont justifié la réponse et se termine par une généralisation, une ouverture **liée au sujet**. Elle se compose de trois parties unies par un lien logique : rappel de la réponse, synthèse et ouverture sur une idée nouvelle.

- **Rappel de la réponse :** On répond à la question en réaffirmant le point de vue retenu.

- **Synthèse :** On fait le bilan de ce qu'on vient de développer. On rappelle donc les principaux arguments afin de montrer comment ils ont permis de répondre à la question. Il est toujours intéressant de mettre la question en perspective en l'associant à la réalité littéraire ou sociohistorique de l'époque à laquelle le texte a été écrit. C'est une bonne façon d'intégrer des connaissances littéraires générales.

- **Ouverture :** L'ouverture doit toujours être en relation avec le travail. Elle élargit la perspective de la dissertation. On peut rattacher le débat soulevé par le sujet à d'autres œuvres littéraires, à d'autres courants d'idées ou à d'autres auteurs, à un sujet philosophique ou de culture générale, à quelque grande préoccupation contemporaine, etc.

Au terme de la conclusion, le lecteur connaîtra :

- la réponse à la question posée ;
- l'explication de cette réponse ;
- une autre problématique à laquelle la question de départ pourrait être liée.

Exemple de dissertation

Le roman du terroir a marqué la littérature québécoise pendant près de cent ans. Au début, il a principalement pour but de présenter aux lecteurs une vision idéalisée de la vie paysanne, thème majeur de notre histoire littéraire. Au fil du temps, l'idéalisme s'estompe pour faire place à une vision résolument plus réaliste. Plusieurs romans contribuent à cette évolution, dont *Maria Chapdelaine* (1916) de Louis Hémon et *Le Survenant* (1945) de Germaine Guèvremont. Même si ces deux œuvres ont été publiées à près de trente ans d'intervalle, elles présentent un point commun : dans les extraits à l'étude, les auteurs ne valorisent pas l'attachement à la terre. D'une part, François Paradis et Maria Chapdelaine ne sont pas certains que leur bonheur soit associé à la vie à la campagne et, d'autre part, Le Survenant refuse le mode de vie sédentaire parce qu'il l'empêche de voir le monde et qu'il brime sa liberté.

sujet amené : connaissances générales liées à l'histoire littéraire

sujet posé

sujet divisé

Dans le premier texte, il est clair que Hémon ne valorise pas l'attachement à la terre. D'abord, François Paradis n'aime pas le travail de la terre parce qu'il a conscience qu'il n'est pas fait pour cette vie. Il affirme d'ailleurs à la mère Chapdelaine qu'il n'a « jamais été bien bon de la terre » (l. 4-5) et que ce travail ne l'aurait certainement pas rendu heureux (l. 32). Il est tout de même conscient qu'il va à l'encontre des valeurs de l'époque puisqu'il n'ose pas affronter le regard de la mère de Maria qui lui vante les mérites de la campagne et qu'il se sent même « honteux » (l. 30) d'être si en marge de la société. Cependant, son besoin de liberté est trop grand pour qu'il se résigne à vivre comme ses ancêtres. Le fait de « gratter toujours le même morceau de terre » (l. 8-9) répugne à François. Cette répugnance se fait sentir par la valeur péjorative du mot « gratter », utilisé au lieu du verbe « travailler ». Il va plus loin en se comparant à « un animal [attaché] à un pieu » (l. 10-11) lorsqu'il évoque la vie paysanne. Ce sentiment d'asservissement va assurément à l'encontre de son profond besoin de liberté.

argument

preuve 1

explication 1

preuve 2

connaissance formelle et explication 2

Ensuite, le personnage éponyme du roman de Hémon ne semble pas adhérer entièrement à la thèse agriculturiste. En effet, Maria, en digne fille de sa mère, sédentaire accomplie, n'avait jamais douté auparavant de l'endroit où se trouvait son bonheur. Cependant, « voici qu'elle n'en était plus aussi sûre » (l. 42). Le discours de François ébranle ses convictions. Le respect des traditions ancestrales semble tout à coup avoir moins d'attrait que le refus des contraintes, qu'une vie plus libre. Ainsi, Maria, par son incertitude, ne valorise pas entièrement l'attachement à la terre.

argument

preuve

explication

On retrouve sensiblement les mêmes éléments dans l'extrait du *Survenant*. Tout comme François, le Survenant a besoin de grands espaces. Son tempérament de voyageur est tout à fait à l'opposé de celui du paysan sédentaire qui mène une vie stable. Venant a besoin de bouger. On le constate par le champ lexical du mouvement lorsqu'il partage son idéal avec les visiteurs qui se trouvent chez les Beauchemin. Il parle de « se lever avec le jour » (l. 14), de « filer fin seul, le pas léger » (l. 15). Pour lui, cela est synonyme de bonheur et s'oppose à l'idéal paysan de l'époque. Le Survenant le tra-

argument

explication 1

preuve 1 ; connaissance formelle

preuve 2 ; connaissance formelle

duit d'ailleurs dans le texte par le champ lexical de l'absence de mouvement, de changement, lorsqu'il évoque le travail de la terre : « piétonner » (l. 16), « toujours » (l. 16), « la même place » (l. 16), « terres de petite grandeur » (l. 17-18). Il veut connaître le monde, aller plus loin sur la route de la connaissance et ne pas limiter son horizon à un seul lieu. On constate ce désir par l'expression « voir du pays » qui est utilisée trois fois dans l'extrait (l. 13-14, 31-32, 88). Il ne veut surtout pas ressembler un jour à ces gens qui se résignent à n'avoir « jamais rien vu de [leur] vivant » (l. 19-20).

preuve 2 ; connaissance formelle

explication 2, connaissance formelle

Toujours à l'instar de François Paradis, le Survenant refuse les contraintes que la terre pourrait lui imposer. Il leur préfère sa liberté. Il affirme aimer s'en aller « le pas léger, le cœur allège , tout son avoir sur le dos » (l. 15). On constate que, tant physiquement que moralement et matériellement, il ne veut s'attacher à rien ni personne. C'est pour cette raison qu'il quittera la maison des Beauchemin, malgré tout le respect qu'il a pour cette famille qui l'a accueilli. Il craint de s'attacher, de devenir de plus en plus « le Venant à Beauchemin » (l. 62), lui qui n'a jamais été et ne veut surtout pas être à quelqu'un puisqu'« il est incapable de supporter aucun joug, aucune contrainte ». Même au moment de sa mort, il ne pourra pas être contraint. Il préfère que l'on retrouve son cadavre sur « la route, au grand soleil » (l. 87), en homme libre et non pas en homme enfermé « au fond des fossets, dans la vase » (l. 86). Bref, le Survenant veut vivre et mourir en toute liberté.

argument

preuve 1

explication 1

preuve 2 ; explication 2

preuve 3 ; explication 3

Tout compte fait, il est faux d'affirmer que Louis Hémon et Germaine Guèvremont valorisent dans ces extraits l'attachement à la terre. Dans le premier texte, la terre apparaît comme une entrave au bonheur de François Paradis et Maria Chapdelaine doute de trouver le sien dans le maintien de la tradition rurale. Quant au deuxième texte, le Survenant a besoin de connaître le monde sans aucune contrainte, ce qui va à l'encontre de la vie paysanne. Ces œuvres montrent un changement dans les valeurs des Canadiens français. Louis Hémon est le premier auteur à oser présenter des personnages qui remettent en question l'agriculturisme. À la fin du roman, c'est toutefois cette thèse qui prévaudra, mais le doute est tout de même semé. Il sera précurseur, peut-on dire, des grands bouleversements présents dans le roman de Germaine Guèvremont, bouleversements qui annoncent la fin du mythe canadien de la vie rurale.

rappel de la réponse

synthèse

connaissances générales et ouverture

6e ÉTAPE

RÉVISER LE TEXTE

Maintenant que la dissertation est rédigée, il reste une dernière étape importante, celle de la révision linguistique. Puisque les éléments à vérifier sont tellement nombreux et différents qu'on ne peut pas prêter attention à tous les aspects à la fois, il est conseillé de faire une relecture en trois étapes.

PREMIÈRE LECTURE

Cette lecture est la plus longue. Il s'agit de vérifier l'orthographe d'usage et l'orthographe grammaticale.

- Vérifiez dans le dictionnaire l'orthographe des mots dont vous n'êtes pas certain.

- Repérez tous les mots qui pourraient avoir une double consonne et vérifiez leur orthographe si nécessaire.

- Repérez les homonymes *a/à, leur/leurs, on/ont, son/sont, ces/ses/s'est/c'est/sait, se/ce, tout/tous, d'avantage/davantage* et appliquez les trucs déjà connus.

- Prêtez attention à certains mots que l'on trouve fréquemment mal orthographiés : *faire parti (faire parti**e**), dilemne (dile**mm**e), interressant (int**é**ressant), poête (po**è**te), boulverser (boul**e**verser), oubliger (**o**bliger), dangeureux (dang**e**reux), le champs lexical (le champ lexical, pas de «s» à champ, au singulier), entre autre (entre autre**s**).*

- Vérifiez les accords verbe-sujet.

- Repérez tous les «s» en fin de mot et vérifiez si les accords sont faits ou si le «s» est justifié.

- Vérifiez tous les verbes qui se terminent par «er» ou «é» et assurez-vous qu'ils sont correctement orthographiés en appliquant le truc qui différencie ces homonymes (si l'on peut remplacer le verbe qui se termine par «er» par «bâtir» et celui qui se termine par «é» par «bâti», il n'y a pas d'erreur).

- Repérez les participes passés et vérifiez leur accord.

- Vérifiez la terminaison des participes passés qui finissent par le son «i» en les mettant mentalement au féminin (*fini/finie* et non pas *finite*).

N. B. : Cette lecture peut se faire à rebours (de droite à gauche). On évite alors d'anticiper mentalement les mots qui se suivent et l'on prête plus attention à l'orthographe.

DEUXIÈME LECTURE

Il s'agit de vérifier la syntaxe et la ponctuation.

- Essayez de relire chaque phrase comme si elle était prononcée à voix haute afin de vous assurer de sa bonne construction. Vérifiez ainsi si toutes les phrases sont construites autour d'un verbe qui leur sert d'appui.

- Vérifiez que vous n'avez pas oublié l'adverbe «ne» dans les phrases négatives.

- Vérifiez si les pronoms et les déterminants à la 3e personne renvoient clairement à des êtres ou à des idées déjà mentionnés dans le texte.

- Assurez-vous qu'il n'y a aucune virgule entre le groupe nominal sujet et le prédicat, à moins qu'elle n'encadre une apposition.

- Assurez-vous que les signes de ponctuation « », ( ), [ ] sont ouverts **et** fermés.

TROISIÈME LECTURE

Il reste à vérifier le vocabulaire. Il faut donc vous assurer :

■ qu'il n'y a pas de répétition inutile des mêmes mots ni de pléonasmes ;

■ que vous n'avez pas appelé les auteurs par leur prénom ;

■ que les genres littéraires sont correctement nommés ;

■ que le vocabulaire utilisé est juste et précis ;

■ qu'il n'y a pas d'anglicismes (par exemple, écrire *mettre l'emphase sur* au lieu de *mettre l'accent sur*, utiliser *définitivement* dans le sens de *assurément*, etc.) ;

■ que vous n'avez pas utilisé le « tu » à valeur indéfinie.

Index des auteurs

Crédits pour les textes

Crédits photographiques

Page couverture : © Succession Marcelle Ferron / SODRAC (2007).

CHAPITRE 1   p. 0, 5 : Division des archives, Université de Montréal. Fonds William-Henry-Altherton (P0060) FG00201. Jacques Cartier ; p. 7 : © Roger-Viollet ; p. 9 : Nº 34.12, photographe Jean-Guy Kérouac ; p. 10 : Samuel de Champlain, Gouverneur général du Canada, 1854. Lithographie : 50,5 x 39,2 cm (papier) ; 32,1 x 24,5 cm (image), Nº 69.524, photographe Patrick Altman ; p. 14, 15, 17, 19, 26 : Archives nationales du Canada ; p. 22 : photographe Patrick Altman ; p. 28 : © Réunion des Musées Nationaux / Art Resource, NY.

CHAPITRE 2   p. 38 : Nº 1980.3, photographe Denis Farley ; p. 44 : Musée de la civilisation, coll. du Séminaire de Québec. Albert Ferland. *Vers 1900*. Photographe Pierre Soulard, No 1993.21128 ; p. 46, 50, 60, 107, 155, 156 : Archives nationales du Canada ; p. 49 : Nº 1991.106, photographe Pierre Soulard ; p. 53, 62, 75, 132, 152 : Bibliothèque et Archives nationales du Québec ; p. 56 : Musée de la civilisation, Fonds d'archives du Séminaire de Québec. Non daté. Nº Ph1988-1777 ; p. 59 : Nº 37.54, photographe Patrick Altman ; p. 65, 79, 127 : Ville de Montréal. Gestion de documents et archives ; p. 69 : Musée de la civilisation, Fonds d'archives du Séminaire de Québec, photographe Jules-Isaïe Livernois. 1865. Nº Ph1988-0732 ; p. 71 : Nº 73.35, photographe Patrick Altman ; p. 81 : Nº 34.255, photographe Jean-Guy Kérouac ; p. 84 : © Archives familiales d'Armand de Haerne ; p. 86 : Nº 34.194, photographe Patrick Altman.

CHAPITRE 3   p. 94 : Nº 34.591, photographe Patrick Altman ; p. 99 : Société d'archives de Sagamie / BANQ ; p. 101 : © SODART 2007 ; p. 102 : © Kèro ; p. 107 : Nº 94.10, photographe Jean-Guy Kérouac ; p. 109 : Nº 1949.1005, photographe Marilyn Aitken ; p. 110 : © Université d'Ottawa ; p. 112 : Division des archives, Université de Montréal, Fonds Louis Hémon ; p. 113 : Nº 1969.4.8 ; p. 115, 129, 136, 141 : © La Presse ; p. 118 : Université d'Ottawa, Fonds Rodolphe Girard, p. 121 : Fonds Albert-Laberge ; p. 131 : Nº 74.239, photographe Patrick Altman ; p. 140 : Nº 45.41.

CHAPITRE 4   p. 162 : © Succession Paul-Émile Borduas / SODRAC (2007), Nº 1994.4, photographe Christine Guest ; p. 169 : © Succession Jean-Paul Riopelle / SODRAC (2007) ; p. 170, 184, 206 : © Kèro ; p. 173 : © Louis Monier / Gamma / PONOPRESSE ; p. 175 : © Succession Edmund Alleyn ; p. 176 : © Gilbert Duclos ; p. 181, 201, 225 : © La Presse ; p. 182 : © Fernand Leduc / SODRAC (2007), Nº A 92 572 GO 1 ; p. 188 : © Succession Alfred Pellan / SODRAC (2007), photographe Jean-François Brière ; p. 190, 218 : © Josée Lambert ; p. 192 : © Josée Lambert / Groupe VML ; p. 194 : photographe Brian Merrett ; p. 197 : © Les Éditions Sémaphore ; p. 204 : © Richard Godin / La Presse ; p. 210 : Nº A 71 129 P 1 ; p. 211 : © Michel Tremblay ; p. 215 : Archives nationales du Canada ; p. 221 : Université d'Ottawa, Fonds Livres et auteurs québécois ; p. 223 : © Succession Marcelle Ferron / SODRAC (2007) ; p. 224 : © Caroline Hayeur ; p. 228 : © Le Québec en images (10254) ; p. 229 : © SODART 2007 ; p. 231 : CORBIS ; p. 232 : © Michel Ponomareff / PONOPRESSE.

CHAPITRE 5   p. 241 : photographe Guy L'Heureux / CIAC ; p. 245, 254, 264, 266, 269, 288, 294, 297 : © Josée Lambert ; p. 248 : photographe Luc Perreault / La Presse ; p. 251 : © Eiffel / PONOPRESSE ; p. 257, 318 : © La Presse ; p. 259 : Frederic Souloy / Gamma / PONOPRESSE ; p. 261 : © Collection McMaster Museum of Art, Hamilton / courtoisie de Galerie René Blouin ; p. 262, 277 : © Martine Doyon ; p. 263 : photographe Francesco Bellomo / © SODART 2007 ; p. 271 : © Danielle Bérard ; p. 273 : © Xavier Harmel ; p. 279 : © Josée Lambert / Groupe VML ; p. 282 : © Angelo Barsetti ; p. 285 : (en haut) © Marc Séguin / SODRAC (2007), (en bas) © Dominique Thibodeau ; p. 290 : © Jean-Pierre Masse ; p. 291 : © Bertrand Carrière / Agence VU ; p. 292 : © Maryse Dubois ; p. 295 : Nº A 87 12 S 5, photographe Richard-Max Tremblay ; p. 299 : © photographe Jean-Yves Létourneau / La Presse ; p. 301 : © Tie-Ting Su ; p. 305 : © Blais-Bilinski ; p. 309 : © Nancy Vickers ; p. 314 : © Bridgeman-Giraudon / Art Resource, NY ; p. 316 : © Léopold Rousseau / Foukinik ; p. 320 : © Nicolas Metivier Gallery, Toronto & Art 45, Montréal ; p. 321 : © Michel Ponomareff / PONOPRESSE.

CHAPITRE 6   p. 330 : Armand Vaillancourt / CORBIS.